Windows XP et Internet POUR LES NULS

2e édition

Windows XP et Internet POUR LES NULS

2e édition

Andy Rathbone, John R. Levine

Windows XP et Internet pour les Nuls 2e édition

Titre de l'édition originale : Windows XP For Dummies, Internet For Dummies

Publié par Wiley Publishing, Inc.
111 River Street
Hoboken, NJ 07030-5774
USA

Edition française publiée en accord avec Wiley Publishing, Inc.

27, rue Cassette
75006 Paris - France
Tél. 01 45 49 60 00
Fax 01 45 49 60 01
E-mail : firstinfo@efirst.com
Web : www.efirst.com
ISBN : 978-2-7568-0070-7
Dépôt légal : 1er trimestre 2007

Collection dirigée par Jean-Pierre Cano
Edition : Pierre Chauvot
Maquette et mise en page : Edouard Chauvot

Imprimé en Italie

Cet ouvrage comporte des passages de Windows XP pour les Nuls 6e édition et Internet pour les Nuls 13e édition.

Sommaire

Introduction

Bienvenue dans *Windows XP et Internet Mégapoche pour les Nuls !*

Ce livre n'a pas pour but de faire de vous un pros de Windows ou un créateur de sites Internet, mais de vous proposer des informations fort utiles. Plutôt que de devenir un expert, vous apprendrez rapidement et sans peine tout ce qui est indispensable pour utiliser efficacement un PC sous Windows XP et prendre plaisir à utiliser Internet en toute sécurité.

À propos de cet ouvrage

N'essayez pas de lire ce livre d'une seule traite. Utilisez-le plutôt à la manière d'un dictionnaire ou d'une encyclopédie. Allez directement à la page contenant l'information que vous recherchez. Lisez-la attentivement, posez le livre et appliquez les directives.

Ne vous compliquez pas l'existence à mémoriser toutes les commandes de Windows XP ou de votre navigateur Internet, du genre "Sélectionnez l'option de menu dans la liste déroulante". Laissez ça aux allumés d'informatique. En fait, un pictogramme vous préviendra chaque fois qu'un élément technique apparaît dans un chapitre. Vous pourrez ainsi vous attarder pour le lire ou seulement le parcourir et aller plus loin.

Vous ne trouverez aucun jargon ésotérique dans ce livre, mais des thèmes développés en français clair et accessible, dont voici un aperçu :

- Pourquoi avoir choisi un nom aussi obscur que "Windows XP" ?
- Retrouver le fichier que vous avez enregistré ou téléchargé la veille.
- Déplacer les fenêtres à la souris.
- Obtenir que Windows XP tourne comme votre ancienne version de Windows.
- Télécharger des fichiers.
- Répondre à un courrier automatiquement.

Il n'y a rien à mémoriser et rien à apprendre par cœur. Il suffit d'aller à la bonne page, de lire quelques brèves explications et de retourner à l'ordinateur. Contrairement à d'autres livres, celui-ci vous permet de faire l'impasse sur les subtilités techniques et de ne vous en tenir qu'à l'essentiel pour que le travail soit fait.

Comment utiliser ce livre

Recherchez le sujet qui vous tourmente dans le sommaire ou dans l'index. Le sommaire indique les chapitres ainsi que les sections et leurs numéros de page. L'index recense les sujets et renvoie à la page où il en est question. Parcourez-les tous deux chaque fois que vous butez sur un point obscur ; ne lisez que ce qui est nécessaire, refermez le livre puis appliquez ce que vous venez de lire.

Si vous avez envie d'en savoir plus, lisez un peu plus loin. Vous découvrirez une foule de détails supplémentaires ainsi que quelques références croisées qui renvoient d'un sujet à un autre. Mais ne vous sentez pas obligé. Vous n'êtes pas tenu d'apprendre ce que vous ne désirez pas connaître, ou ce que vous n'avez pas le temps d'assimiler.

Si vous devez taper du texte, il apparaît sous cette forme :

```
www.vw.com
```

Dans l'exemple ci-dessus, vous tapez la chaîne de caractères www.vw.com et vous appuyez ensuite sur la touche Entrée. Taper des mots au clavier est parfois déroutant ; c'est pourquoi ces mots sont souvent accompagnés d'une petite description. Vous effectuerez ainsi la saisie dans les règles.

Chaque fois qu'un message ou une information est affiché à l'écran, il apparaît dans le livre sous la forme suivante :

```
Ceci est un message affiché à l'écran
```

Ce livre se garde bien de vous infliger des directives du genre "Pour en savoir plus, consultez votre manuel". Windows XP est d'ailleurs dépourvu de tout manuel. Vous ne trouverez pas non plus des informations concernant le fonctionnement de logiciels spécifiquement Windows comme Microsoft Office.

Enfin, gardez à l'esprit que ce livre est un *ouvrage de référence*. Il n'a pas été conçu pour faire de vous un expert, mais pour vous procurer suffisamment d'informations pour que vous n'ayez justement pas à vous coltiner un apprentissage de Windows et d'Internet.

Et à propos de vous ?

Il y a de fortes chances que vous ayez un ordinateur. Vous possédez Windows XP et vous avez une connexion Internet ou vous envisagez d'en installer une. Vous savez ce que vous voulez faire avec votre ordinateur. Le problème réside justement là : comment obtenir de l'ordinateur qu'il fasse ce que vous désirez. Vous vous êtes débrouillé d'une façon ou d'une autre, peut-être avec l'aide d'un ami ou d'un collègue de bureau qui s'y connaît en informatique. Mais peut-être n'y a-t-il personne dans le voisinage qui sache apprivoiser la bête rétive qu'est un ordinateur. C'est là qu'intervient ce livre. Il saura remplacer au pied levé l'expert cruellement absent. Gardez cependant une carte de Pokémon à portée de la main, ou des trucs à grignoter dans un tiroir, au cas où il vous faudrait quand même soudoyer quelqu'un pour vous aider.

Comment ce livre est organisé

Toutes les informations contenues dans ce livre ont été passées au crible. L'ouvrage est divisé en huit parties, divisées chacune en chapitres thématiques. De plus, chacun de ces chapitres est subdivisé en brèves sections qui révèlent tour à tour les différents et mystérieux aspects de Windows XP et d'Internet. Il vous arrivera parfois de n'avoir à lire qu'un tout petit encadré, et d'autres fois de longs passages, voire une section ou un chapitre tout entier. Tout dépend de la complexité du sujet.

Voici les grands thèmes abordés :

Première partie : À la découverte de Windows XP

Ce livre commence par les fondamentaux. Vous découvrirez comment démarrer l'ordinateur, examiner ses différents éléments et voir comment Windows XP se comporte vis-à-vis d'eux. Le premier chapitre explique tout ce que vous êtes *a priori* censé connaître sur Windows, en séparant le bon grain de l'ivraie et sans vous noyer sous des considérations techniques. Vous saurez si votre ordinateur est suffisamment costaud pour faire tourner Windows XP et, à la fin de cette partie, vous éteindrez – à regret – votre ordinateur.

Deuxième partie : Mettre Windows XP au boulot

Windows XP apparaît à l'écran rapidement, accompagné de jolies vidéos. Mais comment diable en tirer quelque chose d'*utile* ? Vous trouverez dans ces pages différentes façons de limiter l'énervante tendance ludique de Windows XP et l'obliger à balayer les allées et à faire la vaisselle.

Troisième partie : Utiliser les applications de Windows XP

Windows XP est livré avec tout un lot de logiciels gratuits, mais savoir où ils se trouvent n'est pas une mince affaire. Cette partie du livre dissèque la moelle épinière de Windows XP : l'ennuyeux écran d'accueil et les boutons Nom d'utilisateur, le gigantesque bouton Démarrer, qui occulte tout ce qui est important, et le Bureau, qui occupe l'arrière-plan.

Quatrième partie : Au secours !

Bien que l'ordinateur ne se retrouve pas à six pieds sous terre quand Windows XP se plante, ce genre d'incident est néanmoins très désagréable. Dans cette partie, vous découvrirez quelques recettes pour éviter de tels désagréments. Vous apprendrez aussi à faire appel à différents Assistants de dépannage pour tout remettre en état. Imaginez ça : un ordinateur qui se corrige de lui-même !

Cinquième partie : Internet, me voilà !

Cette partie vous explique plus en détail comment fonctionnent les ressources d'Internet les plus importantes et les plus utilisées. Pour la plupart des utilisateurs, le plus difficile est, de loin, de réaliser leur première connexion : installer les programmes nécessaires, les configurer correctement, utiliser un modem (ou plutôt une connexion haut débit) et télécharger des logiciels. Une fois ces tâches accomplies, le reste est (relativement) facile.

Sixième partie : Webmania

Dans cette partie, vous plongez dans le World Wide Web (la toile d'araignée mondiale, familièrement désignée par le raccourci *Web*). C'est la composante d'Internet qui a le plus contribué à sa popularité. Comment l'exploiter, y trouver des informations (ce qui n'est pas toujours aussi facile qu'on pourrait le penser), faire des achats en ligne, accéder à la musique et à la vidéo sur le Web, comprendre les différents aspects des réseaux *peer-to-peer*, télécharger des données à partir d'Internet. C'est tout ce que vous allez découvrir ici.

Septième partie : E-mail

Cette partie aborde le service de communication important d'Internet : le courrier électronique (e-mail) et sa sécurisation.

Huitième partie : Les dix commandements

Cette partie propose un résumé des références essentielles. Ce qui ne signifie pas que le reste du livre soit dépourvu d'intérêt !

Suivez le guide !

Attention les yeux ! Ce pictogramme vous prévient qu'une information technique vous attend au tournant. Prenez le large si vous ne tenez pas à subir un déluge de salades techniques.

Ce pictogramme signale d'intéressantes informations qui facilitent l'utilisation de l'ordinateur. Une méthode éprouvée pour empêcher, par exemple, que le chat s'endorme sur le moniteur.

Rappelez-vous ce dont il est question ici, ou cornez la page du livre à cet endroit précis afin d'y revenir par la suite.

L'ordinateur ne risquera pas d'exploser lorsque vous exécuterez les délicates tâches associées à ce pictogramme. Mais un minimum de vigilance s'impose cependant pour éviter une regrettable fausse manipulation.

Ce pictogramme pointe sur une ressource du Web que vous pouvez atteindre avec votre navigateur.

Et ensuite ?

Vous êtes maintenant paré pour passer aux choses sérieuses. Feuilletez le livre et repérez éventuellement des sections qui vous seront utiles plus tard. Rappelez-vous que c'est *votre livre*, l'arme absolue contre les illuminés qui ont concocté des ordinateurs aussi compliqués. Ne prétendez pas que vous avez passé l'âge de retourner à l'école et que vous n'y pigez rien : lisez et relisez les paragraphes qui vous semblent utiles, surlignez les concepts-clés, annotez à foison et gribouillez dans les marges, juste à côté de ce qui vous paraît obscur.

Première partie

À la découverte de Windows XP

"Julien, très honnêtement je ne crois pas qu'il soit possible d'éviter un embrasement du foin avec le Pare-feu Windows."

Dans cette partie...

La plupart des gens se retrouvent avec Windows XP sans trop avoir le choix, car leur nouvel ordinateur a probablement été livré avec ce logiciel préinstallé. Ou alors, la dernière version de leur logiciel préféré exige Windows XP, ce qui les oblige à s'y mettre.

Peu importe comment vous avez fait la connaissance de Windows XP. Vous devrez désormais vous accommoder de ce personnage un peu bizarre qui est entré dans votre vie professionnelle ou privée.

Quelle que soit la situation, cette partie du livre vous aidera à préserver votre calme et votre sérénité. Si vous n'avez jamais touché à un ordinateur, le premier chapitre répondra à la question que vous n'avez jamais osé poser à quiconque à la cantine : "Windows XP, c'est quoi au juste ?"

Chapitre 1

Windows XP, what is it ?

Dans ce chapitre :

- Comprendre ce qu'est et n'est pas Windows XP.
- Découvrir en quoi Windows XP affecte les programmes en cours.
- Définir si une mise à niveau vers Windows XP s'impose.

Pour faciliter votre entrée dans le monde de Windows, ce chapitre présente les bases de la toute nouvelle version de Windows, *Windows XP*. Il explique ce qu'est Windows XP et ce qu'il est capable de faire. Il montre aussi comment Windows XP s'accommode des logiciels que vous possédez, et qui tournaient sous les versions antérieures de Windows.

Du fait que Windows XP est préinstallé sur les nouveaux ordinateurs, ce chapitre aborde aussi la question qui taraude tout possesseur d'un ordinateur : une mise à niveau vers Windows XP en vaut-elle la peine ?

Que sont Windows et Windows XP ?

Windows n'est rien d'autre qu'un programme, comme les milliers d'autres qui s'alignent sur les linéaires des boutiques. Mais ce n'est pas un logiciel dans le sens habituel de ce terme, c'est-à-dire un outil permettant d'écrire des lettres ou de jouer avec vos collègues de bureau à *Bozark the Destroyer* sur le réseau local de l'entreprise une fois que tout le monde a quitté les lieux. En fait, Windows contrôle la manière de travailler avec l'ordinateur.

Il y a quelques années, un ordinateur ressemblait à une machine à écrire connectée à un téléviseur. L'ordinateur se contentait d'aligner à l'écran des caractères tous pareils, ce qui était mortellement ennuyeux.

Cet ennui était dû au fait que seuls les informaticiens utilisaient les ordinateurs. Le commun des mortels n'y avait pas accès. On n'en trouvait pas dans les bureaux, dans les tanières et moins encore dans les cuisines. Windows a changé tout cela de diverses manières :

- Les logiciels sous Windows prennent leurs distances avec l'analogie de la machine à écrire et adoptent un *look* informatique. Les caractères et chiffres vieillots sont remplacés par des images colorées et d'amusants boutons aussi sautillants et tape-à-l'œil qu'une cravate de chez Versace.

- Windows XP est le plus puissant des logiciels Windows produits par Microsoft ; il a fait l'objet d'un grand nombre de mises à jour depuis sa première édition, en janvier 1985. XP est l'abréviation d'*eXPerience*. Microsoft a choisi l'appellation "Windows XP" pour son côté "branché", comme si Jimi Hendrix l'avait déjà utilisée.

- En jargon de programmation, Windows est un *système d'exploitation.* Il exploite en effet l'ordinateur. D'autres logiciels indiquent à Windows ce qu'il doit faire ; il traite les commandes et les transmet à l'ordinateur.

- Windows XP a été développé d'après Windows 2000, une version un peu plus ancienne mais fort puissante, conçue pour un usage en entreprise. Il en découle que Windows XP plante bien moins souvent que Windows 98 ou Me. Malheureusement, cela signifie aussi que, pour un débutant, Windows XP est beaucoup plus difficile à maîtriser.

Quelle version de Windows XP me faut-il ?

Windows XP est proposé en deux versions de base : Windows XP dition Familiale et Windows XP Professionnel. Il est possible que vous utilisiez la version dition Familiale conçue pour la maison et pour les petites entreprises (indépendants, libéraux...). À l'instar de son prédécesseur Windows Me, Windows XP dition Familiale supporte le travail en réseau, le partage de modems et autres fantaisies. Vous pouvez installer Windows XP dition Familiale par-dessus Windows 98 ou Me, mais pas sur Windows 95.

Les entreprises plus grandes ont besoin de la version la plus avancée, Windows XP Professionnel, capable de répondre à des exigences de réseau beaucoup plus importantes. Elle comporte des fonctionnalités plus sophistiquées, comme la sécurité de l'entreprise, la gestion des groupes, divers profils d'utilisateur, le protocole SNMP (*Simple Network Management Protocol*), des services clients pour Netware et autres termes techniques indigestes. La version Professionnel peut être installée par-dessus Windows 98, Me, NT, 2000 et XP dition Familiale.

Bizarrement, la version XP Professionnel fonctionne mieux sur les ordinateurs portables que la version XP dition Familiale. La version professionnelle contient un gestionnaire de batterie plus performant et fonctionne mieux avec les connexions Internet sans fil.

Microsoft propose également une édition Windows XP Server. Personne n'a besoin de cette version, hormis les informaticiens chevronnés qui pourront vous expliquer en quoi elle leur est nécessaire.

Windows ? Question de fenêtres

À l'instar d'une maîtresse de maison qui règne chez elle, Windows contrôle toutes les parties de l'ordinateur. Vous allumez l'ordinateur, démarrez Windows, puis lancez un logiciel. Chaque logiciel s'exécute dans sa propre fenêtre, à l'écran, comme le montre la Figure 1.1. Windows maintient l'intégrité de chacun d'eux, même si ces programmes échangent des données.

Figure 1.1 : Les logiciels s'exécutent chacun dans une fenêtre, sur le Bureau de Windows XP.

Le nom *Windows* ("fenêtre" en anglais) provient de toutes ces mignonnes petites fenêtres qu'il ouvre à l'écran. Chaque fenêtre présente des informations telles qu'une image ou le programme en cours d'utilisation, ou une sévère réprimande technique. Il est possible d'afficher plusieurs fenêtres à la fois et de passer de l'une à l'autre, et de ce fait d'un programme à un autre. Une fenêtre peut même être élargie afin de remplir l'écran tout entier.

D'après certaines personnes, les fenêtres colorées, les images et le son facilitent l'utilisation de Windows ; mais selon d'autres, Windows est un peu trop "artiste". Par exemple, pour écrire une lettre avec Windows XP, vous sélectionnez l'icône du Bloc-notes – celle montrant un stylo à bille – ou le dossier Communications ?

- Un environnement informatique qui utilise des petites images et des symboles est appelé *interface graphique.* L'affichage des images exige beaucoup plus de puissance de calcul que celui des caractères typographiques. C'est pourquoi Windows XP réclame un ordinateur relativement puissant (nous reviendrons sur ces spécifications dans le Chapitre 2).

- Les fenêtres s'ouvrent sur le Bureau de Windows. Notez que chaque fois que le mot "Bureau" commence par une majuscule, c'est de celui de Windows qu'il s'agit. Mais s'il commence par une minuscule, c'est d'un bureau classique dont nous parlons, de style Louis XVI ou Ikea. Tout dépend des moyens dont vous disposez...

- Du fait que l'interface Windows est graphique, elle est plus facile à utiliser qu'à décrire. Pour indiquer comment se déplacer dans un document Windows, il vous sera dit : "Cliquez sur la barre de défilement vertical, sous le curseur de défilement." Ces directives paraissent obscures, mais une fois que vous les aurez appliquées, vous vous exclamerez : "Ce n'était que ça ?" Qui plus est, vous pouvez vous contenter d'appuyer sur la touche PageBas. Dans ce cas, vous n'êtes pas du tout tenu de cliquer sous le curseur de défilement.

- Avec Windows XP, votre Bureau n'a pas à ressembler à une page dactylographiée *ou* à un bureau. Il peut prendre l'apparence d'une page Web comme le montre la Figure 1.2 (vous en apprendrez plus sur les pages Web et Internet au Chapitre 12). En vérité, à l'instar du caméléon, Windows XP peut prendre l'apparence qu'il veut : celle d'une page Web, d'une ancienne version de Windows, ou celle d'une page personnalisée à votre convenance, ce qui entraîne d'ailleurs un risque supplémentaire pour que les choses se passent mal.

En quoi Windows XP affecte-t-il mes anciens logiciels ?

Windows XP est capable de faire tourner la plupart des anciens programmes. C'est pourquoi, après une mise à niveau XP, vous n'aurez pas à racheter immédiatement d'onéreux

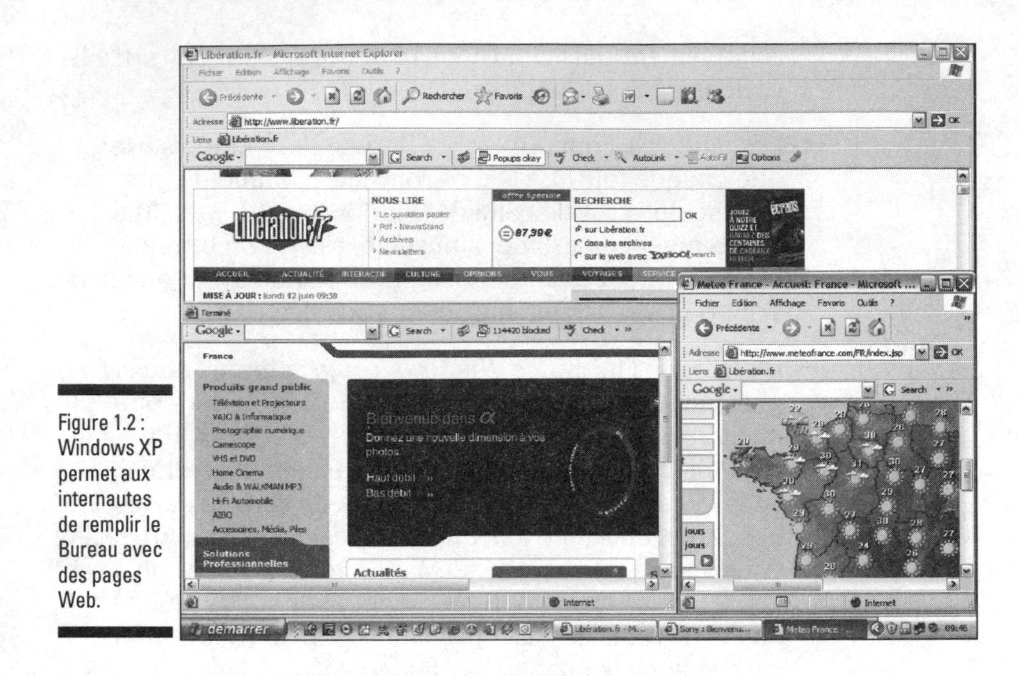

Figure 1.2 : Windows XP permet aux internautes de remplir le Bureau avec des pages Web.

logiciels. Windows XP accepte quasiment tous les programmes qui fonctionnaient sous Windows 95, 98 et Me.

- Comme Windows XP est basé sur les versions Windows NT et 2000 destinées aux grandes entreprises, il accepte aussi tous les logiciels qui leur étaient destinés.

- Vous ne pourrez pas installer Windows XP sur un ordinateur vieux de cinq ans et espérer le voir tourner décemment. Windows XP est un gros système d'exploitation destiné à de gros ordinateurs. Il vous faudra sans doute acheter une nouvelle machine ou muscler notablement celle que vous possédez. En jargon informatique, "muscler" un ordinateur consiste à changer son processeur pour un plus puissant, à ajouter de la mémoire, un disque dur plus gros, voire un lecteur de CD-ROM. Malheureusement, ces opérations sont souvent plus onéreuses que l'achat d'un PC neuf (le Chapitre 2 décrit le type d'ordinateur exigé par Windows XP).

- Windows XP préfère le matériel *Plug and Play*. Autrement dit, il préfère les périphériques à brancher sur un connecteur PCI. Ainsi, si votre ordinateur est surtout équipé de connecteurs ISA, vous devrez probablement en acquérir un nouveau.
- Si l'un de vos anciens logiciels rencontre des problèmes lors de l'installation ou de l'exécution sous Windows XP, utilisez le Mode de compatibilité décrit dans le Chapitre 17.
- Lorsque des gens vous diront que Windows XP respecte la *compatibilité ascendante*, cela signifie tout simplement qu'il est capable d'utiliser des logiciels destinés à des versions plus anciennes de Windows (mais ne vous imaginez pas que vous pourrez aussi faire tourner des programmes pour Macintosh).

Migrer, vous et votre ordinateur, vers Windows XP

Avec Windows, tout se passe en même temps. Ses différents composants courent en tous sens comme des hamsters dont la porte de la cage aurait été ouverte. Les logiciels se recouvrent les uns les autres sur l'écran. Ils se masquent les uns les autres les parties les plus intéressantes. Et parfois, ils sont complètement occultés.

Préparez-vous à quelques énervements lorsque les choses n'iront pas comme vous le désirez. Vous aurez tendance à bondir, à jurer et à faire valser gomme et agrafeuse à travers la pièce. Après quoi vous prendrez calmement ce livre, rechercherez le problème à résoudre dans l'index et trouverez dans ces pages le remède à vos maux.

- Les logiciels sous Windows peuvent s'avérer accommodants, mais aussi redoutablement sournois. Par exemple, Windows XP offre pas moins de trois manières différentes d'effectuer une même tâche. Ne vous compliquez pas la vie à mémoriser chaque commande.

Adoptez simplement la méthode qui vous convient et tenez-vous-y. Par exemple, Andrew et Deirdre Kleske découpent en tranches la pizza qui vient de leur être livrée avec des ciseaux. Ce qui surprend la plupart de leurs hôtes, mais ça marche.

- Windows XP fonctionne au mieux sur un puissant ordinateur neuf équipé d'un processeur Intel Pentium 4 ou Core Duo, ou encore d'un AMD Athlon (avec ou sans testostérone). Équipez l'ordinateur d'autant de mémoire RAM (*Random Access Memory*, mémoire à accès aléatoire) que possible et d'un disque dur de quelques dizaines de gigaoctets. Vous trouverez des spécifications plus détaillées dans le Chapitre 2.

Chapitre 2

Windows XP et le matériel

Dans ce chapitre :

- Connaître ces trucs et machins qui peuplent l'ordinateur.
- Savoir à quoi ils servent.
- Découvrir ce qui est indispensable pour que Windows XP puisse fonctionner.

Ce chapitre présente les trucs et machins de tout poil que l'on trouve ordinairement dans un ordinateur bien ordonné. Vous pouvez le sauter et aller plus loin. Car qui peut s'intéresser à tous ces gadgets ? À moins que votre PC ne se mette à couiner comme une alarme de voiture – au lieu d'émettre les joyeux bips qu'il a coutume de produire – vous n'avez aucune raison de vous infuser tout ça. Cornez simplement cette page, en vous rappelant que c'est là que tout est expliqué, et poursuivez votre lecture.

L'ordinateur

L'ordinateur est cette boîte, généralement beige, avec des tas de câbles qui en sortent par l'arrière. Il répond officiellement à l'une de ces appellations : IBM (initiales d'*International Business Machine*) ou "compatible IBM", voire "clone".

Aujourd'hui, la plupart des gens appellent leur ordinateur *PC*, car c'est ainsi qu'IBM a nommé son premier *Personal*

Computer, en 1981. C'est donc à IBM que l'on doit ces prises de tête informatico-bureautiques, à l'époque où d'autres vilipendaient les jeux vidéo.

L'idée d'un petit ordinateur trônant sur un bureau ou dans un recoin fit son bonhomme de chemin et surtout la fortune d'IBM. Une fortune telle que d'autres fabricants s'emparèrent du concept. Ils *clonèrent,* c'est-à-dire copièrent, l'œuvre d'IBM pour créer un ordinateur fonctionnant à l'identique. Ces machines, fabriquées par des sociétés comme Dell, Compaq ou d'autres, sont *compatibles* avec le PC d'IBM. Elles peuvent utiliser les mêmes logiciels sans aucune restriction.

Le microprocesseur (CPU)

Le cerveau de l'ordinateur est une pièce de silice placée dans les profondeurs du boîtier : le *microprocesseur*, appelé parfois CPU (*Central Processing Unit*, unité centrale de traitement) ou tout simplement "processeur".

Le microprocesseur définit la vitesse et la puissance de calcul de l'ordinateur. Windows XP nécessite au moins un microprocesseur Pentium III, ou plus. Vous pouvez opter pour un Pentium 4 ou un Itanium, ou encore un AMD Athlon. En clair, pour utiliser Windows XP, vous serez peut-être amené à acheter un nouvel ordinateur.

- Le microprocesseur est né de l'évolution d'un modeste composant qui, dans les années 70, équipait les calculettes. Le microprocesseur exécute tous les calculs en tâche de fond, qu'il s'agisse des cogitations effectuées par un puissant tableur ou de la prise en charge des blagues douteuses envoyées par courrier électronique.

- Le type d'un microprocesseur est décrit par plusieurs chiffres. Plus ils sont élevés, plus le processeur est puissant et rapide.

- Vous n'avez aucune idée du processeur qui se trouve dans votre ordinateur ? Cliquez avec le bouton droit sur l'icône Poste de travail et choisissez l'option Propriétés.

Le nom du processeur apparaît dans la fenêtre Propriétés Système. Si ce nom vous semble obscur, sachez qu'Intel propose un logiciel gratuit qui l'identifie plus clairement. Il est téléchargeable à l'adresse `www.intel.com`.

- N'hésitez pas à acquérir un microprocesseur rapide Athlon fabriqué par AMD. Il est aussi rapide qu'un Intel, meilleur marché et quasiment aussi bon (je travaille avec un Intel, mais je ne suis pas opposé à AMD).

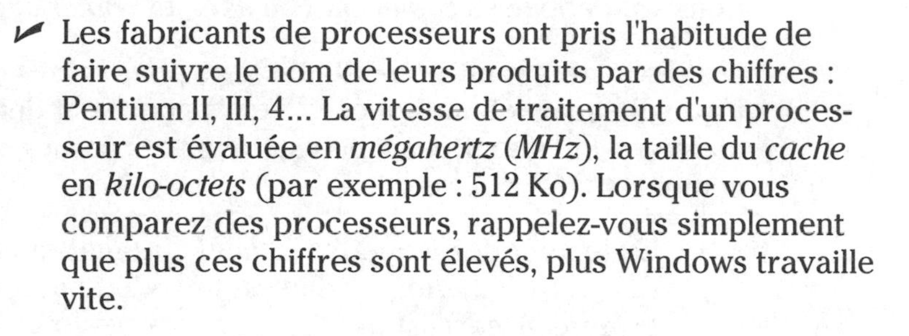

- Les fabricants de processeurs ont pris l'habitude de faire suivre le nom de leurs produits par des chiffres : Pentium II, III, 4... La vitesse de traitement d'un processeur est évaluée en *mégahertz* (*MHz*), la taille du *cache* en *kilo-octets* (par exemple : 512 Ko). Lorsque vous comparez des processeurs, rappelez-vous simplement que plus ces chiffres sont élevés, plus Windows travaille vite.

Disques, disquettes et lecteurs

Le *lecteur de disquettes* est cette fente située en façade du boîtier de l'unité centrale ; il rappelle un peu le lecteur de cartes bancaires d'un distributeur automatique de billets. Le lecteur de disquettes permet d'entrer des informations dans l'ordinateur et aussi de les enregistrer. Les types de supports les plus connus sont la disquette, le disque compact, le DVD, la disquette Zip et le disque dur. Ils sont décrits dans les sections qui suivent.

Vous ne connaissez pas leurs capacités de stockage en kilooctets ou en mégaoctets ? Reportez-vous au Chapitre 3 pour en savoir plus.

La disquette

Le lecteur de disquettes d'un ordinateur a été conçu pour recevoir des *disquettes magnétiques*. Comme, d'un point de vue purement technique, les choses sont un peu compliquées, vous avez intérêt à vous accrocher. Les informations sont en effet stockées sur ce genre de support sous la forme d'un flux d'impulsions électromagnétiques.

Ces impulsions magnétiques sont disséminées sur la disquette afin de conserver des données en toute sécurité. Mais la disquette est aussi capable de restituer ces données. Il suffit de la placer dans le lecteur et de demander à Windows de récupérer les informations. En jargon informatique, ces opérations sont appelées *copier sur* (ou *vers*) et *copier depuis*.

Les disquettes sont des petits boîtiers plats carrés contenant un disque magnétique souple de trois pouces et demi de diamètre. Elles sont peu à peu supplantées par les disques compacts, décrits plus loin.

- Un lecteur de disquettes "avale" automatiquement la disquette 3"1/2 lorsqu'elle est introduite assez loin dans la fente. Si ce n'est pas le cas, c'est que vous l'avez introduite dans le mauvais sens : la glissière métallique entre en premier et l'axe circulaire en métal doit être orienté vers le bas. Pour éjecter la disquette, appuyez sur le bouton saillant situé à proximité de la fente ; récupérez-la une fois que le lecteur l'a fait réapparaître.

- Vous trouverez dans les boutiques informatiques des disquettes vierges sur lesquelles vous pourrez copier un travail en cours. À moins que la boîte de disquettes ne soit estampillée "préformatées" ou "formatage IBM", vous ne pourrez pas utiliser les disquettes telles quelles. Vous devrez d'abord les *formater*. Cette tâche ô combien joyeuse, bien que fastidieuse à la longue, est décrite dans le Chapitre 11.

- Les ordinateurs adorent *copier*. Lorsque vous copiez un fichier d'un disque (ou d'une disquette) vers un(e) autre, vous ne déplacez pas le fichier en question. Vous en réalisez simplement une copie. Il est bien sûr possible de *déplacer* un fichier, comme nous le verrons dans le Chapitre 11.

Le disque compact (CD-ROM)

Les informaticiens se sont vite appropriés la technologie du disque compact dès lors qu'ils se sont rendus compte que, sur un CD audio, la musique était stockée sous une forme numérique. Aujourd'hui, la plupart des logiciels et des données sont diffusés sur des disques compacts. Un seul d'entre eux contient plus d'informations que plusieurs centaines de disquettes.

Pour lire un disque compact, l'ordinateur doit être équipé d'un lecteur de CD. Celui de votre chaîne stéréo ne fera pas l'affaire ; en revanche, le lecteur de CD de votre ordinateur est capable de lire des CD audio, s'il est équipé d'enceintes.

Le CD est introduit dans l'ordinateur avec plus d'apparat qu'une disquette : appuyer sur le bouton du lecteur de disque compact fait sortir un petit plateau (NdT : qui n'est pas un porte-gobelet, comme il m'est arrivé de l'entendre de la part d'un client, dans un supermarché). Placez le CD sur ce plateau, étiquette vers le haut, et appuyez de nouveau sur le bouton. Le plateau disparaît et le CD est prêt à être lu ; si l'accès au bouton n'est pas évident, poussez un peu le plateau et il rentrera tout seul.

- Pendant des années, il fut impossible de copier des fichiers sur un CD ; les données ne pouvaient être que lues. Les informations étaient gravées une fois pour toutes au pressage, dans l'usine de fabrication des CD, au moyen de machines fort onéreuses. Désormais, des graveurs bon marché permettent de lire et d'écrire des fichiers informatiques ou de la musique sur vos propres CD, au grand dam des éditeurs qui multiplient les recours légaux pour se protéger du piratage.

- Un CD qui se contente d'enregistrer des informations jusqu'à ce qu'il soit plein est un CD-R (NdT : "R" comme *read only*, lecture seule). Un CD dont les informations peuvent être lues, écrites, effacées et qui peut être réécrit est un CD-RW (NdT : RW comme *read and write*, lecture et écriture). Un CD-RW est bien sûr plus cher qu'un CD-R.

- En plus du lecteur de disques compacts, les ordinateurs multimédias doivent être équipés d'une carte son, car le lecteur est incapable de produire du son par lui-même. Un autre moyen pour les fabricants informatiques de soutirer de l'argent de la poche des utilisateurs... Notez toutefois que la plupart des ordinateurs sont actuellement vendus avec une carte son et un lecteur de CD.
- Le lecteur de médias de Windows XP est capable d'enregistrer des fichiers sonores au format MP3 à partir de vos CD ; ces fichiers se caractérisent par leur très petite taille.
- Les lecteurs de disques compacts les plus récents lisent à la fois les CD et les DVD (ces derniers sont décrits dans la prochaine section).

- Windows XP est équipé d'une fonctionnalité appelée *Exécution automatique* ou *AutoPlay :* insérez simplement le CD dans le lecteur, et Windows XP se charge de le démarrer automatiquement, qu'il contienne de la musique, des logiciels ou une vidéo. L'exécution automatique est un autre grand pas en avant dans l'éradication des affres de l'installation.

Le DVD

Bien qu'à première vue il soit difficile de différencier un CD d'un DVD, l'ordinateur, lui, ne s'y trompe pas. Un DVD peut contenir jusqu'à vingt-cinq fois plus d'informations qu'un CD classique, c'est-à-dire de quoi héberger un film long métrage en plusieurs langues et des séquences supplémentaires fournies en prime, comme un reportage sur le tournage (*making of*) ou l'interview du metteur en scène.

Un lecteur DVD est un peu plus onéreux, mais il lit les CD audio, les CD-ROM et bien sûr les DVD. La plupart des lecteurs DVD sont en revanche incapables d'écrire sur des CD ; mais des graveurs de DVD équipent en standard la plupart des PC d'aujourd'hui et ils peuvent graver indifféremment des CD ou des DVD.

Les lecteurs de DVD conviennent aux allumés d'informatique désireux de regarder des films sur un écran de 15 pouces et de les écouter sur de minuscules enceintes. Cependant, la plupart des gens sensés préfèrent regarder les DVD sur un téléviseur grand écran ou une installation de type *home theater*.

Bien que quasiment toutes les cartes son fonctionnent avec les lecteurs de DVD, seules certaines cartes compatibles DVD sont capables de restituer le son *surround*.

Le disque dur

Tous les ordinateurs ne sont pas équipés d'un lecteur de disque compact, d'un lecteur Iomega, voire d'un lecteur de disquettes, mais quasiment tous possèdent un disque dur. Ce petit boîtier situé dans la machine peut héberger des milliers de fois plus d'informations qu'une disquette. Le disque dur est aussi beaucoup plus rapide lorsqu'il s'agit de lire ou d'écrire des données (et aussi infiniment plus silencieux).

En ce qui concerne Windows XP, le disque dur joue un grand rôle car ce logiciel est un vaste programme. À lui tout seul, il occupe plus d'un gigaoctet.

- Le point-clé : achetez le disque dur le plus gros que vous puissiez vous permettre. Une capacité de 60 Go n'est pas du tout excessive.
- Si un programme comporte un grand nombre de fichiers *multimédias* (des sons, des images ou des vidéos), vous devrez acquérir un disque dur plus gros encore, voire en ajouter un second, car ce type d'informations est le plus gourmand en espace de stockage.

Que signifie "protégé en écriture" ?

La protection contre l'écriture est une fonctionnalité censée aider l'utilisateur, mais la plupart d'entre eux la découvrent au travers d'une réaction assez abrupte, pour ne pas dire rude, de l'ordinateur : lors d'une tentative de copie d'un fichier sur une disquette ou un CD, Windows XP envoie sans ambages le message que montre la Figure 2.1.

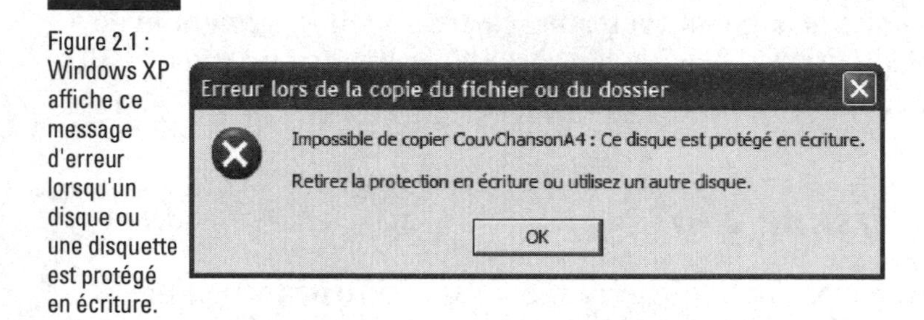

Figure 2.1 : Windows XP affiche ce message d'erreur lorsqu'un disque ou une disquette est protégé en écriture.

Un *disque protégé en écriture* a simplement été adapté pour que personne ne puisse y copier des fichiers ou supprimer ceux qu'il contient. La protection contre l'écriture (mais aussi la déprotection) est une procédure fort simple, mais qui surprend toujours son petit monde.

- Pour protéger en écriture une disquette 3"1/2, recherchez le petit cache carré mobile, en bas de la disquette. Repoussez-le avec la pointe d'un stylo à bille ou l'ongle afin de dégager l'orifice. La disquette est maintenant protégée en écriture.
- Pour ôter la protection en écriture d'une disquette 3"1/2, faites de nouveau glisser le petit cache mobile afin que l'orifice soit obturé.
- Tous les CD sont protégés en écriture. C'est pourquoi vous devez utiliser l'outil spécial d'écriture sur CD livré avec Windows XP afin de préparer le CD à l'écriture des informations.

- Si vous voyez apparaître le message d'erreur en écriture de la Figure 2.1, attendez jusqu'à ce que le lecteur n'émette plus aucun bruit. Retirez ensuite la disquette, déverrouillez la protection en écriture, puis réinsérez la disquette dans le lecteur. Répétez alors l'opération qui avait été interrompue par le message.
- Les messages de la protection en écriture sont différents des messages de type "Accès refusé". Si Windows interdit l'accès à quoi que ce soit, rendez-vous au Chapitre 9 pour comprendre les raisons de cette rebuffade.

Souris et double-clic

La *souris* est cette chose arrondie en plastique qui ressemble à un jouet d'enfant. Les gens du marketing ont pensé que l'appeler ainsi serait amusant, et ce nom lui est resté. À vrai dire, imaginez la souris comme une sorte de doigt électronique qui vous servira à designer des éléments à l'écran.

La plupart des souris comportent une boule, visible lorsqu'on la retourne. Lorsque la souris est déplacée sur le bureau, le mouvement de la boule est transmis à un mécanisme de détection de la direction et de la longueur des déplacements. Les données qui caractérisent ces mouvements sont ensuite acheminées à l'ordinateur via la "queue" de la souris, c'est-à-dire le câble de liaison branché à l'arrière de l'ordinateur.

Lorsque vous déplacez la souris, vous apercevez une *flèche*, ou *pointeur*, qui se déplace de la même manière à l'écran. C'est là qu'intervient le doigt électronique ! Lorsque le pointeur se trouve au-dessus de l'image d'un bouton, et que vous appuyez et relâchez le bouton gauche de la souris (vous effectuez un *clic*), le bouton virtuel est sélectionné comme si vous aviez véritablement appuyé dessus avec votre doigt. C'est une fonctionnalité bien plaisante, issue de l'imagerie 3D, qui vous incite à cliquer encore et toujours.

- Quasiment tout, dans Windows XP, peut être contrôlé en le pointant et en cliquant dessus avec le bouton de la souris (elle émet un petit clic). Il vous faudra parfois cliquer deux fois à intervalle très rapproché. L'avant-dernière section du Chapitre 5 explique ce qu'est le double-clic.

- Certains ordinateurs portables sont équipés d'un pavé tactile, ou *touch pad* ; il s'agit d'un petit carré en plastique mat sur lequel vous déplacez votre doigt. Le pointeur reproduit les mouvements du doigt à l'écran. D'autres ordinateurs, comme les ThinkPad d'IBM, sont équipés d'une sorte de gomme de crayon qui pointe hors du clavier, entre les lettres B, G et H. Il suffit de l'incliner dans la direction que le pointeur doit prendre.

- La souris IntelliMouse de Microsoft (et certaines autres) est équipée d'une petite roulette. En l'actionnant vers l'avant ou vers l'arrière du bout de l'index, la page affichée défile ligne par ligne. Amusant ! De plus, un seul appui sur la roulette produit automatiquement un double-clic, selon la manière dont la souris a été configurée.

- Toutes les souris ne sont pas équipées d'une boule. Certaines sont dotées d'un senseur lumineux qui détecte leurs mouvements. Dave Chapman m'a envoyé une lettre concernant sa souris optique qui ne fonctionnait que par intermittence. Une souris de rechange présentait le même défaut : elle réagissait tantôt bien et tantôt de façon désordonnée. Le problème empira à l'approche du printemps. Il s'aperçut un jour que sa femme, qui n'y connaissait rien en ordinateurs, avait fini par placer une feuille de papier sur la souris pendant qu'elle l'utilisait. "Tu ne me croiras pas, lui dit-elle, mais quand le soleil éclaire la souris, elle ne fonctionne plus du tout." Dave vint à bout du comportement erratique de la souris en fermant tout simplement le volet de la fenêtre.

Dans Windows XP, la forme du pointeur de souris varie selon l'élément sur lequel il se trouve. Vous savez ainsi qu'il est prêt à effectuer une autre tâche. Le Tableau 2.1 montre toutes les formes du pointeur selon les diverses tâches qu'il peut être amené à effectuer.

TRUC

N'essayez pas de mémoriser toutes les formes que peut prendre le pointeur. Elles changent automatiquement au moment opportun. Les descriptions qui suivent ne sont données que pour vous rassurer sur le fait que ces nombreuses variations sont parfaitement normales.

Tableau 2.1 : Les diverses formes du pointeur de souris.

Forme	Pointeur sur...	Que faire dans ce cas ?
	Quasiment n'importe quoi	Le déplacer n'importe où. Cliquez ensuite sur ce que vous voulez indiquer à Windows.
	Une seule fenêtre	Vous avez certainement sélectionné l'option Dimension ou Déplacement dans le menu de commandes. Appuyer sur les touches fléchées du clavier permet d'agrandir ou de réduire la fenêtre courante. Pressez la touche Entrée lorsque vous aurez fini, ou la touche Échap, pour quitter cette inconfortable et étrange situation.
	Le bord supérieur ou inférieur d'une fenêtre	Le bouton de la souris enfoncé, avancez ou reculez la souris pour augmenter ou réduire la hauteur de la fenêtre. Relâchez le bouton dès que la nouvelle taille vous convient.
	Le bord gauche ou droit d'une fenêtre	Le bouton de la souris enfoncé, déplacez la souris vers la gauche ou vers la droite pour augmenter ou réduire la largeur de la fenêtre. Relâchez le bouton dès que la nouvelle taille vous convient.
	Le coin d'une fenêtre	Le bouton de la souris enfoncé, déplacez la souris dans n'importe quelle direction afin de redimensionner librement la fenêtre. Relâchez le bouton dès que les nouvelles dimensions vous conviennent.
	Une zone de texte d'un logiciel qui accepte du texte (ce pointeur est appelé *barre d'insertion*)	Placez le pointeur là où le texte doit être tapé, cliquez puis commencez la saisie. Cette opération n'est possible qu'aux emplacements prévus pour recevoir du texte (traitement de texte, formulaires...).

Forme	Pointeur sur...	Que faire dans ce cas ?
	Mots commentés, dans Windows ou sur Internet	Cliquez avec la souris et Windows XP affichera d'utiles informations concernant ce sujet précis.
	Rien de particulier (Windows est occupé et vous ignore)	Vous pouvez déplacer le sablier pendant que Windows travaille. Il apparaît notamment lorsque vous chargez des fichiers ou lors d'une copie sur une disquette.
	Une activité en cours	Ce pointeur indique que Windows XP est à l'œuvre en tâche de fond, d'où un léger ralentissement.
?	N'importe quoi	En cliquant sur le point d'interrogation que l'on trouve en haut à droite de certaines boîtes de dialogue, Windows affiche ce pointeur. Cliquez sur un élément qui vous paraît peu clair pour obtenir une aide contextuelle à son sujet.
	Un élément interdit	Déplacez le pointeur ailleurs, ou appuyez sur la touche Échap, et recommencez l'opération (vous avez certainement tiré un fichier vers un endroit où vous ne pouvez pas le déposer).

Les cartes graphiques et les moniteurs

Le *moniteur* est cet objet que vous regardez à longueur de journée, à moins que vous ne soyez scotché devant la télé. La façade du moniteur comporte l'*écran* ; c'est là que Windows XP officie et que vous pouvez observer les fenêtres qui apparaissent tour à tour en s'occultant mutuellement.

Un moniteur est équipé de deux câbles, ce qui évite toute confusion avec la souris. L'un de ces câbles est branché sur l'alimentation électrique (secteur), l'autre à la *carte graphique*, un circuit électronique dont une partie émerge à l'arrière du boîtier de l'ordinateur. L'ordinateur indique à la carte graphique ce qu'il est en train de faire ; la carte graphique traduit ces événements en informations graphiques qui sont acheminées vers l'écran via le câble, après quoi elles sont dûment affichées.

TRUC

- Nettoyez l'écran avec du produit pour vitres en imbibant d'abord le chiffon avant d'essuyer. Ne projetez pas le produit de nettoyage directement sur l'écran, car il s'infiltrerait à l'intérieur du boîtier, au risque de créer des courts-circuits.

ATTENTION !

- Certains produits pour vitres contiennent de l'alcool, qui peut abîmer le traitement antireflet appliqué à quelques nouveaux moniteurs. Dans le doute, consultez le manuel de votre moniteur pour vérifier si le nettoyant à vitres est autorisé. Mon moniteur de la marque Nanao est livré avec des chiffons spéciaux pour le nettoyage de l'écran.
- Quand Windows XP vient d'être installé, il interroge la carte graphique et l'écran afin de connaître leurs marques ainsi que leurs caractéristiques. Windows XP arrive presque toujours à déterminer le matériel automatiquement, de sorte que tout fonctionne correctement du premier coup.
- Windows XP est certes parfois dominateur, mais il sait aussi être accommodant. Il est capable de prendre en charge une grande variété de cartes et de moniteurs. En fait, la plupart de ces matériels peuvent basculer dans les divers *modes*, ce qui permet d'afficher plus ou moins de couleurs ou plus ou moins d'informations. Windows XP vous permet de jouer avec toutes sortes de paramètres d'affichage, si le cœur vous en dit.

Le clavier

Le clavier d'un ordinateur ressemble à celui d'une machine à écrire, avec cependant quelques touches particulières de-ci, de-là. Au milieu se trouve le classique clavier alphanumérique.

Les touches grises avec leurs codes obscurs se trouvent au-dessus. Elles seront décrites d'ici peu.

Les groupes de touches

Les touches du clavier sont réunies par groupes :

Les touches de fonction : Situées en haut du clavier ou – plus rarement – regroupées à gauche, ces touches agissent sur les programmes. Par exemple, la touche F1 demande une aide, où que vous soyez dans Windows XP.

Le pavé numérique : Les comptables, banquiers et financiers ont toujours des chiffres à l'esprit, mais aussi sous la main. C'est pourquoi ils pianotent volontiers sur l'ensemble de touches situé à droite de la plupart des claviers. Pour l'utiliser, vous devrez parfois appuyer d'abord sur la touche Verr Num ; autrement, ces touches sont considérées comme des commandes de déplacement du pointeur, comme nous l'expliquons ci-après.

Les touches de commande du curseur : Si vous *n'avez pas* appuyé sur la touche Verr Num, les touches du pavé numérique commandent le déplacement du curseur. Remarquez qu'elles comportent des petites flèches qui indiquent dans quelle direction le curseur se déplacera à l'écran (la touche 5 n'en a pas). Certains claviers sont équipés d'un second jeu de touches de contrôle, juste à côté du pavé numérique ; ces touches font exactement la même chose. D'autres touches de commande du curseur ont pour nom Origine (NdT : touche avec une flèche orientée vers le haut à gauche), Fin, PageHaut, PageBas (ou PgHt et PgBs). Pour passer à la page suivante, dans un traitement de texte, il suffit d'appuyer sur la touche PageBas.

L'appui sur une touche de commande de curseur ne déplace pas le curseur visible à l'écran. Ces touches contrôlent en fait le positionnement dans un programme, ce qui permet de taper les données toujours à l'emplacement prévu pour les recevoir.

Les touches Windows : Désireux de gagner de l'argent en vendant non seulement des logiciels mais aussi des claviers, Microsoft a mis au point un concept tout neuf : le *clavier ergonomique*, qui comporte des touches dites *Windows*. Situées de part et d'autre de la touche Espace, juste avant la touche Alt et après la touche Alt Gr, elles agissent comme si vous aviez cliqué sur le bouton Démarrer. Une petite touche à côté de la touche Windows, reconnaissable aux petits menu et pointeur, donne rapidement accès à des menus. Le Tableau 2.2 en dit plus long sur les touches Windows.

Tableau 2.2 : Les raccourcis clavier de la touche Windows.

Pour effectuer ces actions...	Appuyez sur...
Afficher l'aide de Windows XP	Touche Windows + F1
Afficher le menu Démarrer	Touche Windows
Passer d'un bouton à l'autre de la barre des tâches	Touche Windows + Tab
Afficher l'Explorateur Windows	Touche Windows + E
Rechercher des fichiers	Touche Windows + F
Se connecter à d'autres ordinateurs du réseau	Ctrl + touche Windows + F
Réduire ou restaurer toutes les fenêtres	Touche Windows + D
Annuler la réduction ou la restauration de toutes les fenêtres	Maj + touche Windows + M

Les autres touches

Les touches décrites ci-après peuvent paraître un peu déroutantes, mais Windows en fait un usage intensif :

Maj (majuscule) : Comme sur une machine à écrire, cette touche permet d'écrire en majuscules ou d'accéder aux chiffres et aux signes ° (numéro, degré...), + (plus), £ (livre), % (pourcentage) ainsi qu'à certains signes de ponctuation.

Alt : Faites bien attention à celle-ci ! Lorsque vous appuyez sur cette touche, dont le nom est l'abréviation du mot anglais *alternate* (remplacement), Windows exécute l'une des curieuses opérations suivantes : il active l'un des petits boutons de menus situés en haut de la fenêtre courante, ou alors, si un menu est déployé, il souligne un seul caractère d'une option du menu. Pour revenir à la normale, appuyez de nouveau sur Alt.

Ctrl : Cette touche (abréviation de *contrôle*) agit comme la touche Maj, sauf qu'elle sert à obtenir les étranges combinaisons de touches des raccourcis clavier. Par exemple, lorsque vous maintenez la touche Ctrl enfoncée tout en appuyant sur la touche Échap (décrite plus loin), vous affichez le menu Démarrer de Windows XP.

Échap : Abréviation d'*échappement,* cette touche fut longtemps une chimère pour les constructeurs d'ordinateurs. Ils ont fini par l'inventer pour trouver une échappatoire lorsqu'un ordinateur fonctionnait mal. En appuyant sur la touche Échap, l'utilisateur était censé échapper à toutes les innommables horreurs qu'un ordinateur rétif pouvait lui infliger. Cette touche n'est pas toujours limitée à cette seule fonction, mais c'est une bouée de sauvetage qui vous tirera souvent d'affaire. Essayez-la lorsque vous n'arrivez plus à sortir d'un menu ou d'une infâme boîte de dialogue.

Arrêt défil : Cette touche est vraiment trop bizarroïde pour vous compliquer la vie avec (elle n'a rien à voir avec les *barres de défilement*). Si son témoin lumineux est allumé, appuyez sur la touche pour l'éteindre. Sur certains claviers français, cette touche est parfois appelée Scroll Lock, Scr Lock ou encore Scr Lk.

Suppr : Appuyer sur la touche Suppr – parfois appelée Del – fait disparaître le caractère qui se trouvait *à droite* du curseur. Tout ce qui a été sélectionné (surligné ou, en jargon informatique, "mis en surbrillance") est également supprimé.

Ret.Arr.; : Appuyer sur la touche Retour arrière (elle se reconnaît, sur le clavier, à la flèche vers la gauche et au fait qu'elle se trouve au-dessus de la touche Entrée) supprime l'infortuné caractère qui se trouvait *à gauche* du curseur. Elle supprime elle aussi les éléments sélectionnés (en surbrillance).

Si vous vous êtes trompé, maintenez la touche Alt enfoncée et appuyez de nouveau sur la touche Ret.Arr. Cette action annule une erreur dans la plupart des logiciels tournant sous Windows XP (l'appui sur Ctrl+Z produit le même effet).

Inser : La touche Inser (parfois nommée Ins) active le mode d'insertion : lors de la frappe, les caractères situés à droite de la barre d'insertion sont repoussés vers la droite. Lorsque vous appuyez sur la touche Inser, l'ordinateur passe en mode d'écrasement : les caractères tapés au clavier remplacent au fur et à mesure les caractères existants. La touche Inser est une bascule : appuyer dessus fait passer d'un mode à un autre.

Mise en garde sauvage : certains logiciels Windows XP, comme le Bloc-notes, sont toujours en mode d'insertion. Il n'existe aucun moyen d'enclencher un mode d'écrasement.

Entrée : Cette touche est l'équivalent du retour chariot des machines à écrire, mais à une grosse exception près : il n'est pas nécessaire d'appuyer dessus à la fin de chaque ligne. Un traitement de texte détecte en effet l'arrivée au bout de la ligne et effectue automatiquement le saut à la ligne suivante, ce qui permet de taper "au kilomètre". Vous n'appuyez sur la touche Entrée qu'à la fin de chaque paragraphe.

Vous aurez aussi à presser la touche Entrée chaque fois que Windows XP exige la saisie d'un texte comme le nom d'un fichier ou des numéros de pages à imprimer. Notez aussi que cliquer sur un bouton OK équivaut souvent à l'appui sur Entrée.

Verr Num : Si vous savez utiliser la touche de verrouillage des majuscules d'une machine à écrire, il vous sera agréable de savoir que la touche Verr Num fonctionne de la même façon, ou presque. Lorsque cette touche a été appuyée, il n'est pas nécessaire de maintenir la touche Maj enfoncée pour accéder aux chiffres du clavier alphanumérique. Notez cependant que Verr Num est inopérant avec les signes de ponctuation.

Tab : Il s'agit d'une tabulation. Appuyer sur cette touche insère cinq ou huit caractères d'espacement selon le traitement de texte utilisé, ou décale la barre d'insertion à l'emplacement d'une tabulation préalablement définie.

Dans un panneau de Windows XP (souvent appelé *boîte de dialogue*), la touche Tab permet aussi de passer d'une zone de texte à une autre (une *zone de texte* est une zone rectangulaire, parfois appelée "boîte", dans laquelle vous tapez du texte ; on en trouve dans les boîtes de dialogue de Windows mais aussi dans les formulaires de divers logiciels).

Impr écran/Syst : Lorsque vous appuyez sur cette touche, Windows effectue une capture d'écran – c'est-à-dire une sorte de photographie – du Bureau qui peut être collée dans un logiciel de dessin comme Paint. Si la touche Alt est enfoncée au moment où vous appuyez sur Impr écran, Windows ne capture que l'image de la fenêtre active. Utilisez la fonction Coller, décrite dans le Chapitre 8, pour récupérer l'image capturée dans un autre logiciel. La touche Syst n'a aucun effet.

Ctrl+Alt+Suppr : Appuyer simultanément sur ces trois touches affiche le Gestionnaire des tâches de Windows XP. Décrit dans le Chapitre 7, il permet de passer d'une fenêtre à une autre et d'arrêter n'importe quel programme dont le comportement est problématique, ou qui s'est bloqué :

- Si l'ordinateur n'est pas équipé d'une souris ou de tout autre périphérique de pointage, vous pouvez commander Windows XP au clavier, mais c'est assez fastidieux.
- Les touches Arrêt défil et Pause/Attn (ou Pause/Break sur certains claviers) ne font rien d'intéressant dans Windows. Cependant, si vous maintenez la touche Windows enfoncée et que vous appuyez sur Attn, la boîte de dialogue Propriétés système apparaît. Elle est bourrée d'informations concernant l'ordinateur.

- Enfin, certains claviers sont dotés de touches spéciales conçues par le fabricant. Mon clavier Gateway, par exemple, est capable de régler le son, d'établir une connexion Internet, de télécommander un CD ou un DVD ou de mettre l'ordinateur en veille. Les informations concernant ces touches sont réunies dans un panneau de contrôle accessible au travers d'une icône nommée Clavier multifonction.

Les imprimantes

Après s'être rendu compte que le concept de "bureau sans papier" qui prévalait il y a quelques années était une douce utopie, Microsoft s'est assuré que Windows XP était capable de communiquer avec des centaines de modèles d'imprimantes. Il reconnaît en fait la plupart des modèles, dès lors que l'imprimante a été branchée à l'ordinateur.

C'est ainsi que les choses se passent, sauf si votre imprimante fait partie de la liste des quelques centaines de modèles superbement ignorés par Windows XP. Dans ce cas, il ne vous reste plus qu'à croiser les doigts en espérant que le fabricant de votre imprimante existe encore, car, pour imprimer la moindre page, vous devrez obtenir de lui un logiciel spécial appelé *pilote*.

- L'imprimante doit être branchée pour que Windows XP puisse l'utiliser (vous serez surpris de constater par vous-même combien ce détail anodin est facilement oublié).

- Windows XP imprime en mode WYSIWYG (*What You See Is What You Get*, ce que vous voyez est ce que vous obtiendrez). Autrement dit, ce qui apparaît sur le papier est très proche de ce qui est affiché à l'écran.

Les réseaux

Un réseau relie des PC de telle sorte que leurs utilisateurs puissent partager des informations. Ils peuvent chacun envoyer leurs données vers une seule imprimante, se partager un modem ou s'échanger des messages électroniques.

Certains réseaux de petites entreprises sont relativement modestes – à travers moins de cinq ordinateurs – alors que d'autres s'étendent à travers le monde entier. En fait, Internet n'est qu'un vaste réseau dont les ramifications arrivent jusque dans les pays les plus reculés.

- Windows XP découle de la version de Windows destinée aux grandes entreprises. Autrement dit, il gère les réseaux avec finesse et délicatesse. En contrepartie, il en résulte quelques difficultés de compréhension, notamment dans le domaine des réseaux locaux et des connexions. Le Chapitre 9 aborde tous ces points en détail.
- La version Édition Familiale de Windows XP contient tout ce qu'il faut pour permettre à plusieurs ordinateurs de partager une imprimante, un modem ou des fichiers. La version Professionnel comporte des fonctionnalités de réseau plus avancées, destinées aux administrateurs système. Les utilisateurs travaillant à domicile ou dans une petite structure s'accommoderont sans problème de Windows XP Édition Familiale.

Les ports

Vous trouverez à l'arrière de l'ordinateur bon nombre de connecteurs qui servent à envoyer ou à recevoir des informations. Plus vous vous plongerez dans les subtilités de Windows, plus vous rencontrerez ce mot un peu mystérieux : le *port* (NdT : synonyme de "connecteur", le port concerne davantage la nature du signal qui transite par lui que la forme physique sous laquelle il se présente). Le Tableau 2.3 indique sur quel port doivent se brancher les périphériques que vous pourriez être amené à utiliser.

Les éléments requis par Windows XP

Le Tableau 2.4 compare les exigences minimales de Windows XP (celles qui figurent sur la boîte du produit) avec celles *réellement* requises pour qu'il fonctionne décemment.

Tableau 2.3 : À quel port cela se branche-t-il ?

Nom	Connecteur	Symbole	Couleur
COM/Série	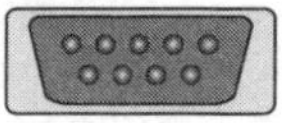		Cyan
Vidéo numérique		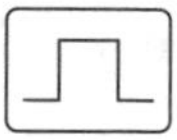	Blanc
Ethernet/RJ-45			-
FireWire			-
FireWire mini			-
Infrarouge			-
Joystick			Moutarde
Clavier			Pourpre
Entrée ligne audio		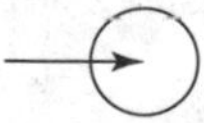	Gris
Microphone			Rose
RJ-11/modem			-
Moniteur (écran)	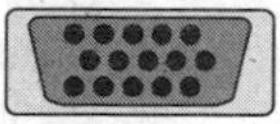		Bleu
Souris		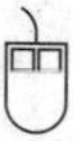	Vert
Secteur	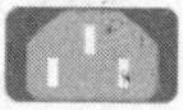		Jaune

Nom	Connecteur	Symbole	Couleur
Imprimante			Violet
SPDIF In		IN	Rose/blanc
SPDIF Out		OUT	Noir
Casque/enceintes			Citron
S-Vidéo			Jaune
USB			-

Tableau 2.4 : Les exigences de Windows XP.

Ce qui est gentiment exigé par Microsoft	Ce qu'il faut réellement	Pourquoi ?
Un microprocesseur Pentium III	Un Pentium III ou un Athlon cadencé à 500 MHz.	Pendant que vous êtes dans la boutique, comparez Windows XP sur des ordinateurs équipés d'un Pentium III cadencé à différentes vitesses. Plus l'ordinateur est rapide, plus Windows XP est prompt à exécuter une tâche.
64 Mo de mémoire vive (RAM)	Au moins 128 Mo de mémoire vive.	Avec 64 Mo de mémoire, Windows XP rame désespérément. Avec 128 Mo, il est plus à l'aise. Comme le prix des barrettes de mémoire a baissé, autant passer directement à 256 Mo voire plus.

Ce qui est gentiment exigé par Microsoft	Ce qu'il faut réellement	Pourquoi ?
2 Go de libre sur le disque dur	Au moins 20 Go.	L'installation complète de Windows XP occupe un bon gigaoctet, et il faut y ajouter les diverses applications que vous ne manquerez pas d'installer. De plus, les sons et les vidéos que vous récupérerez sur Internet ou les images prises avec un appareil photo numérique prendront aussi beaucoup de place. N'hésitez pas à acquérir un disque dur de 40 Go ou plus, afin de ne pas être pris de court.
Un lecteur de disquettes 3"1/2 haute densité	Inutile pour installer Windows XP.	Il arrive encore que des logiciels soient diffusés sur des disquettes 3"1/2 HD d'une capacité de 1,44 Mo. Les disquettes sont de plus très commodes pour transporter des fichiers d'un ordinateur à un autre.
Carte graphique SVGA	Idem.	Pour visionner des vidéos, assurez-vous que la carte graphique installée dans l'ordinateur répond aux spécifications suivantes : 32 Mo ou plus de mémoire, support AGP, DVD, DVI, S-Video et sortie vidéo composite.
Lecteur de CD-ROM ou de DVD x12 ou plus rapide	Idem.	Vous aurez besoin d'un lecteur de CD-ROM pour installer Windows XP (comme un lecteur de DVD est capable de lire des CD-ROM, il fera aussi l'affaire). Windows XP gère aussi les graveurs de CD.
Accès à Internet	Modem à 56 000 bits par seconde ou plus.	Windows XP fait un usage intensif d'Internet, de l'enregistrement du produit aux mises à jour en passant par les correctifs et les jeux en ligne.

Ce qui est gentiment exigé par Microsoft	Ce qu'il faut réellement	Pourquoi ?
		Plus le modem sera rapide, moins vous perdrez de temps à vous tourner les pouces.
Souris compatible PS/2	Idem.	Microsoft fabrique d'excellentes souris. J'ai une préférence pour l'IntelliMouse, celle avec une molette sur le dessus.
Un moniteur de 15 pouces de diagonale ou plus	Un moniteur à cristaux liquides.	Plus l'écran sera grand, plus vous aurez de place sur le Bureau, ce qui évitera que les fenêtres se recouvrent les unes les autres. Malheureusement, les écrans à cristaux liquides de grande dimension sont encore hors de prix.

Que dois-je installer sur mon ordinateur portable ?

Microsoft a conçu Windows XP Professionnel – mais pas Windows XP Édition Familiale – pour tourner sur des ordinateurs portables ou des "notebooks". La version professionnelle fonctionne mieux sur les ordinateurs alimentés par batteries et offre de meilleures options de connexion Internet sans fil.

Un ordinateur portable doit comporter les éléments suivants pour recevoir Windows XP :

- Un exemplaire de Windows XP qui lui est propre. Rappelez-vous que chaque exemplaire de Windows XP ne peut être installé que sur un seul ordinateur. Il vous sera impossible d'installer un même exemplaire sur l'ordinateur de bureau et le portable.
- Un processeur cadencé à 600 MHz ou plus avec 128 Mo de mémoire vive (RAM).
- Un disque dur ATA/66 de 20 Mo.
- Un adaptateur graphique AGP de 8 Mo avec accélération 3D logicielle.
- Un lecteur DVD ou CD-RW/DVD.
- Des haut-parleurs intégrés.

- Un modem 56 000 bps intégré.
- Deux ports USB.
- Un réplicateur de port (station d'accueil) pour une connexion aisée d'un clavier externe, d'une souris et d'un moniteur.

Chapitre 3

Parlez-vous Windows XP ?

Dans ce chapitre :

- Quelques explications sur les termes étranges utilisés dans Windows XP.
- Savoir où chercher des détails supplémentaires sur cette terminologie.

Windows existe depuis si longtemps que beaucoup de gens ont eu l'occasion de s'y faire la main. Les plus jeunes l'ont découvert dans la salle d'informatique de leur école. Pour beaucoup d'entreprises, il est évident qu'il donne les moyens de naviguer efficacement sur leurs pages Web.

Pour que vous puissiez vous initier facilement à Windows, ce chapitre a été conçu à la manière d'un guide touristique qui passe en revue chacun des termes bizarres que vous êtes cependant censé connaître aux yeux des autres.

Activation

Vous ne le saviez peut-être pas, mais vous n'êtes en rien l'heureux propriétaire de Windows XP. Bien que vous l'ayez acheté dans une boutique, ou bien qu'il ait été préinstallé sur votre ordinateur, il ne vous appartient pas. La documentation contractuelle qui l'accompagne indique clairement que *Microsoft est le propriétaire de Windows*. Vous avez simplement acquis une licence – c'est-à-dire la permission de l'utiliser sur votre ordinateur. Qui plus est, ce droit ne vous est accordé que pour un seul ordinateur.

Dans le passé, bien des gens achetaient un seul exemplaire de Windows qui était installé à la fois sur leur ordinateur de bureau et sur leur ordinateur portable. Après tout, pourquoi pas, puisqu'ils utilisaient l'un ou l'autre, mais jamais les deux à la fois ?

La nouvelle fonction d'activation de Windows a complètement changé la donne. Lorsque vous installez Windows XP, une agaçante petite fenêtre apparaît, qui vous demande de l'"activer". Lorsque vous acceptez l'opération, Windows XP prend une "photographie" des composants de votre ordinateur, les associe au numéro de série de votre exemplaire de Windows XP et envoie cette information à Microsoft par Internet.

Par la suite, si quelqu'un d'autre tente d'installer le même exemplaire de Windows sur un autre ordinateur, Windows XP signale qu'il a déjà été attribué et refuse de fonctionner.

Sauvegarder un disque dur

Un ordinateur stocke une kyrielle de fichiers sur son disque dur. Cette profusion de fichiers peut être une source de problèmes. Lorsque le disque dur tombe en panne – rien n'est éternel – tous ces fichiers cessent d'exister. Il n'en reste plus rien.

Tout utilisateur désireux de ne pas être victime d'un tel incident devra consciencieusement *sauvegarder* son disque dur. Il dispose pour cela de trois moyens.

Certaines personnes copient l'intégralité de leur disque dur sur une série de disquettes ou sur un ou plusieurs CD. Bien que cette tâche soit facilitée par des logiciels de sauvegarde, elle est fort longue. Qui en effet accepte de perdre une bonne demi-heure à recopier des fichiers, après sa journée de travail ?

D'autres utilisent un *enregistreur-lecteur à bande magnétique*. Cette bande, spécialement conçue pour stocker des données informatiques, est intégrée au boîtier de l'ordinateur ou branchée à l'arrière. Elle enregistre toutes les données du disque dur. Si jamais le disque dur venait à rendre l'âme, vous auriez néanmoins un double des fichiers. L'enregistreur à bande duplique fidèlement tous les fichiers modifiés ; vous n'avez plus à vous soucier de les enregistrer sur des disquettes.

Enfin, d'autres personnes utilisent un *lecteur de cartouches.* Ces appareils fonctionnent à la manière d'un disque dur amovible que vous pouvez insérer ou retirer de l'ordinateur. Les lecteurs Jaz de Iomega, par exemple, peuvent stocker jusqu'à 2 gigaoctets de données sur une seule cartouche. Les cartouches Peerless ont une contenance de 10 à 20 Go. Une seule cartouche est bien plus facile à manier que des centaines de disquettes (reportez-vous au Chapitre 2 pour en savoir plus sur les lecteurs Iomega).

ATTENTION !

- N'utilisez pas les anciens logiciels de sauvegarde avec Windows XP. À moins que leurs spécifications ne signalent explicitement qu'ils sont compatibles avec Windows XP, la sauvegarde pourrait ne pas être fiable.
- Le coût moyen d'une unité de sauvegarde est de 150 à 400 €, selon la taille du disque dur à sauvegarder. Certaines personnes effectuent leurs sauvegardes quotidiennement, en utilisant une nouvelle bande ou cartouche pour chacun des jours de la semaine. Si elles découvrent le mardi que le rapport enregistré la veille contenait de bien meilleures informations, elles le récupèrent sur la sauvegarde du lundi.
- Windows XP permet de copier les fichiers sur des CD-ROM ; leur contenance est d'environ 600 Mo. Vous pouvez également suavegarder sur DVD-ROM (9,4 Go pour un DVD double face). Pour effectuer cette copie avec un graveur de CD ou de DVD, insérez le CD ou le DVD inscriptible, cliquez avec le bouton droit sur les fichiers à sauvegarder, puis choisissez l'option Envoyer vers. Sélectionnez ensuite CD ou DVD inscriptible.

Attention toutefois : seuls les utilisateurs considérés comme *administrateurs* par l'ordinateur peuvent utiliser cette fonctionnalité. Nous reparlerons d'eux – les administrateurs – dans le Chapitre 9.

Le clic

Un ordinateur émet une foule de cliquètements. Celui qui nous intéresse ici, à vrai dire le plus important, est le clic produit par le bouton de la souris. Vous serez amené à cliquer des centaines de fois dans Windows XP. Par exemple, pour activer à l'écran le bouton portant l'inscription "Cliquez ici", vous déplacez le pointeur de la souris jusqu'à ce qu'il se trouve sur le bouton en question, puis vous cliquez avec le bouton de la souris.

- Si des gens vous disent "appuyez sur le bouton de la souris", ils oublient généralement un important détail : *relâcher* le bouton juste après l'avoir enfoncé. Appuyez et relâchez aussitôt, comme vous le feriez avec le bouton d'un ascenseur.

- La plupart des souris ont deux boutons, certaines en ont trois, et certains modèles bizarroïdes venus d'ailleurs en ont jusqu'à une douzaine. Dans Windows XP, la plupart des clics doivent être effectués avec le bouton *gauche* de la souris. C'est celui qui se trouve tout naturellement sous votre index lorsque vous la manipulez (mais pour les gauchers, Windows XP peut être configuré de manière à permuter les boutons gauche et droit).

- Windows XP distingue les clics effectués avec le bouton gauche de la souris de ceux effectués avec le bouton droit. En fait, chaque fois que vous vous demandez ce que vous pouvez bien faire d'un élément de Windows, cliquez dessus avec le bouton droit de la souris. Un petit menu contextuel apparaît, qui propose diverses options.

- Ne confondez jamais le *clic* avec le *double-clic*. Pour en savoir plus, reportez-vous aux sections "La souris", "Le double-clic" et "Pointeurs et flèches", plus loin dans ce chapitre. Les curieux insatiables découvriront quelques détails supplémentaires dans le Chapitre 2, concernant notamment la nouvelle souris IntelliMouse de Microsoft et sa drôle de petite molette.

Le curseur

Les machines à écrire sont équipées d'un petit mécanisme à tiges qui produit la frappe sur la page. Les ordinateurs ne sont pas dotés de ces tiges (sauf dans les vieux films de science-fiction), mais sont équipés d'un *curseur*. Ce dernier est un petit trait qui matérialise l'emplacement du prochain caractère typographique, dans un texte. Le curseur se distingue du pointeur par son apparence : le curseur clignote, ce qui n'est pas le cas du pointeur de souris.

Pour en savoir plus, rendez-vous à la section "Pointeurs et flèches", dans ce chapitre, ou au Tableau 2.1 du Chapitre 2. Ou encore, lisez chacun des points qui suivent :

- Le curseur n'apparaît que si Windows XP attend que vous tapiez du texte, des chiffres ou un symbole, notamment quand vous écrivez une lettre ou un rapport, ou quand vous remplissez des formulaires.

- Le curseur et le pointeur de souris sont deux éléments différents qui effectuent chacun une tâche spécifique. Lorsque vous tapez du texte, les caractères apparaissent sous le curseur, et non à l'emplacement du pointeur.

- Le curseur peut être déplacé dans le document en utilisant les *touches de commande du curseur* (celles avec une petite flèche). Vous pouvez aussi désigner un endroit avec le pointeur de la souris puis cliquer. Le curseur se positionne à cet endroit.

- Un formulaire à remplir ? Voici une astuce pour les paresseux : appuyez sur la touche Tab après avoir rempli chaque champ (ou zone de texte). À chacune de ces actions, le curseur passe au champ suivant. L'appui sur Tab évite un grand nombre de positionnements du curseur et de clics. Pour revenir au champ précédent, maintenez la touche Maj enfoncée tout en appuyant sur Tab.

Par défaut (et sur n'importe quelle touche)

Certains logiciels proposent une liste de choix plus ou moins obscurs et suggèrent éventuellement de sélectionner la seule option qui n'y figure pas : l'*option par défaut*.

Inutile de vous tourmenter pour si peu : contentez-vous d'appuyer sur la touche Entrée.

Ces vieux renards de programmeurs ont en effet prédéfini l'option qui convient le mieux à 99 % des utilisateurs. Donc, en appuyant simplement sur Entrée, le logiciel fait le choix le plus judicieux pour la majorité et vous dispense de vous poser d'inextricables questions.

- L'option par défaut est analogue à l'injonction "Appuyez sur n'importe quelle touche", laquelle touche n'est évidemment indiquée sur aucun clavier, quel qu'en soit le modèle ou le prix.
- L'option *par défaut* peut aussi être considérée comme une option *standard*, autrement dit l'option à choisir lorsque vous êtes complètement perdu. C'est par exemple le cas des gens qui ne se connaissent pas et qui, fortuitement réunis dans un ascenseur, regardent leurs pieds par défaut.
- Lorsqu'un programme vous invite à appuyer sur n'importe quelle touche, appuyez sur la barre d'espace. Notez à ce propos que la touche Maj ne réagit pas du tout.

Le Bureau (et comment changer l'arrière-plan)

Pour ne pas abuser d'affreux termes informatiques, Windows XP utilise souvent des mots empruntés à l'environnement bureaucratique. Par exemple, toutes les actions effectuées dans Windows XP se produisent sur le Bureau. Le *Bureau* est la zone dans laquelle s'empilent les fenêtres. Pour faire plus joli, il peut être agrémenté d'une image qui occupe tout l'arrière-plan (dans les anciennes versions de Windows, cet arrière-plan était appelé *papier peint*).

Le Bureau standard de Windows XP montre une dune. Elle ne vous plaît pas ? Pas de problème. Vous trouverez d'autres images d'arrière-plan dans Windows et ailleurs.

Vous pouvez en effet personnaliser l'arrière-plan selon vos préférences avec la photo de votre chat ou d'un mille-pattes. Vous pouvez aussi dessiner un arrière-plan dans le logiciel Paint livré avec Windows, que vous enregistrerez dans le format requis pour en faire un arrière-plan.

Internet Explorer ainsi que d'autres navigateurs permettent de récupérer des images sur le Web et de les transformer en arrière-plan de Bureau. Pour ce faire, cliquez avec le bouton droit de la souris sur l'image qui vous intéresse puis choisissez l'option Établir en tant qu'élément d'arrière-plan.

Le double-clic

Windows XP accorde une grande importance à une action qui semble bien simple : appuyer sur le bouton de la souris et le relâcher. Cette action est le *clic*. Mais l'effectuer deux fois à la suite très rapidement est un *double-clic*.

Windows XP distingue attentivement le clic du double-clic, car ces deux actions sont fondamentalement différentes. En règle générale, le *clic* sert à sélectionner un élément tandis que le *double-clic* déclenche une action. Ces effets seront plus clairement expliqués à la fin du Chapitre 5.

- Le double-clic exige un peu de pratique pour être maîtrisé, même si vos doigts sont agiles. Si l'intervalle de temps qui sépare les deux clics est trop long, Windows XP peut en déduire que vous cliquez deux fois, ce qui n'est pas un double-clic. Essayez de nouveau, cette fois plus vite, et Windows XP réagira sans doute plus conformément.

Glisser-déposer

Ce terme curieux, qui semble issu de la science-fiction, décrit une action effectuée avec la souris. Elle consiste à faire glisser un élément de Windows XP à l'écran – disons, l'image d'un œuf – et à le déposer à un endroit précis, sur l'image d'un coquetier par exemple.

Pour *faire glisser* l'œuf, placez le pointeur de la souris dessus, maintenez la touche gauche ou droite de la souris *enfoncée* (je préfère le bouton gauche) et tirez l'œuf à travers l'écran. Amenez le pointeur jusqu'à l'endroit où il doit se trouver, puis *relâchez* le bouton de la souris. L'œuf est *déposé*, sans même se casser.

- Lorsque vous maintenez la touche *droite* de la souris enfoncée pendant que vous faites glisser, Windows XP affiche un petit menu contextuel comportant l'option Déplacer ici. Continuez à maintenir le bouton droit enfoncé pendant le déplacement.

- Pour en savoir plus sur ces amusantes actions, reportez-vous aux sections "Le clic", "Le double-clic" "La souris" et "Pointeurs et flèches" dans ce chapitre ; et, si vous n'en avez pas encore assez, aux informations concernant les divers éléments de l'ordinateur, dans le Chapitre 2.

- Vous avez fait glisser un élément et vous vous rendez compte à mi-chemin qu'il ne fallait pas le déplacer ? Inspirez très fort, comme au yoga, et appuyez sur la touche Échap. Relâchez ensuite le bouton de la souris.

Ouf ! Si vous avez fait glisser l'élément avec le bouton droit de la souris, vous avez une autre possibilité : choisir Annuler dans le menu contextuel.

Les pilotes

Bien que Windows XP soit capable de tout, je veux dire d'effectuer plein de choses, il lui faut parfois un petit coup de pouce. Car, dès qu'il doit communiquer avec une partie de l'ordinateur qui ne lui est pas familière, il le fait au travers d'un logiciel spécial appelé *pilote* (NdT : ou encore *driver*Voir Pilote, pour les inconditionnels du franglais informatique).

Des centaines de fabricants de matériel informatique vendent des périphériques complémentaires, des imprimantes aux cartes son en passant par des systèmes de réfrigération. Microsoft a demandé à ces sociétés de programmer des pilotes afin que leurs produits soient reconnus par Windows XP.

- Il arrive parfois qu'un allumé d'informatique vous signale que votre *pilote de souris* fait des siennes. Il ne fait pas du tout allusion aux mouvements désordonnés de votre main, mais au logiciel qui permet à Windows de communiquer avec la souris.

- Les produits informatiques exigent souvent la mise à jour d'un pilote. Le meilleur moyen de se procurer ces mises à jour consiste à aller sur le Web, généralement sur le site du fabricant. Il arrive parfois que l'on trouve le pilote idoine sur le site de Microsoft.

- Vous ne disposez pas d'une connexion à Internet ? En écrivant au fabricant de la souris, vous obtiendrez certainement une disquette contenant le pilote. Il se peut aussi que vous l'obteniez du jeune homme hirsute qui vous a vendu l'ordinateur.

- Windows XP est accompagné d'un logiciel opportunément nommé *Windows Update* qui établit une connexion en un lieu précis sur Internet, où un stéthoscope virtuel examine les tripes de votre ordinateur puis implante les mises à jour nécessaires.

Les fichiers

Un *fichier* est un ensemble de données organisé sous une forme compréhensible par l'ordinateur. Un *fichier programme* contient des instructions qui indiquent à l'ordinateur les tâches qu'il doit exécuter. Un *fichier de données* contient des informations que vous avez vous-même créées dans un traitement de texte, WordPad par exemple, ou avec un logiciel de dessin comme Paint.

- Les fichiers ne peuvent pas être touchés ou manipulés ; ce sont des objets immatériels. On peut imaginer leur stockage sous la forme de petites impulsions électromagnétiques appliquées à une surface sensible, la disquette ou le disque dur (NdT : ou à des cuvettes gravées dans la partie métallique d'un CD, le passage du rayon laser de la partie haute à la partie basse de ces cuvettes, et inversement, produisant un signal lumineux qui est ensuite converti en signal électrique).
- Un fichier est identifié par son *nom de fichier*. Windows permet de nommer un fichier par une phrase descriptive dont la longueur ne doit pas dépasser 255 caractères.

- Un nom de fichier comporte aussi une *extension* facultative de trois caractères. Ces derniers sont propres au logiciel qui a produit le fichier. Par exemple, un dessin créé dans Windows XP avec le logiciel Paint est automatiquement enregistré avec l'extension .bmp (NdT : abréviation de *bitmap*, point à point). Les programmeurs de chez Microsoft ayant constaté que la plupart des utilisateurs ne se souciaient pas des extensions des noms de fichiers ont fait en sorte que, par défaut, Windows XP ne les affiche pas.

- Les noms de fichiers obéissent à des règles plus contraignantes que celles de l'utilisation du jacuzzi d'un club sportif. Pour en savoir plus qu'il n'en faut sur les noms de fichiers, allez au Chapitre 11.

Les dossiers (ou répertoires)

Personne n'assimile sérieusement l'ordinateur à un véritable bureau, bien que Windows XP s'efforce d'exploiter à fond cette métaphore. Le contenu de l'écran, par exemple, est appelé *Bureau* et, comme dans un bureau digne de ce nom, les fichiers sont classés dans des *dossiers*.

Quelles que soient les qualités de Windows, le stockage des fichiers n'est jamais une mince affaire. Il ne vous est pas possible d'ouvrir un tiroir et d'en extraire le dernier avis d'imposition. Manipuler des fichiers est en fait aussi délicat que d'attraper un ours en peluche, à la fête foraine, avec la pince télécommandée.

Comme les fichiers et les dossiers sont un sujet assez ardu, ils sont décrits en détail dans le Chapitre 11. En attendant, considérez que les dossiers sont tout simplement des sortes de chemises (et aussi de sous-chemises) dans lesquelles vous rangez vos fichiers. Vous créez en principe un dossier par type de travail, et vous passez de l'un à l'autre selon vos activités.

- Un dossier Comptabilité peut comporter un sous-dossier Amortissement, ce qui permet de mieux classer les documents. En fait, la plupart des dossiers contiennent plusieurs sous-dossiers. Vous devez être très rationnel et bien organisé lorsque vous travaillez avec un ordinateur. C'est le meilleur moyen de vous y retrouver, et surtout de retrouver tout ce que vous lui avez confié.

- D'un point de vue technique, un sous-dossier est un *sous-répertoire imbriqué* qui contient des données qui doivent rester ensemble. Vous pouvez par exemple créer, pour le sous-dossier Amortissement, des sous-dossiers Linéaire et Progressif.

L'interface graphique

Les utilisateurs communiquent avec l'ordinateur à travers un dispositif appelé *interface*. Par exemple, dans la série télévisée *Star Trek*, l'ordinateur de bord du vaisseau spatial *Enterprise* fonctionne grâce à une interface verbale : le capitaine Kirk se contente de lui dire ce qu'il doit faire.

Windows XP est équipé d'une *interface graphique*. L'utilisateur communique avec lui au travers de *symboles graphiques,* c'est-à-dire d'images. L'interface graphique fonctionne à la manière de ces panneaux que l'on trouve dans les offices de tourisme et les aéroports, où vous sélectionnez l'hôtel qui vous intéresse en appuyant sur un bouton placé à côté de son logo.

- Contrairement à ce que laissent entendre certaines publicités de Microsoft aux États-Unis, Windows XP n'est pas le seul système d'exploitation fonctionnant grâce à une interface graphique. Celle du Macintosh d'Apple est apparue bien des années auparavant.

- Peut-être avez-vous entendu parler du système d'exploitation Linux (inventé par un étudiant finlandais, Linus Torvalds). Bien que très apprécié des programmeurs et des passionnés d'informatique, il n'est pas doté – et de loin ! – d'autant de logiciels que Windows. Évitez d'acheter un PC tournant sous Linux si vous n'êtes pas vous-même un programmeur professionnel.

- Les petits symboles graphiques, ou boutons, qui apparaissent un peu partout dans une interface graphique sont appelés *icônes*.

- Sur certaines versions étrangères (américaine, chinoise, japonaise...) de logiciels comme Office (versions XP et 2003), il est possible de communiquer vocalement avec l'ordinateur. Cette fonctionnalité n'est pas opérationnelle sur la version française (bien qu'elle soit mentionnée dans l'aide d'Office XP et d'Office 2003).

Matériel et logiciel

Fondamentalement, tous les éléments qui constituent le vaste domaine qu'est l'informatique peuvent se résumer à deux mots : le matériel et les logiciels.

Un lecteur de CD est du *matériel* (NdT : le terme anglais *hardware,* voire l'abréviation *hard*, est parfois utilisé). Lorsqu'il vient tout juste d'être allumé, l'ordinateur n'est encore qu'une masse de composants électriques et électroniques inertes. Pour qu'il puisse "penser", il faut lui communiquer des instructions dûment programmées selon une logique précise. Ce programme – qui est en quelque sorte le pur produit de la pensée du ou des programmeurs – est un *logiciel.*

- Le *matériel* est tout ce qui est tangible, y compris des appareils tels que l'imprimante, le moniteur, les lecteurs de disquettes et les consommables (disquettes, encre...).
- Le *logiciel* est la partie éthérée, immatérielle, qui permet au matériel de faire et de produire quelque chose. Un logiciel est aussi appelé *programme informatique.* Ce dernier est stocké sur un disque ou sur une disquette.
- Lorsque le passionné d'informatique qui se penche avec sollicitude sur votre machine déclare : "Ça doit être un problème de matériel", il vous apprend que c'est l'ordinateur lui-même qui est en panne (disque dur, clavier, processeur...). Mais s'il dit : "C'est un problème logiciel", il pense que c'est le programme informatique qui est en cause.
- NdT : les logiciels sont écrits – on dit aussi "développés" – par des *programmeurs,* et non par des programmateurs. Ces derniers élaborent en effet les grilles de

programmes des stations de radio ou de télévision, ce qui n'est pas du tout le même métier.

Les icônes

Une *icône* est un petit pictogramme, comme celui qui illustre ce paragraphe. Windows XP les utilise abondamment ; elles servent à lancer l'exécution de diverses tâches. Vous choisirez par exemple l'icône Imprimer – celle avec une imprimante dessinée dessus – pour faire en sorte que l'ordinateur démarre une impression. Le mot "icône" (du grec *iconos*, image) est un synonyme de "bouton".

- Windows XP fait appel à des icônes pour presque toutes les tâches, de l'ouverture d'un fichier à la libération des singes hurleurs.
- Certaines icônes sont accompagnées d'une info-bulle qui explique succinctement leur utilisation, comme Nouveau document ou Houspiller Dorothée. D'autres vous laissent deviner de quoi il s'agit. Par exemple, l'icône avec le jongleur ouvre la messagerie en réseau.
- Pour en savoir plus sur les icônes, reportez-vous à la section ci-dessus, "L'interface graphique".

Internet

À la fin des années 60, le gouvernement américain vivait dans la crainte qu'un ennemi bombarde les ordinateurs du département de la Défense, ce qui aurait anéanti toute l'infrastructure informatique. Les ingénieurs décidèrent alors de disperser les ordinateurs, de tous les programmer de la même façon et de les relier par des lignes de télécommunications à grand débit.

Ainsi, si un ordinateur était mis hors d'état à San Diego, la chaîne de données issue des ordinateurs environnants cesserait d'alimenter la machine détruite. Les données seraient simplement déroutées vers d'autres ordinateurs du réseau et tout le monde aurait du courrier électronique le lendemain, sauf bien sûr les malheureux techniciens de San Diego.

Grâce à ce vaste réseau fonctionnant en permanence en tâche de fond, l'ennemi n'aurait plus le plaisir de ne s'en prendre qu'à une seule cible. Le système s'étant avéré fiable, des milliers d'autres réseaux vinrent s'y greffer. De nombreuses institutions universitaires s'y ajoutèrent, de sorte que le réseau prit rapidement de gigantesques proportions. Désormais connu sous le nom d'*Internet*, le réseau échappa à ses créateurs, se distingua par son absence de contrôle, de censure et aussi par sa qualité quelque peu aléatoire.

Quiconque se connecte à Internet, et plus précisément à sa partie grand public, le World Wide Web (la "toile d'araignée mondiale"), parcourt virtuellement la planète. Windows XP est équipé de tous les outils nécessaires pour surfer.

- Windows XP est grandement basé sur Internet. Il comporte tous les logiciels nécessaires pour naviguer sur le Web, visionner des clips vidéo, écouter les stations radio Internet du monde entier et télécharger des programmes.

- La seule restriction est que, pour bénéficier des outils Internet de Windows XP, vous devez souscrire un abonnement auprès d'un fournisseur d'accès à Internet (FAI). Notez cependant qu'il existe en France des FAI gratuits ; ils compensent les frais de connexion par de la publicité et des relances publicitaires qu'ils diffusent auprès de leur clientèle.

- Pour en savoir plus sur Internet, reportez-vous au Chapitre 12.

Kilo-octets, mégaoctets, et ainsi de suite

Il est facile d'estimer la taille d'un véritable classeur : il suffit en effet d'évaluer l'épaisseur de la pile de papier en centimètres. Mais, comme les fichiers informatiques sont invisibles, leur taille est mesurée en *octets*.

Une page de texte en double interligne dans le Bloc-notes de Windows fait à peu près un millier d'octets, soit approximativement 1 kilo-octet, ou encore, en abrégé, 1 Ko. Un millier de ces kilo-octets forment un mégaoctet, soit, en abrégé, 1 Mo. Un millier de mégaoctets forment environ un gigaoctet, ce qui nous amène à la capacité des disques durs. La plupart de ceux vendus actuellement ont une capacité de 20 Go et plus.

- Les disquettes actuellement en vente contiennent jusqu'à 1,44 Mo. Les logiciels, eux, sont diffusés sur des CD-ROM capables de contenir plus de 600 Mo.

- La taille de tous les fichiers est exprimée en octets, qu'ils contiennent du texte ou toute autre chose. Par exemple, l'arrière-plan sablonneux que Windows XP affiche sur le Bureau occupe 1 440 054 octets.

- Une page en double interligne dans le Bloc-notes équivaut à environ 1 Ko, mais la même page dans Word occupe plus de place car le fichier contient des informations supplémentaires, notamment la taille de la police, le nom de l'auteur, les favoris, les résultats de la correction orthographique et une foule d'autres codes de mise en page...

- L'Explorateur Windows et le Poste de travail indiquent la taille des fichiers en octets. Pour en savoir plus, reportez-vous à la description de l'Explorateur Windows, dans le Chapitre 11.

Une astuce à l'intention du lecteur pressé : cliquez avec le bouton droit sur le nom d'un fichier et, dans le menu contextuel, choisissez Propriétés. Vous obtiendrez plus d'informations sur ce fichier qu'il ne vous en faut.

Un kilo-octet n'est pas *véritablement* égal à 1 000 octets. Ce serait trop facile. En fait, les calculs informatiques s'effectuent sur une base de 2. C'est pourquoi un kilo-octet fait 1 024 octets, c'est-à-dire 2 à la puissance 10 (2^{10}). Cela signifie que les 1 440 054 octets de l'arrière-plan du Bureau font en réalité 1,37 Mo. Le Tableau 3.1 fournit des informations supplémentaires sur l'évaluation des tailles en octets.

Tableau 3.1 : Octets et tailles de fichiers.

Terme	Abréviation	Taille approximative	Taille exacte
Octet	Aucune	1 octet	1 octet (soit 8 bits)
Kilo-octet	Ko	1 000 octets	1 024 octets
Mégaoctet	Mo	1 000 kilo-octets	1 048 576 octets
Gigaoctet	Go	1 000 mégaoctets	1 073 741 824 octets

Charger, démarrer, exécuter et lancer

Dans un bureau – un vrai –, les fichiers proviennent du service des archives et sont placés sur le bureau afin d'être consultés. Dans un ordinateur, les fichiers sont *chargés* depuis une mémoire de masse (disque dur, disquette, CD...) et placés dans la mémoire vive afin d'y être traités. Il est impossible de travailler sur un fichier ou avec un programme tant qu'il n'a pas été chargé dans la mémoire vive de l'ordinateur.

Quand vous *démarrez*, *exécutez* ou *lancez* un programme (logiciel), vous le mettez tout bonnement en route afin de pouvoir travailler avec. Le fait de *charger* revient à peu près au même, mais pour les pinailleurs, ce terme recouvre à la fois le chargement du logiciel et aussi des données du fichier à traiter.

Ceux qui aiment les petites images peuvent démarrer un logiciel en cliquant sur le pictogramme approprié – l'icône – visible sur le Bureau de Windows XP. Ceux qui préfèrent la littérature démarreront un logiciel en cliquant sur son nom, dans l'Explorateur Windows ou dans le Poste de travail (mais ces deux interfaces permettent aussi de cliquer sur des icônes).

La mémoire

Nous abordons ici un point délicat. Fort heureusement, il se résume à une seule règle : plus un ordinateur possède de mémoire, plus Windows XP est agréable à utiliser.

- À l'instar des fichiers, la mémoire se mesure en octets. Celle des vieux ordinateurs remisés dans un fond de garage n'était que de 640 Ko. Récemment encore, les ordinateurs étaient équipés de 64 Mo de mémoire. Aujourd'hui, cette mémoire est en moyenne de 512 Mo.
- Windows XP exige au minimum 128 Mo de mémoire. Sous cette barre, il est inutile de le sortir de son emballage.

La mémoire vive et l'espace disponible sur le disque dur sont tous deux exprimés en octets, mais ces deux termes recouvrent deux notions fondamentalement différentes : la *mémoire vive* est celle que l'ordinateur, plus précisément le microprocesseur, utilise pour effectuer très rapidement des calculs et des traitements à la volée pendant que le logiciel est affiché à l'écran. L'espace disponible sur le disque dur est celui d'une *mémoire de masse,* le disque dur en l'occurrence. Elle n'est utilisée que pour stocker les logiciels et les fichiers informatiques.

Dans un ordinateur personnel, la mémoire de masse est supérieure à la mémoire vive pour des raisons de prix : un disque dur est moins cher que son équivalent en barrettes de mémoire vive. De plus, une mémoire de masse conserve les données même après que l'ordinateur a été éteint, alors que la mémoire vive est volatile : à la moindre coupure de courant, aussi brève soit-elle – ou si quelqu'un a l'inconséquence d'appuyer sur le bouton de réinitialisation généralement marqué *Reset* –, les données s'évanouissent sans laisser de trace.

Perdu dans ces notions d'octets, de kilo-octets, de mégaoctets et autres trucs du même tonneau ? Allez simplement en arrière à la section "Kilo-octets, mégaoctets, et ainsi de suite" et (re)lisez-la.

La souris

La *souris* est cette petite chose en matière plastique avec une longue queue qui lui sort de la tête. Elle se déplace sur une grosse bille, la *boule*. Le fil est branché à l'arrière du PC. Lorsque vous bougez la souris, elle envoie à l'ordinateur des informations concernant son déplacement ; ce dernier les applique au pointeur – la flèche – visible à l'écran.

Vous pouvez déplacer la souris en cercle et observer comment le pointeur tourne en rond. Ou, pour être plus pratique, il est possible de placer la flèche visible à l'écran sur un bouton également visible à l'écran, puis de cliquer sur un bouton de la souris pour déclencher une action (pour en savoir plus, référez-vous plus haut aux sections "Le clic" et "Le double-clic" et, si vous n'êtes pas saturé, reportez-vous au Chapitre 2, qui décrit les composants de votre ordinateur).

Les réseaux

Un *réseau* interconnecte des ordinateurs afin que leurs utilisateurs puissent se partager des équipements et des informations. Tout ordinateur est capable d'envoyer des données à une imprimante, par exemple, et des gens peuvent s'envoyer des messages pour dire ce qu'ils pensent de la nouvelle coupe de cheveux de Jane.

Comme vous débutez avec Windows XP, vous pouvez vous dispenser de savoir ce qu'est un réseau. Laissez ça aux malheureux techniciens qui en ont la charge.

- À moins que vous ne travailliez en entreprise, vous n'aurez sans doute pas à vous soucier des réseaux. Mais si vous vous posez des questions, vous trouverez les réponses dans le Chapitre 9.
- Pour savoir comment vous relier à un réseau, notamment comment vous connecter à Internet avec Windows XP, allez au Chapitre 12.

Pointeurs et flèches

De prime abord, ce concept paraît élémentaire. Lorsque vous déplacez la souris sur la table, vous actionnez une petite flèche visible à l'écran. Cette flèche est un *pointeur*, parfois appelé *flèche* (dans Windows XP, beaucoup de choses ont deux noms).

Le pointeur est en quelque sorte un *doigt (index) électronique*. Au lieu d'appuyer directement sur l'écran, vous amenez le pointeur à l'emplacement désiré puis vous cliquez avec le bouton gauche de la souris.

Qu'y a-t-il de si compliqué ? C'est qu'en fait le pointeur n'est pas toujours une flèche. Selon l'emplacement qu'il occupe, dans Windows XP, il peut se présenter sous la forme d'une petite barre, d'une flèche à deux pointes, ou à quatre, ou se transformer en sablier, en une petite colonne dorique ou en une foule d'autres choses. Chacun de ces symboles correspond à une tâche ou à une action spécifique. Ces différentes apparences du pointeur ont été décrites dans le Chapitre 2.

Plug and Play

Autrefois, l'installation d'un nouveau matériel dans un PC exigeait de substantielles connaissances techniques pour le mettre en place puis le configurer à l'aide des logiciels qui l'accompagnaient. Autrement dit, seuls les passionnés arrivaient à comprendre ce qu'il fallait en faire et parvenaient à le faire fonctionner.

C'est pourquoi des fabricants décidèrent un jour de se réunir autour d'une table pour élaborer le concept révolutionnaire du *Plug and Play* (NdT : ce terme anglais, qui signifie "branchez et ça fonctionne", est utilisé tel quel en informatique). Il permet à Windows XP de reconnaître et de régler automatiquement tous les périphériques que vous serez amené à brancher sur le PC, sans aucune intervention humaine, ou si peu. Il suffit de le brancher au connecteur ou au port requis, et de laisser Windows l'interroger afin qu'il s'informe de ses spécifications et choisisse la bonne configuration.

Comme Windows XP s'occupe de tout, il ne vous est plus demandé de choisir le meilleur paramètre dans une liste. Après avoir branché le nouveau matériel, l'utilisateur n'a plus rien à faire, sinon appuyer sur le bouton Marche.

- Le processus n'est pas toujours aussi simple. Seul le matériel estampillé "Plug and Play" est automatiquement pris en charge. Avec d'autres matériels, vous devrez parfois effectuer vous-même les réglages. Avec un peu de chance, ils fonctionneront du premier coup.
- La mention "Plug and Play" est parfois remplacée par l'abréviation "PnP". Les plus sceptiques se font un malin plaisir de l'appeler "Plug and Pray", *branchez et priez*. Windows XP est capable de reconnaître toutes sortes de matériels, y compris des éléments assez anciens.
- Pour avoir les meilleures chances de succès, n'installez que des nouveaux matériels dont la boîte comporte la mention "Plug and Play" ou "Compatible Windows XP". De plus, n'installez *jamais* un deuxième périphérique avant de vous être assuré que le premier fonctionne parfaitement.

N'OUBLIEZ PAS

Quitter ou sortir

Dès que le moment est venu d'éteindre l'ordinateur et de reprendre le cours d'une vie normale, vous devez arrêter ou quitter les logiciels que vous utilisiez. Les termes *Quitter* (qui figure dans le menu des logiciels) et *Sortir* (en langage parlé) ont tous deux la même signification : il s'agit d'arrêter le fonctionnement du programme en cours afin de passer à des activités plus gratifiantes.

Il est fort heureusement assez facile de sortir d'un programme XP, car tous sont censés utiliser la même commande Quitter. Mais vous pouvez aussi quitter en cliquant sur le petit bouton marqué d'une croix (X) dans le coin en haut à droite de la fenêtre du logiciel.

N'arrêtez jamais l'ordinateur en coupant simplement le courant, car vous risqueriez d'engendrer une sacrée pagaille dans son contenu. Vous devez toujours quitter les programmes proprement, en laissant Windows XP effectuer le ménage. Ceci fait, il vous indiquera que l'ordinateur peut être éteint en toute sécurité.

- Quand vous appuyez sur Alt+F4 ou que vous cliquez sur le petit X en haut à droite de la fenêtre, le programme demande si vous voulez enregistrer les modifications apportées au fichier. Normalement, vous cliquez sur le petit bouton comportant une indication du genre "Ah que oui et comment que je tiens à enregistrer ce foutu travail qui m'a pris trois plombes et que je voudrais pas perdre, non mais !". En revanche, si vous n'êtes pas très fier des horreurs que vous avez pondues, cliquez sur le bouton Non. Windows éliminera toutes les modifications que vous avez apportées.

- Si, vos petits doigts s'étant incongrûment mêlés sur le clavier, vous avez appuyé sur Alt+F4 par accident, cliquez sur le bouton Annuler. Le logiciel fera comme si rien ne s'était passé. Vous pourrez poursuivre votre travail en toute quiétude.

- Windows XP permet de fermer la plupart des fenêtres des programmes en double-cliquant sur l'icône présente dans le coin en haut à gauche. Mais il est beaucoup plus simple de cliquer une seule fois sur le X en haut *à droite.* Ces deux actions sont équivalentes.

- Sauvegardez avant de quitter un programme ou d'éteindre l'ordinateur, car les ordinateurs n'ont pas toujours la délicatesse d'enregistrer automatiquement votre travail.

La commande Enregistrer

Enregistrer signifie que le travail que vous venez d'effectuer sur l'ordinateur (NdT : pour être plus précis, dans la mémoire vive de ce dernier) est recopié sur une mémoire de masse (le disque dur) pour plus de sécurité. Tant que vous n'avez pas enregistré votre travail, l'ordinateur considère que vous avez vaguement bricolé de-ci, de-là ces quatre dernières heures ; vos œuvres sont à la merci de la moindre coupure de courant ou, ce qui est plus fréquent, d'un blocage inopiné du logiciel ou de la machine. C'est pourquoi vous devez demander spécifiquement à l'ordinateur d'enregistrer le travail sur le disque dur afin de le mettre en lieu sûr.

Grâce aux préconisations formulées par Microsoft, tous les programmes tournant sous Windows XP utilisent la même commande Enregistrer, quel que soit l'éditeur qui a pondu le logiciel. Appuyez puis relâchez les touches Alt, F et S, dans n'importe quel logiciel XP, et l'ordinateur enregistre docilement le travail (NdT : dans la majorité des programmes, le raccourci clavier Ctrl+S effectue la même chose).

Si l'enregistrement est effectué pour la première fois, Windows XP demande de nommer le fichier et de choisir le dossier dans lequel il sera stocké. Nous allons parler de tout cela dans le Chapitre 4.

- Les fichiers peuvent être enregistrés sur le disque dur ou sur une disquette. Certaines personnes les enregistrent sur des disquettes Zip à grande capacité ou sur des disques compacts inscriptibles (reportez-vous au Chapitre 2 pour en savoir plus). Si vous avez accès au réseau informatique d'une entreprise, vous pourrez souvent enregistrer vos fichiers sur d'autres ordinateurs.

- Si vous préférez utiliser la souris pour enregistrer des fichiers, cliquez sur le mot Fichier, dans le menu principal situé en haut de la fenêtre, puis, dans le menu déroulant, choisissez Enregistrement. Dans de nombreux logiciels, une barre d'outils affiche l'icône d'une disquette ; cliquez dessus pour procéder à l'enregistrement.

- Donnez un nom évocateur à vos fichiers. Windows XP autorise jusqu'à 255 caractères. Il est ainsi plus facile de retrouver un fichier nommé *Rapport des ventes de balayettes* qu'un fichier nommé *Machins*.
- Dans certains programmes, comme Microsoft Word pour Windows, une fonction d'*enregistrement automatique* enregistre le travail en cours à intervalles prédéfinis, toutes les cinq minutes par exemple.

La commande Enregistrer sous

Non, cette commande ne sert pas à enregistrer vos petites économies, car l'ordinateur n'est pas un tiroir-caisse (du moins pas encore...). Elle sert en fait à enregistrer un fichier sous un autre nom, ou à un autre endroit.

Supposons que vous ayez ouvert le fichier nommé *Rêveries aléatoires*, que vous avez stocké dans le dossier *Écrits divers*, et que vous y avez modifié quelques phrases. Vous voulez enregistrer ces modifications, mais sans toucher au fichier original. Pour ce faire, vous choisirez la commande Enregistrer sous et vous nommerez le fichier *Rêveries aléatoires - ajouts*.

- La commande Enregistrer sous est identique à la commande Enregistrer lorsque cette dernière est utilisée la première fois. Dans les deux cas, vous pouvez nommer le fichier à votre guise et choisir librement le dossier de stockage.
- Le plus gros coquillage du monde peut peser jusqu'à 250 kilos.

ScanDisk

Vous avez peut-être déjà eu affaire à ce programme, souvent assez abruptement et au plus mauvais moment. Il apparaît en effet suite à un plantage de l'ordinateur, ou si ce dernier a été éteint sans passer par les commandes Démarrer puis Arrêter. ScanDisk est automatiquement démarré lorsque l'ordinateur est rallumé.

Vous lui devez beaucoup. ScanDisk est en effet un analyseur de disques qui examine le disque dur, recherche les éventuelles erreurs causées par l'interruption intempestive – ou par toute autre manipulation – et les répare avant d'autoriser le démarrage de Windows.

Les raccourcis

Le concept de *raccourci* est familier à la plupart d'entre nous : pourquoi se fatiguer à contourner tout un pâté de maisons pour aller à l'école ou au travail quand un raccourci à travers le potager d'Hilarion Lefuneste fera gagner plus de la moitié du chemin ?

Il en va de même avec Windows XP. Au lieu de se coltiner une tapée de fenêtres ou de menus pour atteindre un élément (fichier, lien Internet...), vous pouvez créer un raccourci que vous affecterez à une icône. En double-cliquant sur l'icône de ce raccourci, Windows XP vous amènera directement à cet élément.

Vous pouvez créer un raccourci pour le courrier que vous êtes en train d'écrire, par exemple ; vous le placerez sur le Bureau, à portée de main (ou plus exactement de souris). Double-cliquer dessus permettra à Windows XP d'accéder directement au dossier et au fichier concernés, de démarrer le traitement de texte et de charger la lettre, qui apparaît aussitôt à l'écran.

Un *raccourci* n'est finalement qu'un bouton qui charge un fichier et/ou un programme. Vous pouvez même créer des raccourcis pour votre imprimante ou pour un dossier souvent utilisé.

Pour créer sur le Bureau un raccourci vers un fichier, un dossier ou un programme (logiciel), ouvrez le Poste de travail ou l'Explorateur Windows, puis cliquez avec le bouton droit de la souris sur l'élément vers lequel le raccourci doit pointer. Dans le menu contextuel, choisissez l'option Envoyer vers, puis Bureau (créer un raccourci). Le raccourci est l'icône qui apparaît aussitôt sur le Bureau. Très plaisant !

Les fichiers temporaires

À l'instar des enfants qui ne rangent jamais leurs jouets, Windows XP laisse traîner un tas de choses dans l'ordinateur. Ces choses sont notamment les *fichiers temporaires*, c'est-à-dire des fichiers "secrets" que Windows XP utilise pour stocker des informations techniques pendant qu'il fonctionne. Ils sont normalement détruits lorsque vous quittez le programme. Mais parfois Windows oublie de faire le ménage et en laisse de-ci, de-là dans le disque dur.

- Les fichiers temporaires ont généralement – mais pas toujours – une extension .tmp. Des fichiers comme ~DOC0D37.TMP, ~WRI3F0E.TMP, ~$DIBLCA.ASD et autres fichiers de ce genre usuellement précédés par un tilde (~) sont des fichiers temporaires.
- Si vous sortez de Windows XP comme un malpropre – c'est-à-dire en éteignant l'ordinateur sans autre forme de procès –, ce dernier n'aura aucune possibilité de faire le ménage et d'éliminer le fouillis de fichiers temporaires qu'il a engendrés. C'est ainsi que vous découvririez jusqu'à des centaines de fichiers TMP qui encombreront joyeusement le disque dur. Veillez toujours à quitter Windows dans les règles, en cliquant sur le bouton Démarrer et en choisissant dans le menu l'option Arrêter.

- Pour libérer de la place inutilement occupée sur le disque dur, utilisez l'option Nettoyage du disque. Dans le menu Démarrer, choisissez Poste de travail, cliquez sur un disque dur avec le bouton droit de la souris, choisissez Propriétés, puis cliquez sur le bouton Nettoyage du disque. La boîte de dialogue qui apparaît permet d'éliminer des kyrielles de vieux fichiers de maintenance désormais inutiles, notamment les fichiers temporaires.

Les fenêtres

Windows XP permet de faire tourner plusieurs programmes en même temps en les plaçant dans des *fenêtres*. Une fenêtre est fondamentalement un rectangle affiché à l'écran.

Ces boîtes peuvent être déplacées. Il est aussi possible de les agrandir ou de les réduire, et de faire en sorte que l'une d'elles occupe la totalité de l'écran. Vous pouvez les réduire à la taille d'une icône, en bas de l'écran ; c'est ce que finissent par faire les nouveaux utilisateurs de Windows XP qui commencent à en avoir un peu assez.

- Vous pouvez placer autant de fenêtres à l'écran que vous le désirez, et les contempler toutes en même temps ou les regarder chacune tour à tour. Ces options réveillent le voyeur qui sommeille en chacun de nous. Notez cependant que plus vous ouvrez de fenêtres, plus Windows a tendance à être ralenti.
- Pour savoir comment déplacer les fenêtres et les redimensionner, allez au Chapitre 6. Pour savoir comment atteindre une fenêtre spécifique dans un empilement, allez tout de suite au Chapitre 7.

Le World Wide Web

Le World Wide Web (la "toile d'araignée mondiale"), plus simplement appelé le "Web", est le moyen idéal d'acquérir des quantités d'images, de sons et d'informations à partir du réseau Internet. Reportez-vous à la section "Internet", précédemment dans ce chapitre, ou, si vous êtes *vraiment* intéressé, jetez un coup d'œil au Chapitre 12.

Deuxième partie

Mettre Windows XP au boulot

Dans cette partie...

Windows XP est plus amusant que les gadgets à trois sous d'une pochette-surprise. Avec lui, vous pouvez faire d'infernales parties de flipper, jouer au backgammon sur Internet avec des adversaires que vous ne connaissez pas, et aussi monter les films que vous avez tournés avec votre caméscope numérique ou envoyer des photos à vos amis.

Certains de vos amis gâcheront évidemment tout votre plaisir en vous demandant bêtement : "Montre-moi un peu ce que Windows XP sait faire d'utile comme gérer les comptes ou apprendre aux enfants qu'il faut rincer une assiette avant de la mettre dans le lave-vaisselle."

Cette deuxième partie du livre vous donnera de quoi répondre du tac au tac.

Chapitre 4

Start me up

Dans ce chapitre :

- Démarrer Windows XP et terminer la session.
- Démarrer un programme.
- Découvrir les menus déroulants.
- Charger un fichier.
- Afficher deux programmes à la fois.
- Imprimer et enregistrer votre travail.

Vous découvrirez dans ces pages comment démarrer Windows XP, lui faire faire certaines choses et comment le quitter quand vous aurez fini. Vous constaterez aussi que non seulement Windows XP vous reconnaît, mais qu'il vous met à l'aise en vous autorisant à modifier ses couleurs selon vos préférences.

Ouvrir une session de Windows XP

Si Windows XP est déjà installé dans l'ordinateur (ce qui est le plus souvent le cas), il apparaît automatiquement dès le démarrage. Mais avant de commencer quoi que ce soit, il affiche le bel écran d'accueil que montre la Figure 4.1 et attend que vous *ouvriez une session de travail.*

Comme vous le constatez, Windows XP permet à une foule de gens de travailler tour à tour avec le même ordinateur, en distinguant bien l'environnement des uns et des autres. Pour ce faire, il doit savoir qui est au clavier. C'est pourquoi il vous

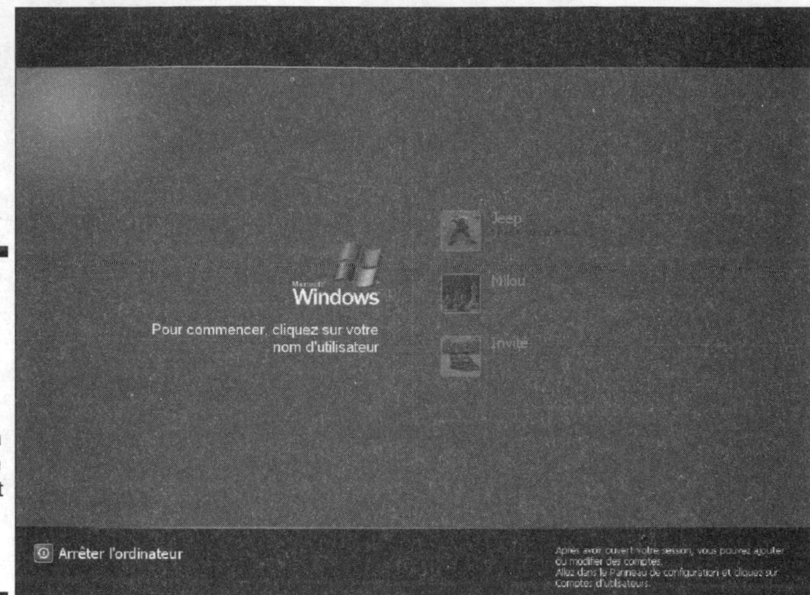

Figure 4.1 : Windows XP demande à chaque utilisateur d'ouvrir une session. Cela lui permet de savoir qui est en train de travailler sur l'ordinateur.

demande de démarrer une *session de travail* et de vous présenter en cliquant sur votre *nom d'utilisateur*, comme on le voit Figure 4.1. Quelques instants après le clic, Windows XP affiche votre Bureau, prêt à être mis en désordre.

Quand le travail sera fini, ou si vous comptez faire une petite pause, vous quitterez la session de travail, comme nous le verrons à la fin de ce chapitre. Quelqu'un d'autre pourra ainsi utiliser l'ordinateur. Vous pourrez reprendre le travail plus tard et retrouver le fouillis tel que vous l'avez laissé sur votre Bureau.

- En ouvrant un compte distinct pour chaque utilisateur, Windows XP fait comme si chaque personne du foyer avait son propre ordinateur, configuré de la manière qui lui plaît. Le Bureau de Jerry contient les icônes de ses jeux préférés, et celui de Tina des liens Internet vers les sites d'aquarelle et de décoration qu'elle affectionne. Quant à Mélissa, elle a rangé tous ses fichiers MP3 dans son dossier Musique personnalisé.

- Si vous êtes seul à utiliser l'ordinateur, Windows XP passe la page d'accueil. Vous n'avez pas à ouvrir une session de travail.

TRUC

- Vous n'avez pas reçu de nom d'utilisateur ? Trois possibilités s'offrent à vous : si vous venez d'acheter l'ordinateur, recherchez celui nommé Administrateur et utilisez-le. Si vous n'êtes pas le propriétaire de l'ordinateur et que vous avez trouvé l'icône Invité, cliquez dessus pour obtenir gracieusement un compte à ce nom. Ou encore, adressez-vous au propriétaire de l'ordinateur, qui est sans aucun doute l'Administrateur, et demandez-lui de vous créer un compte.

Démarrer Windows XP pour la première fois

Vous venez juste d'installer Windows XP ou d'allumer votre nouvel ordinateur ? Vous devrez dans ce cas procéder à quelques tâches supplémentaires. Elles varient selon la manière dont l'ordinateur a été configuré par le fabricant ou en boutique. Voici toutefois un aperçu des points que vous devrez vérifier (cliquez sur Suivant après avoir rempli chaque page) :

- Options régionales et linguistiques : Windows XP se doit de connaître votre langue et votre situation géographique afin d'afficher les termes appropriés, le format monétaire et autres informations typiques.
- Personnalisez votre logiciel : Tapez votre nom ainsi que celui de votre organisation.
- Clé du produit : Tapez le code composé de lettres et de chiffres qui figure sur le boîtier du CD-ROM (sans ce code, Windows XP ne peut pas fonctionner).
- Nom de l'ordinateur : Choisissez librement un nom pour votre ordinateur et tapez-le dans la zone de texte (ce nom facilite l'identification de votre ordinateur sur le réseau).
- Options de modem et de téléphonie : Tapez le pays, le code régional et toutes autres informations téléphoniques.
- Réglage de la date et de heure : Windows arrive à déterminer automatiquement la date et l'heure correctes.
- Paramètres de gestion de réseau : À moins de vous y connaître, choisissez Paramètres classiques.

Windows XP vous demande ensuite de patienter quelques minutes pendant la configuration de l'ordinateur.

- Connexion Internet : L'ordinateur sera-t-il connecté à Internet au travers d'un réseau ou directement par son modem ? Cliquez sur Oui ou sur Non, puis sur le bouton Suivant.
- Activation de Windows : Vous pouvez activer Windows dès à présent ou le faire dans les 30 jours. Après ce délai, il cessera de fonctionner.
- Enregistrement : Si vous désirez des informations publicitaires émanant de Microsoft, cliquez sur Oui. Sinon, cliquez sur Non pour ignorer cette option facultative.
- Groupe de travail ou domaine d'ordinateurs : Tapez les noms des personnes qui utiliseront l'ordinateur, en commençant par le vôtre, tout en haut de la liste. Personne d'autre que vous n'est censé pianoter sur le clavier ? Ne tapez que votre nom puis cliquez sur Suivant.

Si ces différents éléments vous déroutent, cliquez sur le bouton Aide, en bas de l'écran.

Il me demande un mot de passe !

En entrant un mot de passe secret au démarrage d'une session, comme dans la Figure 4.2, vous faites en sorte que l'ordinateur ne reconnaisse que *vous*. Si vous avez pris la précaution de protéger votre nom d'utilisateur par un mot de passe, personne d'autre n'accédera à vos fichiers, hormis cependant l'administrateur de l'ordinateur qui bénéficie d'un accès complet à l'intégralité de la machine et peut même supprimer votre compte.

- Selon l'étendue du réseau et le niveau de sécurité, un mot de passe permet de faire beaucoup de choses. Le plus souvent, il se contente de vous laisser utiliser l'ordinateur. Mais parfois aussi il vous autorise à partager des fichiers avec d'autres ordinateurs du réseau.
- Comme un réseau peut s'avérer terriblement difficile à configurer et à gérer, la plupart des entreprises qui

Figure 4.2 : L'utilisation d'un mot de passe garantit que vous seul pouvez accéder à vos fichiers.

possèdent un vaste système informatique emploient un administrateur de réseau à plein temps. C'est à lui que vous devrez vous adresser si quelque chose va mal.

NOTE TECHNIQUE

- Windows XP exige que quelqu'un soit déclaré comme administrateur, même si l'ordinateur n'est pas relié à d'autres. Seul l'administrateur a le droit d'ouvrir de nouveaux comptes à de nouveaux utilisateurs, d'installer des logiciels, de graver des CD et d'accéder aux fichiers de l'ordinateur, même à ceux des autres utilisateurs. Si ce domaine vous intéresse, rendez-vous au Chapitre 9.

- Vous n'avez pas de mot de passe ? Après avoir ouvert une session, cliquez sur le bouton Démarrer, choisissez Panneau de configuration puis sélectionnez l'icône Comptes d'utilisateurs. Cliquez sur les mots *Créer un mot de passe* puis tapez un mot de passe facile à se remémorer et bien sûr inconnu de quiconque. Retapez-le dans la deuxième zone de texte et, dans la troisième, tapez une indication – un pense-bête – qui facilite sa remémoration. Cliquez sur le bouton Créer le mot de passe. Windows XP vous le demandera la prochaine fois que vous ouvrirez une session (si vous êtes l'administrateur, vous devrez d'abord choisir un compte et ensuite seulement sélectionner l'option Créer un mot de passe).

- Vous avez oublié le mot de passe ? Cliquez sur le point d'interrogation visible dans la Figure 4.2 ; il est affiché chaque fois que vous cliquez sur un nom d'utilisateur. Un pense-bête donne une indication qui vous permet de le retrouver (d'où l'intérêt de choisir un petit texte ayant véritablement une valeur mnémotechnique, lorsque vous créez le mot de passe). Attention : n'importe qui peut lire votre pense-bête. À vous de faire en sorte qu'il vous mette sur la voie sans que les autres puissent le deviner.

- Choisissez un mot de passe bref et simple : le nom de votre légume préféré, par exemple, ou la marque de votre dentifrice (NdT : ou un lieu géographique exotique ou un mot dans une langue rare. Le nom d'un petit village du Malawi ou le mot "maison" en tagalog seront toujours difficiles à deviner. Évitez le prénom d'un proche, ou des mots passe-partout comme "ordinateur" ou "système".). Voyez votre administrateur si Windows XP n'accepte pas votre mot de passe. Il trouvera toujours un moyen de démarrer votre session.

Pour que Windows cesse de demander un mot de passe

Windows ne demande votre nom et un mot de passe que s'il doit identifier la personne qui s'installe au clavier. Il en a besoin pour les trois raisons que voici :

- Votre ordinateur fait partie d'un réseau ; votre identité lui permet de savoir à quelles parties de ce réseau vous avez accès.
- Le propriétaire de l'ordinateur tient à délimiter ce que vous avez le droit de faire ou de ne pas faire.
- L'ordinateur est partagé avec d'autres personnes. Chacune désire obtenir une apparence et un comportement personnalisés de Windows XP lorsqu'elle ouvre une session.

Si vous ne travaillez pas en réseau, désactivez la demande de mot de passe au réseau en double-cliquant sur l'icône Comptes d'utilisateurs du Panneau de configuration et en choisissant l'option Supprimer mon mot de passe.

Windows XP ne demandera désormais plus le mot de passe. Il en résulte que n'importe qui peut ouvrir une session en utilisant votre nom d'utilisateur et accéder à vos fichiers, voire les supprimer. Si vous travaillez dans un bureau, cette absence de sécurité peut avoir de graves conséquences. Si un mot de passe vous a été affecté, il est de loin préférable de le conserver.

- Les mots de passe différencient les majuscules des minuscules. Autrement dit, *caviar* est différent de *Caviar*. Pour l'ordinateur, tous ces mots sont différents.

Lancer un logiciel avec le bouton Démarrer

Lorsque Windows XP vient de prendre le contrôle de votre ordinateur, il transforme l'écran en pseudo-bureau rempli de boutons avec leurs noms. Cliquez sur l'un d'eux et un programme s'ouvre à l'écran dans sa propre fenêtre. Cliquez sur le bouton Démarrer, en bas à gauche de l'écran, et vous aurez un choix encore plus étendu de boutons, comme le montre la Figure 4.3.

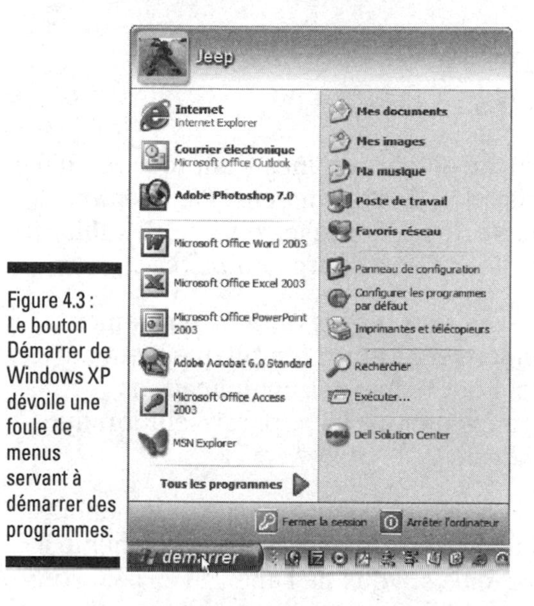

Figure 4.3 : Le bouton Démarrer de Windows XP dévoile une foule de menus servant à démarrer des programmes.

Du fait que chacun des boutons est accompagné d'une petite image, ces boutons sont appelés *icônes*. L'image donne une idée de ce que contient le programme. Cliquez sur l'une d'elles et son programme apparaît aussitôt, prêt à l'emploi. Cliquez sur l'icône montrant une enveloppe timbrée, par exemple, et vous démarrez Outlook Express, un logiciel de messagerie qui permet de recevoir et d'envoyer du courrier électronique.

Cliquez sur l'icône avec un grand "e" bleu, et c'est Internet Explorer qui arrive, prêt à faire une virée sur Internet. Les programmes les plus fréquemment utilisés – la liste varie selon l'usage que vous en faites – apparaissent habituellement sous les icônes Internet et Courrier électronique.

Pour accéder à la plus grande partie de vos programmes, cliquez sur le bouton Tous les programmes. Un menu s'affiche, contenant plein d'autres programmes. Ce sont des programmes que vous n'avez pas encore utilisés, ou trop peu pour que Windows juge utile de leur affecter des icônes et de les placer dans la longue liste sous les icônes Internet et Courrier électronique. Dans son exposé sur le menu Démarrer, le Chapitre 10 explique comment accéder à tous ces programmes.

Les menus déroulants

Windows XP – grâces lui en soient rendues – fait tout ce qu'il peut pour faciliter l'utilisation de l'ordinateur. Par exemple, le bouton Démarrer propose de nombreuses options. Il suffit d'en choisir une et Windows XP se charge du reste.

Mais si Windows XP affichait toutes les options en même temps à l'écran, ce dernier serait aussi rempli que le menu d'un restaurant chinois. Pour éviter ces complications, Windows XP cache certains menus. Ils apparaissent lorsque vous cliquez au bon endroit.

Commençons par exemple par charger le petit traitement de texte WordPad. Si son icône se trouve dans le grand menu, il suffit de cliquer dessus. Mais si vous ne l'apercevez pas, vous devrez le chercher à un autre niveau. Commencez par cliquer sur le menu Démarrer. Dès qu'il s'est affiché, cliquez sur les mots Tous les programmes, en bas de l'écran. Et hop ! Un nouveau menu apparaît. Cliquez sur Accessoires. Un autre menu s'affiche, qui contient l'option WordPad. Cliquez dessus pour ouvrir ce logiciel.

Ne vous en faites pas si tout ça vous semble bien compliqué. La manipulation est plus rapide que vous le pensez. Le menu Démarrer a presque droit à un chapitre pour lui tout seul, le Chapitre 10.

Vous avez remarqué la rangée de noms, en haut de WordPad, qui commence par Fichier ? Tous les programmes tournant sous Windows XP ont une rangée du même genre. Amenez le pointeur de la souris sur le mot Fichier puis cliquez dessus.

Un menu se déploie sous le mot Fichier. Il s'agit d'un *menu déroulant*, visible dans la Figure 4.4.

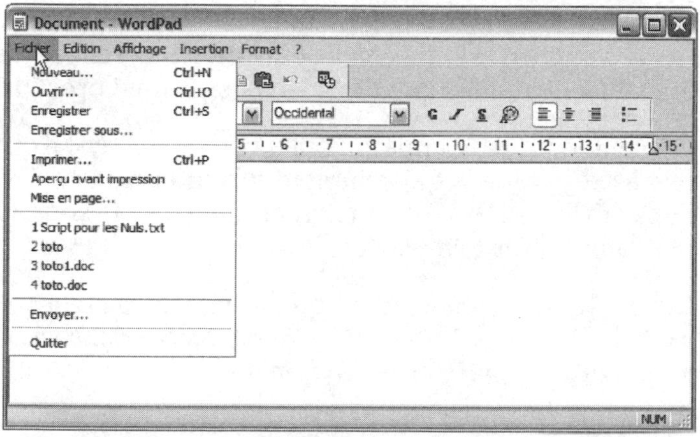

Figure 4.4 : Cliquez sur l'un des mots visibles en haut de tout programme pour déployer un menu déroulant.

- Un menu déroulant est associé à chacun des mots-clés visibles en haut d'un programme Windows. Cliquez simplement dessus et le menu apparaît.
- Pour fermer un menu, cliquez en dehors de lui.
- D'un programme (ou logiciel) à un autre, le contenu de la barre de menus varie. Le mot Fichier se trouve cependant au début de la plupart d'entre elles. Le menu Fichier contient des options de fichier comme Ouvrir, Enregistrer, Imprimer et Tondre les moutons.
- Vous n'avez pas fini de voir des menus déroulants se déployer un peu partout dans Windows XP.

Charger un fichier

Commençons par la mauvaise nouvelle : il arrive que le chargement d'un fichier soit parfois un tantinet compliqué. Car *charger* un fichier est la même chose qu'*ouvrir* un fichier.

Cela dit, passons à la bonne nouvelle : tous les programmes pour Windows XP *se chargent exactement de la même manière*. Une fois que vous avez appris à le faire pour un programme, vous savez le faire avec tous les autres !

Une autre grande nouvelle : pour ouvrir un fichier avec n'importe quel programme pour Windows XP, allez dans la *barre de menus*, c'est-à-dire cette rangée de mots qui se trouve en haut. Comme c'est un *fichier* que vous recherchez, cliquez sur le mot Fichier, ainsi que nous l'avons indiqué précédemment.

Le menu déroulant apparaît sous le mot Fichier ; il contient une liste de termes qui semblent fort intéressants. Comme vous envisagez d'ouvrir un fichier, déplacez la souris jusqu'au mot Ouvrir puis cliquez dessus.

Une boîte de dialogue, identique à celle de la Figure 4.5, s'affiche à l'écran. Le mot Ouvrir est visible dans sa barre supérieure, appelée *barre de titre*.

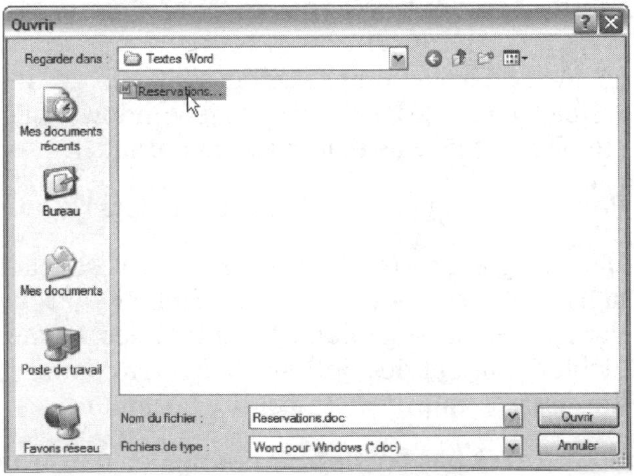

Figure 4.5 : Quasiment tous les programmes affichent une boîte de dialogue semblable à celle-ci lorsque vous chargez ou enregistrez un fichier.

Vous avez vu la liste de noms de fichiers dans la boîte de dialogue ? Pointez sur l'un d'eux avec la souris, cliquez dessus et le nom de ce fichier apparaît dans la zone de texte Nom du fichier. Cliquez sur le bouton Ouvrir : WordPad ouvre le fichier et affiche son contenu.

Vous avez réussi ! Vous venez de charger un fichier dans un programme. Ces étapes sont identiques dans tous les logiciels que vous serez amené à utiliser dans Windows XP, qu'ils aient été écrits par Microsoft ou par un gamin boutonneux féru d'informatique. Tous respectent la même procédure.

- Parfois, vous ne trouverez pas du premier coup le fichier que vous recherchez. Il n'apparaît pas dans la liste. Cela signifie que vous devrez faire un peu de spéléologie. De même que la plupart des gens rangent leurs sous-vêtements et leurs tee-shirts dans différents tiroirs, la plupart des utilisateurs d'ordinateurs stockent leurs fichiers en différents endroits appelés *dossiers*. Double-cliquez sur l'un de ces dossiers pour savoir ce qu'il contient. Si vous avez du mal à découvrir où se trouve le fichier à ouvrir, allez au Chapitre 11.

TRUC

- Vous avez repéré le fichier à ouvrir ? Vous accélérerez la procédure en double-cliquant dessus. Par cette action, vous indiquez à Windows XP qu'il doit immédiatement le charger.
- Chaque fois que vous ouvrez un fichier et que vous le modifiez, si peu que ce soit (par accident, par exemple, en appuyant sur la barre Espace), Windows considère que cette modification a été faite sciemment. Si vous essayez de charger un autre fichier dans ce programme, Windows demande par précaution si vous voulez enregistrer les modifications du fichier courant. Si la modification a été faite involontairement – et seulement dans ce cas ! –, cliquez sur le bouton Non.
- La boîte de dialogue Ouvrir comporte un grand nombre d'options. Vous pouvez notamment ouvrir des fichiers stockés dans d'autres fichiers ou sur d'autres disques. Il est aussi possible de limiter l'affichage des fichiers à

ceux produits par certains logiciels ; cette opération s'appelle *filtrage*. Elle est expliquée dans le Chapitre 5, dans la section "Dites-moi simplement comment ouvrir un fichier !".

- Vous n'avez aucune idée de ce que toutes ces icônes en haut et sur le côté sont censées faire ? Immobilisez simplement la souris sur l'une d'elles et une petite info-bulle indique à quoi elle sert.
- Vous êtes encore dans le flou en ce qui concerne les *fichiers*, *dossiers*, *répertoires* et *lecteurs ?* Allez au Chapitre 11 pour des explications sur l'Explorateur Windows.

Afficher deux programmes simultanément

Comment afficher un deuxième programme ? Si vous avez ouvert WordPad en cliquant sur son bouton dans le menu Accessoires du bouton Démarrer (dans la zone Programmes), vous serez tenté de charger Pinball, le simulateur de flipper livré avec Windows. Il suffit simplement de cliquer sur le menu Démarrer et de naviguer parmi les menus, comme nous l'avons décrit ci-dessus dans la section "Lancer un logiciel avec le bouton Démarrer".

Voici la marche à suivre : cliquez sur le bouton Démarrer, puis sur Tous les programmes, puis sur Jeux, puis sur Pinball, en bas du dernier menu. Le jeu de flipper démarre aussitôt.

- Cette section est volontairement brève. Lorsque vous travaillez sous Windows XP, deux programmes ou plus sont presque toujours affichés à l'écran. Comme il n'y a pas grand-chose à dire, il n'y a aucune raison de s'attarder.
- Pour savoir comment afficher plusieurs fenêtres à la fois, reportez-vous au Chapitre 6.
- Si vous avez démarré le jeu Pinball, vous vous êtes sûrement demandé pourquoi la fenêtre de WordPad avait disparu. En fait, elle est maintenant occultée par

la fenêtre du jeu vidéo. Pour la récupérer, voyez dans le Chapitre 7 comment procéder pour réafficher une fenêtre masquée. Ou encore, si vous apercevez un bouton marqué WordPad en bas de l'écran, cliquez dessus pour placer le traitement de texte au premier plan.

- Là où ça se complique, c'est quand vous voulez déplacer des données d'un programme vers un autre. Cette manipulation est expliquée dans le Chapitre 8. Sachez d'ores et déjà que le déplacement de données entre des fenêtres s'effectue par un *couper-coller*, dans le jargon Windows.

- Pour passer d'une fenêtre à une autre, cliquez simplement dedans. La fenêtre dans laquelle vous avez cliqué devient *active* : c'est en effet dans cette fenêtre que se déroule toute activité. Pour en savoir plus sur le passage d'une fenêtre à une autre, rendez-vous au Chapitre 6.

Imprimer votre travail

Il vous arrivera souvent de devoir imprimer votre travail afin de le montrer autour de vous. L'impression à partir d'un programme Windows XP (ou d'un logiciel, d'une applet ou de toute autre application) s'effectue en seulement deux clics : le premier sur le mot Fichier, dans la barre de menus située en haut du programme ; le second sur Imprimer dans le menu déroulant.

Un autre menu apparaît, qui vous demande sous quelle forme votre travail doit être imprimé. Si l'ordinateur est relié à plusieurs imprimantes, vous devrez choisir celle que vous voulez utiliser. Il vous faudra aussi préciser si toutes les pages doivent être imprimées ou seulement une seule, et aussi en combien d'exemplaires. Répondez à toutes ces questions puis cliquez sur le bouton Imprimer. Notez que si tout doit être imprimé en un seul exemplaire sur l'imprimante habituelle, vous pouvez vous dispenser de répondre aux questions et vous contenter de cliquer directement sur Imprimer.

Ce qui est affiché à l'écran (NdT : et au-delà) est rapidement transféré dans l'imprimante.

- Si rien ne sort de l'imprimante après quelques dizaines de secondes, vérifiez si elle est allumée et si elle contient du papier.
- Chaque fois que vous imprimez quelque chose à partir de Windows XP, vous activez en réalité un autre programme qui gère l'imprimante et l'alimente en données. Ce programme est matérialisé par une petite icône, en bas à droite de l'écran.

- De nombreux programmes comme WordPad comportent, en haut, une petite icône avec le dessin d'une imprimante. Cliquer dessus est un moyen commode et rapide de demander au programme d'envoyer le travail à l'imprimante.

Enregistrer votre travail

Chaque fois que vous créez quelque chose avec un logiciel tournant sous Windows XP, qu'il s'agisse du design d'une cuillère à café ou d'une lettre au journal *Le Monde* demandant s'ils n'auraient pas une page à consacrer à votre bande dessinée, vous devez penser à enregistrer cette création sur le disque.

L'enregistrement consiste à placer une copie de votre œuvre dans une mémoire de masse, qu'il s'agisse du mystérieux disque dur planqué quelque part dans l'ordinateur, d'une disquette ou d'une de ces jolies galettes en plastique que vous avez toujours été tenté d'utiliser comme dessous de verre (ce qui est fortement déconseillé).

Fort heureusement, Windows XP facilite grandement l'enregistrement de votre travail. Cliquez sur Fichier, dans la barre de menus, puis, dans le menu qui ne manque pas d'apparaître, sur Enregistrer. Le pointeur de la souris se transforme en sablier, ce qui équivaut à vous demander de tenir vos chevaux pendant que Windows XP s'occupe de transférer votre œuvre de la mémoire vive vers le disque dur, où elle sera plus en sécurité.

- Si vous enregistrez votre travail pour la première fois, vous serez confronté à une boîte de dialogue qui vous est familière : c'est en effet la même que celle utilisée pour ouvrir un fichier. Vous avez remarqué que les mots figurant dans la zone de texte Nom de fichier sont en surbrillance ? Windows XP veille toujours à mettre une zone en surbrillance, ce qui permet de taper directement un autre nom. Nommez le fichier et appuyez sur la touche Entrée.
- Si Windows XP vous envoie à la figure un panneau vous apprenant que le nom du fichier n'est pas valide, c'est que vous n'avez pas respecté à la lettre les strictes règles de nom de fichier dont il est question dans le Chapitre 11.
- De même que des fichiers peuvent être chargés à partir de différents dossiers ou disques, ils peuvent aussi être enregistrés en différents endroits. Vous pouvez indiquer un autre dossier, un autre lecteur ou d'autres lieux de stockage en cliquant en divers endroits de la boîte de dialogue Enregistrer. Toutes ces choses sont expliquées dans la section "Dites-moi simplement comment ouvrir un fichier !" du Chapitre 5.

Fermer une session de travail

Ah ! Le moment le plus plaisant de Windows XP est sans doute celui où l'on arrête de l'utiliser. Ce que vous faites de la même manière qu'en le démarrant, c'est-à-dire en cliquant sur le bouton Démarrer. Vous disposez ensuite de deux options : Fermer la session ou Arrêter l'ordinateur.

Les divers programmes sous Windows XP apparaissent et disparaissent, mais le bouton Démarrer est toujours là. Si jamais il n'était pas visible, maintenez la touche Ctrl enfoncée et appuyez sur la touche Échap. Le loup sortira ainsi du bois.

Quelle option choisirez-vous ?

Fermer la session : Choisissez cette option si vous en avez fini avec Windows XP. Comme le montre la Figure 4.6, Windows vous demandera ensuite si vous voulez Changer d'utilisateur ou Fermer la session. Là encore, laquelle choisirez-vous ?

Figure 4.6 : En temps normal, choisissez Fermer la session afin d'enregistrer le travail et laisser quelqu'un d'autre utiliser l'ordinateur.

Si vous en avez fini avec l'ordinateur, choisissez Fermer la session. Windows enregistre votre travail ainsi que vos paramètres personnalisés et retourne à l'écran d'accueil, dans l'attente d'un autre utilisateur.

Si quelqu'un d'autre veut emprunter l'ordinateur pour quelques minutes, choisissez Changer d'utilisateur. L'écran d'accueil apparaît, mais Windows garde vos programmes ouverts, en veille, à l'arrière-plan. Dès que vous récupérez l'ordinateur, vous retrouvez le travail en cours tel que vous l'avez laissé.

Arrêter l'ordinateur : Choisissez cette option si personne d'autre ne doit utiliser l'ordinateur. Windows XP enregistre tout et vous signale ensuite que vous pouvez éteindre l'ordinateur en toute sécurité.

- Assurez-vous d'éteindre l'ordinateur en utilisant le programme d'arrêt de l'ordinateur avant de couper le courant. Autrement, Windows XP serait dans l'impossibilité de préparer correctement la machine pour une utilisation future, d'où des risques de problèmes.
- Quand vous indiquez à Windows que vous êtes sur le point de quitter, il vérifie chacune des fenêtres pour voir si leur contenu a été enregistré. Si ce n'est pas le cas, il affiche une boîte de dialogue qui vous demande d'appuyer sur Oui pour effectuer l'enregistrement. Ouf ! Vous l'avez échappé belle !
- Vous n'êtes pas obligé d'arrêter Windows XP. En fait, certaines personnes laissent leur ordinateur allumé en permanence. Veillez simplement à éteindre le moniteur afin qu'il se refroidisse ; ces délicates petites choses ont en effet horreur de la surchauffe.

Chapitre 5

Qui sont ces boutons, barres, boîtes de dialogue, dossiers et fichiers ?

Dans ce chapitre :

- Examen d'une fenêtre type.
- Les barres.
- Modifier les bordures.
- Les familles de boutons.
- Ignorer le vaseux bouton Commandes et son menu.
- Exploration d'une boîte de dialogue : zone de texte, zone de liste déroulante, zone de liste et autre charabia.
- Déterminer comment ouvrir un fichier.
- Savoir quand il faut cliquer, et quand il faut double-cliquer.
- Savoir quand il faut utiliser le bouton gauche de la souris, et quand il faut utiliser le bouton droit.

Certains des boutons de Windows XP ne ressemblent pas tout à fait à des boutons. La plupart sont ornés de pictogrammes pas toujours évidents, au lieu d'un texte clair et précis. Sans parler de la terminologie de Windows XP, qui n'arrange rien. Une phrase aussi simple que *appuyez sur le bouton* devient *cliquez dans la barre de défilement, en haut ou en bas du curseur de défilement.* On n'est pas sortis de l'auberge...

Vous vous familiariserez rapidement avec toutes ces petites horreurs après avoir cliqué dessus plusieurs fois. Ne vous compliquez pas l'existence à vouloir mémoriser des termes aussi abscons que *barre de défilement vertical* et tout ira bien.

Une fenêtre type

Personne ne voudrait d'un guide de survie qui ne soit pas illustré. C'est pourquoi l'on y trouve plein de figures, dont la Figure 5.1 qui montre une fenêtre type avec ses principaux éléments, au nombre de onze.

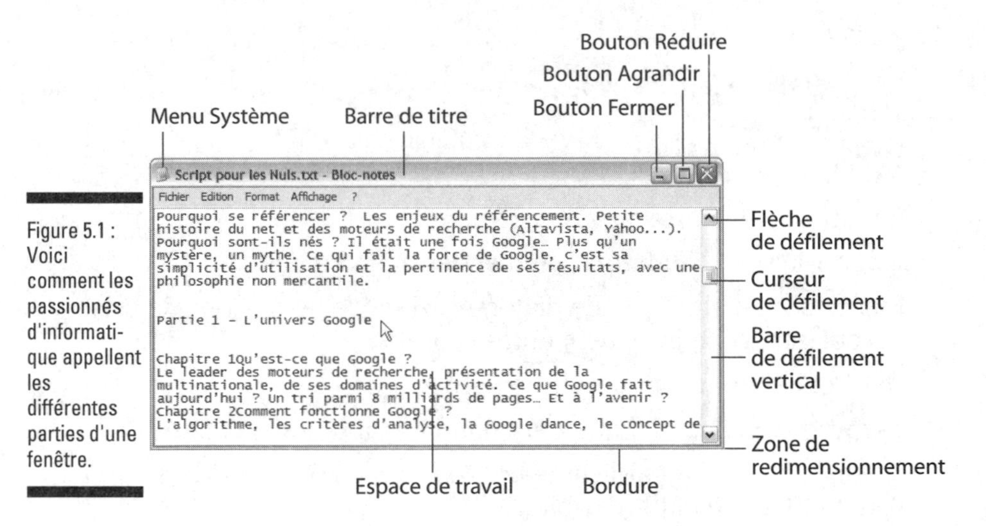

Figure 5.1 : Voici comment les passionnés d'informatique appellent les différentes parties d'une fenêtre.

À l'instar des boxeurs dont la grimace diffère selon l'endroit où ils ont été frappés, les fenêtres se comportent différemment selon l'endroit où l'on clique. Les sections qui suivent décrivent les emplacements où il faut cliquer et, si cela ne marche pas, d'autres endroits.

- Windows XP est truffé de petits boutons aux formes étranges, de bordures et de boîtes. Vous n'avez pas à apprendre leurs étymologies latines ou grecques. Ce qui est important, c'est de savoir où vous êtes censé cliquer. C'est ensuite que vous pourrez vous demander s'il faut seulement cliquer ou double-cliquer (nous reviendrons sur cet épineux dilemme vers la fin de ce chapitre).

TRUC

- Vous ne savez pas s'il faut cliquer ou double-cliquer ? Ce truc marche à tous les coups : cliquez une seule fois avec précaution. Si rien ne se produit – par exemple, aucun programme n'est démarré –, double-cliquez (deux clics successifs très rapprochés).
- Après avoir cliqué plusieurs fois dans quelques fenêtres, vous vous rendrez compte combien il est facile de les manipuler. Le plus dur, c'est de voir la première fois à quoi ça sert, un peu comme pour le levier de vitesse d'une voiture.

Les barres

Dans Windows XP, les barres ne manquent pas. C'est peut-être pour ça que certains programmes ont comme un coup de barre... Les barres sont des bandeaux qui courent le long d'un côté d'une fenêtre. Vous en trouverez de différentes sortes dans Windows XP.

Déplacer une fenêtre par sa barre de titre

Dans toute fenêtre, la barre de titre est celle qui se trouve le plus en haut (voir Figure 5.2). Elle contient le nom du logiciel ainsi que celui du fichier ouvert. Par exemple, la barre de titre de la Figure 5.2 est celle du programme Bloc-notes. Elle contient un fichier sans titre car le fichier n'a pas encore été enregistré.

Windows XP nomme "Sans titre" le fichier créé dans le Bloc-notes. Vous lui attribuerez un nom plus évocateur la première fois que vous l'enregistrerez. Ce nom remplacera l'autre, dans la barre de titre.

Figure 5.2 : Une barre de titre avec le nom d'un programme.

Script pour les Nuls.txt - Bloc-notes

N'OUBLIEZ PAS

- En plus d'afficher le nom du travail en cours, la barre de titre est aussi une *poignée* qui permet de déplacer la fenêtre n'importe où dans l'écran. Amenez le pointeur sur la barre de titre, cliquez avec le bouton gauche de la souris et maintenez-le enfoncé ; faites bouger la souris. Un contour de la fenêtre se déplace selon les mouvements de la souris. Une fois que le contour se trouve à l'endroit qui vous convient, relâchez le bouton. La fenêtre apparaît à cet emplacement.
- Quand vous travaillez dans une fenêtre, la barre de titre est *en surbrillance*. Sa couleur est différente de celle des autres barres de titre des autres fenêtres ouvertes. Il est ainsi possible de repérer la fenêtre active – celle actuellement utilisée – du premier coup d'œil.

Pour agrandir une fenêtre de manière qu'elle remplisse complètement l'écran, double-cliquez sur sa barre de titre. La fenêtre s'étend à sa taille maximale, ce qui rend son contenu plus lisible tandis que tout le reste, sur le Bureau, est masqué. Une fenêtre agrandie en plein écran ne peut toutefois pas être déplacée. Double-cliquez de nouveau dans sa barre de titre pour rétablir ses dimensions précédentes. Elle pourra ainsi de nouveau être déplacée.

La barre de menus

Dans Windows XP, les menus sont *partout*. Mais s'ils apparaissaient tous en même temps, ils couperaient l'appétit plutôt que d'inciter à passer commande. C'est pourquoi ces menus sont placés dans un élément nommé *barre de menus* (voir Figure 5.3).

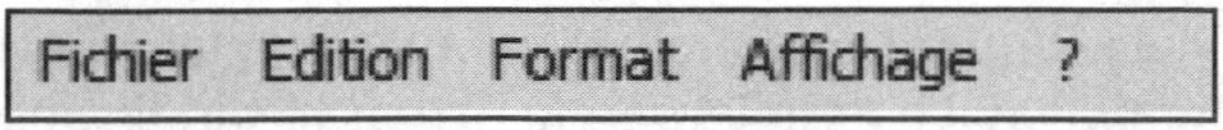

Figure 5.3 : Windows XP cache ses choix dans une barre de menus.

Située juste sous la barre de titre, la barre de menus conserve ces petits menus à l'intérieur de chacun des mots. Pour révéler les options associées à ces mots, il suffit de cliquer dessus.

Par exemple, pour voir les options d'édition, cliquez sur le mot Édition. Le menu correspondant est aussitôt déployé, comme dans la Figure 5.4, affichant ainsi toutes les options concernant l'édition du fichier.

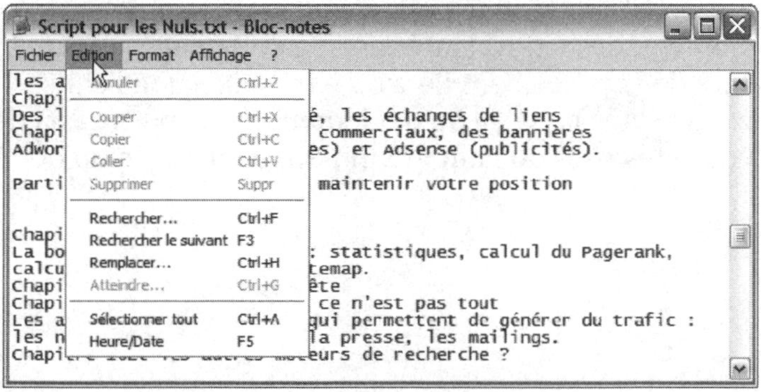

Figure 5.4 : Cliquez sur l'un des noms de la barre de menus pour dérouler le menu qui lui est associé.

Gardez les points ci-après à l'esprit lorsque vous utilisez des menus :

- Quand vous cliquez sur un nom, dans la barre de menus, un menu est aussitôt déployé. Il contient des options liées à ce mot particulier.
- De même que dans un restaurant certains plats ne sont plus disponibles, un menu informatique peut ne pas proposer toutes les options. Toutes les options non disponibles sont *en grisé*. C'est le cas, dans la Figure 5.4, des options Annuler, Couper, Copier, Coller et Supprimer.

- Si vous avez par mégarde cliqué sur le mauvais mot, ce qui a affiché le mauvais menu, poussez un *grooos* soupir puis cliquez tout bêtement sur le mot qui vous intéresse vraiment. Le premier menu disparaît tandis que l'autre s'affiche.
- Pour refermer un menu, cliquez ailleurs dans l'*espace de travail* de la fenêtre (c'est généralement l'endroit où vous tapez vos trucs).

Se déplacer dans une fenêtre avec la barre de défilement

La barre de défilement, qui ressemble à une cage d'ascenseur, est située le long d'une fenêtre (voir Figure 5.5). Une sorte de cabine – le *curseur de défilement*, parfois appelé "ascenseur" – monte et descend à l'intérieur de cette cage, au fur et à mesure de l'avancement de votre travail. Selon l'endroit où il se trouve dans la barre de défilement, vous pouvez en déduire si vous êtes près du haut, du milieu ou du bas d'un document.

Figure 5.5 : Les barres de défilement permettent d'aller et venir à l'intérieur d'un document.

Par exemple, si vous recherchez quelque chose près du début du document, le curseur de défilement se trouve près du haut de la barre. Si vous travaillez presque à la fin du document, le curseur est presque tout en bas. Vous pouvez observer son déplacement en cliquant sur les touches PageHaut et PageBas (ah oui, on s'amuse beaucoup dans Windows XP !).

Voici en quoi la barre de défilement s'avère fort utile : en cliquant dedans de-ci, de-là, il est facile de se déplacer dans un document sans appuyer sur les touches PageHaut et PageBas.

- Au lieu d'appuyer sur la touche PageHaut, cliquez dans la barre de défilement *au-dessus* du curseur. Ce dernier remonte un peu tandis que le document passe à la page précédente. Si vous cliquez *sous* le curseur de défilement, il descend et vous passez à la page suivante, comme si vous aviez appuyé sur la touche PageBas.
- Pour remonter ligne par ligne, cliquez sur le bouton fléché (la *flèche de défilement*) situé en haut de la barre de défilement. En maintenant le bouton de la souris enfoncé, l'effet se répète : le document remonte en continu, ligne par ligne. Appliqué à la flèche de défilement du bas, le déplacement s'effectue en sens inverse.
- La barre de défilement qui se trouve le long de la bordure *inférieure* de la fenêtre déplace le contenu de la fenêtre latéralement. Elle est notamment pratique pour visualiser une feuille de calcul qui s'étend loin vers la droite de l'écran.
- Si une barre de défilement est dépourvue de curseur de défilement, c'est que tout le contenu de la fenêtre est affiché à l'écran. Le curseur n'a donc pas de raison d'être.
- Vous voulez vous déplacer dans un document en un éclair ? Placez le pointeur de la souris sur le curseur de défilement, maintenez le bouton enfoncé, puis faites glisser le curseur dans la barre. En l'amenant tout en haut et en relâchant le bouton, vous atteignez en un clin d'œil le début d'un très gros document. En le descendant tout en bas, vous arrivez à la fin du document.

- Windows XP ajoute une dimension supplémentaire à certaines barres de défilement : la taille du curseur de défilement. Lorsqu'elle est si grande qu'elle recouvre presque toute la barre, cela signifie que presque tout le contenu du document est affiché. Mais si le curseur est réduit à une minuscule petite chose perdue dans une vaste barre de défilement, cela signifie que seule une toute petite partie du document est actuellement affichée. Ne soyez pas surpris de voir la taille du curseur de défilement varier selon que vous ajoutez ou retranchez des données dans un fichier.

- Cliquer ou double-cliquer sur le curseur de défilement lui-même ne produit aucun effet. C'est ce genre de manipulation qui décourage beaucoup de gens de chercher ailleurs.

Annuler une action

Windows propose une foule de manières d'effectuer une même chose. Voici les quatre façons d'accéder à l'option Annuler, qui permet à la maladroite Perrette de récupérer le contenu de son pot au lait :

- Maintenez la touche Ctrl enfoncée et appuyez sur Z. La dernière action que vous avez effectuée est annulée, ce qui vous épargne la honte et l'opprobre.
- Maintenez la touche Alt enfoncée et appuyez sur la touche Ret.Arr. Nul autre que l'ordinateur saura que vous vous étiez lamentablement fourvoyé.
- Cliquez sur Édition, dans la barre de menus, et choisissez l'option Annuler. Cette commande annule l'action erronée, et une fois encore vous l'avez échappé belle.
- Appuyez et relâchez la touche Alt ; appuyez successivement sur les touches E (comme Édition) puis A (comme Annuler). Et qu'on ne vous y reprenne plus !

Ne vous fatiguez pas à apprendre ces quatre méthodes. Si par exemple vous optez pour la méthode Ctrl+Z, vous pouvez oublier les autres. Après quelques erreurs, cette combinaison de touches deviendra pour vous une seconde nature (à moins bien sûr de ne jamais commettre d'erreur).

- Sans souris, vous ne pouvez pas actionner le curseur de défilement. Dans ce cas, pour aller en haut du document, appuyez sur les touches Ctrl puis sur Origine. Pour aller à la fin, appuyez sur Ctrl+Fin. Enfin, appuyez sur PageHaut ou PageBas pour vous déplacer page par page.

Passer d'une fenêtre à une autre grâce à la barre des tâches

Windows XP fait de l'écran de l'ordinateur un bureau en bonne et due forme. Mais, comme beaucoup d'ordinateurs sont encore équipés de moniteur de 15 pouces, les différentes fenêtres que vous ouvrez se recouvrent les unes les autres.

Pour mettre un peu d'ordre dans ce fouillis, Windows XP est doté d'une barre des tâches. Elle se trouve habituellement tout en bas de l'écran et contient une liste des programmes ouverts. Si vous avez trouvé le bouton Démarrer, vous avez aussi trouvé la barre des tâches, car le bouton en question se trouve dessus, à gauche.

- Chaque fois que vous ouvrez une fenêtre, Windows XP place un bouton à son nom dans la barre des tâches. Si vous en avez ouvert un grand nombre, ces boutons sont automatiquement rétrécis afin que tous continuent à être visibles.

- Pour passer d'une fenêtre à une autre, cliquez simplement sur le bouton de cette fenêtre, dans la barre des tâches. Et hop ! Elle apparaît au-dessus de l'empilement.

- Toutes ces fenêtres ouvertes encombrent l'écran ? Cliquez avec le bouton droit de la souris dans une partie vide de la barre des tâches et choisissez l'option Réduire toutes les fenêtres. Toutes les fenêtres ouvertes se transforment en boutons alignés dans la barre des tâches. Ou alors, cliquez sur la petite icône Bureau, en forme de sous-main, près du bouton Démarrer. Le Bureau est instantanément vidé.

Les bordures

Une *bordure* est le fin liseré qui entoure une fenêtre. Comparée à une barre, elle est vraiment mince.

- Les bordures peuvent être tirées pour modifier les dimensions d'une fenêtre.
- Il est impossible de changer la taille d'une fenêtre si elle n'a pas de bordures. Quelques fenêtres font exception à la règle : leur taille est immuable, quoi que vous fassiez avec la souris.
- Eh non, vous ne travaillerez pas beaucoup avec les bordures.

Les familles de boutons

Trois sortes de boutons s'épanouissent dans l'environnement de Windows XP : les boutons de commande, les boutons d'option et les boutons d'agrandissement/réduction. Les boutons de commande se trouvent surtout dans les *boîtes de dialogue*, qui sont ces panneaux que Windows vous demande de paramétrer.

Par exemple, lorsque vous demandez à Windows XP d'ouvrir un fichier, il ouvre une boîte de dialogue que l'on peut très vaguement comparer à un formulaire. Vous l'utilisez pour indiquer à Windows quel est le fichier que vous recherchez, où il se trouve ainsi que d'autres détails rébarbatifs.

Le Tableau 5.1 décrit les boutons de commande les plus couramment utilisés dans Windows XP.

- Quand vous cliquez sur un bouton de commande, vous indiquez à Windows XP d'exécuter ce qui est écrit sur le bouton (fort heureusement, il n'existe aucun bouton avec l'inscription "Autodestruction").
- Vous avez remarqué, dans le Tableau 5.1, que la bordure de certains boutons est plus épaisse que celle des

Tableau 5.1 : Les boutons de commande usuels de Windows XP.

Bouton	Emplacement	Description
OK	Dans presque toutes les boîtes de dialogue.	Cliquer sur ce bouton signifie : "J'ai fourni toutes les informations et je suis prêt à aller plus loin." Windows XP prend en compte ce que vous avez indiqué dans le panneau et traite votre demande (appuyer sur la touche Entrée produit le même effet).
Annuler	Dans presque toutes les boîtes de dialogue.	Si vous vous êtes quelque peu fourvoyé en paramétrant une boîte de dialogue, cliquez sur le bouton Annuler. La boîte de dialogue disparaît et tout redevient comme avant. Ouf ! (La touche Échap en fait autant.)
Suivant >	Sur un panneau dans lequel il faut répondre à de nombreuses questions.	En cliquant sur le bouton Précédent, Windows retourne à la fenêtre précédente, ce qui permet de modifier des réponses. Cliquez sur le bouton Suivant pour passer au panneau suivant, et sur Terminer une fois que vous êtes sûr d'avoir bien répondu à toutes les questions ; vous quittez alors la boîte de dialogue.
Modifier...	Dans quelques boîtes de dialogue.	Les points de suspension après un mot indiquent que ce bouton ouvre une autre boîte de dialogue contenant d'autres paramètres, options ou choix divers.
	Dispersés à foison un peu partout.	Windows XP a adopté un look Internet, dans lequel les boutons ne ressemblent pas toujours à des boutons. En fait, n'importe quoi peut en être un. Comment les reconnaître ? Si le pointeur de la souris se transforme en main lorsqu'il survole quelque chose, ce quelque chose est un bouton.

autres ? Elle indique que ce bouton est en surbrillance, c'est-à-dire déjà sélectionné. Il suffit d'appuyer sur la touche Entrée pour exécuter cette commande.

- Au lieu d'amener votre souris à fond de train sur le bouton Annuler, si vous avez commis des bourdes dans une boîte de dialogue, appuyez simplement sur la touche Échap. L'effet est le même.

Si vous avez cliqué sur la mauvaise commande mais *n'avez pas encore relâché le bouton*, stop ! Tout n'est pas perdu. Un bouton de commande n'est en effet pris en compte qu'après avoir relevé le doigt. Laissez ce dernier appuyé sur le bouton et amenez le pointeur hors du bouton. Vous pouvez maintenant relâcher le bouton de la souris. Vous avez eu chaud ! Essayez ce truc dans l'ascenseur de votre immeuble, juste pour voir...

Vous butez sur une boîte de dialogue retorse et vous vous demandez à quoi sert tel ou tel bouton ou commande ? Cliquez sur le point d'interrogation en haut à droite (s'il y en a un, il sera semblable à celui illustré ici), puis sur le bouton qui vous intrigue. Un petit commentaire explique à quoi il sert. Ou encore, immobilisez tout bonnement le pointeur de la souris au-dessus du bouton. De temps en temps, Windows fait preuve de commisération et condescend à afficher une info-bulle dont les judicieux propos viennent à bout de votre crasse ignorance.

Choisir parmi des boutons d'option

Parfois, Windows XP se montre assez mesquin et vous oblige à ne sélectionner qu'une seule option. Par exemple, vous pouvez choisir de *manger* des choux de Bruxelles ou de *ne pas* en manger. Mais comme vous ne pouvez pas choisir les deux, Windows vous empêche de sélectionner ces deux options à la fois.

Windows XP gère ce cas de figure au travers de *boutons d'option*. Lorsque vous sélectionnez une option, un petit point apparaît au milieu d'un bouton rond. Si vous sélectionnez une autre option, ce petit point va se placer dans le bouton de cette option. Vous trouverez des boutons d'option dans beaucoup de boîtes de dialogue. La Figure 5.6 en montre un jeu.

Figure 5.6 : Un point signale l'option sélectionnée.

Double-cliquer sur une entrée du journal :
- (•) Ouvre l'entrée du journal
- ( ) Ouvre l'élément désigné par l'entrée du journal

- Bien que Windows XP propose plusieurs choix dans une boîte d'options, vous ne pouvez en sélectionner qu'un seul. Le point au centre d'un bouton se déplace selon votre choix. Cliquez sur le bouton OK pour valider le choix. L'option *pointée* prend alors effet.
- S'il est possible de sélectionner plusieurs options à la fois, Windows XP n'affiche pas de boutons d'option, mais des *cases*. Elles sont décrites dans la section "Les cases à cocher", plus loin dans ce chapitre.
- Les lecteurs les plus observateurs n'auront pas manqué de remarquer que les boutons d'option sont toujours ronds. Les boutons de commande décrits précédemment sont rectangulaires.

Quelques ingénieurs en informatique un peu passéistes appellent les boutons d'option des "boutons radio", en souvenir de l'époque où, sur les TSF, le choix des stations s'effectuait avec un bouton rond.

Changer la taille d'une fenêtre avec les boutons Agrandir et Réduire

Toutes les petites fenêtres ouvertes dans Windows XP ont tendance à se recouvrir les unes les autres. Leurs boutons Agrandir et Réduire apportent un peu d'ordre.

Ces deux boutons permettent d'agrandir la fenêtre dans laquelle vous comptez travailler, ou de réduire les autres afin qu'elles ne gênent plus.

Le bouton Réduire est l'un des trois qui se trouvent en haut à droite de presque toutes les fenêtres. Il ressemble à celui qui illustre ce paragraphe.

Un clic sur le bouton Réduire fait disparaître la fenêtre, bien que le logiciel continue de rester ouvert. Il a en fait été réduit dans la barre des tâches, en bas de l'écran. Cliquez sur le bouton qui s'y trouve pour réafficher la fenêtre à sa taille normale.

- La réduction d'une fenêtre ne détruit pas son contenu ; elle transforme simplement la fenêtre en un petit bouton placé dans la barre située en bas de l'écran.
- Pour rétablir la fenêtre, cliquez sur son bouton, dans la barre des tâches. Elle réapparaît au même emplacement et à la même place.
- *Fermer* et *réduire* une fenêtre sont deux choses complètement différentes. La fermeture d'une fenêtre supprime le programme de la mémoire de l'ordinateur. Pour la rouvrir, vous devez recharger le programme depuis le disque dur. En revanche, réduire une fenêtre dans la barre des tâches met le programme de côté, toujours chargé en mémoire, prêt à être utilisé dès qu'il le faut.

Le bouton Agrandir est présent dans le coin supérieur droit de toutes les fenêtres. Il ressemble à celui illustré ci-contre.

Un clic sur ce bouton agrandit la fenêtre au point qu'elle occupe tout l'espace disponible à l'écran.

- Si toutes ces fenêtres qui se couvrent et se recouvrent vous énervent, cliquez sur le bouton Agrandir de la fenêtre dans laquelle vous travaillez. Elle se retrouvera par-dessus toutes les autres et remplira tout l'écran, comme tout programme digne de ce nom.

- Immédiatement après avoir agrandi une fenêtre, le petit bouton Agrandir se transforme en un bouton *Niveau inférieur* (NdT : plus judicieusement nommé "Restaurer" dans d'autres versions de Windows) que nous décrirons d'ici peu. Il permet de rétrécir la fenêtre en plein écran à la taille qui était la sienne précédemment.

Il n'est pas nécessaire de cliquer sur le bouton Agrandir pour qu'une fenêtre soit en plein écran : il suffit de double-cliquer sur sa barre de titre. L'effet est le même, mais l'action est plus commode.

Le bouton Niveau inférieur se trouve dans le coin en haut à droite de toute fenêtre agrandie (voir ci-contre).

Cliquer sur ce bouton après avoir agrandi une fenêtre la ramène à sa taille précédente.

- Le bouton Niveau inférieur n'apparaît que dans une fenêtre en plein écran (ce qui n'a rien de restrictif puisque c'est seulement sur une fenêtre agrandie au maximum qu'il est utile).

- Pour fermer une fenêtre, cliquez sur le X dans le coin en haut à droite (voir ci-contre).

L'inutile bouton Commandes

À l'instar des maisons qui sont toutes équipées d'un coupe-circuit, toutes les fenêtres sont dotées d'un bouton de menu Commandes, dont l'apparence diffère d'un logiciel à l'autre. Quoi qu'il en soit, il est toujours niché dans le coin supérieur gauche de la fenêtre. Les lecteurs ayant une bonne acuité visuelle remarqueront que ce bouton est une vignette qui évoque le logiciel.

Cliquer sur le bouton Commandes fait apparaître un menu qui est hélas ! de peu d'utilité. Vous pouvez l'ignorer superbement.

Remplir ces ennuyeuses boîtes de dialogue

À un moment ou à un autre, vous devrez donner à Windows XP des indications précises : le nom d'un fichier à ouvrir, par exemple, ou celui d'un fichier à imprimer. Ces boîtes de dialogue peuvent comporter plusieurs parties, décrites dans les sections qui suivent. Il n'est pas nécessaire d'apprendre leurs noms par cœur ; il est plus utile de savoir à quoi elles servent.

Les zones de texte

Une *zone de texte* est un rectangle dans lequel vous pouvez taper des données (mots, chiffres, mots de passe ou n'importe quelles épithètes de votre cru). Par exemple, la Figure 5.7 montre la boîte de dialogue qui apparaît lors d'une recherche d'un mot ou d'une chaîne de caractères dans WordPad.

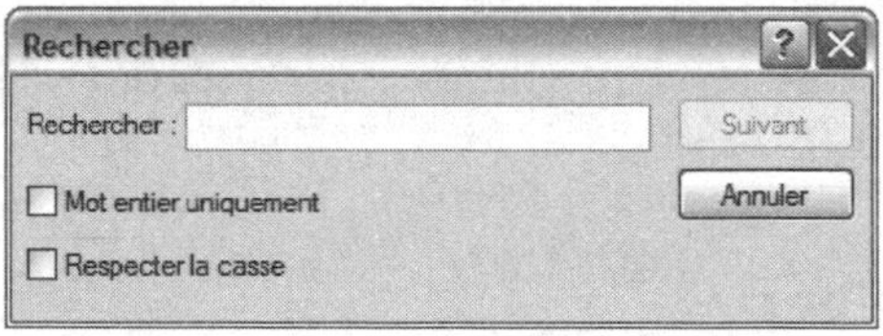

Figure 5.7 : Cette boîte de dialogue de WordPad contient une zone de texte.

Lorsque vous tapez des caractères dans cette zone de texte et que vous appuyez sur Entrée, WordPad recherche leur occurrence. S'il la trouve, il la met en évidence dans la page. Sinon, WordPad affiche un message laconique indiquant qu'il a terminé la recherche.

- Deux indices permettent de savoir si une zone de texte est *active*, c'est-à-dire prête à recevoir ce que vous taperez : le texte qu'elle contient déjà est surligné, ou encore, une barre d'insertion clignote dedans. Dans les deux cas, il vous suffit de taper directement votre texte.

L'ancien texte – celui en surbrillance – est remplacé par le nouveau.

- Si la zone de texte n'est pas en surbrillance ou si elle ne contient pas de point d'insertion, elle n'est pas encore prête à recevoir votre saisie. Pour ce faire, cliquez dedans puis commencez à taper. Ou alors, appuyez sur la touche Tab jusqu'à ce que la zone de texte se mette en surbrillance ou que la barre d'insertion y clignote.
- Si vous cliquez dans une zone de texte qui contient d'ores et déjà du texte, vous devez le supprimer avec les touches Suppr ou Ret.Arr. avant de taper de nouvelles données. Si l'ancien texte est en surbrillance, contentez-vous de taper ; la nouvelle frappe le supprimera. S'il n'est pas en surbrillance, double-cliquez dessus ; le nouveau texte remplacera alors l'ancien.

Choisir des options dans des zones de liste

Certaines zones n'admettent pas que vous y tapiez du texte, car elles contiennent déjà des données. Ces zones particulières sont fort judicieusement appelées *zones de liste*. Par exemple, la boîte de dialogue Police de WordPad affiche une zone de liste permettant de choisir une police de caractères (voir Figure 5.8).

- Vous avez remarqué que la police Comic Sans MS est en surbrillance ? C'est parce qu'elle est actuellement sélectionnée. Appuyez sur Entrée (ou cliquez sur le bouton de commande OK) ; WordPad utilisera désormais cette police.
- Vous avez vu la barre de défilement à droite de la zone de liste ? Elle fonctionne comme toutes les autres : cliquez sur l'une des flèches de défilement (ou appuyez sur les touches fléchées Haut ou Bas) pour faire défiler la liste et découvrir les autres polices.
- De nombreuses zones de liste sont surmontées d'une zone de texte. Lorsque vous cliquez sur un nom,

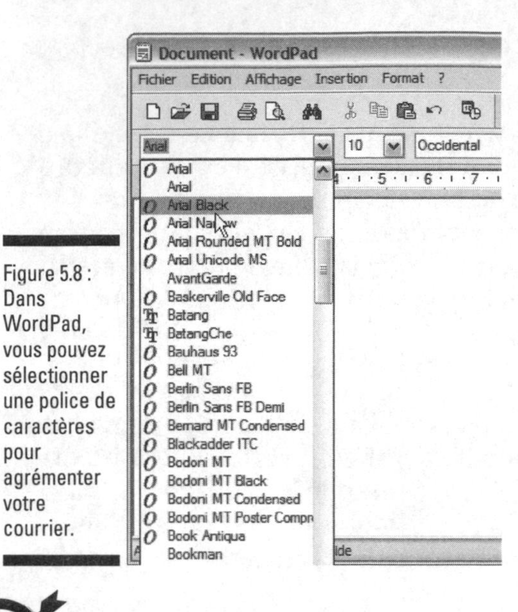

Figure 5.8 : Dans WordPad, vous pouvez sélectionner une police de caractères pour agrémenter votre courrier.

TRUC

S'il vous en faut plusieurs

Du fait que Windows ne peut afficher qu'un seul motif à la fois sur le Bureau, vous ne pouvez en sélectionner qu'un seul à la fois dans la zone de liste du Bureau. Mais d'autres, comme celle de l'Explorateur Windows, permettent d'en sélectionner plusieurs à la fois. Voici comment :

- Pour sélectionner plus d'un élément, maintenez la touche Ctrl enfoncée puis cliquez sur chacun des éléments désirés. Ils seront tous mis en surbrillance.
- Pour sélectionner une plage d'éléments adjacents, dans une liste, cliquez sur le premier d'entre eux. Ensuite, la touche Maj enfoncée, cliquez sur le dernier. Windows XP met aussitôt en surbrillance les premier et dernier éléments sélectionnés ainsi que tous ceux qui se trouvent entre les deux. Efficace, non ?
- Enfin, pour sélectionner une série d'icônes, essayez le truc de l'"élastique" : cliquez à proximité d'une icône puis, le bouton de la souris enfoncé, déplacez la souris jusqu'à ce que vous ayez tracé un lasso rectangulaire autour de toutes les icônes à sélectionner. Après les avoir toutes mises en surbrillance, relâchez le bouton : elles restent en surbrillance et peuvent être déplacées ou supprimées simultanément. Génial !

il apparaît aussitôt dans la zone de texte. Vous pourriez bien sûr taper vous-même ce nom, mais à quoi bon se compliquer l'existence ?

- Si une zone de liste est exagérément longue, tapez la première lettre du nom que vous recherchez. Windows XP décale automatiquement la liste jusqu'au premier mot commençant par cette lettre.

Les zones de liste déroulantes

Les zones de liste sont commodes, mais elles sont souvent encombrantes. C'est pourquoi, à l'instar des menus déroulants, Windows XP les cache parfois. Lorsque vous cliquez à l'endroit approprié, la zone de liste se déploie, prête pour le choix.

C'est où, l'endroit approprié ? Il se présente sous la forme d'un bouton avec une flèche pointée vers le bas, semblable à celle de l'option Police, dans la Figure 5.9 (désignée par le pointeur de la souris).

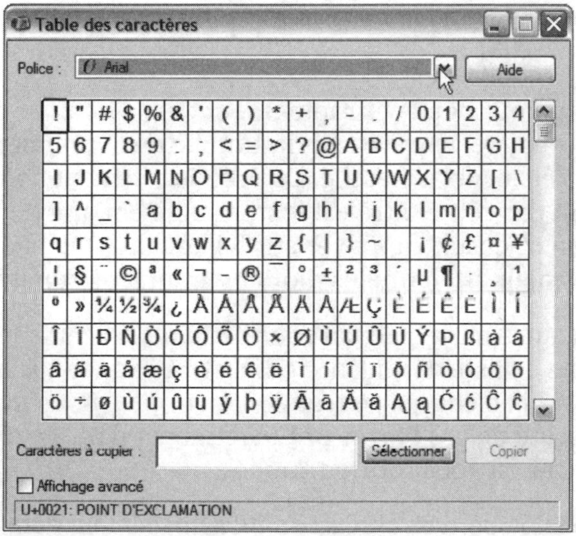

Figure 5.9 : Cliquez sur la pointe de flèche dirigée vers le bas, dans la zone de liste déroulante Police, pour dérouler la liste des polices disponibles.

La Figure 5.10 montre la zone de liste déroulante telle qu'elle apparaît après avoir cliqué.

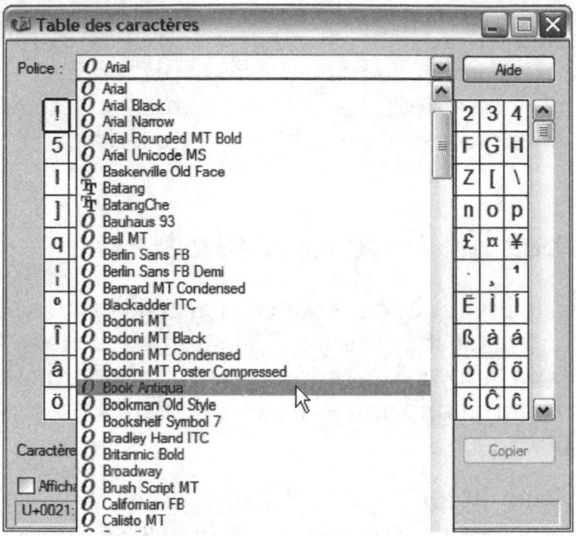

Figure 5.10 : La zone de liste déroulante affiche les polices disponibles.

- Contrairement aux zones de liste simples, les zones de liste déroulantes ne sont pas surmontées d'une zone de texte. Vous ne pouvez rien taper dans une zone de liste déroulante.
- Pour vous déplacer rapidement dans une zone de liste déroulante, appuyez sur la touche de la première lettre de l'élément recherché. Le premier élément commençant par cette lettre est instantanément affiché. Vous pouvez ensuite appuyer sur les touches fléchées Haut et Bas pour atteindre les mots figurant à proximité.
- Un autre moyen de parcourir rapidement une longue zone de liste déroulante consiste à cliquer sur la barre de défilement qui se trouve à sa droite (nous avons discuté de ces barres précédemment dans ce chapitre, au cas où vous l'auriez oublié).
- Vous ne pouvez choisir *qu'un seul élément* dans une zone de liste déroulante.

- Le programme visible dans la Figure 5.10 est la Table de caractères. Elle propose un moyen très pratique d'insérer dans un texte des caractères spéciaux inexistants sur le clavier comme "Ç", "œ", "1/2" et bien d'autres. Pour accéder à la Table de caractères, cliquez sur le bouton Démarrer, choisissez Tous les programmes/ Accessoires/Outils système puis, dans la liste, sélectionnez Table de caractères.

Les cases à cocher

Il arrive parfois que vous puissiez choisir un grand nombre d'options dans une boîte de dialogue. Chacune de ces options est précédée d'une case qu'il suffit de cocher pour les sélectionner. Si elles ne doivent pas être sélectionnées, laissez la case vide. Par exemple, dans la boîte de dialogue que montre la Figure 5.11, vous avez choisi et sélectionné des options dans le jeu de cartes FreeCell.

Figure 5.11 : Les cases des options sélectionnées sont cochées.

- Lorsque vous cochez une case, vous modifiez un paramètre. Cliquer dans une case vide active cette option. Si la case est déjà cochée, le clic ôte la coche, désactivant par là même l'option.

- Vous pouvez cliquer dans autant de cases que vous le désirez (contrairement aux boutons d'option ronds qui n'admettent qu'un seul et unique choix).

Les défileurs (ou ascenseurs)

Impressionnés par les variateurs de tension des éclairages à halogène de leurs splendides villas toutes neuves, les programmeurs de chez Microsoft ont eu la riche idée d'en faire profiter Windows XP. Ces variateurs de tension virtuels sont aussi faciles à utiliser que les vrais : pour actionner un défileur dans Windows, celui du contrôle du volume sonore par exemple (voir Figure 5.12), il suffit de cliquer sur le curseur de la glissière, de le faire glisser, puis de relâcher le bouton de la souris.

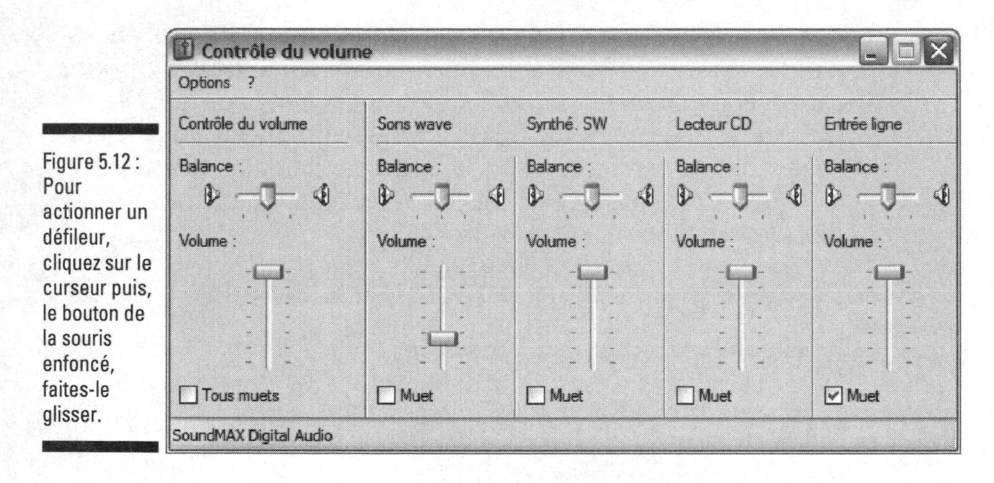

Figure 5.12 : Pour actionner un défileur, cliquez sur le curseur puis, le bouton de la souris enfoncé, faites-le glisser.

Pointez sur ce levier avec la souris puis, le bouton enfoncé, déplacez la souris dans la direction dans laquelle vous voulez faire glisser le curseur. Ce dernier se déplace simultanément. Dès que le réglage est terminé, relâchez le bouton de la souris ; Windows XP laisse le curseur à sa nouvelle position. Ce n'est pas plus compliqué.

- Certains défileurs sont horizontaux, d'autres verticaux. Aucun défileur n'est en diagonale.

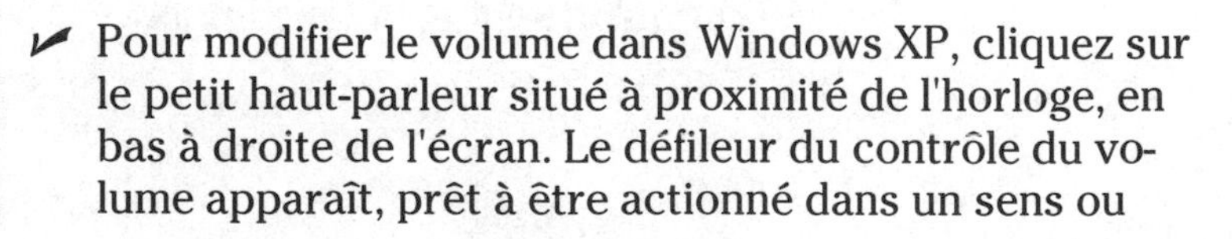

- Pour modifier le volume dans Windows XP, cliquez sur le petit haut-parleur situé à proximité de l'horloge, en bas à droite de l'écran. Le défileur du contrôle du volume apparaît, prêt à être actionné dans un sens ou dans l'autre. Si ce petit haut-parleur n'est pas visible, cliquez sur le bouton Démarrer et ouvrez le Panneau de configuration. Choisissez l'option Sons et périphériques audio puis sélectionnez l'onglet Volume. Cochez enfin la case à gauche de la phrase Placer l'icône de volume dans la barre des tâches.

- Votre souris est morte et vous devez absolument baisser le volume du son ? Appuyez sur la touche Tab jusqu'à ce qu'un petit liseré en pointillé apparaisse autour du curseur du défileur. Appuyez ensuite sur les touches fléchées dans la direction que doit prendre le curseur. Si votre clavier est équipé de boutons de commande du volume intégrés, essayez de les utiliser, bien que Windows XP les ignore bien souvent.

Dites-moi simplement comment ouvrir un fichier !

Ras le bol des info-bulles, des termes techniques des boutons et des barres. Vous voulez simplement savoir comment charger un fichier dans un programme ? Cette section vous explique comment procéder.

L'ouverture d'un fichier est une activité concernant un fichier. C'est pourquoi vous commencez par rechercher le mot Fichier dans la barre de menus de la fenêtre (voir Figure 5.13).

Procédez ensuite ainsi :

1. **Cliquez sur Fichier afin de déployer le menu.**

   La Figure 5.14 montre le menu déroulant de Fichier.

2. **Cliquez sur Ouvrir pour afficher la boîte de dialogue du même nom.**

   Vous savez qu'une boîte de dialogue sera ouverte grâce aux points de suspension qui, dans le menu, suivent le mot Ouvrir.

Figure 5.13 : Pour ouvrir un fichier, choisissez d'abord le mot Fichier dans la barre de menus.

Figure 5.14 : Cliquer sur l'option Fichier déploie son menu déroulant.

La Figure 5.15 montre la boîte de dialogue Ouvrir qui vient de s'afficher à l'écran. Elle est identique à celle que vous trouverez dans bon nombre de logiciels chaque fois que vous aurez affaire à des fichiers.

- Si le nom du fichier apparaît dans la zone de liste, vous avez bien de la chance. Double-cliquez dessus : il est aussitôt chargé dans le logiciel. Ou alors cliquez une seule fois sur le nom puis sur le bouton Ouvrir.

- Si vous ne trouvez pas le fichier, c'est certainement parce qu'il est dans un autre dossier, également appelé *répertoire*. Les listes de Windows XP sont souvent placées le long de la bordure gauche, comme dans la Figure 5.15. Cliquez sur le gros bouton Historique pour voir les noms des fichiers récemment ouverts. Cliquez sur Bureau si le fichier se trouve sur le Bureau de

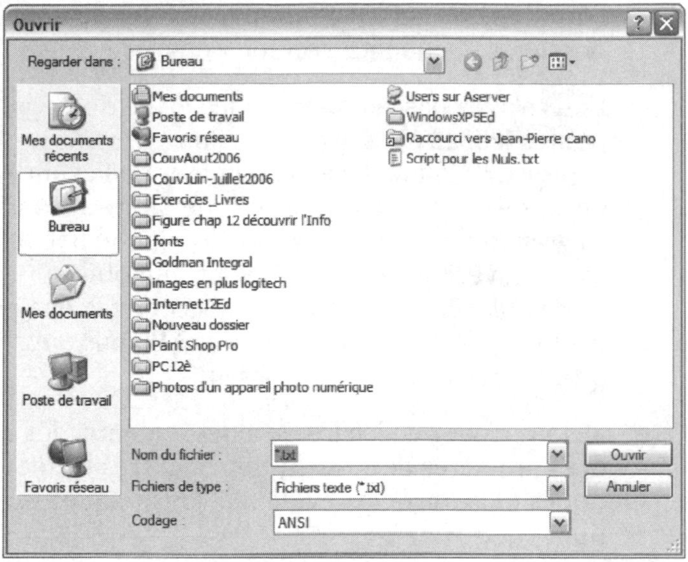

Figure 5.15 : La boîte de dialogue Ouvrir apparaît presque chaque fois que vous devez ouvrir un fichier dans un programme Windows.

Windows. Le bouton Mes documents vous amène directement dans le dossier du même nom, qui est un intéressant lieu de stockage. Choisissez Poste de travail pour effectuer une recherche à partir de la racine des disques, tout en haut de leur arborescence. Si l'ordinateur est connecté à un réseau, le bouton Favoris réseau permet d'examiner le contenu des autres ordinateurs.

- Cliquez dans la petite zone Rechercher dans : Windows affiche toute une série de dossiers que vous pourrez parcourir. Chaque fois que vous cliquez sur un dossier, son contenu apparaît dans la première zone de liste.

- Vous ne parvenez toujours pas à découvrir le dossier ou le répertoire ? Le fichier se trouve peut-être dans un autre lecteur. Cliquez sur l'icône de l'un des lecteurs figurant dans la zone Rechercher dans. Les icônes des lecteurs sont de petits pictogrammes gris ; les icônes des dossiers, eux, ressemblent à des dossiers.

- Le fichier aurait-il un nom bizarre ? Cliquez dans la zone de liste déroulante Type de fichier pour sélectionner un autre type de fichier. Pour voir *tous* les fichiers d'un dossier, sélectionnez l'option Tous les fichiers (*.*).

TRUC

- Vous n'avez pas la moindre idée de ce que signifient ces petites icônes qui s'alignent le long des bords gauche et supérieur ? Immobilisez le pointeur de la souris au-dessus de l'une d'elles. Après une petite seconde, dans sa grande mansuétude, Windows affiche une info-bulle explicative. Par exemple, si vous immobilisez le pointeur sur l'icône montrant un dossier avec une petite explosion dans le coin, Windows XP vous apprend qu'elle crée un nouveau dossier.
- Si vous n'avez eu à faire qu'à des lecteurs, des dossiers, des caractères de substitution et autres termes informatiques plus ou moins évidents, vous risquez la saturation.

TRUC

- Si le fichier est perdu dans les profondeurs de l'ordinateur, demandez à Windows de le retrouver. Cliquez sur le bouton Démarrer, puis sur le bouton Rechercher. Sélectionnez ensuite les options qui correspondent au plus près à l'objet de votre recherche (l'option Tous les fichiers est toujours le meilleur choix). Tapez le nom du fichier et, dans la zone Rechercher dans, choisissez Poste de travail.

Tu cliques ou tu double-cliques ?

C'est sans aucun doute une bonne question, mais Microsoft ne propose qu'une réponse très vague. À les en croire, vous devez *cliquer* lorsque vous sélectionnez quelque chose dans Windows XP et double-cliquer lorsque vous *choisissez* quelque chose. Même ça, ce n'est pas certain. Alors ?

Reprenons. Vous sélectionnez quelque chose lorsque vous le mettez en surbrillance. Par exemple, vous pouvez sélectionner une case à cocher, un bouton d'option ou un nom de fichier. Vous cliquez dans chacun de ces éléments pour le *sélectionner*, après quoi vous vérifiez si c'est bien ce que vous vouliez faire. Si la sélection vous convient, vous cliquez sur le bouton OK pour terminer le travail.

Sélectionner quelque chose consiste à le préparer pour un usage futur.

Mais, quand vous *choisissez* quelque chose, la réponse est plus directe. Choisir un fichier entraîne son chargement immédiat dans le logiciel. En jargon Microsoft, "choisir" est une façon élégante de dire : "J'ai choisi ce fichier et je le veux là maintenant tout de suite, mec !"

Vous *choisissez* quelque chose qui doit être utilisé immédiatement.

- Ces explications sont bien sûr encore vagues. C'est pourquoi vous avez intérêt à toujours commencer par un clic simple. Si cette action ne donne rien, essayez le double-clic. Ce procédé est souvent plus sûr que de double-cliquer d'emblée et de se poser des questions ensuite.
- Et même ça, ce n'est pas très sûr. Car Windows peut être configuré de manière à choisir des fichiers en exécutant un seul clic *ou bien* un double-clic. Le logiciel permet de sélectionner un fichier ou un programme en immobilisant le pointeur dessus et en cliquant pour déclencher l'action. C'est ainsi que ça se passe sur le Web ; or, il se trouve que Windows peut être configuré de cette manière.
- Si par mégarde vous avez double-cliqué au lieu de cliquer, les conséquences ne sont pas graves. Il est généralement possible de fermer en quelques clics le programme qui a été lancé inopinément. Mais si quelque chose de terrible se produit, maintenez la touche Ctrl appuyée et tapez sur Z. Vous pourrez le plus souvent annuler n'importe quel dommage résultant de votre bourde.

- Préférez-vous systématiquement cliquer plutôt que double-cliquer ? Dans ce cas, dans le Panneau de configuration, sélectionnez Options des dossiers, choisissez Général et sélectionnez le bouton Ouvrir les éléments par simple clic (sélection par pointage). Vous préférez le traditionnel double-clic ? Allez au même endroit et activez l'option Ouvrir les éléments par double-clic (sélection par simple clic).

Quand utiliser le bouton gauche de la souris et quand utiliser le bouton droit ?

Ça, c'est assez facile. Cliquez toujours avec le bouton droit de la souris lorsque vous savez qu'un clic simple ne conviendra pas.

Quand vous cliquez sur un élément avec le bouton droit de la souris, Windows XP présente un menu, appelé *menu contextuel,* qui liste tout ce qu'il est possible de faire sur et/ou avec cet élément : Ouvrir, Explorer, Rechercher, Partager, Envoyer vers, Couper, Copier, Créer un raccourci, Supprimer, Renommer, examiner les Propriétés ou se verser un petit coup à boire...

L'affichage de tous ces choix est autrement plus commode qu'un simple clic sur l'élément, et Windows part du principe que vous savez ce que vous faites.

Par exemple, maintenez le bouton droit de la souris enfoncé tout en faisant glisser un élément à travers le Bureau. Lorsque vous relâchez le bouton, Windows XP fait apparaître un menu qui vous demande ce qu'il faut faire de cet élément. Si vous aviez fait la même opération en maintenant le bouton gauche de la souris enfoncé, Windows XP ne vous aurait rien demandé ; il n'en aurait fait qu'à sa tête.

- Le bouton droit de la souris a plutôt été conçu pour les débutants ou les utilisateurs qui, comme moi, n'ont pas une bonne mémoire. Si vous êtes sûr de ce que vous faites dans Windows – si tant est que ce soit possible –, ne vous privez pas de cliquer avec le bouton gauche.

- Intrigué par un élément visible à l'écran ? Essayez de cliquer dessus avec le bouton droit de la souris, juste pour voir. Le résultat peut s'avérer très instructif.

Chapitre 6

Avec Windows, tout passe par les fenêtres

Dans ce chapitre :

- Placer une fenêtre en haut de l'empilement.
- Passer d'une fenêtre à une autre.
- Déplacer une fenêtre de-ci, de-là.
- Agrandir ou diminuer les fenêtres.

Ah, la puissance de Windows XP ! Par l'utilisation de fenêtres séparées, vous pouvez *simultanément* utiliser un tableur, un logiciel de dessin, ouvrir une page Web et travailler dans un traitement de texte.

Ce chapitre explique comment gérer ces sacrées fenêtres, notamment pour n'en voir qu'une seule.

Amener une fenêtre au premier plan

Regardez bien le mélange de fenêtres à l'écran. Vous arrivez tout juste à les distinguer les unes des autres par quelques détails, et encore, si vous avez de la chance. Immobilisez le pointeur de la souris sur l'une de ces parties caractéristiques d'une fenêtre à peine visible et cliquez. Et hop ! Windows XP place en un éclair cette fenêtre en haut de l'empilement, la rendant visible en totalité.

Cette fenêtre recouvre probablement des parties intéressantes d'autres fenêtres. Mais au moins, vous arriverez à faire votre travail, dans une fenêtre à la fois.

- Windows XP est capable de placer simultanément un grand nombre de fenêtres à l'écran. Mais, à moins d'être bicéphale, vous ne travaillerez que dans une seule à la fois, l'autre programme patientant à l'arrière-plan. La fenêtre placée en haut de l'empilement, prête à être utilisée, est la *fenêtre active.*

- Dès que vous cliquez dans une fenêtre, elle devient *active*. Toutes les frappes au clavier et les clics s'effectueront dedans (la fenêtre active se reconnaît à sa barre de titre, dont la couleur est plus vive que les autres).

- Certains programmes peuvent tourner en arrière-plan, même si leur fenêtre n'est actuellement pas active. C'est le cas d'Internet Explorer qui peut télécharger un fichier en tâche de fond, ou du Lecteur Windows Media qui peut jouer un CD audio, que sa fenêtre soit active ou non. Imaginez ça !

Bien que de nombreuses fenêtres puissent être affichées à l'écran, vous ne pouvez entrer des informations que dans une seule à la fois : la fenêtre active. Pour rendre une fenêtre active, cliquez n'importe où dedans. Elle se place au sommet de l'empilement, soumise à tous vos caprices (Internet ou une carte tuner TV peuvent placer des informations dans des fenêtres en arrière-plan, mais ce n'est pas vous qui le faites).

Déplacer une fenêtre de-ci, de-là

Il vous arrivera parfois de vouloir déplacer une fenêtre à l'écran (sur le *Bureau*, dans le jargon de Windows XP), peut-être parce qu'une partie se trouve hors de l'écran ou parce que vous désirez la centrer. Ou encore, vous voulez placer deux fenêtres côte à côte afin d'en comparer le contenu.

Dans tous ces cas, vous déplacerez les fenêtres par leur *barre de titre* (elle se trouve tout en haut). Amenez le pointeur sur cette barre puis, son bouton enfoncé, actionnez la souris. La fenêtre se déplace en même temps qu'elle.

Dès que la fenêtre est là où vous le désirez, relâchez le bouton de la souris afin d'immobiliser la fenêtre. Elle reste là, en haut de l'empilement.

- Le déplacement d'un élément à la souris est un *glisser.* Quand vous relâchez le bouton, vous effectuez un *déposer.*

- Une partie de la fenêtre se trouve parfois hors de l'écran, ce qui ne facilite pas le travail. Pour la ramener au centre, faites-la glisser en la tirant par sa barre de titre, bouton de la souris enfoncé.
- Quand vous placez deux fenêtres l'une contre l'autre, vous devez souvent non seulement les déplacer, mais aussi régler leur taille. La prochaine section explique comment redimensionner une fenêtre.
- Utilisez les commandes Mosaïque ou Cascade pour juxtaposer ou superposer rapidement et facilement des fenêtres. Pour ce faire, faites un clic droit dans une partie vide de la barre des tâches, en bas du Bureau ; dans le menu contextuel qui s'affiche, choisissez Mosaïque pour répartir régulièrement les fenêtres dans l'écran, ou Cascade pour les empiler avec un léger décalage, comme des cartes à jouer.

Agrandir ou diminuer la taille d'une fenêtre

Le déplacement des fenêtres n'est parfois pas suffisant, car elles se recouvrent néanmoins. Fort heureusement, vous n'aurez besoin d'aucun matériel spécial pour les rendre plus grandes ou plus petites. Vous voyez la petite bordure qui en fait le tour ? Tirez dessus avec la souris et vous changez la taille de la fenêtre.

Pointez d'abord dans le coin avec la souris. Le pointeur se transforme en flèche à deux pointes. Maintenant, le bouton de la souris enfoncé, faites glisser le coin afin d'agrandir ou de diminuer la taille de la fenêtre. Elle s'étend ou se contracte selon le mouvement que vous appliquez à la souris.

Lorsque vous l'aurez mise à la bonne taille, relâchez le bouton. La fenêtre conserve ces nouvelles dimensions.

Voici la procédure étape par étape :

1. **Pointez avec la souris sur la bordure du coin.**

   Le pointeur se transforme en flèche à deux pointes, comme dans la Figure 6.1.

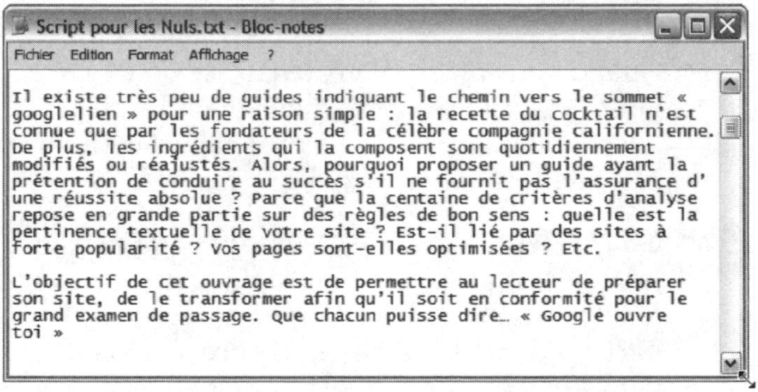

Script pour les Nuls.txt - Bloc-notes

Fichier Edition Format Affichage ?

Il existe très peu de guides indiquant le chemin vers le sommet « googlelien » pour une raison simple : la recette du cocktail n'est connue que par les fondateurs de la célèbre compagnie californienne. De plus, les ingrédients qui la composent sont quotidiennement modifiés ou réajustés. Alors, pourquoi proposer un guide ayant la prétention de conduire au succès s'il ne fournit pas l'assurance d' une réussite absolue ? Parce que la centaine de critères d'analyse repose en grande partie sur des règles de bon sens : quelle est la pertinence textuelle de votre site ? Est-il lié par des sites à forte popularité ? Vos pages sont-elles optimisées ? Etc.

L'objectif de cet ouvrage est de permettre au lecteur de préparer son site, de le transformer afin qu'il soit en conformité pour le grand examen de passage. Que chacun puisse dire… « Google ouvre toi »

Figure 6.1 : Au moment où le pointeur de la souris atteint le coin en bas à droite de la fenêtre, il se transforme en flèche à deux pointes.

2. **Maintenez le bouton de la souris enfoncé et faites glisser la flèche à deux pointes pour agrandir ou diminuer la fenêtre.**

   La Figure 6.2 montre la réduction d'une fenêtre en faisant glisser le coin vers la gauche et vers le bas.

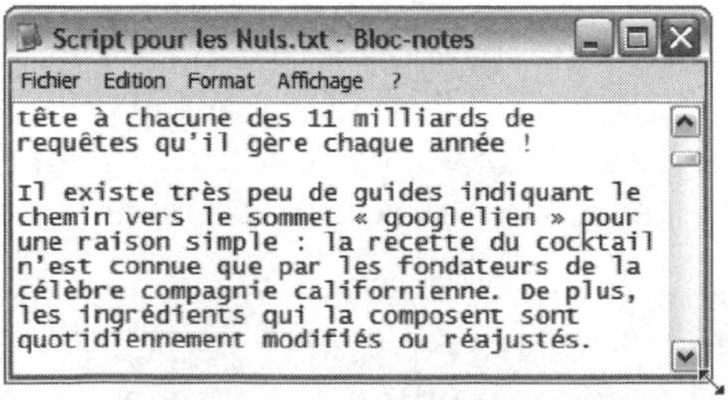

Script pour les Nuls.txt - Bloc-notes

Fichier Edition Format Affichage ?

tête à chacune des 11 milliards de requêtes qu'il gère chaque année !

Il existe très peu de guides indiquant le chemin vers le sommet « googlelien » pour une raison simple : la recette du cocktail n'est connue que par les fondateurs de la célèbre compagnie californienne. De plus, les ingrédients qui la composent sont quotidiennement modifiés ou réajustés.

Figure 6.2 : Déplacer la souris modifie la taille de la fenêtre.

3. **Relâchez le bouton de la souris.**

   La fenêtre est redimensionnée, comme le montre la Figure 6.3.

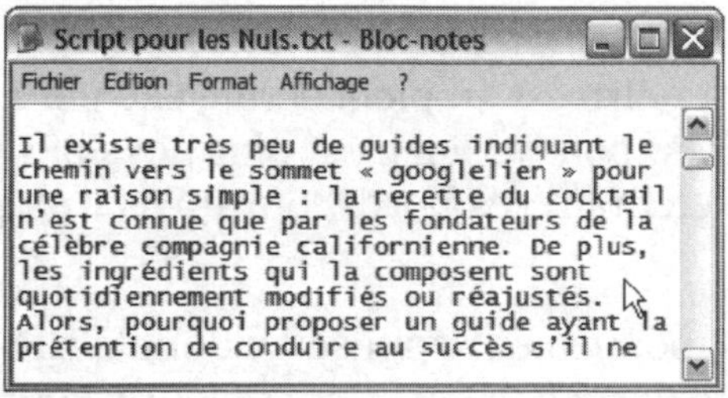

Figure 6.3 : Relâchez le bouton de la souris. La fenêtre reste à la taille qui lui a été définie.

C'est tout !

- Cette procédure vous est sans doute familière, car vous n'avez fait que *glisser et déposer* le coin de la fenêtre pour obtenir la nouvelle taille. Ce concept de *glisser-déposer* est omniprésent dans Windows XP. Vous pouvez par exemple glisser et déposer une barre de titre pour déplacer une fenêtre à l'écran.

- Il est possible de tirer sur un bord pour faire varier la largeur ou la hauteur de la fenêtre. Faire glisser un coin est cependant la solution la plus efficace, car elle permet d'agir d'un seul mouvement sur la largeur et sur la hauteur.

Mettre une fenêtre en plein écran

Tôt ou tard, vous finirez par vous lasser de l'affichage simultané de plusieurs fenêtres, et de tout ce qui s'ensuit. Ne serait-il pas possible d'afficher uniquement une seule et grande fenêtre à l'écran ? Oui, ça l'est.

Pour agrandir une fenêtre au maximum, double-cliquez sur sa *barre de titre*. Elle s'étendra aussitôt de manière à remplir la totalité de l'écran, couvrant par la même occasion toutes les autres fenêtres.

Pour ramener la fenêtre plein écran à sa taille originelle, double-cliquez de nouveau sur sa barre de titre. Sa taille diminue instantanément, rendant de nouveau visible tout ce qu'elle recouvrait.

- Lorsqu'une fenêtre est en plein écran, elle perd ses bordures ; c'est pourquoi il n'est plus possible de modifier sa taille en tirant ses bords, puisqu'ils n'existent plus.
- Si vous êtes moralement opposé au double-clic dans la barre de titre d'une fenêtre pour l'étendre, vous pouvez le faire d'une autre manière. Cliquez sur le bouton Agrandir, dans le coin supérieur droit ; il se trouve au milieu du groupe de trois boutons, dans la barre de titre (voir ci-contre). Après avoir cliqué dessus, la fenêtre occupe sauvagement tout l'écran. Par la même occasion, le bouton Agrandir devient un bouton Niveau inférieur, qui restaure la fenêtre à sa taille précédente en cliquant dessus.

Chapitre 7

À la recherche du temps perdu

Dans ce chapitre :

- Retrouver une fenêtre perdue.
- Retrouver des fichiers égarés.
- Retrouver des fichiers téléchargés.
- Retrouver des bribes d'information placées n'importe où.

Tôt ou tard, Windows XP fera des siennes. "Mais mais mais ! vous direz-vous en vous cramponnant au fil de la souris, ce truc-là était bien *là* il y a pas une seconde ! Où s'est-il fourré ?"

Quand Windows se mettra à jouer au bonneteau avec vos données, c'est ce chapitre qui vous aidera à les retrouver. Vous pourrez alors retrouver la fenêtre du Solitaire et continuer à faire semblant de travailler.

Retrouver des fenêtres égarées sur le Bureau

Oubliez cet énorme bureau à rouleaux style "années 40" en acajou que vous avez vu dans la vitrine d'un magasin de meubles, car le Bureau de Windows XP n'est pas plus grand que votre moniteur.

D'une certaine façon, Windows XP fonctionne plutôt à la manière de ces piques à feuillets qu'affectionnent notamment les caissiers que comme un véritable bureau. Chaque fois que vous ouvrez une nouvelle fenêtre, vous enfoncez un nouveau feuillet sur la pique. Celle du haut est facilement lisible, mais qu'en est-il de celles en dessous ?

Si une fenêtre dépasse un peu de l'empilement, vous pouvez cliquer sur cette partie visible. La fenêtre se retrouve comme par magie au-dessus de la pile. Mais que faire si *aucune* partie de la fenêtre ne dépasse ? Comment même savoir si elle se trouve sur le Bureau ?

Les deux procédures qui suivent vous aideront à retrouver une fenêtre même si elle est hors de vue.

Afficher la fenêtre que vous cherchez à partir du Gestionnaire des tâches

Le Gestionnaire des tâches intégré à Windows conserve une liste de tout ce qui est à l'écran (même les éléments invisibles), ce qui en fait un outil de choix pour retrouver une fenêtre cachée.

Il est caché aussi longtemps que vous n'avez pas appuyé sur la séquence de touches Ctrl+Alt+Suppr (la plupart des gens utilisent leurs deux mains pour appuyer dessus). Le Gestionnaire des tâches de Windows que montre la Figure 7.1 apparaît.

Cliquez sur l'onglet Applications, visible dans la Figure 7.1, et le Gestionnaire des tâches liste tous les programmes actuellement en cours. La fenêtre que vous recherchez est *immanquablement* présente dans la liste. Dès que vous l'avez repérée, cliquez sur son nom puis sur le bouton Basculer vers.

La fenêtre égarée apparaît d'elle-même au premier plan.

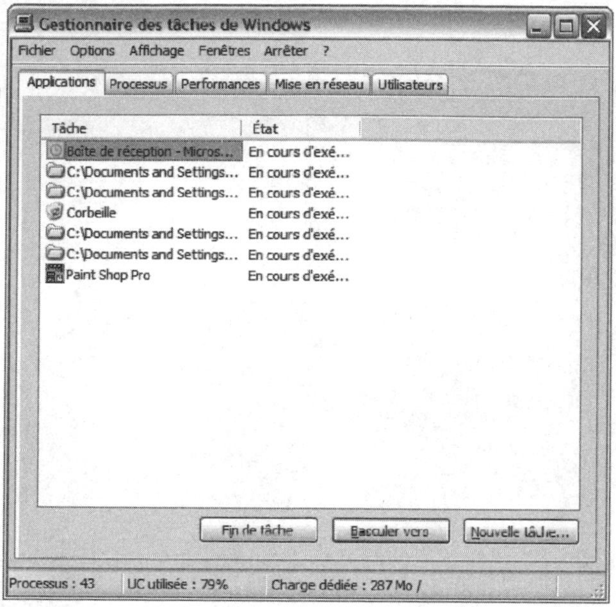

Figure 7.1: Appuyer simultanément sur les touches Ctrl+Alt+Suppr affiche le Gestionnaire des tâches de Windows. Vous trouverez sous l'onglet Applications la liste de toutes les fenêtres ouvertes.

Organiser des fenêtres en mosaïque et en cascade

Lorsque vous vous retrouvez face à des fenêtres dispersées comme des cartes à jouer jetées à travers l'écran, le moment est venu de demander à Windows de refaire la donne. Il récupérera toutes les fenêtres ouvertes au hasard et les disposera régulièrement sur le Bureau. C'est souvent la meilleure manière de retrouver une fenêtre enfouie dans les profondeurs d'un empilement.

Pour obtenir de Windows une nouvelle donne, cliquez avec le bouton droit de la souris dans le coin en bas à droite de l'écran. Un clic droit à proximité de l'horloge, par exemple, affiche le menu que montre la Figure 7.2 (NdT : pour que ce menu apparaisse, une des fenêtres doit être active).

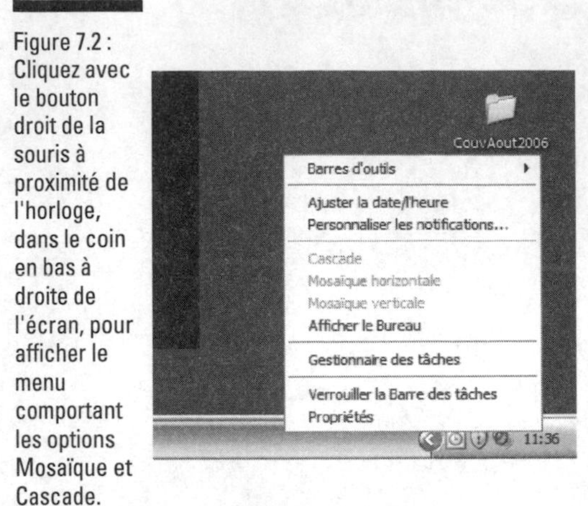

Figure 7.2 : Cliquez avec le bouton droit de la souris à proximité de l'horloge, dans le coin en bas à droite de l'écran, pour afficher le menu comportant les options Mosaïque et Cascade.

Cliquez sur l'option Cascade et toutes les fenêtres sont superposées avec un léger décalage, comme au black-jack (les amateurs de ce jeu de cartes jetteront un coup d'œil à la Figure 7.3). La barre de titre de chaque fenêtre est clairement lisible, prête à recevoir le clic qui amènera la fenêtre en question au premier plan.

Ou encore, choisissez Mosaïque horizontale ou Mosaïque verticale dans le menu de la barre des tâches. Windows dispose toutes les fenêtres de manière qu'elles soient toutes visibles, comme le montre la Figure 7.4. Leur taille est souvent réduite, mais au moins vous pouvez les voir.

- Si la fenêtre que vous cherchez n'apparaît pas dans l'empilement régulier provoqué par la commande Cascade, c'est parce qu'elle n'a peut-être pas été ouverte. Cette commande n'agit en effet que sur les fenêtres ouvertes, et non sur celles qui ont été réduites dans la barre des tâches. La solution ? Récupérez les fenêtres manquantes à l'aide du Gestionnaire des tâches *avant* de disposer les fenêtres en cascade.

- La commande Mosaïque verticale dispose les fenêtres en hauteur, comme des chaussettes qui pendouillent sur un fil à linge. La commande Mosaïque horizontale

Figure 7.3 : La commande Cascade, dans la barre des tâches, superpose toutes les fenêtres avec un léger décalage afin que les titres soient bien visibles.

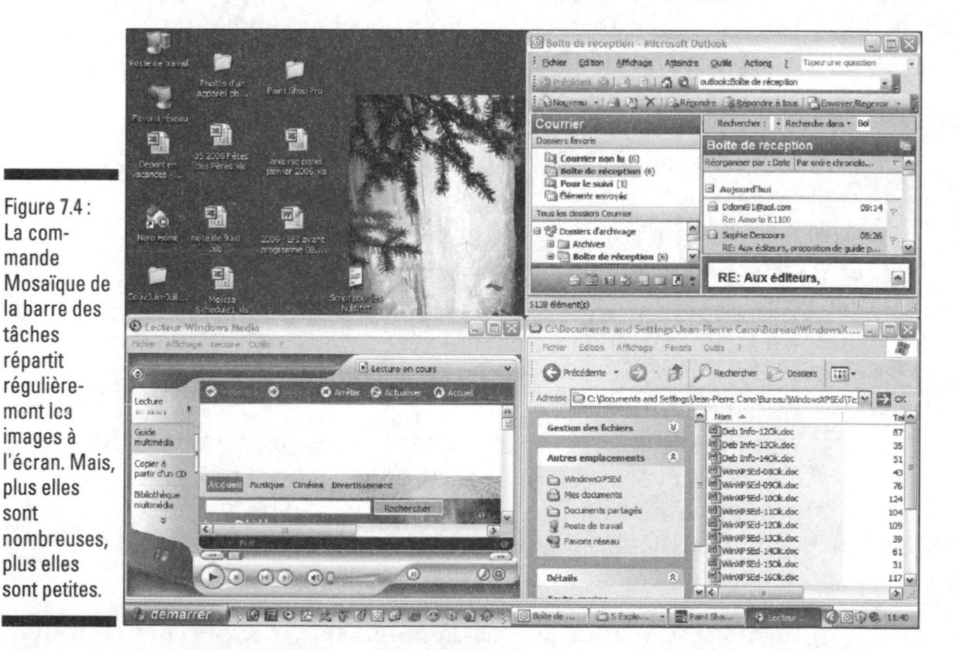

Figure 7.4 : La commande Mosaïque de la barre des tâches répartit régulièrement les images à l'écran. Mais, plus elles sont nombreuses, plus elles sont petites.

dispose les fenêtres horizontalement, comme des sweat-shirts sur un étalage. La différence n'est pas très évidente quand vous ne répartissez que quelques fenêtres.

- Le hautain Gestionnaire des tâches décrit dans la section précédente est aussi capable de disposer des fenêtres en mosaïque et en cascade, mais à sa manière. Lorsqu'il affiche la liste des fenêtres ouvertes, comme dans la Figure 7.1 au début de ce chapitre, maintenez la touche Ctrl enfoncée puis cliquez sur les fenêtres auxquelles vous désirez appliquer la commande. Ensuite, lorsque vous choisirez l'option Cascade ou Mosaïque dans le menu, ces commandes n'affecteront que les fenêtres sélectionnées. Ce procédé permet par exemple de ne repositionner côte à côte que deux fenêtres dont le contenu est important, lorsque votre Bureau est encombré de fenêtres ouvertes.

- Si vous n'avez ouvert que deux fenêtres, la commande Mosaïque les dispose côte à côte, ce qui facilite la comparaison de leur contenu. La commande Mosaïque verticale les place en hauteur, ce qui n'est pas pratique pour comparer des textes car vous n'apercevez que les premiers mots de chaque ligne. Pour les voir en entier, choisissez plutôt l'option Mosaïque horizontale.

Retrouver des fichiers, des dossiers, des morceaux de musique, des photos, des vidéos, des gens ou des ordinateurs

Windows XP est devenu très doué dans la recherche des éléments égarés. Ce qui est la moindre des choses, vu sa propension à tout cacher. Lorsqu'un de vos fichiers, dossiers ou autres disparaît dans les profondeurs de l'ordinateur, demandez à Windows XP de le chercher.

Dans presque tous les cas, la commande Rechercher retrouve votre bien. Pour la mettre en œuvre, cliquez sur le faramineux bouton vert Démarrer – celui en bas à gauche de l'écran –, puis sur Rechercher, comme le montre la Figure 7.5.

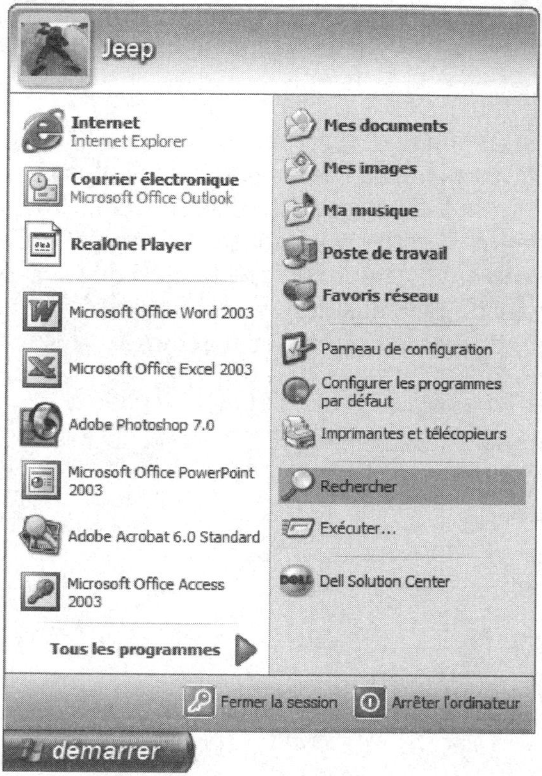

Figure 7.5 : Cliquez sur le bouton Démarrer puis sur Rechercher.

Retrouver un fichier ou un dossier perdu

Dans les étapes qui suivent, nous allons voir comment il est possible de retrouver *n'importe quel* fichier ou dossier que vous avez placé quelque part dans l'ordinateur et que vous n'arrivez plus à localiser. Vous pourriez même retrouver ce fichu fichier que quelqu'un vous a envoyé par America Online !

Supposons par exemple que vous vous demandiez où vous avez bien pu mettre le fichier d'un courrier concernant la redevance télé. Qui plus est, vous ne savez plus comment vous avez orthographié son nom : "télévision", "télé" ou "TV" ? Vous ne vous rappelez même plus quel logiciel vous avez utilisé : Word ? WordPad ? Le Bloc-notes ? Comment savoir ? Tout ce dont vous êtes sûr, c'est que le mot "redevance" figure dans le texte de ce fichier.

Le meilleur moyen de retrouver un fichier perdu – même ceux inconsidérément placés dans les recoins les plus mystérieux de l'ordinateur, voire sur un autre disque – consiste à utiliser la commande Rechercher que montre la Figure 7.6. Cette boîte de dialogue retrouve n'importe quel fichier, dossier, ordinateur du réseau, image, musique, vidéo, entrée d'annuaire et autres éléments égarés dans votre machine.

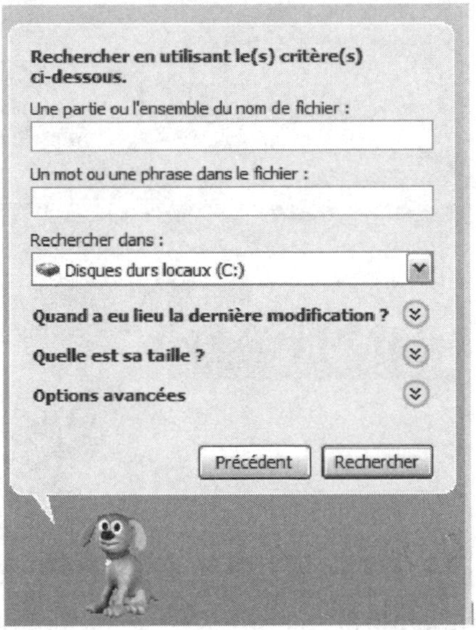

Figure 7.6 : Votre fidèle compagnon retrouve tous vos fichiers.

Comme vous ne savez pas comment s'appelle le fichier que vous recherchez (notez que la recherche peut toutefois s'effectuer sur une partie du nom), mais que vous savez quel mot il contient, vous n'utiliserez pas la zone de texte Une partie ou l'ensemble du nom de fichier. À la place, vous taperez le mot "redevance" dans la zone de texte Un mot ou une phrase dans le fichier (voir Figure 7.7). Retenez que la recherche peut là aussi s'effectuer sur une partie d'un mot (comme "Win", par exemple) ou sur une succession de mots (comme "Windows XP"). Pour rester simple, nous taperons "Windows".

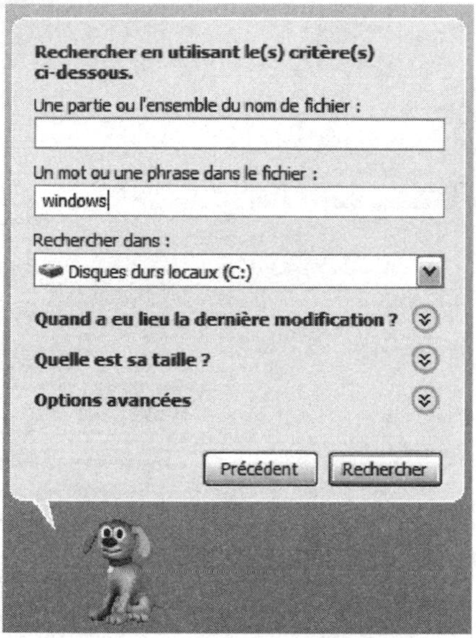

Figure 7.7 : Tapez la chaîne de caractères à rechercher parmi les fichiers de Windows.

Remarquez que la zone Rechercher dans, juste sous la zone de texte que vous venez de remplir, affiche les disques locaux. Comme l'ordinateur utilisé ici contient deux disques durs, il recherchera le mot "redevance" dans le disque C: et dans le disque E: (le disque D: est celui du lecteur de CD-ROM). Pour gagner du temps, et si vous savez en aval dans quel dossier le fichier a des chances de se trouver, vous pouvez limiter la recherche à un répertoire du disque dur, E:\Textes\Courrier, par exemple. Mais comme nous ne sommes sûrs de rien, nous lancerons la recherche dans les deux disques durs en cliquant sur le bouton Rechercher, visible dans la Figure 7.7.

La recherche peut prendre un certain temps, surtout si l'intégralité d'un ou plusieurs disques doit être analysée. Même si l'ordinateur est neuf, les fichiers sont fort nombreux – plusieurs milliers, appartenant pour la plupart à Windows XP – et certains sont de grande taille. Après une petite minute environ, la boîte de dialogue Résultats de la recherche liste tous les fichiers contenant le mot "Windows", comme le montre la Figure 7.8.

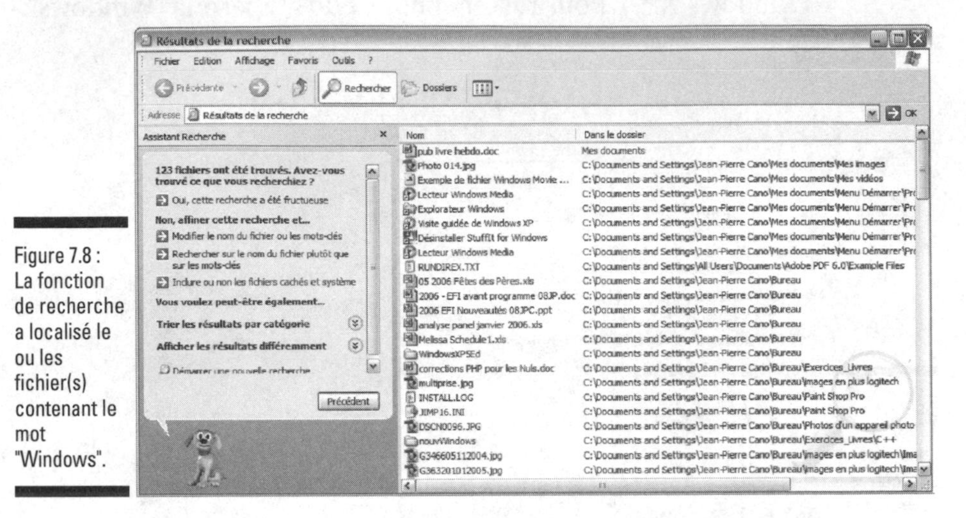

Figure 7.8 : La fonction de recherche a localisé le ou les fichier(s) contenant le mot "Windows".

Comme vous voudrez sans doute l'ouvrir pour consulter son contenu, double-cliquez simplement sur son nom. Windows XP ouvrira l'application associée à ce fichier et chargera automatiquement ce dernier dedans.

Retrouver des fichiers plus rapidement

Plus les informations que vous fournissez à la fonction de recherche seront nombreuses et précises, plus vite vous retrouverez vos fichiers. Bien que l'analyse de la totalité du disque dur soit efficace, l'opération est cependant terriblement lente, car l'ordinateur doit scruter tous les fichiers, du premier au dernier. Pour accélérer les choses, appliquez ces quelques astuces, si c'est possible :

- Essayez de vous souvenir d'au moins une partie du nom du fichier ou du dossier que vous recherchez, ce qui limitera le nombre de fichiers analysés.
- Vous savez dans quel dossier vous l'avez placé ? Demandez à l'ordinateur de chercher dedans. Commencez par chercher dans le dossier Mes documents, car de nombreux logiciels y enregistrent automatiquement leurs fichiers.

- Vous vous rappelez à quelle date vous avez créé, modifié ou enregistré ce fichier ou ce dossier ? Cliquez sur Quand a eu lieu la dernière modification ? puis donnez les informations demandées dans la boîte de dialogue qui apparaît. Cliquez ensuite sur le bouton Rechercher.
- La recherche dans un CD-ROM est particulièrement longue. Quand vous effectuez une recherche dans le Poste de travail, le CD-ROM présent dans le lecteur est aussi pris en compte. Retirez-le avant de lancer l'opération.
- Essayez de rechercher des mots typiques, assez rares. Un mot comme *redevance* est plus rare que *lettre* et bien plus encore que *et* ou *une*. Limitez autant que faire se peut le nombre de fichiers trouvés en évitant les mots trop banaux.

Chapitre 8

Le "couper-coller" (déplacements de textes, d'images et de sons) !

Dans ce chapitre :

- Comprendre le Couper, Copier et Coller.
- Sélectionner des informations.
- Couper, copier, supprimer et coller ce que vous avez sélectionné.
- Utiliser le Presse-papiers.

Dans la copropriété de Windows, toutes les fenêtres transmettent des informations aux autres sans entrave, sans aucun risque de refus. Le travail créé dans un programme Windows est pleinement et aimablement accepté par tout autre programme Windows. Les logiciels communiquent mutuellement sur un pied d'égalité.

Ce chapitre montre combien il est facile de transmettre des informations d'une fenêtre à une autre.

Le concept du Couper, Coller et Copier

Windows XP a hérité de l'école maternelle un goût certain pour le découpage et les pots de colle. Toute donnée peut sans complication être électroniquement *coupée* ou *copiée* dans une fenêtre puis *collée* dans une autre.

Quasiment tous les éléments présents dans une fenêtre peuvent faire l'objet de cette manipulation, qui s'effectue en trois étapes : la sélection, le couper ou le copier, et le coller. Supposons que vous ayez rédigé, dans votre traitement de texte, un paragraphe joliment tourné ou que, dans le tableur, vous ayez réalisé un remarquable tableau donnant la valeur de chacun des timbres de votre collection philatélique.

Pour commencer, mettez l'information *en surbrillance* (NdT : dans le jargon de Windows, *mettre un élément en surbrillance* équivaut à le sélectionner). Ensuite, vous *coupez* ou *copiez* cette information dans sa fenêtre. Enfin, vous la *collez* dans une autre fenêtre. En fait, les données coupées ou copiées sont provisoirement stockées dans le Presse-papiers de Windows, d'où elles peuvent être collées autant de fois que vous le désirez.

Ce qui est bien avec Windows XP, c'est qu'en ouvrant plusieurs fenêtres à la fois, vous pouvez facilement prélever des éléments dans l'une pour les copier dans les autres.

Sélectionner ce qui importe (le mettre en surbrillance)

Avant de pouvoir récupérer des informations dans une fenêtre, vous devez indiquer à Windows de quelles informations il s'agit. Pour ce faire, le meilleur moyen consiste à les mettre en surbrillance, c'est-à-dire à les *sélectionner* avec la souris.

Vous pouvez sélectionner un seul caractère, un roman tout entier ou une partie seulement d'un document. Vous pouvez aussi sélectionner une image, et même des fichiers et des dossiers. Vous pouvez aussi sélectionner des sons pour les coller dans d'autres fichiers.

Dans la plupart des cas, la sélection implique une manipulation assez rapide à la souris : placez son curseur au début de l'information à mettre en surbrillance, puis maintenez le bouton enfoncé. Déplacez ensuite la souris à la fin de l'information et relâchez le bouton. C'est tout ! La totalité des données entre le clic et l'endroit où vous avez relâché le bouton est sélectionnée. L'information change généralement de couleur pour bien mettre en évidence la partie sélectionnée. La Figure 8.1 montre un texte sélectionné.

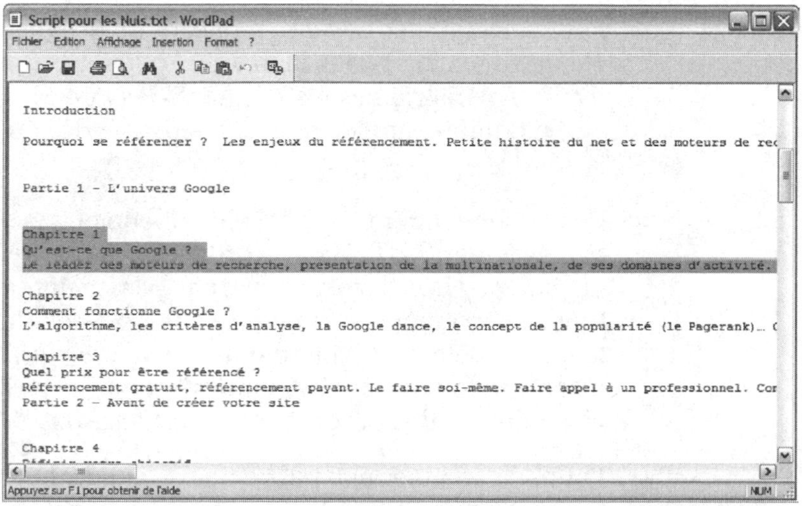

Figure 8.1 : Le texte sélectionné est mis en surbrillance. Il change de couleur.

Pour travailler avec précision sur de petits textes, utilisez le clavier pour placer le curseur au début de l'élément à sélectionner. Ensuite, la touche Maj enfoncée, appuyez sur les touches fléchées jusqu'à ce que le curseur se trouve à la fin de la partie à sélectionner. À chaque appui sur la touche, la zone en surbrillance augmente. Cette astuce fonctionne avec presque tous les programmes Windows XP (si vous sélectionnez du texte, maintenez aussi la touche Ctrl enfoncée ; vous le sélectionnerez ainsi par mots entiers).

Certains programmes sont dotés de raccourcis pour les sélections :

- Pour sélectionner *un seul mot*, amenez la souris dessus puis double-cliquez. Le mot devient noir (surbrillance). Dans la plupart des traitements de texte, vous pouvez maintenir le bouton de la souris enfoncé après le second clic et, en le faisant glisser, sélectionner d'autres mots.

- Pour sélectionner *une seule ligne de texte*, cliquez à proximité de cette ligne dans la marge gauche. Pour sélectionner des lignes supplémentaires, maintenez le bouton enfoncé puis faites descendre ou monter la souris.

- Pour sélectionner *un paragraphe*, double-cliquez (ou cliquez deux fois) dans la marge. Pour sélectionner d'autres paragraphes les uns après les autres, maintenez le bouton enfoncé puis faites descendre ou monter la souris.

- Pour sélectionner *la totalité* d'un document, essayez de triple-cliquer (NdT : dans Word, cette action sélectionne un paragraphe). Si cela ne marche pas, maintenez la touche Ctrl enfoncée et cliquez n'importe où dans la marge. Si cela ne donne toujours rien, essayez la combinaison de touches Ctrl+A. Nous n'en dirons pas plus sur la cohérence des programmes tournant sous Windows.

- Pour sélectionner une partie de texte dans la plupart des programmes Windows, cliquez au début de cette partie, maintenez la touche Maj enfoncée, puis cliquez à la fin de la partie à sélectionner. Tout ce qui se trouve entre ces deux points se met en surbrillance.

- Pour sélectionner une partie d'une image ou de tout autre graphisme dans Paint, le logiciel de dessin de Windows, cliquez sur le bouton montrant un rectangle en pointillé ; ce bouton est en fait un outil de sélection, comme le précise Windows lorsque vous immobilisez le pointeur de la souris un instant dessus. Après avoir cliqué avec l'outil Sélection, maintenez le bouton de la souris enfoncé puis faites glisser la souris sur la partie de l'image à sélectionner.

Après avoir sélectionné du texte, vous devez *immédiatement* le couper ou le copier. Car si, pour une raison ou pour une autre, vous cliquez ailleurs, le texte en surbrillance revient instantanément à la normale.

Vous avez sélectionné quelque chose ? Pour le couper ou le copier immédiatement, cliquez dessus avec le bouton droit de la souris. Dans le menu contextuel, choisissez Couper ou Copier, selon vos besoins.

Soyez vigilant lorsque vous venez de sélectionner du texte. Si vous appuyez sur une touche, la barre Espace par exemple, Windows XP remplace la sélection par le caractère que vous venez de taper, un espace en l'occurrence. Pour échapper à cette calamité et récupérer le texte sélectionné, appuyez sur Ctrl+Z. Ce sont les touches de la commande Annuler ; elles sont utilisables dans beaucoup de logiciels.

Couper, copier ou supprimer une sélection

Après avoir sélectionné des données comme nous venons de le décrire, vous pouvez passer à la suite des opérations : les couper, les copier ou tout simplement les supprimer. Ces trois options sont fondamentalement différentes les unes des autres.

Nous ne le répéterons jamais assez : après avoir sélectionné un élément, cliquez dessus avec le bouton droit de la souris. Dans le menu contextuel qui ne manque pas d'apparaître, choisissez Couper ou Coller, selon vos besoins.

Couper des données

Couper des données mises en surbrillance les efface aussitôt. Dans l'absolu, elles ne sont pas supprimées, mais transférées dans un réceptacle spécial de Windows : le *Presse-papiers.*

Pour couper une sélection, cliquez dedans avec le bouton droit de la souris et, dans le menu contextuel, choisissez Couper, comme le montre la Figure 8.2. Et hop ! Le texte sélectionné disparaît et, par d'obscurs souterrains informatiques, il court se nicher dans le Presse-papiers, en attente d'une action future dont il fera les frais.

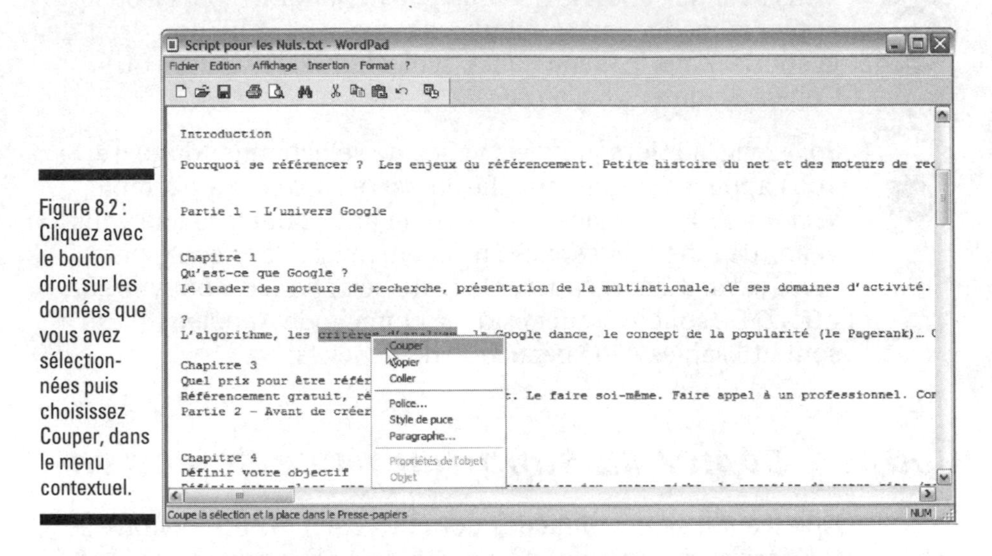

Figure 8.2 : Cliquez avec le bouton droit sur les données que vous avez sélectionnées puis choisissez Couper, dans le menu contextuel.

- Un moyen simple de savoir si la commande Couper a bien fonctionné consiste à coller l'information dans le document en cours. Si elle réapparaît, le couper a bien marché et vous pouvez de nouveau l'appliquer. Si l'information ne réapparaît pas, c'est que quelque chose n'a pas du tout fonctionné. Pour appliquer la commande Coller, décrite un peu plus loin, appuyez sur les touches Ctrl+V (NdT : un moyen encore plus rapide de vérifier si le Presse-papiers contient quelque chose consiste à dérouler le menu Édition ; si l'option Coller n'est plus en grisé mais en noir, le Presse-papiers contient des données à coller).

- Comme les avocats de Microsoft se sont mieux débrouillés que ceux d'Apple, dans un mémorable procès qui les a opposés, Windows utilise les mêmes raccourcis clavier que les ordinateurs Macintosh. Pour couper, maintenez la touche Ctrl enfoncée et appuyez sur X (un truc mnémotechnique : le X est comme une croix faite au crayon sur les données pour les barrer).

Copier des données

Quand vous copiez des données, elles ne disparaissent pas de l'écran. Elles restent en place, comme si rien ne s'était passé. En fait, il s'est produit quelque chose, comme nous le verrons d'ici peu.

Pour copier une information sélectionnée, cliquez dessus avec le bouton droit de la souris et choisissez Copier. Ou encore, la touche Ctrl enfoncée, appuyez sur C ("C" comme Copie). Bien qu'il ne se passe apparemment rien, les données n'en sont pas moins envoyées vers le Presse-papiers.

- Ne vous privez pas de couper et recoller des fichiers dans le Poste de travail. Quand un fichier est coupé, son icône est en gris jusqu'au moment où il est collé (faire disparaître le fichier serait trop effrayant). Vous changez d'avis en cours d'opération ? Appuyez sur la touche Échap pour annuler le couper, et le fichier revient à la normale.

- Pour copier dans le Presse-papiers l'image de la totalité du Bureau, autrement dit tout l'écran, appuyez sur la touche Impr écran (le nom diffère parfois légèrement d'un clavier à un autre). Une recopie de l'écran est envoyée dans le Presse-papiers, prête à être collée ailleurs. Les passionnés d'informatique appellent cette opération *capture d'écran*. La plupart des illustrations de ce livre sont des captures. Retenez aussi qu'en dépit de son nom, la touche Impr écran n'envoie rien à l'imprimante (NdT : sous DOS, le système d'exploitation qui a précédé Windows, le contenu de l'écran était effectivement imprimé).

- Pour effectuer une copie d'écran du contenu de la fenêtre active, maintenez la touche Alt enfoncée tout en appuyant sur Impr écran. L'image de la fenêtre – sans rien de ce qui est autour – est placée dans le Presse-papiers.

Supprimer des données

Supprimer des données en surbrillance équivaut à les effacer : elles disparaissent. Pour ce faire, appuyez simplement sur la touche Suppr ou Ret.Arr.

Malheureusement, rien ne distingue, à l'écran, le fait de couper ou de supprimer. Les premières fois que vous couperez un élément, vous croirez d'ailleurs l'avoir effacé accidentellement. Par la suite, on s'y fait...

- Si vous avez procédé par mégarde à une suppression, il est inutile de paniquer. Appuyez sur les touches Ctrl+Z et cette suppression est gracieusement annulée. L'information que vous avez éliminée réapparaît à l'écran. Ouf !
- Maintenir la touche Alt enfoncée et appuyer sur Ret.Arr. annulent toute fausse manœuvre (et si ça ne marche pas, vous pourrez toujours vous raccrocher au bon vieux Ctrl+Z).

En savoir plus sur le couper, le copier et la suppression

Vous voulez en savoir plus sur ces trois opérations cruciales que sont le couper, le coller et la suppression ? Alors, lisez ce qui suit (d'ailleurs, vous devriez vraiment le lire...).

- Windows XP place volontiers des *barres d'outils* en haut de ses programmes. La Figure 8.3 montre les boutons qui, dans ces barres, servent à couper, copier et coller. Ces boutons, présents sur la plupart des barres d'outils, servent à couper, copier ou coller les informations en surbrillance.
- Si vous préférez les menus, cliquez sur le mot Édition, dans la barre de menus d'un programme ; les commandes Couper, Copier et Coller se trouvent dessous.

Figure 8.3 : Couper, copier ou coller.

- Si vous utilisez le truc de la touche Impr écran pour copier l'écran ou une fenêtre dans le Presse-papiers (voir la section "Copier des données"), un élément important n'aura pas été capturé : le pointeur de la souris. Il n'est jamais inclus dans l'image, même s'il se voit comme le nez au milieu du visage. Vous vous demandez d'où proviennent les figures de ce livre ? Vous ne me croirez pas si je vous dis que je les ai dessinées à la main. En vérité, j'ai utilisé un logiciel de capture d'écran spécialisé qui permet de capturer les pointeurs.

Coller des informations dans une autre fenêtre

Après avoir coupé ou copié des informations afin de les placer dans le Presse-papiers de Windows XP, vous pouvez maintenant les envoyer ailleurs, c'est-à-dire les *coller* dans quasiment n'importe quelle autre fenêtre.

Comparé à la sélection, au couper et au copier, le collage est sans détour : ouvrez la fenêtre de destination, amenez la souris à l'endroit où les données doivent apparaître, cliquez avec le bouton droit de la souris et, dans le menu, choisissez Coller. Le contenu du Presse-papiers est aussitôt recopié dans la fenêtre.

Ou encore, si vous désirez coller un fichier sur le Bureau, cliquez sur le Bureau avec le bouton droit et choisissez Coller. Le fichier apparaît là où vous avez cliqué.

- Un autre moyen de coller des éléments consiste à maintenir la touche Ctrl enfoncée et à appuyer sur V. Cette combinaison est identique à Maj+Inser, un raccourci clavier hérité du Macintosh. Comment se souvenir de Ctrl+V ? Imaginez le "V" comme un coin qui s'insère – ou mieux, qui insère quelque chose – à l'emplacement du curseur.

- Vous pouvez aussi choisir la commande Coller dans la barre de menus de la fenêtre. Sélectionnez le mot Édition puis Coller. Ne choisissez pas la commande Collage spécial, si elle existe, car elle est réservée à des opérations de liaison et d'incorporation d'objets que n'utilisent que ceux qui sont déjà bien familiarisés avec leur logiciel.

- Certains programmes sont dotés de barres d'outils placées en haut de leur fenêtre. Cliquer sur le bouton Coller (celui de droite dans la Figure 8.3) colle le contenu du Presse-papiers dans le document.

- La commande Coller insère une *copie* du contenu du Presse-papiers. Les données elles-mêmes restent dans le Presse-papiers, de sorte que vous pouvez fort bien les recopier autant de fois que vous le désirez. En fait, le contenu du Presse-papiers ne change pas aussi longtemps qu'une nouvelle commande Couper ou Copier n'apporte pas de nouvelles informations qui remplacent les anciennes.

Troisième partie

Utiliser les applications de Windows XP

"T'as pas cette impression qu'il peut nous arriver quelque chose à tout moment ?"

Dans cette partie...

Saviez-vous que le ruban adhésif dure plus longtemps lorsqu'il est stocké au réfrigérateur ?

... Que les cils tombent au bout de cinq mois ?

... Que Windows XP est livré avec une foule de programmes gratuits qui ne sont même pas mentionnés sur l'emballage ?

Cette partie concerne tout ce qui accompagne Windows XP pour rien. Enfin, disons que c'est compris dans le prix... Elle vous explique comment y accéder à partir du bouton Démarrer, du Bureau et de cette petite barre située en bas de l'écran, vulgairement appelée barre des tâches.

Chapitre 9

Le Bureau, le bouton Démarrer et la barre des tâches (et des programmes gratuits)

Dans ce chapitre :

- Utiliser le Bureau et créer des raccourcis.
- Supprimer des fichiers, des dossiers, des programmes et des icônes.
- Récupérer des éléments supprimés dans la Corbeille.
- Utiliser la barre des tâches et contrôler le Gestionnaire d'impression.
- Démarrer des programmes, en ajouter et en supprimer à partir du bouton Démarrer.
- Faire que Windows charge automatiquement des programmes.

Avec Windows XP, les ordinateurs sont parvenus à l'âge du tout confort. Pour démarrer un programme, il suffit de cliquer sur un bouton. Mais une petite complication subsiste : les boutons *ne ressemblent plus* à des boutons. À vrai dire, certains d'entre eux sont cachés et n'apparaissent qu'après avoir cliqué sur un autre bouton (si bien sûr vous êtes assez astucieux pour savoir celui dont il s'agit).

Pire encore, certains boutons tombés du ciel se posent sur votre Bureau. Ne vous alarmez pas, car c'est bien ce qu'ils sont censés faire. Ce chapitre aborde les trois principales sortes de réceptacles à boutons de Windows XP : le Bureau, la barre des tâches et, le roi des boutons, le bouton Démarrer.

Déplacer des objets sur le Bureau

Il ne viendrait à personne l'idée de poser un bureau sur le côté. Il est déjà assez difficile d'empêcher les crayons de rouler...

Et pourtant, dans Windows XP, l'écran du moniteur est appelé *Bureau* car c'est là que tout votre travail apparaît. Vous pouvez créer des fichiers et des dossiers sur ce bureau électronique et les disposer à votre guise à l'écran.

Vous voulez par exemple écrire une lettre demandant à votre voisin de vous rendre la scie circulaire qu'il vous a empruntée ? Les étapes qui suivent expliquent comment démarrer un programme et exploiter sans tarder les fonctionnalités du Bureau.

Pointez sur n'importe quel élément Windows, puis cliquez avec le bouton droit de la souris pour découvrir un menu contextuel proposant ce qu'il est possible de faire avec cet élément.

1. **Cliquez sur une partie découverte du Bureau avec le bouton droit de la souris.**

   Le menu de la Figure 9.1 apparaît avec ses options fort utiles.

2. **Pointez sur le mot Nouveau puis, dans le menu qui apparaît, cliquez sur Document texte.**

   Comme vous désirez créer un nouvel élément – un nouveau courrier –, vous devez pointer sur le mot Nouveau. Windows XP propose une liste d'objets que

Réorganiser les icônes par
Actualiser
Coller
Coller le raccourci
Nouveau
Propriétés

Figure 9.1 : Un menu contextuel.

vous pouvez créer sur le Bureau. Choisissez un Document WordPad ; une petite icône semblable à celle de la Figure 9.2 apparaît sur le Bureau. Elle a pour nom Nouveau Document texte.

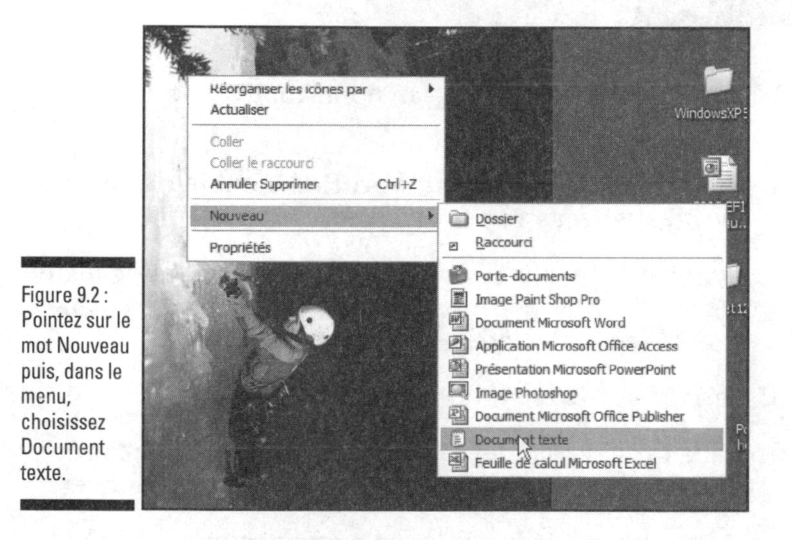

Figure 9.2 : Pointez sur le mot Nouveau puis, dans le menu, choisissez Document texte.

3. **Nommez votre lettre et appuyez sur Entrée.**

   Dès que l'icône d'un nouveau document texte apparaît sur le Bureau, la première opération consiste à lui attribuer un nom dont la longueur maximale n'excède pas 255 caractères comme : Aimable demande de restitution de la scie circulaire. Dès que vous commencez à taper, le nouveau titre remplace l'ancien titre Nouveau Document texte, comme le montre la Figure 9.3.

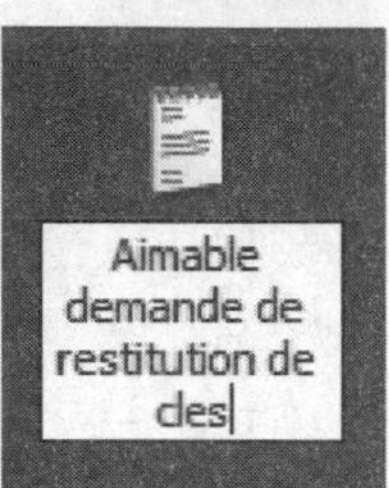

Figure 9.3 : Tapez le nouveau nom de l'icône par-dessus l'ancien.

Après avoir tapé le nouveau nom, appuyez sur Entrée. WordPad le mémorise.

4. **Pour ouvrir le document WordPad, double-cliquez sur l'icône que vous venez de créer.**

   Double-cliquer sur l'icône appelle le traitement de texte WordPad ; vous pourrez ensuite taper la lettre demandant la restitution de la scie circulaire.

5. **Écrivez la lettre.**

6. **Dans le menu Fichier de WordPad, cliquez sur Enregistrer afin de conserver une trace de votre courrier.**

   Si vous avez créé le fichier en cliquant sur le Bureau avec le bouton droit de la souris, vous l'avez d'ores et déjà nommé. Windows l'enregistrera sans broncher. Mais si vous avez ouvert WordPad via la commande Exécuter du menu Démarrer, Windows vous demandera de nommer le fichier avant de l'enregistrer.

7. **Revenez au menu Fichier de WordPad, puis choisissez Imprimer afin d'obtenir une sortie sur imprimante de votre précieux courrier.**

8. **Fermez le fichier en cliquant sur le "X" dans le coin en haut à droite. Pour le supprimer, faites-le glisser jusque sur l'icône Corbeille.**

   Après avoir écrit et imprimé la lettre, vous pouvez l'enregistrer ou vous en débarrasser. Ou encore, vous pouvez la laisser sur le Bureau. Dès qu'il commencera à être un peu encombré, placez l'icône dans un nouveau dossier.

   Si vous voulez supprimer la lettre, faites glisser son icône dans la Corbeille (décrite dans une des prochaines sections).

Vous vous demandez ce qu'un élément est censé effectuer ? Cliquez dessus avec le bouton droit de la souris ou immobilisez simplement le pointeur dessus. Windows XP déroulera souvent un menu contextuel listant ce que vous pouvez faire avec l'objet en question. Ce truc fonctionne avec bon nombre des icônes que vous trouverez sur le Bureau ou dans des logiciels.

Il arrive parfois que Windows XP joue un mauvais tour ; tout disparaît du Bureau, qui est entièrement vidé. Pour corriger cet incident, cliquez dans le Bureau avec le bouton droit de la souris et, dans le menu contextuel, choisissez Réorganiser les icônes par/Afficher les icônes du Bureau. Tout reviendra à la normale.

Disposer les icônes sur le Bureau

Si les icônes du Bureau vous semblent éparpillées, cliquez dans une zone vide du Bureau. Windows XP offre bon nombre – trop, à mon avis – de moyens d'organiser les icônes. Cliquez avec le bouton droit de la souris sur une partie vide du Bureau et, dans le menu contextuel, choisissez l'option Réorganiser les icônes par. Windows aligne les icônes à gauche de l'écran, à moins d'avoir choisi une autre option. En voici la description :

- **Nom :** Dispose les icônes par ordre alphabétique.
- **Taille :** Dispose les icônes selon la taille du fichier (les raccourcis se retrouvent en tête car ils sont de très petite taille).
- **Type :** Aligne les icônes selon le type des fichiers. Tous les fichiers WordPad sont regroupés, par exemple, de même que tous les raccourcis des fichiers Paint.
- **Modifié le :** Dispose les icônes selon la date à laquelle le raccourci a été créé ou modifié.
- **Réorganisation automatique :** Dispose automatiquement toutes les icônes en colonnes parallèles à gauche de l'écran.
- **Aligner sur la grille :** Dispose régulièrement les icônes sur un quadrillage invisible. Elles sont parfaitement alignées en hauteur et en largeur.

- **Afficher les icônes du Bureau :** Assurez-vous que cette option est cochée. Lorsque vous cliquez dessus, Windows masque toutes les icônes du Bureau. Si dans votre énervement vous n'arrivez plus à les localiser, réactivez cette option pour récupérer les icônes.
- **Verrouiller les éléments Web sur le Bureau :** Cliquez ici pour "verrouiller" cette page à sa place.

Utiliser la Corbeille

La Corbeille est cette petite icône en forme de corbeille à papier illustrée en marge, avec le logo vert du recyclage. Car elle est censée recycler les éléments. C'est là-dedans que vous pourrez retrouver un papier compromettant que quelqu'un y aura jeté en oubliant de vider la corbeille.

Si vous voulez vous débarrasser de quelque chose dans Windows XP, un fichier ou un dossier avec tout ce qu'il contient, par exemple, il suffit de le faire glisser jusque sur la Corbeille. Pointez sur l'icône du fichier ou du dossier avec la souris puis, le bouton gauche enfoncé, amenez-la jusqu'à la Corbeille. Relâchez le bouton et votre détritus disparaît. Windows XP le jette dans la Corbeille.

Si vous aimez glisser et déposer, ne vous privez pas de remplir la Corbeille de cette manière. Si vous préférez recourir aux menus, utilisez le bouton droit de la souris et choisissez Supprimer. Ou encore, si vous aimez la variété dans votre existence, cliquez sur l'icône à éliminer avec le bouton gauche de la souris et appuyez ensuite sur la touche Suppr. Ces trois méthodes placent le fichier dans la Corbeille, d'où vous pourrez éventuellement l'extraire par la suite, à moins que vous ne la vidiez une fois pour toutes.

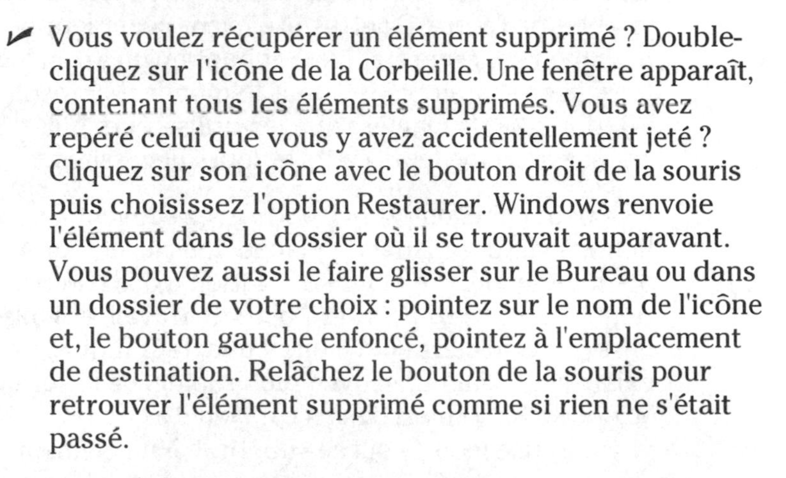

- Vous voulez récupérer un élément supprimé ? Double-cliquez sur l'icône de la Corbeille. Une fenêtre apparaît, contenant tous les éléments supprimés. Vous avez repéré celui que vous y avez accidentellement jeté ? Cliquez sur son icône avec le bouton droit de la souris puis choisissez l'option Restaurer. Windows renvoie l'élément dans le dossier où il se trouvait auparavant. Vous pouvez aussi le faire glisser sur le Bureau ou dans un dossier de votre choix : pointez sur le nom de l'icône et, le bouton gauche enfoncé, pointez à l'emplacement de destination. Relâchez le bouton de la souris pour retrouver l'élément supprimé comme si rien ne s'était passé.

- La Corbeille peut être bien remplie. Si vous avez du mal à trouver le fichier que vous avez récemment supprimé, demandez un tri des noms de fichiers selon l'ordre des suppressions. Pour ce faire, cliquez sur Affichage/Réorganiser les icônes/Par date de suppression.

- Dès que quelque chose a été jeté dans la Corbeille, son icône montrant jusqu'alors un récipient vide se transforme discrètement en corbeille dont dépasse un fichier supprimé, indiquant qu'elle contient des éléments.

- La Corbeille accumule des éléments supprimés jusqu'à concurrence de 10 % de la capacité du disque dur avant d'éliminer définitivement les fichiers supprimés les plus anciens et libérer ainsi de la place pour d'autres. Si vous manquez de place sur le disque dur, réduisez la taille de la Corbeille. Pour ce faire, cliquez dessus avec le bouton droit et, dans le menu, choisissez Propriétés. Si vous voulez augmenter la contenance de la Corbeille, augmentez le pourcentage. Si vous faites partie de ces privilégiés qui font peu d'erreurs, réduisez le pourcentage.

Créer un raccourci

Certaines personnes aiment organiser leur bureau, avec un taille-crayon électrique d'un côté et une boîte de mouchoirs jetables de l'autre. D'autres préfèrent poser leur boîte de mouchoirs sur une étagère. Sachant qu'un arrangement de bureau ne saurait plaire à tout le monde, Microsoft a conçu Windows XP de manière que les utilisateurs puissent le personnaliser selon leurs goûts et leurs nécessités.

Il se peut par exemple que vous ayez souvent à copier des fichiers sur une disquette placée dans le lecteur A. Normalement, pour effectuer cette opération, vous cliquez sur le bouton Démarrer, puis sur Poste de travail, et vous faites glisser vos fichiers sur l'icône du lecteur A qui s'y trouve. Il existe cependant un moyen plus rapide, basé sur un *raccourci* Windows XP. Un *raccourci* n'est rien d'autre qu'un bouton virtuel – une icône – qui se substitue à un élément.

Nous verrons ici comment créer un raccourci pour le lecteur A sur le Bureau :

1. **Cliquez sur le bouton Démarrer puis sur Poste de travail.**

   Le Poste de travail est ouvert, révélant les icônes des lecteurs de disquettes ainsi que les dossiers les plus utilisés.

2. **Avec le bouton droit de la souris, faites glisser l'icône du lecteur de disquettes A sur le Bureau.**

Pointez sur l'icône du lecteur A et, le bouton droit de la souris enfoncé, pointez sur le Bureau comme l'illustre la Figure 9.4. Relâchez le bouton de la souris.

Figure 9.4 : Faites glisser l'icône du lecteur de disquettes A vers le Bureau à l'aide du bouton droit de la souris et créez un raccourci.

3. **Dans le menu, choisissez Créer les raccourcis ici.**

Windows XP place le raccourci du lecteur de disquettes A sur le Bureau. Il est quelque peu différent de celui de l'icône que vous venez de faire glisser. Comme elle n'est qu'un raccourci, et non l'icône originale, elle est dotée d'une petite flèche encadrée (voir ci-contre).

Vous n'avez désormais plus à naviguer d'un dossier à un autre pour accéder au lecteur de disquettes. Le raccourci produit exactement le même effet que la véritable icône du lecteur. Pour copier ou déplacer des fichiers vers la disquette A, il suffit de les faire glisser et de les déposer sur le raccourci. Pour voir le contenu de la disquette, double-cliquez sur le raccourci.

- Ne vous privez pas de créer autant de raccourcis que vous le désirez pour les logiciels que vous utilisez le plus souvent, et aussi pour les fichiers ou les lecteurs.

Si vous travaillez en réseau, créez des raccourcis pour les autres ordinateurs, ou vers les dossiers présents dans ces ordinateurs. Les raccourcis facilitent considérablement l'utilisation de Windows XP.

- Un petit truc : cliquez sur l'icône d'un lecteur – de disque dur ou de disquette – avec le bouton droit de la souris et choisissez l'option Créer un raccourci. Windows XP propose de placer le raccourci sur le Bureau. Notez que cette astuce ne fonctionne que dans le Poste de travail, et non dans l'Explorateur Windows.

- Vous pouvez même placer le raccourci d'une imprimante sur le Bureau. Pour imprimer un fichier, faites-le glisser et déposez-le sur le raccourci.

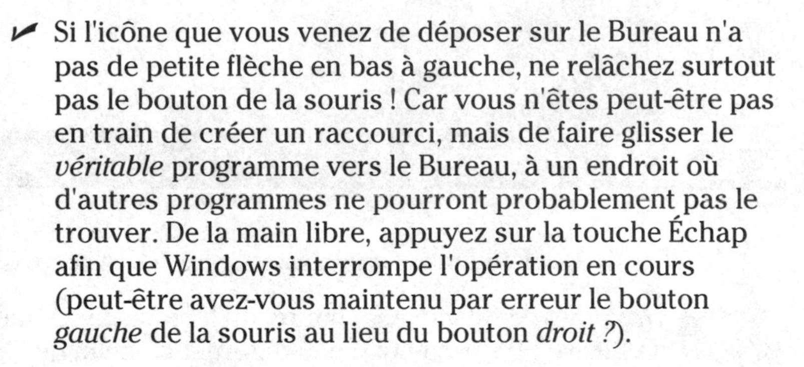

- Si l'icône que vous venez de déposer sur le Bureau n'a pas de petite flèche en bas à gauche, ne relâchez surtout pas le bouton de la souris ! Car vous n'êtes peut-être pas en train de créer un raccourci, mais de faire glisser le *véritable* programme vers le Bureau, à un endroit où d'autres programmes ne pourront probablement pas le trouver. De la main libre, appuyez sur la touche Échap afin que Windows interrompe l'opération en cours (peut-être avez-vous maintenu par erreur le bouton *gauche* de la souris au lieu du bouton *droit ?*).

- Vous en avez assez d'un raccourci ? N'hésitez pas à le supprimer car cette opération n'a strictement aucun effet sur le fichier, le dossier ou le programme original qu'il représente.

- Vous pouvez créer autant de raccourcis que vous le désirez, voire créer plusieurs raccourcis pour un même objet. Par exemple, vous pouvez placer un raccourci vers le lecteur A dans *tous* vos dossiers de travail.

- Évitez de créer des raccourcis vers des fichiers "baladeurs". Car si vous déplacez un fichier ou un programme vers un autre dossier, le raccourci ne le trouvera plus. Windows s'efforcera certes de localiser la cible du raccourci, au risque toutefois de ne pas le trouver. En revanche, les raccourcis peuvent être déplacés librement sans aucun problème.

C'est quoi la différence entre un raccourci et un véritable programme ?

L'icône d'un fichier, d'un dossier ou d'un programme ressemble beaucoup à celle d'un raccourci. La seule chose qui les distingue, c'est la petite flèche encadrée du raccourci. Le double-clic sur une icône et le double-clic sur un raccourci effectuent à peu de chose près la même tâche : démarrer un programme et/ou charger un fichier ou bien ouvrir un dossier. Le raccourci n'est qu'une sorte de domestique, de servant, qui localise le programme, le fichier ou le dossier et l'ouvre.

Vous pourriez en faire tout autant en parcourant les dossiers à la recherche d'un programme, d'un fichier ou d'un dossier, puis en double-cliquant dessus pour l'ouvrir. Il est cependant souvent plus commode de créer un raccourci qui évite tout un parcours du combattant dans l'arborescence des dossiers.

- Lorsque vous supprimez un raccourci – une icône avec une petite flèche –, vous ne faites rien de bien grave. Vous virez simplement le larbin qui cherchait les choses à votre place, ce qui n'est pas aimable pour lui et se traduira pour vous, à l'avenir, par un surcroît de travail.
- Si vous avez accidentellement supprimé un raccourci, vous pouvez l'extraire de la Corbeille, lieu où il a été relégué à l'instar de tout ce qui est supprimé dans Windows XP.

Fermer Windows XP

Un ordinateur doit-il être éteint à la fin de la journée ou doit-il tourner en permanence ? Les deux camps présentent des arguments convaincants et, à vrai dire, la réponse n'est pas facile. La seule chose qui est sûre, c'est que le moniteur doit être éteint si vous cessez d'utiliser l'ordinateur pendant au moins une demi-heure.

Mais si vous comptez éteindre l'ordinateur, ne vous jetez pas sauvagement sur l'interrupteur d'arrêt/marche. Vous devez d'abord informer Windows XP de votre funeste intention. Pour ce faire, cliquez sur le bouton Démarrer (NdT : ce préliminaire n'a pas fini de dérouter les esprits logiques) et choisissez la commande Arrêter l'ordinateur. Faites ensuite votre choix parmi les options proposées, visibles dans la Figure 9.5. Cliquez sur le bouton Mettre en veille prolongée (à gauche) pour mettre l'ordinateur en "stand by", ou sur le bouton Arrêter pour éteindre l'ordinateur, ou encore sur Redémarrer pour ressusciter Windows XP.

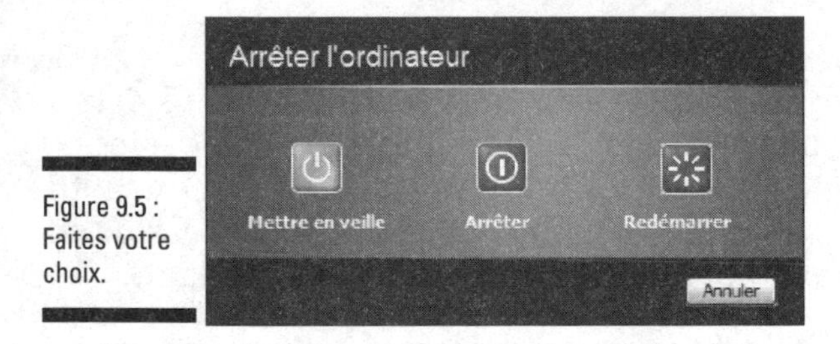

Figure 9.5 : Faites votre choix.

Mettre en veille prolongée : Enregistrez votre travail avant de choisir cette option, car elle ne le sauvegarde pas automatiquement. Elle laisse l'ordinateur piquer un petit roupillon afin d'économiser l'énergie, mais il se réveille dès que vous appuyez sur une touche ou sur un bouton de la souris.

Arrêter : Cliquer sur ce bouton indique à Windows XP qu'il doit fermer tous les programmes et s'assurer que tous les fichiers importants ont été enregistrés. Il éteint ensuite l'ordinateur ainsi que, sur la plupart des PC récents, l'écran. Utilisez cette option si vous avez fini d'utiliser la machine pour le restant de la journée. Si votre moniteur ne s'éteint pas automatiquement, vous devrez vous-même appuyer sur le bouton d'arrêt (NdT : ça alors ! Qui l'eût cru ?)

Redémarrer : Windows enregistre votre travail et prépare l'extinction de l'ordinateur, mais il le rallume aussitôt. Cette option est utilisée lorsque vous installez de nouveaux logiciels, modifiez des paramètres ou tentez de stopper Windows lorsque son comportement est des plus bizarroïdes.

Hiberner : Proposée sur certains ordinateurs seulement, cette option est comparable à Mettre l'ordinateur en veille prolongée. Le travail est enregistré, après quoi l'ordinateur est éteint. Mais, lorsque vous le rallumez, vous retrouvez le Bureau exactement tel que vous l'aviez laissé : les programmes ouverts apparaissent à la même place. Le bouton Hiberner n'est pas visible ? Maintenez la touche Maj enfoncée, et cette option remplacera Mettre en veille prolongée.

- La commande Hiberner prend en compte toutes les informations figurant dans les fichiers ouverts et les écrit sur le disque dur dans un gros bloc d'un seul tenant. Par la suite, pour restituer le Bureau, elle lit ce bloc de données et replace tout sur le Bureau. Mettre l'ordinateur en hibernation n'est pas aussi sûr que l'éteindre.

- N'éteignez jamais l'ordinateur autrement qu'avec la commande Démarrer/Arrêter. Windows XP doit en effet se préparer à l'extinction, faute de quoi il risquerait d'omettre accidentellement d'importantes informations, et cela non seulement dans votre session, mais aussi dans celles des autres utilisateurs.
- Rappelez-vous que, si d'autres personnes désirent utiliser l'ordinateur, cliquez simplement sur Démarrer/Fermer la session. Windows XP enregistre votre travail et affiche l'écran d'accueil qui permet à d'autres utilisateurs d'ouvrir une session, pour jouer à des jeux vidéo, par exemple.

La sympathique barre des tâches

Comme cette section vous présente l'une des fonctionnalités les plus commodes de Windows XP, je vous invite à rapprocher votre chaise de l'écran. Chaque fois que plus d'une fenêtre est ouverte sur le Bureau, vous êtes confronté à un gros problème, car ces fenêtres ont tendance à se recouvrir les unes les autres, ce qui ne facilite pas leur accès.

Ce problème, Windows le résout au travers d'un programme spécial, la *barre des tâches*. Elle reçoit tous les programmes ouverts et vous permet de les afficher au premier plan de l'écran en cliquant sur leur bouton. Visible dans la Figure 9.6, la barre des tâches se trouve en bas de l'écran, mais vous pouvez la placer le long d'un autre bord. Il suffit pour cela de la faire glisser jusqu'à l'emplacement désiré. Si elle ne veut pas bouger, cliquez dans la barre avec le bouton droit de la souris, puis cliquez sur l'option Verrouiller la Barre des tâches afin d'ôter la coche qui la précède.

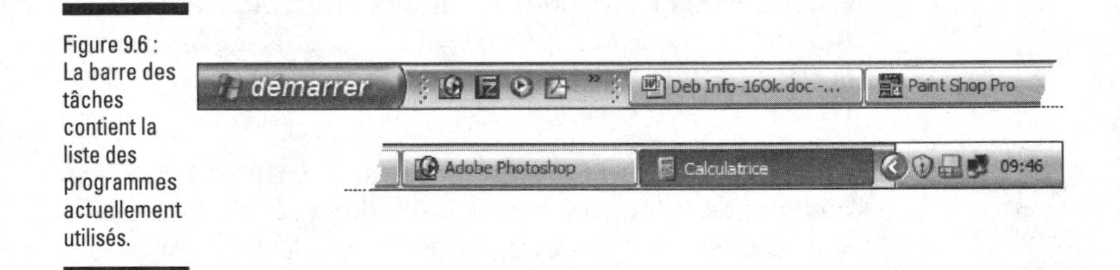

Figure 9.6 : La barre des tâches contient la liste des programmes actuellement utilisés.

Vous avez remarqué que, dans la Figure 9.6, le bouton Calculatrice paraît enfoncé ? C'est parce que la fenêtre de la calculatrice est actuellement active sur le Bureau. À moins d'avoir réduit toutes les fenêtres du Bureau, une ou plusieurs d'entre elles paraîtront enfoncées.

Comme vous l'apprendra la liste qui suit, la barre des tâches permet d'exécuter d'intéressantes opérations :

- Pour manipuler l'une des fenêtres listées dans la barre des tâches, cliquez sur son nom. La fenêtre se déploie à l'écran et reste au-dessus de toutes les autres, prête à l'action.

- Pour fermer une fenêtre listée dans la barre des tâches, cliquez sur son nom avec le bouton droit de la souris puis, dans le menu contextuel, choisissez Fermer. Le programme s'arrête comme si, dans sa propre fenêtre, vous aviez cliqué sur l'option Quitter. Avant de s'arrêter, si un fichier modifié est chargé dans le programme, il vous sera demandé de l'enregistrer.

- Vous ne voyez pas la barre des tâches ? Si une petite partie du haut de la barre est visible, cliquez dessus et faites-la glisser jusqu'à ce que vous la voyiez entièrement.

Qu'est-ce que MSN Messenger Service ?

Créé par Microsoft, *MSN Messenger Service* – le service de messagerie du réseau Microsoft Network – est un hybride de sonnette et de judas optique pour Internet. Lorsqu'un de vos amis se connecte à Internet, une sonnerie retentit et une fenêtre surgit, indiquant que vous pouvez dès à présent importuner votre ami en lui envoyant un message.

Par la suite, quand c'est vous qui en aurez assez d'être ennuyé par vos amis, vous rechercherez un moyen de neutraliser cette engeance : cliquez avec le bouton droit de la souris sur la petite icône montrant deux personnages stylisés et choisissez Quitter.

Pour que cette icône cesse d'apparaître, rendez-vous dans la section consacrée à la personnalisation de la barre des tâches. Vous cliquerez sur le bouton Personnaliser, puis sur MSN Messenger Service et choisirez Toujours masquer.

Réduire des fenêtres dans la barre des tâches et les récupérer

Les fenêtres engendrent des fenêtres. Vous commencez par une fenêtre dans laquelle vous tapez du courrier à Madame Mère. Puis vous ouvrez une autre fenêtre pour vérifier son adresse par exemple, et une autre encore pour vous assurer que vous n'avez pas oublié des anniversaires. En un rien de temps, le Bureau est encombré de fenêtres.

Windows XP propose un moyen simple de venir à bout de cet envahissement : la transformation de l'encombrante fenêtre en minuscule bouton placé dans la barre des tâches.

Vous avez remarqué ces trois boutons visibles dans le coin supérieur droit de presque toutes les fenêtres ? Cliquez sur le bouton *Réduire*, c'est-à-dire celui avec la petite ligne. Et hop ! La fenêtre disparaît. Elle est maintenant représentée par le petit bouton dans la barre située en bas de l'écran. Cliquez dessus, et la fenêtre se rouvre, prête au travail.

- Pour qu'un programme réduit dans la barre des tâches réapparaisse dans sa fenêtre normale, cliquez simplement sur son nom, dans la barre des tâches. On ne fait pas plus simple, non ?
- Pour réduire la taille d'une fenêtre afin qu'elle ne gêne plus, cliquez sur le bouton le plus à gauche, parmi les trois qui se trouvent dans le coin supérieur droit de la fenêtre. La fenêtre se réduit d'elle même et vient se placer dans la barre qui se trouve en bas de l'écran.
- Chaque bouton de la barre des tâches contient le nom du programme qu'il représente.
- Quand vous réduisez une fenêtre, vous ne la fermez pas et vous ne supprimez pas son contenu. Vous changez tout bonnement sa forme. Elle est toujours chargée en mémoire, attendant que vous la sollicitiez.
- Pour ramener la fenêtre là où elle était, cliquez sur son bouton dans la barre des tâches. Elle se déploie exactement au même emplacement que précédemment.

- Chaque fois que vous chargez un programme par le bouton Démarrer ou avec Windows Explorer, le nom de ce programme apparaît automatiquement dans la barre des tâches. Si jamais vous ne parveniez pas à retrouver une fenêtre sur le Bureau, cliquez sur son nom dans la barre des tâches, et elle apparaîtra aussitôt au premier plan.

Les zones sensibles de la barre des tâches

À l'instar d'un joueur de poker invétéré, la barre des tâches a ses trucs et ses tours de main. D'abord, elle possède un *bouton Démarrer*. D'un seul clic sur ce bouton, il est possible de démarrer des programmes, de modifier des paramètres, de trouver des programmes, d'obtenir de l'aide.

Le bouton Démarrer est le seul de son genre dans la barre des tâches ; d'autres boutons, réunis dans la zone de notification, sont montrés Figure 9.7.

Figure 9.7 : Cliquer ou double-cliquer sur les icônes présentes dans la zone de notification de la barre des tâches exécute diverses actions.

Immobilisez le pointeur de la souris au-dessus de l'horloge, et Windows XP montre l'heure et la date. Ou, si vous désirez modifier ces paramètres, un double-clic sur l'horloge lancera le programme de modification de l'heure et de la date.

Il arrive que la barre des tâches masque des éléments. Cliquez sur la petite double flèche à côté de l'horloge (référez-vous à la Figure 9.7) et quelques icônes se montreront peut-être (voyez la prochaine section "Personnaliser la barre des tâches" pour apprendre les trucs et les astuces qui affectent ces icônes).

Cliquez sur le petit haut-parleur pour régler le volume de la carte son grâce au défileur visible Figure 9.8. Ou double-cliquez dessus pour afficher une table de mixage. Elle permet de régler séparément les canaux audio du microphone, des entrées ligne, des lecteurs de CD et de DVD et autres fonctionnalités (pas d'icône haut-parleur ?). Dans le panneau Démarrer, choisissez Panneau de configuration, cliquez sur l'icône Sons et périphériques audio puis sélectionnez l'onglet Volume. Cochez enfin la case à gauche de la phrase Placer l'icône de volume dans la barre des tâches.

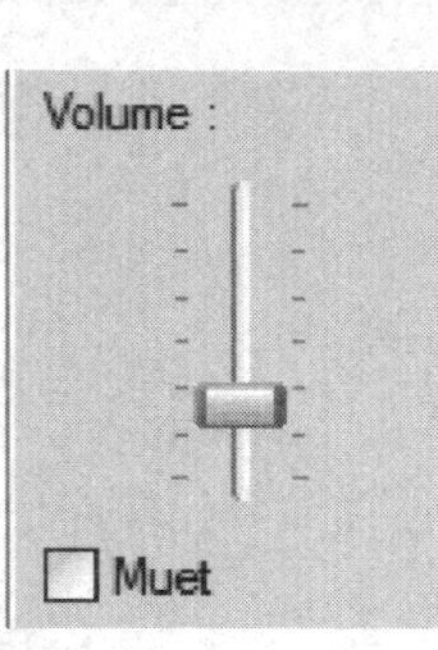

Figure 9.8 : Cliquer sur l'icône en forme de haut-parleur permet de régler le volume sonore de la carte son.

- Beaucoup d'autres icônes sont susceptibles d'apparaître dans la zone de notification de la barre des tâches, selon les logiciels qui ont été installés et la manière dont Windows XP a été configuré. Par exemple, lorsque vous imprimez, une petite icône "imprimante" est visible. Sur un ordinateur portable, une icône affichant une jauge de charge de la batterie est affichée. À l'instar des autres icônes qui se trouvent là, si vous cliquez sur l'icône "imprimante" ou "charge de la batterie", Windows XP affiche des informations concernant ce matériel.

- Après avoir activé Windows XP et établi une connexion Internet, vous pouvez laisser Microsoft trifouiller dans la machine. Cliquez sur l'icône illustrée en marge (elle se trouve dans la zone de notification), et Windows se connectera à un site spécial de Microsoft qui analysera l'ordinateur et installera toutes les mises à jour susceptibles d'améliorer le fonctionnement de Windows.

- Vous voulez minimiser toutes les fenêtres ouvertes en un clin d'œil ? Cliquez dans une partie vide de la barre des tâches et, dans le menu contextuel, choisissez l'option Réduire toutes les fenêtres. Tous les programmes continuent de tourner, mais ils sont maintenant réduits sous la forme de boutons dans la barre des tâches. Pour les restaurer, cliquez simplement dessus.
- Pour réduire encore plus vite les fenêtres ouvertes, cliquez sur la petite icône Bureau, près du bouton Démarrer. Comme vous pouvez le voir en marge – et dans la Figure 9.6 si vous avez de bons yeux –, l'icône représente un sous-main avec du papier buvard et un stylo.
- Pour disposer régulièrement les fenêtres ouvertes, cliquez avec le bouton droit de la souris sur une partie vide de la barre des tâches et choisissez l'une des commandes d'arrangement. Windows XP répartit aussitôt les fenêtres comme vous l'avez demandé.

Personnaliser la barre des tâches

Windows XP a doté la barre des tâches d'une foule de nouvelles options plus appétissantes qu'un plat de nouilles. Pour y accéder, cliquez dans une partie vide de la barre pour faire apparaître le menu de la Figure 9.9.

Choisissez l'option Propriétés et une nouvelle fenêtre apparaît, comme le montre la Figure 9.10.

Voici la signification de ces différentes options. Vous devrez peut-être cliquer dans la case Verrouiller la Barre des tâches afin d'ôter la coche, si certaines options ne fonctionnent pas.

Verrouiller la Barre des tâches : Lorsque cette case est cochée, Windows XP immobilise la barre des tâches. Vous ne pouvez plus la tirer vers un autre côté du Bureau, la rendre plus large ni la faire disparaître sous le bord inférieur de l'écran. Conseil de l'ami Rathbone : ne cochez cette case

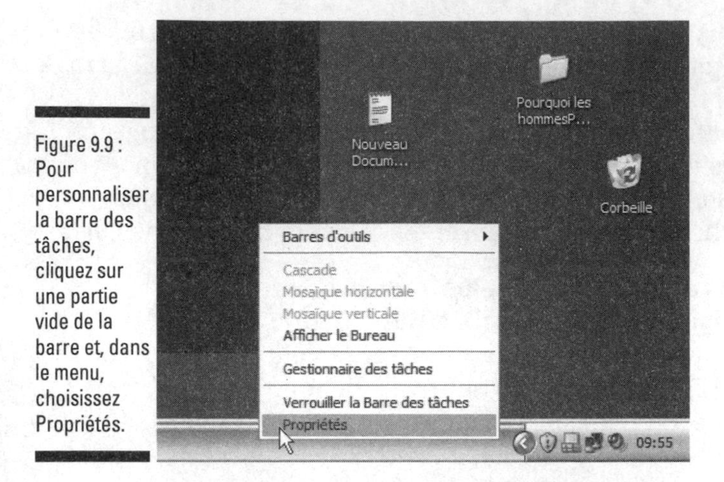

Figure 9.9 : Pour personnaliser la barre des tâches, cliquez sur une partie vide de la barre et, dans le menu, choisissez Propriétés.

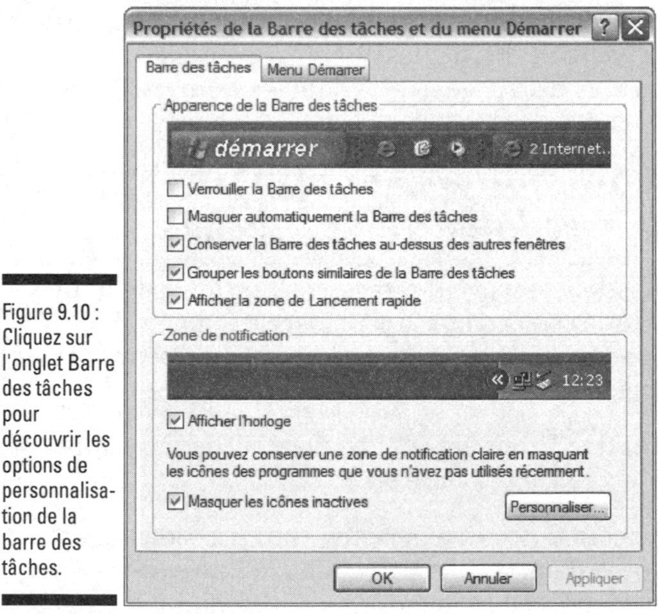

Figure 9.10 : Cliquez sur l'onglet Barre des tâches pour découvrir les options de personnalisation de la barre des tâches.

qu'après vous être assuré que la barre des tâches est configurée comme vous le désirez.

Masquer automatiquement la Barre des tâches : Certaines personnes trouvent que la barre des tâches est envahissante. C'est pourquoi elles la font disparaître tout en bas de l'écran (essayez pour voir). Lorsque cette case est cochée, la barre des tâches disparaît d'elle-même sous le bas de l'écran. Pour la faire remonter, amenez le pointeur de la souris en bas de l'écran et la barre réapparaît. Un autre conseil rathbonesque : ne cochez pas cette case.

Conserver la Barre des tâches au-dessus des autres fenêtres : Cette option fait en sorte que la barre des tâches soit toujours visible en la plaçant au premier plan. Elle recouvre ainsi toujours les fenêtres. Conseil de l'ami Rathbone : activez cette option.

Grouper les boutons similaires de la Barre des tâches : Lorsque vous ouvrez un grand nombre de fenêtres et de programmes, la Barre des tâches finit par être encombrée ; il devient alors impossible de lire les noms des boutons, car ils sont tronqués. Cette option regroupe les fenêtres similaires sous un seul bouton. Dès que la barre est surchargée, Windows groupe toutes les fenêtres Explorateur Windows, par exemple, dans un seul bouton Explorateur Windows, comme le montre la Figure 9.11.

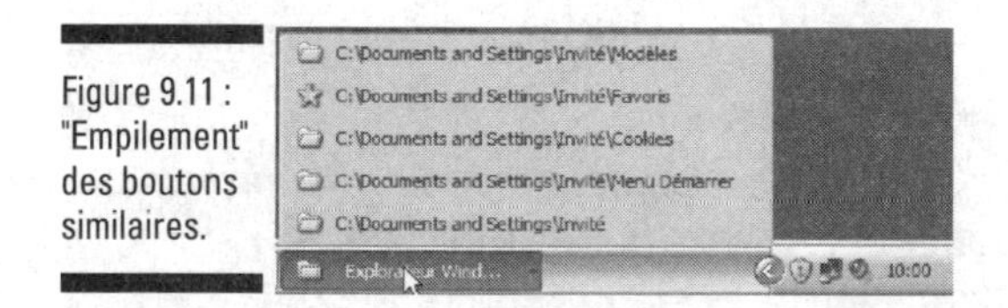

Figure 9.11 : "Empilement" des boutons similaires.

Afficher l'horloge : Vous ne voulez pas manquer l'heure de la fin du boulot ? Un conseil d'ami, un vrai (le conseil et l'ami) : cochez cette case.

Masquer les icônes inactives : Nouvelle dans Windows XP, cette option permet de masquer les petites icônes de la zone de notification (c'est la petite zone où se trouve l'horloge). Cliquez sur le bouton Personnaliser pour choisir les icônes qui doivent apparaître, celles qui doivent être masquées et celles qui ne doivent s'afficher que si elles sont utilisées. Conseil de l'ami Rathbone : cliquez sur le bouton Personnaliser puis sur le bouton Paramètres par défaut pour tout masquer sauf l'icône du volume sonore. Pour celui-là, choisissez Toujours afficher.

Faites des essais avec la barre des tâches. Modifiez sa taille et sa position jusqu'à ce que son apparence vous plaise. Après l'avoir configurée à votre convenance, cliquez sur le bouton Verrouiller la Barre des tâches que nous avons décrit précédemment.

T'as vu le look de cette barre des tâches ?

Microsoft vous permet de personnaliser plus encore votre barre des tâches, jusqu'à la rendre méconnaissable. Pour en avoir un aperçu, cliquez sur une partie vide de la barre puis sur l'option Barres d'outils. Un menu contextuel propose diverses options :

- Adresse : Si cette option est activée, la barre des tâches contient une zone de texte permettant de taper l'adresse d'un site Web. Comme elle est un peu encombrante, elle est rarement utilisée.
- Liens : Cette option remplit la barre des tâches avec des liens Internet (c'est la même liste que celles de la zone Liens du menu des favoris d'Internet Explorer. Eh oui !).
- Bureau : Une option bizarre. Elle place les différentes icônes du Bureau dans la barre des tâches.
- Lancement rapide : *Choisissez cette option pour revenir à la normale.* Elle restitue la barre des tâches telle qu'elle doit être et place les icônes suivantes près du bouton Démarrer : Bureau, Internet Explorer et Outlook Express.
- Nouvelle : Cette option permet de placer le contenu de n'importe quel dossier dans la barre des tâches.

La plupart des utilisateurs ne choisissent aucune de ces options, hormis le Lancement rapide. Vous pouvez en faire autant, à moins que vous aimiez bidouiller la configuration de votre ordinateur.

Il est aussi possible de faire glisser toutes ces barres d'outils hors de la barre des tâches et de les déposer sur le Bureau.

Il est en vérité assez gênant d'extraire accidentellement la barre d'outils Lancement rapide de la barre des tâches. Pour la ramener dedans, cliquez dans la barre des tâches avec le bouton droit de la souris et choisissez Lancement rapide. Une barre d'outils Lancement rapide de remplacement apparaît dans la barre des tâches, au bon endroit. Fermez la barre d'outils Lancement rapide que vous aviez par mégarde tirée hors de la barre des tâches et tout est en ordre. Pour éviter ce genre de bévues, activez l'option Verrouiller la Barre des tâches, décrite dans la liste précédente.

ATTENTION !

Attention aux icônes !

Ne confondez pas l'icône d'un programme sur le Bureau et le bouton d'un programme dans la barre des tâches. Ce sont en effet deux choses différentes. Le bouton en bas de l'écran renvoie à un programme qui a d'ores et déjà été chargé en mémoire. Il est actuellement en cours, prêt à être utilisé. L'icône sur le Bureau ou dans l'Explorateur Windows est celle d'un programme stocké dans le disque dur, en attente d'être lancé.

Si vous avez cliqué par erreur sur son icône dans l'Explorateur Windows ou sur le Bureau, au lieu de cliquer sur son bouton dans la barre des tâches, vous chargez une autre session de ce programme. Deux exemplaires du même programme sont chargés : l'un tournant dans une fenêtre, l'autre réduit dans la barre des tâches, qui attend d'être restauré dans une fenêtre.

Faire tourner deux exemplaires d'un même programme peut semer la confusion, notamment si vous entrez des données dans chacun d'eux. Vous ne serez pas en mesure de savoir lequel contient la *bonne version* de votre travail !

Contrôler l'imprimante

De nombreuses fonctionnalités de Windows XP se produisent à l'arrière-plan. Vous ne vous en rendez compte que quand quelque chose se passe mal ou quand Windows se met à envoyer des messages. Le programme d'imprimante fait partie de ces programmes rétifs.

Quand vous choisissez la commande Imprimer, dans un logiciel, une petite icône apparaît dans la zone de notification de la barre des tâches (selon la configuration de votre ordinateur, vous devrez cliquer sur la petite flèche près de l'horloge pour voir l'icône de l'imprimante).

L'imprimante ne peut faire qu'une seule chose à la fois. Si vous tentez d'imprimer un deuxième document avant que le premier l'ait été, Windows XP intercepte la deuxième demande et la met en attente.

Pour vérifier ce qui a été envoyé à l'imprimante, double-cliquez sur l'icône d'imprimante visible dans la zone de notification de la barre des tâches et vous verrez le programme de gestion de l'impression à l'œuvre. Il contient la liste de tous les documents présents dans la liste d'attente.

- Lorsqu'une impression est en cours, les fichiers qui lui sont envoyés à ce moment sont automatiquement placés dans une *file d'attente*.
- Il est facile de modifier l'ordre d'impression des fichiers. Si trois documents sont en attente et que vous voulez faire passer le troisième en premier, il suffit de le glisser et de le déposer avant le premier. Ce sera le suivant que Windows imprimera.
- Pour annuler une tâche d'impression, cliquez avec le bouton droit de la souris sur le nom du fichier à ne pas imprimer puis, dans le menu contextuel, choisissez Annuler.
- Si votre directeur tournicote autour de l'imprimante pendant que vous imprimez vos invitations perso, choisissez Document dans la barre de menus puis cliquez sur Suspendre. L'imprimante s'arrête. Dès que le directeur est allé voir ailleurs ce qui se passe, cliquez de nouveau sur Document/Suspendre pour reprendre l'impression.
- Si vous travaillez en réseau, vous ne pourrez peut-être pas modifier l'ordre d'impression des fichiers, et peut-être pas suspendre l'impression en cours.

- Si l'imprimante n'est pas connectée, Windows XP tentera néanmoins d'envoyer le fichier. S'il n'obtient pas de réponse, il signalera que l'imprimante n'est pas prête. Vérifiez qu'elle est correctement branchée, allumée et connectée puis essayez de nouveau.

Le pourquoi du bouton Démarrer

Présent sur la barre des tâches, le bouton Démarrer est toujours prêt à l'action. Il sert à démarrer des programmes, à accéder aux paramètres de Windows, à obtenir de l'aide dans les situations difficiles et, fort heureusement, à arrêter Windows XP et prendre ses distances avec l'ordinateur pendant un certain temps.

Le bouton Démarrer est si désireux de rendre service qu'il présente une foule d'options pour peu que vous cliquiez dessus. Il affiche alors le lot de menus et d'options que présente la Figure 9.12.

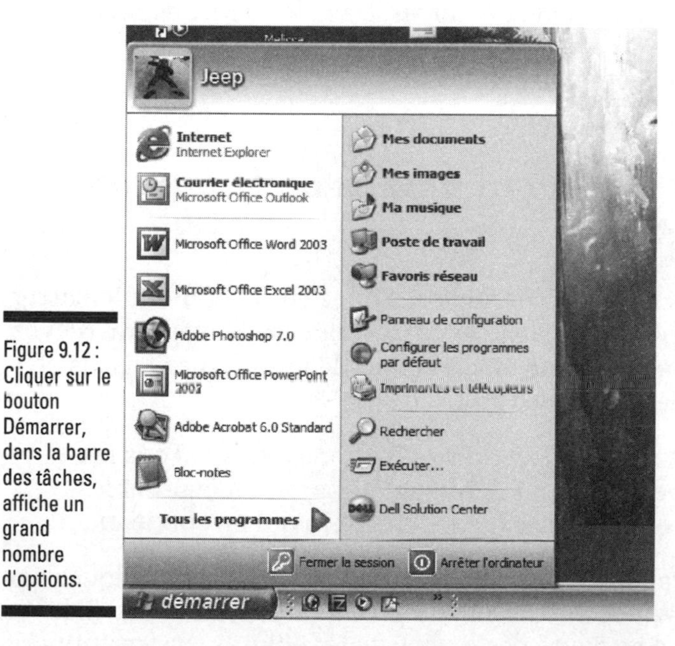

Figure 9.12 : Cliquer sur le bouton Démarrer, dans la barre des tâches, affiche un grand nombre d'options.

- Le menu Démarrer change au fur et à mesure que vous ajoutez des programmes à votre ordinateur. Autrement dit, le menu Démarrer d'un de vos amis peut différer légèrement du vôtre.

N'OUBLIEZ PAS

- Enregistrez vos fichiers dans le dossier Mes documents, vos photos dans le dossier Mes images et vos fichiers audio dans le dossier Ma musique. Vous pouvez facilement accéder à chacun de ces dossiers à partir du menu Démarrer. Ils ont été conçus en fonction de leur contenu : par exemple, le dossier Mes images affiche toujours une vignette de chacune des images. En organisant bien vos fichiers, vous les retrouverez plus facilement.

- Vous avez remarqué la petite flèche à droite de l'option Tous les programmes, en bas du panneau ? Cliquez dessus et un menu apparaît. Il donne accès aux différents logiciels présents dans l'ordinateur.

- Windows XP a la délicatesse de placer les icônes des programmes les plus fréquemment utilisés dans le volet gauche du menu Démarrer. Dans les versions précédentes de Windows, seules les icônes des dix derniers *documents* étaient affichées.

Lancer un programme avec le bouton Démarrer

C'est tout ce qu'il y a de facile. Cliquez sur le bouton Démarrer afin de déployer le panneau correspondant. Si vous apercevez l'icône du programme ou du fichier désiré, cliquez dessus et Windows le charge aussitôt.

Mais si le programme n'est pas listé, cliquez sur Tous les programmes. Un menu déroulant apparaît où figurent les noms des programmes ou des dossiers qui en contiennent.

Si le programme recherché apparaît dans ce menu, cliquez sur son nom. Windows XP l'affiche promptement à l'écran. Si le programme ne figure pas dans la liste, pointez sur les petits dossiers du menu. Des sous-menus se déploient, donnant accès à d'autres programmes.

Si vous avez enfin repéré le nom du programme, cliquez simplement dessus. En fait, vous n'avez même pas à cliquer avant d'avoir vu le nom du programme, car le bouton Démarrer ouvre et ferme automatiquement les menus, selon l'endroit où le pointeur se trouve.

- Il existe un autre moyen de charger un programme qui ne serait pas listé, à condition toutefois que vous sachiez où il se trouve sur le disque dur. Choisissez Exécuter, dans le menu Démarrer, tapez le nom du programme et appuyez sur Entrée. Si Windows XP le trouve, il le lance. Sinon, s'il n'arrive pas à le localiser, cliquez sur le bouton Parcourir. Une autre boîte de dialogue apparaît ; cette fois, les programmes sont listés par nom. Naviguez dans cette boîte de dialogue jusqu'à ce que vous ayez localisé le programme en question, puis double-cliquez sur son nom puis sur OK pour le charger.

Ajouter l'icône d'un programme dans le menu Démarrer

Le bouton Démarrer de Windows XP fonctionne très bien, du moins aussi longtemps que vous n'avez pas à rechercher un élément qui n'y figure pas. Comment ajouter l'icône de votre programme de prédilection au menu Démarrer ? Windows facilite considérablement cette opération.

Lorsque vous installez un programme (un logiciel), l'icône de ce programme est automatiquement ajoutée au menu Démarrer. Elle vous annonce sa présence, à vous et aux autres utilisateurs de l'ordinateur, comme le montre la Figure 9.13.

Pour voir le programme nouvellement installé, cliquez sur l'option Tous les programmes, en bas à gauche du panneau. Un vaste menu de programmes supplémentaires apparaît. Vous avez vu, dans la Figure 9.14, que le mot Winamp est en légère surbrillance ? C'est le programme qui vient d'être

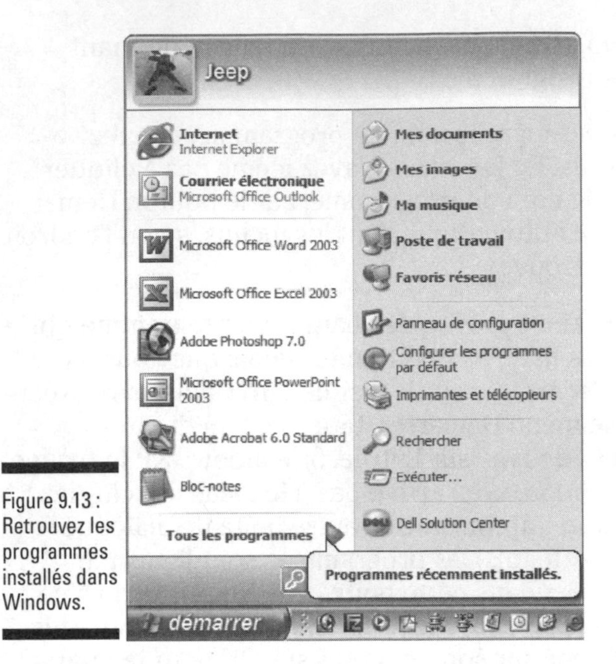

Figure 9.13 : Retrouvez les programmes installés dans Windows.

installé. Windows le surligne et le place dans le menu en ordre alphabétique.

- Il existe un autre moyen d'ajouter un programme au menu Démarrer. Windows XP ajoute dans le volet de gauche de ce menu les icônes des cinq programmes les plus utilisés. Si vous désirez placer là une icône ou un raccourci pour un programme de votre choix, cliquez sur l'icône avec le bouton droit de la souris. Choisissez ensuite Ajouter au menu Démarrer. Elle se retrouve aussitôt dans le volet de gauche du menu Démarrer.

- Pour éliminer une icône du volet de gauche du menu Démarrer, cliquez dessus avec le bouton droit de la souris et choisissez Supprimer de cette liste. Rappelez-vous que les icônes du menu Démarrer ne sont que des raccourcis. Les supprimer n'affecte en rien les programmes qui leur sont associés.

- Voici un sacré petit secret : le menu Démarrer n'a rien de spécial. C'est simplement l'un des dossiers présents

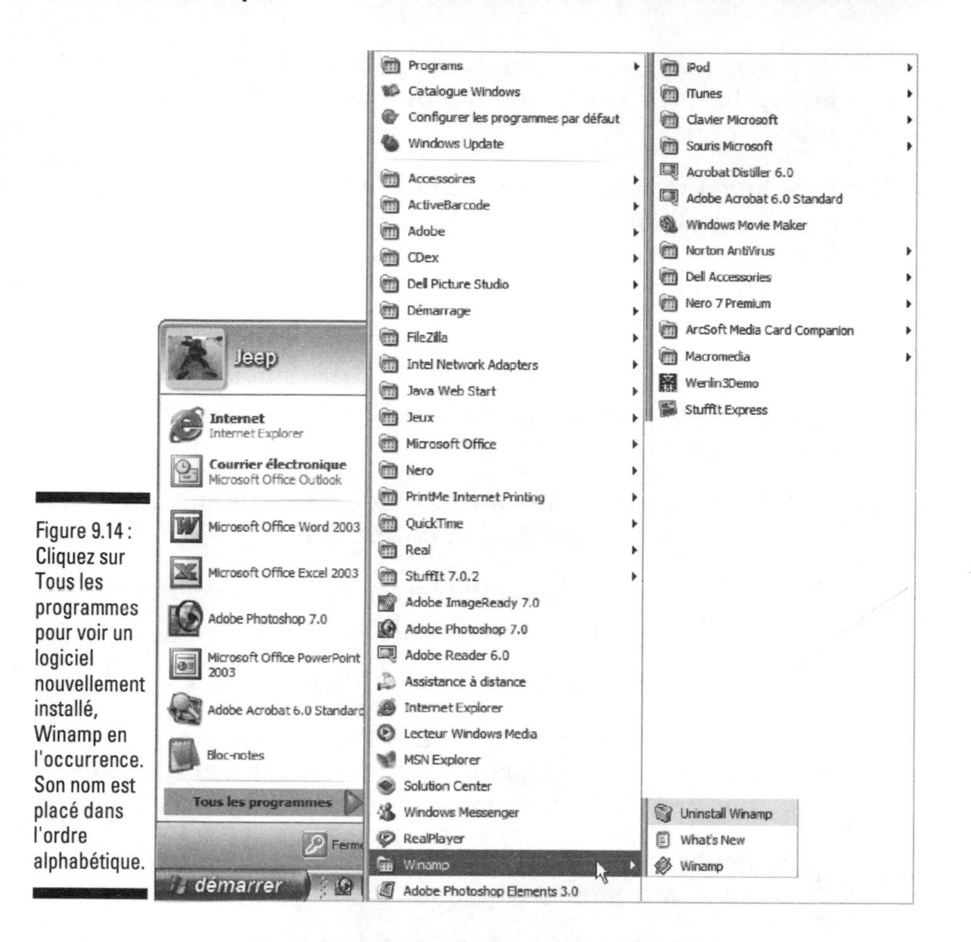

Figure 9.14 : Cliquez sur Tous les programmes pour voir un logiciel nouvellement installé, Winamp en l'occurrence. Son nom est placé dans l'ordre alphabétique.

sur le disque dur. En fait, le Bureau tout entier n'est lui aussi rien d'autre qu'un dossier. Ne soyez donc pas surpris de découvrir, sur le disque C, un dossier nommé Bureau et un autre nommé Menu Démarrer.

Faire démarrer automatiquement des programmes en même temps que Windows

Beaucoup de gens s'installent face à leur ordinateur, l'allument et répètent sempiternellement le même processus de chargement du programme qu'ils utilisent quotidiennement. Incroyable mais vrai : Windows peut automatiser cette tâche routinière.

La solution réside dans le dossier Démarrage, qui traîne quelque part dans le menu Tous les programmes. Lorsque Windows s'éveille, il examine le dossier Démarrage. S'il y découvre un raccourci, il l'exécute et affiche le programme associé.

Voici comment savoir quels sont les programmes qui s'éveillent en même temps que Windows XP et lesquels dormiront encore un peu :

1. **Cliquez avec le bouton droit de la souris sur le bouton Démarrer et choisissez l'option Ouvrir.**

   Le programme Menu Démarrer apparaît à l'écran. Il contient un dossier nommé Programmes.

2. **Double-cliquez sur le dossier Programmes.**

   Vous découvrez les raccourcis et les dossiers de la plupart des programmes actuellement listés sous l'option Tous les programmes du bouton Démarrer.

3. **Double-cliquez sur le dossier Démarrage afin d'accéder à son contenu.**

4. **À l'aide du bouton droit de la souris, faites glisser et déposez dans le dossier Démarrage tous les programmes ou fichiers qui doivent démarrer en même temps que Windows.**

   Si Windows le propose, demandez-lui de convertir ces fichiers ou ces programmes en raccourcis. Par la suite, chaque fois que vous démarrerez Windows, ces fichiers et programmes seront lancés en même temps que lui.

   Les éléments contenus dans la zone Démarrage ne se chargent d'eux-mêmes que si vous ouvrez une session de travail après en avoir arrêté une. Si vous avez cliqué sur le bouton Changer d'utilisateur au lieu du bouton

Fermer la session, Windows considère que vous êtes toujours au travail. Il ne lance les éléments Démarrer que si vous avez fermé la session, et après que Windows a enregistré vos paramètres.

Vous utilisez beaucoup la zone Démarrage ? Confectionnez un raccourci qui pointe directement vers elle et placez-le sur le Bureau. Glissez et déposez un programme sur le raccourci Démarrage et il apparaîtra dans la zone Démarrage, prêt à être chargé en même temps que Windows chaque fois que vous allumerez l'ordinateur.

Les programmes gratuits du menu Démarrer

Windows XP – la version la plus plaisante de ce système d'exploitation – est livré avec une poignée de logiciels gratuits qui font le bonheur des utilisateurs.

Un logiciel gratuit est aussi appréciable qu'une bonne bouffe gratos. Le seul problème, c'est le menu, tout au moins pour Windows. Surtout que certains de ces programmes offerts contrôlent des éléments stratégiques de votre ordinateur. Mais plus d'une cinquantaine d'entre eux servent essentiellement à améliorer le fonctionnement de la machine. Cette section extraordinairement longue signale les programmes gratuits qui valent la peine d'être essayés et lesquels peuvent être superbement ignorés.

Les programmes de premier niveau du menu Démarrer

Ces éléments apparaissent dans le menu Démarrer chaque fois que vous cliquez sur le bouton Démarrer. Comme vous les utiliserez abondamment, je vous recommande de lire ce qui suit.

Internet Explorer : Cliquez sur ce bouton pour surfer sur Internet.

Mes documents : Stockez systématiquement vos documents dans ce dossier afin d'être sûr de les retrouver facilement par la suite.

Mes images : Stockez toutes vos images numériques dans ce dossier. Le contenu de chaque fichier est facile à identifier, car ce dernier apparaît sous la forme d'une vignette.

Ma musique : Stockez vos fichiers audio dans ce dossier afin que le lecteur de médias de Windows XP puisse les trouver plus facilement.

Poste de travail : Ouvrez ce dossier pour voir toutes les mémoires de masse gérées par l'ordinateur, y compris les lecteurs de disquettes, disque dur, lecteur de CD-ROM, appareil photo numérique ainsi que les dossiers partagés avec d'autres utilisateurs.

Favoris réseau : Votre ordinateur est-il connecté à d'autres ordinateurs grâce à un réseau ? Cliquez ici pour voir les autres machines ou les fichiers auxquels vous avez accès.

Panneau de configuration : Cliquez ici pour régler une foultitude de paramètres.

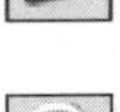

Aide et support : Complètement largué ? Cliquez ici pour obtenir une réponse à vos interrogations.

Rechercher : Un fichier égaré ? Cliquez ici pour le retrouver.

Exécuter : Rarement utilisée, cette commande démarre un programme dont vous avez précisé l'emplacement et le nom.

Fermer la session : Cliquez ici pour laisser quelqu'un d'autre utiliser l'ordinateur, ou encore pour enregistrer votre travail et quitter l'ordinateur en attendant qu'une autre personne s'en serve.

Arrêter l'ordinateur : Cliquez sur ce bouton pour éteindre l'ordinateur, le redémarrer ou le mettre *en veille*. L'ordinateur enregistre le travail de tous les utilisateurs, puis se met en "sommeil" pour économiser le courant (appuyez sur le bouton marche/arrêt pour le rallumer).

La zone Tous les programmes du menu Démarrer

Le menu Démarrer contient certes quelques options, mais il ne montre pas du tout l'impressionnante quantité de logiciels gratuits que cache la commande Tous les programmes. Ouvrez le menu Démarrer, cliquez sur le bouton Tous les programmes, en bas à gauche du panneau, et vous trouverez toutes les gâteries ci-dessous dans les divers menus.

Windows Update : Microsoft n'est jamais satisfait de Windows, de sorte que, s'il a l'occasion de l'améliorer – ou de le blinder contre les teigneux qui veulent s'y introduire –, il propose aussitôt un programme correctif (universellement connu sous le nom de *patch*). Cliquez ici pour récupérer le correctif ou pour configurer Windows afin qu'il s'autocorrige automatiquement.

Activer Windows : L'horreur ! Après avoir acheté votre exemplaire de Windows XP, Microsoft vous laisse 30 jours pour l'activer. Lorsque vous cliquez sur cette icône (en forme de trousseau de clés), Windows XP combine son numéro de série à un "instantané" de la configuration matérielle de votre ordinateur. Puis il appelle Microsoft et enregistre le logiciel. Dès lors, votre exemplaire de Windows ne fonctionnera que sur cet ordinateur, et sur aucun autre. Et si vous ne l'activez pas dans le délai imparti, Windows XP cesse de fonctionner. Merci Windows !

Accessoires

Les programmes gratuits de Windows sont, de longue date, réunis sous un menu générique nommé *Accessoires*. C'est là que vous trouverez les logiciels qui facilitent la vie avec Windows XP, qu'il s'agisse de travailler, de communiquer ou de se divertir, ou encore de lire plus facilement l'écran. Cette section recense les programmes du menu Accessoires, accessibles en cliquant préalablement sur Démarrer/Tous les programmes.

Accessibilité

L'assistant Accessibilité crée une version personnalisée, plus lisible, de Windows. Il permet de choisir les tailles des polices, menus, icônes et bordures de fenêtres les plus appropriées pour les malvoyants, ce qui facilite le clic. L'assistant permet aussi d'associer des sons à certaines actions effectuées à l'écran.

La **Loupe** agrandit la taille des éléments situés sous le pointeur de la souris, ce qui permet d'identifier plus facilement les boutons et les zones de saisie.

Le **Narrateur** lit les menus à l'écran, mais il n'est pas très compréhensible et ne s'exprime qu'en anglais, même dans la version française de Windows.

Le **Clavier visuel** affiche un clavier à l'écran. Pointez et cliquez sur les lettres pour effectuer une saisie (parfait aussi pour remplacer un clavier tombé en panne).

Le **Gestionnaire d'utilitaires** aide les malvoyants à configurer rapidement leur ordinateur en utilisant simultanément plusieurs options d'accessibilité.

Communications

La plupart des programmes proposés dans cette rubrique s'adressent surtout aux passionnés de technique. C'est pourquoi il est pour le moment inutile de trop perdre votre temps par ici.

L'**assistant Gestion de réseau domestique** montre comment relier deux ordinateurs ou plus afin qu'ils partagent des informations, voire une imprimante ou un modem.

L'**Hyper Terminal** est un rescapé des temps révolus de la téléinformatique. Ignorez ce fossile qui permet à deux ordinateurs de communiquer au travers d'une ligne téléphonique.

L'**assistant Connexion Internet** vous accompagne tout au long de la connexion de votre ordinateur avec votre fournisseur de services Internet (FSI) pour vous permettre de surfer efficacement sur le Web.

Connexions réseau : Ce programme fournit des explications quelque peu techniques sur la vitesse à laquelle votre ordinateur échange des données. Il permet aussi de se connecter à des réseaux ou à d'autres ordinateurs au travers d'une ligne téléphonique ou d'un simple câble (remplace l'ancienne option Connexion directe par câble).

Le **Numéroteur téléphonique** contrôle le modem de l'ordinateur pour effectuer un appel téléphonique ou se connecter à d'autres ordinateurs pour converser.

La **Connexion au Bureau à distance** fonctionne à la manière d'un mini-réseau en vous permettant d'utiliser des programmes présents sur un autre ordinateur. Il est censé aider les allumés de technique qui réclamaient de pouvoir se connecter à un ordinateur à distance afin de le dépanner sans avoir à se déplacer.

Divertissement

Windows XP procure de quoi créer un véritable centre de divertissement auquel peut notamment être assujetti un lecteur de CD, un lecteur de DVD ou une carte TV. Branchez un modem, n'oubliez pas les cornets de pop-corn réchauffés au four à micro-ondes, et voilà une belle soirée en perspective ! Vous trouverez ici un récapitulatif de tout ce qu'il faut pour configurer un petit auditorium stéréo.

Le **Magnétophone** n'enregistre que 60 secondes de son. Eh oui... Il a en effet été conçu pour enregistrer de brefs messages audio susceptibles d'être incorporés dans un document ou envoyés par courrier électronique, en pièces jointes. Si cela se trouve, vous ne l'utiliserez jamais...

Le **Contrôle du volume** affiche une table de mixage qui contrôle toutes les sources sonores. Un lecteur de CD y figure, de même que le son général (au format WAV), la musique (MIDI) ou des périphériques tels que les cartes TV ou de capture vidéo (Entrée ligne). À moins que vous ne fassiez de l'enregistrement sonore, vous n'avez pas à vous en soucier. Réglez plutôt le volume en cliquant sur l'icône en forme de haut-parleur dans la zone de notification de la barre des tâches et en actionnant le défileur).

Le **Lecteur Windows Media** est génial, branché et énorme. Il peut occuper tout l'écran avec ses vu-mètres psychédéliques qui pulsent au rythme des musiques. Il est de plus capable de convertir les plages d'un CD audio en fichiers MP3, à moins que vous ne préfériez son concurrent, le format *WMA* de Microsoft. Le Lecteur Windows Media sait télécharger du son et de la vidéo depuis Internet, jouer vos CD audio et vos DVD, et classer vos musiques et vidéos, qu'il s'agisse de CD ou de bandes-annonces de films, de stations de radio présélectionnées ou de votre liste de diffusion préférée.

Outils système

Windows XP est accompagné de plusieurs programmes techniques destinés aux mordus d'informatique. Vous découvrirez ci-après à quoi ils servent, ce qui vous permettra de savoir lesquels vous devez éviter.

Activer Windows : L'injonction est claire. Comme nous l'avons mentionné précédemment dans cette section, vous devez activer votre exemplaire de Windows XP dans les 30 jours, faute de quoi il cessera de fonctionner. Et après l'activation, il ne sera plus utilisable sur un autre ordinateur.

La **Table des caractères** permet d'utiliser des caractères spéciaux comme les symboles © (copyright), ¥ (yen) ou les typographies étrangères (ß allemand, ø nordique, etc.). Double-cliquer sur cette option affiche une table de plusieurs dizaines de caractères typographiques étrangers, de symboles et de signes graphiques, tous dans la police en cours. Double-cliquez sur le caractère qui vous intéresse puis, dans le document, cliquez à l'emplacement où il doit apparaître. Choisissez ensuite Édition/Coller et le caractère spécial s'affiche aussitôt.

Le **Nettoyage de disque** s'avère très utile lorsque la place vient à manquer sur le disque dur. Au gré des diverses utilisations, Windows accumule une quantité d'objets indésirables : des fichiers temporaires provenant d'Internet, des fichiers supprimés jetés dans la Corbeille, et plein d'autres éléments qui occupent indûment de la place. Le nettoyage de disque collecte automatiquement ces fichiers et programmes et vous propose de les supprimer.

Le **Défragmenteur de disque** réorganise le contenu du disque dur afin qu'il tourne plus vite. Lorsque vous décidez de réécrire une lettre, par exemple, et que vous supprimez des paragraphes et en ajoutez de nouveaux, un "trou" apparaît là où des données ont été supprimées, et de nouvelles données sont ajoutées dans les "trous" disponibles, c'est-à-dire dans les parties vacantes du disque dur. Si l'espace disponible n'est pas assez grand pour recevoir les données supplémentaires, Windows les répartit partout où il le peut. La lettre qui paraît d'un seul tenant à l'écran est en fait dispersée sur le disque dur. Windows s'y retrouve car l'emplacement d'un bloc de données est identifié par son adresse de début et de fin, et par un code qui indique quel autre bloc vient à la suite. L'inconvénient de cette dispersion est que la tête de lecture du disque dur doit se déplacer loin et fréquemment pour récupérer les morceaux. Le défragmenteur réorganise le contenu du disque dur et fait en sorte que les fichiers soient – autant que faire se peut – d'un seul tenant, ce qui accélère leur lecture.

L'**assistant Transfert de fichiers et de paramètres** vous vient en aide quand vous changez finalement d'ordinateur. Il examine la configuration des programmes sur l'ancienne machine et vous laisse choisir les fichiers à transférer. L'assistant est aussi capable de prélever les informations des anciennes versions de Windows. Au hit-parade des performances, le programme fonctionne au mieux et plus vite avec des cartes de réseau et, dans l'ordre, avec un câble de transfert, ou bien en copiant les données sur un CD, et il est terriblement lent – pour ne pas dire inutilisable – avec des disquettes.

Le programme **Tâches planifiées** laisse à Windows l'initiative de démarrer un logiciel, que vous soyez en déplacement ou en train de dormir. Il se base sur une sorte d'échéancier qui lui indique les programmes à démarrer, le moment et la durée.

Informations système est un outil de choix pour obtenir des informations techniques concernant les tripes de votre ordinateur, surtout lorsqu'il fait des siennes ou en cas de panne. Il se peut bien que vous n'ayez jamais à l'utiliser.

Restauration du système est sans doute le plus important des éléments succinctement décrits ici. C'est pourquoi il fait l'objet d'un encadré spécial intitulé "La restauration du système restaure votre confiance en Windows".

La restauration du système restaure votre confiance en Windows

Lorsque votre ordinateur fonctionne correctement – et vous aimeriez bien qu'il en soit toujours ainsi –, démarrez le programme Restauration du système puis activez le bouton d'option Créer un point de restauration. Windows procède à un auto-examen et conserve un instantané de ses paramètres. Par la suite, si quelque chose d'affreux se produit, vous aurez une planche de salut : revenez à la Restauration du système et choisissez cette fois l'option Restaurer mon ordinateur à une heure antérieure. Choisissez ensuite un point de restauration que vous aurez enregistré au moment où tout baignait et, après que Windows aura restauré l'ordinateur tel qu'il était avant le désastre, ce dernier fonctionnera de nouveau à merveille.

Comme toutes choses en ce bas monde, la Restauration du système n'est pas exempte de quelques problèmes. Il se peut en effet qu'entre l'enregistrement du point de restauration et la restauration proprement dite vous ayez installé un ou plusieurs programmes. Vous devrez donc les réinstaller. Comme Windows crée automatiquement un point de restauration chaque jour, n'en choisissez pas un qui serait plus ancien que nécessaire.

La Restauration du système ne touche à aucun des fichiers stockés dans le dossier Mes documents. Elle jure ses grands dieux qu'elle ne touche jamais à aucun autre de vos fichiers de données. Mais, pour plus de sécurité, placez les fichiers auxquels vous tenez le plus dans le dossier Mes documents.

Si vous décidez d'utiliser la Restauration du système, utilisez-la souvent, notamment avant et après l'installation de tout programme, par exemple, ou quand vous bidouillez notoirement les paramètres de l'ordinateur. Vous aurez ainsi les meilleures chances de récupérer un ordinateur sain si jamais vous vous fourvoyez.

Si vous vous êtes planté et que vous avez restauré un élément qui fait que votre ordinateur fonctionne encore moins bien qu'auparavant, annulez la restauration. Appelez le programme Restauration du système et choisissez Annuler ma dernière restauration. N'hésitez pas essayer différents points de restauration lorsque quelque chose ne va pas car vous pourrez toujours les annuler et en essayer d'autres.

Sachez, pour finir, que la Restauration du système consomme environ 12 % du disque dur. Pour réduire ou agrandir ce bloc, cliquez sur le bouton Démarrer puis, avec le bouton droit de la souris, sur Poste de travail. Choisissez Propriétés puis actionnez le défileur situé sous l'onglet Restauration du système (NdT : si l'ordinateur possède plusieurs disques durs, vous devrez en sélectionner un et cliquer sur le bouton Paramètres).

Carnet d'adresses

Le carnet d'adresses est utilisé par Outlook Express pour envoyer et recevoir vos courriers électroniques. Si vous adoptez la version supérieure de ce programme, Outlook, vous pourrez récupérer toutes vos adresses en cliquant sur Fichier/Exporter.

Calculatrice

C'est une calculatrice toute simple, à moins que vous n'ayez cliqué sur Affichage/Scientifique, ce qui fait apparaître des fonctions plus matheuses. Pour retrouver la calculatrice normale, cliquez sur Affichage/Standard.

Pour plus de commodité, cliquez sur Édition/Copier, puis cliquez dans la fenêtre dans laquelle vous désirez placer le résultat d'un calcul. Dans cette fenêtre, cliquez alors sur Édition/Coller. C'est autrement plus rapide et plus fiable que de retaper un chiffre comme 2,449489742783. Une astuce : si la saisie à la souris vous semble trop lente et fastidieuse, appuyez sur la touche Verr.Num et entrez les chiffres avec le pavé numérique.

Invite de commande

Cette relique des temps anciens de la micro-informatique sert à entrer une de ces horribles lignes de commande DOS avec ses affreux paramètres abscons (NdT : un exemple ? Echo O | DEL *.* > NUL supprime tous les fichiers d'un répertoire sans confirmer chaque suppression). Ne vous compliquez pas la vie avec ça.

Bloc-notes

Windows XP est livré avec deux traitements de texte : WordPad et le Bloc-notes. WordPad sert à rédiger un courrier soigné. Le Bloc-notes sert plutôt de calepin pour noter des informations ou des idées à la volée.

De prime abord, le Bloc-notes est, hélas ! fort déroutant, car il cale la frappe au kilomètre contre la marge gauche, sans aucun retour à la ligne automatique. Pour l'enclencher, cliquez sur Format/Retour automatique à la ligne. Le Bloc-notes mémorise ce paramètre une fois pour toutes ; vous n'aurez donc plus à l'activer ultérieurement.

Le Bloc-notes n'imprime pas son contenu exactement tel qu'il apparaît à l'écran, mais selon les paramètres entrés dans la boîte de dialogue Mise en page (cliquez sur Fichier/Mise en page). Si elle n'a pas été configurée, l'impression peut parfois être désordonnée.

Paint

Paint est un logiciel de dessin destiné à produire des graphismes rudimentaires que vous pourrez coller dans d'autres programmes. Il contient plusieurs brosses et pinceaux électroniques de diverses épaisseurs, ainsi qu'un *aérographe* permettant de vaporiser de l'encre sur le papier virtuel, un pot de peinture pour effectuer des remplissages de couleurs, et une gomme.

Ses possibilités étant assez limitées, Paint est plutôt adapté à la retouche qu'à la création à partir de zéro. Utilisez les commandes Zoom et Aérographe pour ôter, par exemple, les débris d'épinards restés entre les dents d'une personne que vous avez photographiée.

Vous pouvez copier les images et les dessins de Paint et les coller dans presque tous les autres programmes de Windows XP. Paint permet d'ajouter du texte et des chiffres à une image ; vous pourrez donc ajouter des noms de rues et des numéros à la carte d'une ville téléchargée depuis Internet, ajouter du texte dans des images ou le millésime du vin si vous créez des étiquettes pour vos meilleures bouteilles.

Paint ouvre et enregistre les fichiers aux formats BMP, JPG, GIF et TIF.

Synchroniser

Certaines personnes apprécient de pouvoir placer une page Web comme arrière-plan sur le Bureau. L'accessoire Synchroniser établit un horaire qui indique à Windows à quelle fréquence – une fois par jour, par exemple – il doit automatiquement mettre la page Web à jour.

Pour réaliser un arrière-plan à partir d'une page Web, cliquez avec le bouton droit de la souris sur le Bureau, choisissez Propriétés, cliquez sur l'onglet Bureau puis sur le bouton Personnaliser le Bureau. Cliquez ensuite sur l'onglet Web puis sur le bouton Nouveau afin d'ajouter autant de pages Web que vous le désirez.

Explorateur Windows

L'Explorateur Windows procure une vue générale sur les fichiers que contient l'ordinateur et vous permet de les copier d'un endroit à un autre.

WordPad

Bien que son icône semble engageante, WordPad est loin d'être aussi sophistiqué que les traitements de texte les plus chers du marché. Il n'est pas question de créer des tableaux ou de présenter du texte sur plusieurs colonnes, comme dans les journaux ou les lettres d'information, et il n'est pas possible d'obtenir un double interligne. Pas question non plus de bénéficier d'une correction orthographique.

WordPad est néanmoins idéal pour les lettres simples, les rapports sans fioritures et autres tâches épistolaires élémentaires. Il est possible de choisir une police, aussi fantaisiste soit-elle, car WordPad gère les polices dites *TrueType,* qui sont imprimées exactement comme elles apparaissent à l'écran. Les polices TrueType permettent d'obtenir d'élégantes écritures à condition toutefois que la personne qui reçoit ce courrier sous la forme d'un fichier possède elle aussi la police utilisée (NdT : sinon Windows la remplace par une police générique, Arial ou Times New Roman).

Si vous venez de vous débarrasser de votre vieille machine à écrire pour vous mettre au traitement de texte, retenez bien ceci : sur une machine à écrire, vous devez actionner une manette ou appuyer sur une touche Retour à la fin de chaque ligne, faute de quoi vous dépassez le bord du papier. Avec un traitement de texte, vous n'avez plus à le faire, car l'ordinateur détecte la fin de la ligne et effectue automatiquement le retour du chariot et le saut de ligne.

Démarrage

Le sous-dossier Démarrage contient la liste des programmes qui sont automatiquement lancés dès le chargement de Windows XP. Nous en avons déjà parlé précédemment dans ce chapitre, dans la section "Faire démarrer automatiquement des programmes en même temps que Windows".

Jeux

Si vous avez déjà utilisé Windows Me, vous ne trouverez ici rien de nouveau. Autrement, vous découvrirez sous ce menu plusieurs jeux de cartes aux noms aussi poétiques que Freecell (un jeu de cartes), Hearts (Dame de Pique) et d'autres : le Démineur, deux solitaires et quelques grands classiques comme le backgammon, un reversi et les échecs, qui peuvent tous les trois être joués sur Internet. Et surtout, ne manquez pas Pinball, autrement dit un flipper.

Internet Explorer

Eh oui, cliquer ici démarre Internet Explorer ; mais cliquer sur l'icône avec un "e" bleu dans le menu Démarrer en fait autant, et avec moins de complications.

MSN Messenger Service

Du fait que l'icône de ce programme apparaît aussi dans la barre des tâches, ce sujet est couvert dans l'encadré "Qu'est-ce que MSN Messenger Service ?", au début de ce chapitre (il permet d'envoyer de brefs messages aux autres utilisateurs de ce service).

Outlook Express

L'icône d'Outlook Express apparaît non seulement ici, mais aussi dans le menu Démarrer.

Lecteur Windows Media

Microsoft a placé deux accès à ce programme. L'autre se trouve dans le sous-dossier Divertissement ; c'est dans cette section du même nom (voir ci-dessus) que vous trouverez d'ailleurs sa description.

Je ne trouve pas tous ces programmes gratuits dans ma version de Windows XP !

Selon les boutons sur lesquels vous avez eu le bon goût de cliquer lors de l'installation de Windows XP, vous aurez eu droit à tout ou partie de ces programmes gratuits. Chez beaucoup d'utilisateurs, le programme Démarrage ne sera par exemple pas visible. Si vous estimez avoir été lésé et que vous tenez à installer les programmes que nous venons de décrire, procédez comme suit :

1. **Dans le Panneau de configuration, cliquez sur l'icône Ajouter ou supprimer des programmes.**

   Vous accédez au Panneau de configuration via le bouton Démarrer.

2. **Cliquez sur l'icône Ajouter ou Supprimer des composants Windows.**

   C'est l'icône tout en bas, dans le volet de gauche. L'assistant Composants de Windows apparaît, montrant les différents programmes gratuits inclus dans Windows XP ainsi que la place nécessaire sur le disque dur pour les installer.

3. **Cliquez dans les cases des programmes ou accessoires à ajouter.**

   Certaines cases sont d'ores et déjà cochées, ce qui signifie que le programme ou l'accessoire en question est déjà installé. D'autres cases sont cochées, mais en grisé. Cela signifie que certains programmes de cette catégorie ont été installés et d'autres non.

   Par exemple, si la case Accessoires et utilitaires est en grisé, cela signifie que tous les accessoires n'ont pas été installés. Cliquez sur cette case puis sur le bouton Détails.

   Windows XP liste les éléments disponibles dans cette catégorie et vous laisse sélectionner ceux que vous désirez. Là encore, cliquez sur l'accessoire désiré et, s'il existe, sur le bouton Détails.

Continuez à sélectionner des éléments et à cliquer sur Détails jusqu'à ce que vous ayez trouvé le programme à ajouter. Ça y est ? Cochez sa case pour le sélectionner.

Notez que la suppression des accessoires de Windows XP s'effectue de la même manière, sauf que vous ôtez la ou les coches des différents éléments concernés.

Cliquez sur OK autant de fois que nécessaire pour revenir à la fenêtre d'ouverture de l'assistant Composants de Windows.

4. **Cliquez sur le bouton Suivant.**

   Windows XP examine les cases afin de déterminer quels programmes doivent être installés ou ôtés.

5. **Cliquez sur OK et insérez le CD de Windows XP, si cela vous est demandé.**

   Si vous avez choisi d'installer un ou plusieurs éléments, Windows copie parfois les fichiers nécessaires du CD-ROM vers le disque dur. D'autres fois, il effectue la copie à partir du disque dur.

Une coche noire au niveau d'une catégorie signifie que tous les programmes de cette catégorie ont été sélectionnés. Si la case est en grisé, seuls certains programmes ont été sélectionnés. Et si la case est vide, aucun programme n'a été installé ni choisi.

Chapitre 10
L'horrible Poste de travail

Dans ce chapitre :

- Découvrir ce qui rend le Poste de travail si angoissant.
- Les dossiers.
- Charger un programme ou un fichier.
- Supprimer et récupérer des fichiers, des dossiers et des icônes.
- Copier et déplacer des fichiers, des dossiers et des icônes.
- Copier vers une disquette.
- Obtenir des informations concernant des fichiers, des dossiers et des icônes.
- Découvrir les fichiers qui ne sont pas affichés.
- Travailler sur un réseau avec des fichiers, des dossiers et des icônes.

Ce chapitre explique comment utiliser le programme Poste de travail, et par la même occasion, dans un louable souci d'efficacité, comment gérer les fichiers sous Windows. C'est là que vous découvrirez les moyens les plus tortueux pour créer des dossiers, y placer des fichiers et déplacer un tas de choses rien qu'avec la souris.

Pourquoi le Poste de travail fait-il peur ?

Windows a besoin d'un emplacement où stocker vos programmes et vos fichiers. Le programme *Poste de travail* est la métaphore du bureau de classement transposé en légères et aériennes icônes Windows. Le Poste de travail montre les fichiers ainsi que les endroits où ils sont rangés dans l'ordinateur, ce qui permet notamment de les copier, les déplacer, les renommer ou les supprimer.

Chacun organise son ordinateur à sa manière. Certains ne l'organisent même pas du tout. Pour voir comment vos fichiers ont été rangés, cliquez sur le bouton Démarrer puis sur le bouton Poste de travail (l'icône est illustrée en marge). Votre Poste de travail sera sans doute légèrement différent de celui de la Figure 10.1.

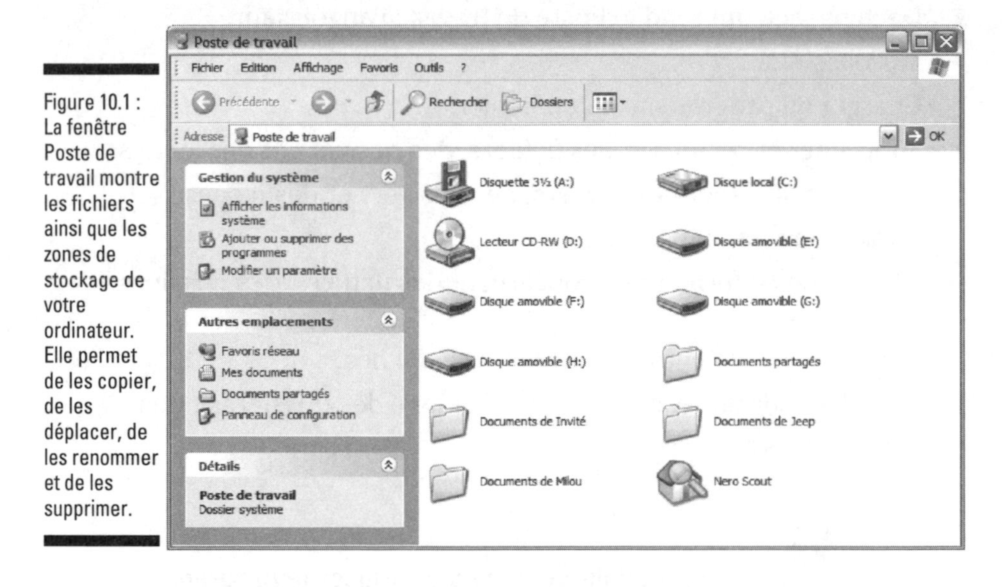

Figure 10.1 : La fenêtre Poste de travail montre les fichiers ainsi que les zones de stockage de votre ordinateur. Elle permet de les copier, de les déplacer, de les renommer et de les supprimer.

Le programme Poste de travail est un vaste panneau constellé de boutons, une sorte d'extension de votre Bureau. Voici un tour d'horizon des icônes du volet droit de la fenêtre. Vous trouverez d'autres explications détaillées tout au long de ce chapitre.

Autres fichiers enregistrés sur cet ordinateur : Windows XP autorise de nombreuses personnes à utiliser le même ordinateur, en conservant à chaque fichier son caractère privé. Mais parfois quelqu'un souhaite partager des données avec d'autres, des lettres des proches par exemple. C'est là que le dossier Documents partagés, visible en marge, entre en jeu.

Le dossier Documents partagés contient des fichiers et des dossiers accessibles à tous ceux qui utilisent l'ordinateur. Pour ce faire, affichez le Poste de travail et placez vos données dans le dossier Documents partagés (double-cliquer sur un dossier révèle son contenu).

Le dossier Documents partagés contient deux sous-dossiers, Musique partagée et Images partagées. Quiconque utilise l'ordinateur a le droit de puiser dans les sons et les images qui s'y trouvent.

Si vous ne désirez pas que d'autres que vous partagent vos informations, ne les mettez pas dans le dossier Documents partagés, mais plutôt dans le dossier Mes documents, accessible à partir du menu Démarrer (voyez aussi le volet de gauche du Poste de travail, dans la Figure 10.1 ; vous pouvez ouvrir le dossier Mes documents à partir de cet endroit).

Vous avez remarqué, dans la Figure 10.1, les trois autres dossiers Invité, Milou et Jeep ? Ils sont visibles parce que cette illustration montre le Poste de travail de l'Administrateur, propriétaire de l'ordinateur. L'Administrateur a le privilège d'accéder à tous les fichiers des autres utilisateurs. C'est pourquoi, dans la Figure 10.1, les dossiers Mes documents des autres utilisateurs sont affichés.

Lecteurs de disques durs : Ça, ce n'est pas très difficile à comprendre. Cette zone contient les icônes des disques durs installés sur l'ordinateur. Double-cliquer sur un dossier montre ce qu'il contient, mais vous y trouverez rarement des informations utiles. En fait, Windows se contente souvent de vous dire de rechercher plutôt les programmes à partir du menu Démarrer. Contrairement aux fichiers et aux dossiers, les disques durs ne peuvent pas être déplacés.

Périphériques avec des médias amovibles : Cette zone concerne ce qui entre et sort de l'ordinateur grâce au(x) lecteur(s) de disquettes, lecteur(s) de CD-ROM, lecteur(s) Zip ou Jaz Iomega, voire les lecteurs MP3 s'ils sont compatibles avec Windows XP comme le PocketZip fabriqué par HipZip.

Scanneurs et appareils photo : Les appareils photo numériques – ou photoscopes – ainsi que les scanneurs figurent généralement dans cette zone, selon le fabricant et le modèle.

Contrairement aux fichiers et aux dossiers, les disques durs, les périphériques à médias amovibles, les scanneurs et les appareils photo ne peuvent pas être déplacés ailleurs. Dans le Poste de travail, ils restent là où ils sont. Pour les rendre plus accessibles, vous pouvez créer des *raccourcis* sur le Bureau ou à n'importe quel endroit qui vous semble commode.

Plusieurs zones d'information se trouvent dans le volet gauche du Poste de travail. Elles contiennent essentiellement des raccourcis – des pointeurs – qui mènent à d'autres endroits dans l'ordinateur. Le libellé de ces zones varie selon l'élément sélectionné dans le volet droit. Voici leur signification :

Tâches : Deux des éléments qui se trouvent là, Afficher les informations du système et Ajout/Suppression de programmes, agissent au niveau des tripes de l'ordinateur. Ce sont des raccourcis vers des icônes du Panneau de configuration de Windows XP.

Autres emplacements : Trois de ces éléments, Favoris réseau, Mes documents, Panneau de configuration, sont simplement des raccourcis vers des éléments qui figurent dans le menu Démarrer.

Je me demande bien pourquoi il y a ici un raccourci vers le dossier Documents partagés, car il apparaît à quelques centimètres de là à droite, comme vous pouvez le constater dans la Figure 10.1.

Détails : Enfin quelque chose d'intéressant ! Cliquez sur quasiment n'importe quelle icône dans le Poste de travail et la fenêtre Détails affiche des informations concernant cet objet : la date de création du fichier, par exemple, ou la place qu'il occupe.

Des renseignements sur les dossiers

À l'instar d'un véritable dossier posé sur un véritable bureau, un *dossier* est une unité de stockage placée sur un disque. Windows XP divise le ou les disques durs de l'ordinateur en nombreux projets selon les divers travaux que vous avez à effectuer. Vous pouvez par exemple réunir toutes les feuilles de calcul d'un tableur sans les mélanger avec les fichiers du traitement de texte ; ou bien stocker vos morceaux musicaux dans le dossier Ma musique tandis que vos photos prendront place dans le dossier Mes images.

Tout type de disque peut être subdivisé en dossiers, mais ces derniers s'imposent surtout sur les disques durs, en raison de la très grande quantité de fichiers – des dizaines de milliers – qui s'y trouvent. En compartimentant le disque dur en unités plus petites, vous vous y retrouverez plus facilement.

Le Poste de travail de Windows vous permet d'examiner les différents dossiers et de rechercher les fichiers que vous y avez placés. Tout est joliment bien organisé. Aucune chemise ne tombe jamais entre deux dossiers pour bloquer l'ouverture des tiroirs.

- D'une certaine manière, utiliser des fichiers et des dossiers est un peu comme apprendre à jouer du piano : cela n'a rien d'intuitif et, dans les deux cas, vous vous exposez à des erreurs. Ne vous énervez pas si vous n'y arrivez pas. Beethoven aurait lui aussi détesté la gestion des fichiers.

- Il est possible de placer des dossiers à l'intérieur d'autres dossiers pour obtenir des classements à plusieurs niveaux, un peu comme quand vous placez des chemises de différentes couleurs dans des dossiers généraux.

- Vous pouvez bien sûr ignorer la notion de *dossier* et laisser tous vos fichiers sur le Bureau de Windows XP. Cette attitude équivaut à tout empiler sur le siège arrière de la voiture et à farfouiller dedans quelques semaines plus tard pour trouver un document. Un minimum d'organisation facilite considérablement les recherches.

- Si vous êtes désireux de créer des dossiers – et c'est plutôt facile –, lisez la section "Créer un dossier".
- Windows crée plusieurs dossiers lors de son installation. Il crée notamment un dossier qui contient le système d'exploitation lui-même, et un autre destiné à recevoir vos programmes. Il crée aussi un dossier Mes documents pour y stocker votre travail ; ce dossier contient les deux sous-dossiers Mes images et Ma musique pour bien séparer ce type de fichiers des autres.

- Les dossiers informatiques sont organisés en *arborescence*, comme le montre la Figure 10.2.

Dossiers
Bureau
Mes documents
Email
Ma musique
Menu Démarrer
Mes eBooks
Mes fichiers PSP
Mes images
Mes sources de données
Mes vidéos
My Music
My PSP8 Files
My Transferred Files
NeroVision
Nouveau dossier
Roxio
Poste de travail
Favoris réseau
Corbeille
CouvAout2006
CouvJuin-Juillet2006
Exercices_Livres
Figure chap 12-13-14-15 découvrir l'Info
fonts
Goldman Integral

Figure 10.2 : La structure des dossiers est organisée en arborescence dans laquelle les sous-dossiers sont des branches des dossiers.

Voir dans les lecteurs et les dossiers

Être au courant de tous ces détails sur les dossiers peut impressionner les foules dans une boutique d'informatique. Mais ce qui compte le plus est de savoir comment utiliser le programme Poste de travail pour trouver le fichier que vous désirez.

Voir les fichiers présents dans un lecteur de disques

Comme tout dans Windows XP, les lecteurs de disques sont représentés par des boutons, ou *icônes*.

Lorsqu'il vient d'être chargé, le programme Poste de travail affiche ces icônes. Vous avez vu celle légendée Disquette 3"1/2 (A:) ? L'icône est celle d'une disquette et de son lecteur. Au-dessus du lecteur D:, vous apercevez un disque compact qui indique qu'il s'agit d'un lecteur de CD. Les icônes des disques durs – cet ordinateur en possède deux – ne montrent chacune qu'un boîtier sans rien au-dessus, sinon l'affreux pressentiment qu'un jour ou l'autre l'un d'eux tombera en panne au pire moment.

Le Poste de travail montre aussi d'autres réceptacles à données, comme le lecteur Zip Iomega ou l'appareil photo numérique.

Cliquer sur l'icône d'un appareil photo numérique ou d'un lecteur MP3 n'est pas aussi évident que cliquer sur l'icône d'un disque dur, car ces périphériques peuvent être configurés de différentes manières. Vous avez néanmoins accès à leur contenu, ce qui permet de déplacer les fichiers qui s'y trouvent.

- Double-cliquer sur l'icône d'un lecteur, dans le Poste de travail, affiche son contenu. Insérez par exemple une disquette dans le lecteur A puis double-cliquez sur l'icône du lecteur A, du Poste de travail. La machine mouline un instant, après quoi le volet de droite du

Poste de travail montre tous les dossiers et les fichiers présents dans la disquette.

N'OUBLIEZ PAS

- Si vous maintenez la touche Ctrl enfoncée tout en cliquant sur l'icône d'un lecteur, une seconde fenêtre Poste de travail apparaît, qui montre son contenu (vous devrez sans doute redisposer les deux fenêtres et/ou les redimensionner pour bien les voir). Oui et alors ? Une seconde fenêtre s'avère très commode lorsqu'il s'agit de copier des fichiers d'un lecteur ou d'un dossier vers un autre.

- Si vous cliquez sur l'icône d'un lecteur de disquettes alors qu'aucune disquette n'a été insérée, Windows XP arrête tout et vous prie aimablement d'en insérer une avant de continuer.

- Vous avez remarqué l'icône Favoris réseau ? C'est la petite porte de service pour aller voir ce qui se passe dans les autres ordinateurs reliés au vôtre, si bien sûr vous travaillez en réseau.

Regarder dans les dossiers

Windows XP utilise l'image d'un petit dossier en carton pour délimiter chacun des espaces virtuels réservés au stockage des fichiers.

Pour voir ce que contient un dossier, qu'il se trouve dans le Poste de travail ou sur le Bureau, il suffit de double-cliquer sur cette icône. Une nouvelle fenêtre s'ouvre, montrant son contenu. Un sous-dossier se trouve à l'intérieur ? Double-cliquez dessus pour voir ce qu'il y a dedans. Double-cliquez ainsi jusqu'à ce que vous ayez atteint le fichier recherché, à moins que vous ne vous soyez fourvoyé dans un cul-de-sac.

Si vous avez ouvert par mégarde le mauvais dossier, ce n'est pas bien grave. Reculez simplement comme vous le faites pendant la visite d'un site Web. Cliquez sur la flèche verte Précédente, dans le coin supérieur gauche de la fenêtre (voir ci-contre). Le dossier erroné est ainsi fermé et vous revenez à celui que vous venez de quitter. Si vous continuez à cliquer sur la flèche Précédente, vous vous retrouvez là où vous avez commencé.

- Au fur et à mesure que vous progressez dans l'arborescence et ses dossiers, vous passez d'un niveau à un autre. En reculant, vous accédez à des fichiers et des dossiers qui ont moins de choses en commun.

- Eh oui, toutes ces notions sont bien compliquées ! Mais ne vous laissez pas impressionner et n'hésitez pas à double-cliquer – voire simplement à cliquer – sur un dossier rien que pour voir ce qui arrive. Il ne se produira rien d'épouvantable. Aucune mise en demeure comminatoire avec frais d'huissier ne vous tombera dessus. Vous ne faites qu'ouvrir et refermer des tiroirs virtuels en jetant dedans un coup d'œil sans conséquence.

- Pour aller plus profondément dans l'arborescence, double-cliquez sur les sous-dossiers au fur et à mesure qu'ils apparaissent.

- Comment savoir quels dossiers sont vides et lesquels contiennent quelque chose ? Eh bien, ce n'est pas possible. Désolé. À moins d'utiliser le programme Explorateur Windows, décrit dans la section "C'est quoi l'Explorateur Windows ?", plus loin dans ce chapitre (NdT : le seul dossier qui indique explicitement s'il est vide ou s'il contient quelque chose est la Corbeille ; elle change d'aspect selon le cas. Notez que, dans l'arborescence du disque dur, la Corbeille est le dossier Recycle Bin.).

TRUC

Si, au cours d'une plongée dans les profondeurs de l'arborescence, vous ne trouvez pas le fichier que vous convoitez, voici un moyen rapide de revenir de tous les dossiers que vous avez parcourus, et ce sans devoir respecter les paliers de décompression : vous avez vu la minuscule flèche noire qui pointe vers le bas, juste à côté de la flèche verte en haut à gauche de la fenêtre ? Cliquez dessus et une liste déroulante révèle les noms de tous les dossiers que vous avez visités jusqu'au dossier où vous vous trouvez actuellement. Cliquez sur n'importe lequel des dossiers de cette liste et Windows XP l'ouvre aussitôt (à propos, cliquez aussi sur l'option Historique ; Windows affichera la liste de tous les sites Web que vous avez visités ces dernières semaines).

Vous utilisez une souris IntelliMouse, cette petite bestiole avec une molette sur le dos ? Pointez sur la longue liste des fichiers et des dossiers visibles dans le Poste de travail et actionnez la molette : la liste monte et descend, découvrant les éléments qui étaient hors de vue.

Impossible de retrouver un fichier ou un dossier ? Plutôt que d'errer comme une âme en peine dans les différents dossiers, faites plutôt appel à la commande Rechercher. C'est le moyen le plus rapide et le plus efficace de dénicher des fichiers et des dossiers "qui étaient pourtant là il n'y a pas si longtemps...".

Charger un programme ou un fichier

Un *fichier* est un ensemble d'informations. Il en existe de deux types : les *fichiers de programme* et les *fichiers de données*.

Les *fichiers de programme* contiennent des instructions qui indiquent à l'ordinateur ce qu'il doit faire : calculer le déficit du budget national ou se connecter à Internet et afficher des photos de primates en rut.

Les *fichiers de données* contiennent des informations créées par un logiciel. Lorsque vous écrivez une lettre de réclamation à votre épicier pour vous plaindre des abricots qui étaient durs comme des huîtres, cette lettre est un fichier de données.

Pour ouvrir l'un ou l'autre de ces types de fichiers dans Windows XP, double-cliquez sur son nom. S'il s'agit d'un fichier de programme, cette action démarre le logiciel.

Double-cliquer sur un fichier de données demande à Windows XP de charger le fichier *ainsi que* le programme qui l'a créé. Windows démarre alors le logiciel et ouvre le fichier dans la foulée.

- Selon la manière dont l'ordinateur est configuré, un simple clic peut produire le même effet : pointez sur le fichier ou le programme à sélectionner, puis cliquez dessus pour le charger (si ça ne marche pas, essayez le double-clic).
- Windows XP place une petite icône près du nom d'un fichier qui signale s'il s'agit d'un fichier de programme ou d'un fichier de données. En fait, même les dossiers ont une icône afin de bien les différencier des fichiers.
- Pour d'obscures raisons entérinées par le *vulgum pecus* informatique, tout fichier de données reconnu par Windows est appelé *document*. Un document ne contient pas forcément du texte. Il peut contenir l'image d'un vermisseau tétraplégique ou le cri de guerre du Concombre masqué.

NOTE TECHNIQUE

Pas la peine de lire ces trucs techniques

Il arrive que des programmes stockent des informations dans un fichier de données. Ces informations peuvent concerner la façon dont l'ordinateur est configuré, par exemple. Pour éviter que l'utilisateur considère ce fichier comme un détritus tout juste bon à jeter à la Corbeille, Windows le cache.

Si vous êtes un peu voyeur, sachez qu'il est possible d'afficher les noms de ces dossiers et fichiers cachés. Pour cela, ouvrez le Poste de travail et, dans le menu Outils, choisissez Options des dossiers. Sélectionnez l'onglet Affichage puis, dans la liste Paramètres avancés, sous la catégorie Fichiers et dossiers cachés, sélectionnez le bouton d'options Afficher les fichiers et dossiers cachés.

Cliquez sur le bouton OK. Les éléments jusque-là cachés apparaissent parmi les noms des fichiers. Veillez toutefois à ne jamais les supprimer, car le programme qui les a générés se comporterait bizarrement (NdT : dans la plupart des cas, il plantera lamentablement), au risque d'endommager d'autres fichiers. Pour plus de sécurité, il vaut mieux cliquer sur le bouton Paramètres par défaut afin de rétablir la configuration normale.

Supprimer et récupérer les fichiers, dossiers et icônes

Tôt ou tard, vous serez amené à supprimer des fichiers qui n'ont plus lieu d'exister : les résultats de la loterie de la veille, par exemple, ou une lettre que vous trouvez si compromettante qu'il vaut mieux s'en débarrasser tout de suite. Mais soudain, vous venez de réaliser que vous avez fait une fausse manœuvre et détruit un fichier qu'il fallait conserver ! Ne vous en faites pas, car vous retrouverez sans aucun doute le précieux document dans la Corbeille de Windows XP. Les deux sections qui suivent expliquent comment supprimer un fichier et comment récupérer des fichiers que vous avez supprimés.

Se débarrasser d'un fichier ou d'un dossier

Pour supprimer un fichier ou un dossier, cliquez dessus avec le bouton droit de la souris. Choisissez ensuite Supprimer, dans le menu contextuel. Cette manipulation d'une surprenante simplicité fonctionne avec les fichiers, les dossiers, les raccourcis et, en fait, avec n'importe quel élément de Windows.

La commande Supprimer élimine des dossiers entiers, y compris tous les sous-dossiers et fichiers dont ils sont farcis. Assurez-vous d'avoir sélectionné le bon dossier avant d'appliquer la commande Supprimer.

- Après avoir choisi Supprimer, Windows affiche un panneau d'alerte qui demande si vous êtes bien sûr de ce que vous allez faire. Si oui, cliquez sur le bouton Oui (NdT : eh oui…).
- Assurez-vous tout particulièrement que vous savez ce que vous faites lorsque vous supprimez des fichiers dont l'icône montre des engrenages. Ces fichiers sont en effet des fichiers cachés sensibles que l'ordinateur ne tient pas spécialement à voir disparaître. À part ça, ces fichiers ne sont pas très folichons, malgré leur look mécanique.

- Maintenant que vous savez comment supprimer des fichiers, vous devez à tout prix lire la prochaine section "Comment récupérer un fichier".

La suppression d'un raccourci du Bureau – ou n'importe où ailleurs – n'élimine qu'un bouton servant à charger un fichier ou un programme. Vous pouvez en faire ce que vous voulez : le déplacer, le supprimer ou le récupérer, voire en créer un nouveau. Le programme lui-même n'est en rien concerné et ne risque rien. En revanche, la suppression d'une icône *dépourvue de la petite flèche* qui caractérise les raccourcis entraîne la suppression du programme lui-même. Il se retrouve dans la Corbeille, d'où il disparaîtra au bout de quelques semaines.

Comment récupérer un fichier

Un jour ou l'autre, vos petits doigts agiles se mélangeront les pinceaux et vous supprimerez le fichier qu'il ne fallait pas. Une frappe imprécise, un léger déplacement de la souris – sans parler des "actes manqués" – ou, si vous vivez dans une zone sismique, une petite secousse au mauvais moment peuvent faire disparaître un fichier.

Enfer et damnation ! Après vous être remis de vos terreurs, double-cliquez sur la Corbeille. Surgie des profondeurs de Windows, la fenêtre de la Corbeille s'affiche à l'écran, comme le montre la Figure 10.3.

Pour restaurer un fichier ou un dossier là où il était auparavant, cliquez sur son nom dans la Corbeille avec le bouton droit de la souris et, dans le menu, choisissez Restaurer. Le fichier ou le dossier réapparaît à l'endroit où vous l'aviez supprimé.

Vous pouvez aussi faire glisser l'élément supprimé hors de la Corbeille. À l'aide de la souris, pointez sur le nom du fichier à récupérer puis, le bouton enfoncé, allez vers le Bureau. Relâchez le bouton. Windows XP place le fichier sur le Bureau. Vous pourrez ensuite le mettre où vous voudrez.

Figure 10.3 : Le bouton de restauration de la Corbeille peut vous tirer d'affaire si vous avez supprimé des éléments par mégarde.

Mais dans certaines circonstances, la Corbeille ne vous sera d'aucun secours. C'est pourquoi vous devez rester prudent car :

- Vous ne pouvez restaurer des éléments que pendant les quelques semaines qui suivent leur suppression. Si vous attendez trop longtemps, la Corbeille se débarrassera éventuellement d'une partie de son contenu. Il lui est en effet impossible de sauvegarder vos fichiers supprimés pendant une éternité, car la place viendra tôt ou tard à manquer. Les éléments supprimés peuvent occuper jusqu'à environ 10 % de la place sur le disque dur. En clair, cela signifie que vous disposez d'un délai de quelques semaines avant que la Corbeille ne se débarrasse définitivement des éléments les plus anciens.

- La Corbeille ne restaure que les fichiers supprimés qui se trouvaient sur le *disque dur*. C'est le cas de 99 % des fichiers concernés. Mais vous ne bénéficierez d'aucun recours si vous supprimez un fichier important d'une disquette, la photographie authentique d'un OVNI de votre appareil photo numérique, votre musique préférée d'un lecteur MP3 ou un fichier du réseau. La Corbeille ne sauvegarde aucun fichier provenant de ces endroits. Quand ils sont supprimés, ils le sont définitivement.

- Si sur le réseau vous supprimez un fichier placé sur l'ordinateur de quelqu'un d'autre, ce fichier ne pourra plus être récupéré. La Corbeille ne reçoit que les éléments supprimés sur votre propre ordinateur, et non sur celui d'autrui. Pour d'inavouables raisons, la Corbeille de l'ordinateur distant sera elle aussi dans l'incapacité de récupérer l'élément.

- La Corbeille occupe normalement jusqu'à 10 % du disque dur. Par exemple, si le disque dur a une capacité de 20 Go, la Corbeille contiendra environ 2 Go de fichiers supprimés. Cette limite atteinte, elle se débarrasse définitivement des éléments les plus anciens afin de libérer de la place pour de nouveaux éléments. Pour augmenter le pourcentage qui lui est dévolu, cliquez sur l'icône de la Corbeille (sur le Bureau), choisissez Propriétés, puis réglez sa capacité dans la fenêtre qui apparaît.

Copier ou déplacer un fichier, un dossier ou une icône

Pour copier ou déplacer des fichiers dans d'autres dossiers, il est parfois plus facile d'utiliser la souris pour les *faire glisser* jusqu'à destination. Voici par exemple la procédure à suivre pour déplacer un fichier dans un autre dossier. Nous allons déplacer le fichier Voyageur du dossier Maison au dossier Maroc.

1. **Amenez le pointeur de la souris au-dessus du fichier à déplacer ; ensuite, appuyez sur le bouton droit de la souris et maintenez-le enfoncé.**

   Comme vous le voyez dans la Figure 10.4, nous avons ouvert le dossier Maison en double-cliquant dessus. Dedans se trouve le fichier Voyageur que nous voulons déplacer.

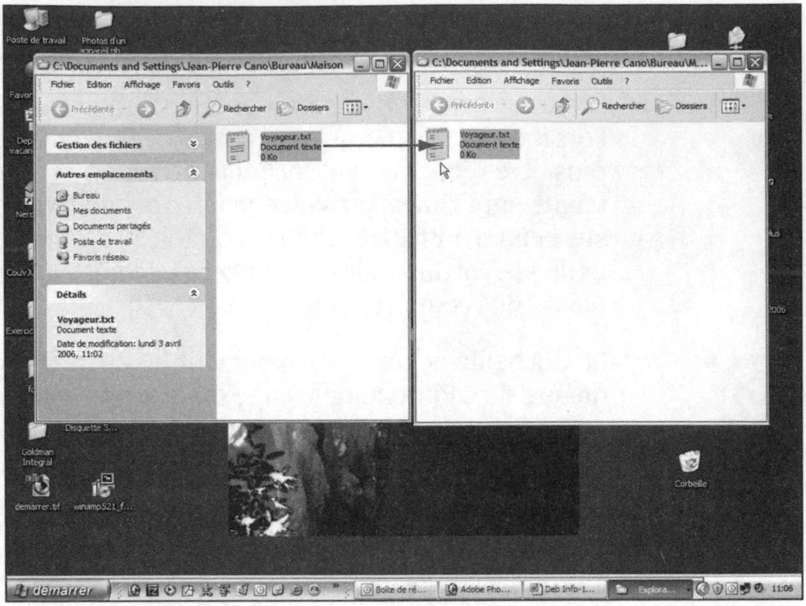

Figure 10.4 : Le fichier Voyageur est en train d'être tiré du dossier Maison (à gauche) vers le dossier Maroc (à droite).

2. **Le bouton de la souris enfoncé, faites glisser le fichier jusque dans le dossier de destination.**

   Le truc, c'est de bien maintenir tout le temps le bouton droit de la souris enfoncé. Pendant son déplacement, le fichier est accompagné d'une petite flèche. La Figure 10.4 montre le dossier d'origine avec le fichier au départ ainsi que le dossier de destination et le fichier en cours de déplacement.

3. **Relâchez le bouton et, dans le menu contextuel qui apparaît, choisissez Copier ici, Déplacer ici ou Créer les raccourcis ici.**

   Dès que la flèche se trouve là où vous voulez déplacer le fichier, relâchez le bouton de la souris puis, dans le menu qui apparaît, choisissez Copier ici, Déplacer ici ou Créer les raccourcis ici.

Le déplacement d'un fichier ou d'un dossier en le faisant glisser est en vérité assez facile. Le plus dur, c'est quand vous devez faire apparaître simultanément à l'écran le fichier et son dossier de destination, surtout quand ce dernier est profondément enfoui dans l'ordinateur.

C'est pourquoi Windows propose d'autres moyens de copier ou de déplacer des fichiers. Vous n'êtes plus obligé de faire glisser et déposer des icônes si vous n'y tenez pas. Bien qu'aucune de ces méthodes ne convienne à toutes les situations, elles donnent de bons résultats.

Et si je ne maintiens pas le bouton droit de la souris enfoncé pendant le glisser-déposer ?

Le Poste de travail se comporte parfois d'une façon terriblement bête et déroutante : quand vous faites glisser un fichier d'un dossier à un autre sur un même lecteur, vous *déplacez* le fichier. Mais quand vous le faites glisser d'un dossier à un autre situé sur un autre lecteur, vous *copiez* le fichier.

Je vous jure que je n'y suis pour rien dans cette règle. Et ce n'est pas tout ! Il y a plus compliqué : vous pouvez cliquer sur le fichier et maintenir la touche Maj enfoncée pour inverser la règle. Voilà pourquoi il est plus facile de simplement maintenir la touche droite de la souris enfoncée chaque fois que vous procédez à un glisser-déposer, et ce avec quoi que ce soit.

- **Couper et coller :** Cliquez avec le bouton droit de la souris sur un fichier ou un dossier et choisissez Couper ou Copier, selon que vous voulez le déplacer ou le dupliquer. Cliquez ensuite avec le bouton droit dans le dossier de destination et choisissez Coller. C'est simple, ça marche à tous les coups et vous n'avez pas à afficher simultanément à l'écran l'élément et sa destination. Cette manipulation exige néanmoins souvent quelques appuis sur des touches.

- **Les commandes Copier dans le dossier et Déplacer vers le dossier :** Elles ne fonctionnent que sur des éléments présents dans des dossiers. Cliquez sur un fichier puis, dans le menu du dossier, cliquez sur Édition puis sur Copier dans le dossier ou Déplacer vers le dossier. Une fenêtre apparaît. Elle contient l'arborescence de tous les dossiers de l'ordinateur. Cliquez dessus jusqu'à ce que vous soyez arrivé au dossier de destination. Windows effectue ensuite la copie ou le déplacement. Cette méthode fonctionne bien, mais elle n'est pratique que si vous connaissez l'emplacement exact du dossier de destination.

- **L'Explorateur Windows :** Décrit plus loin dans ce chapitre, l'Explorateur Windows ressemble au Poste de travail, sauf que, dans le volet gauche de la fenêtre, il présente l'arborescence complète de l'ordinateur. Il est ainsi plus facile de voir à la fois l'objet et sa destination. L'Explorateur Windows est souvent la méthode la plus rapide pour gérer les fichiers, mais vous devez savoir où se trouve ce programme ; nous y reviendrons à la fin de ce chapitre. Si vous voulez avoir un aperçu de ce qu'est l'Explorateur Windows, ouvrez le Poste de travail puis, dans le menu qui se trouve en haut, cliquez sur le bouton Dossiers.

N'OUBLIEZ PAS

Faites toujours glisser les icônes avec le *bouton droit* de la souris. Windows XP aura ainsi l'amabilité de vous proposer un menu d'options au moment où vous placerez l'icône. Vous y choisirez de copier l'élément, de le déplacer ou de créer un raccourci. Si vous utilisez le bouton gauche de la souris, Windows ne saura pas s'il doit copier ou déplacer.

- Pour copier ou déplacer un fichier vers une disquette, un appareil photo numérique ou un lecteur MP3 présent dans le Poste de travail, maintenez le bouton droit de la souris enfoncé tout en faisant glisser l'élément jusque sur l'icône de ces périphériques.

- Ne déplacez jamais les dossiers Mes documents, Mes images, Ma musique, Documents partagés, Images partagées ou Musique partagée. Laissez-les là où ils sont afin qu'ils restent faciles à localiser.

- Après avoir démarré l'installation d'un programme afin de placer un logiciel sur le disque dur, ne déplacez plus du tout le dossier de ce logiciel ni aucun des dossiers qui en font partie. Un programme d'installation ajoute souvent toutes sortes de programmes à l'intérieur de Windows, et il inscrit des informations comportant notamment le chemin du logiciel dans divers fichiers de configuration. Si vous déplacez le dossier du logiciel, ce dernier risque de ne plus fonctionner et vous devrez le réinstaller. En revanche, vous pouvez déplacer librement le raccourci qui pointe vers le programme.

Sélectionner plusieurs fichiers ou dossiers

Windows XP permet de faire glisser plusieurs fichiers ou dossiers en même temps. Vous n'êtes pas du tout tenu de les manipuler un par un.

Pour sélectionner plusieurs éléments à la fois, maintenez la touche Ctrl enfoncée tout en cliquant sur les noms ou sur les icônes. Chacun de ces éléments reste en surbrillance tandis que vous cliquez sur les autres.

Pour sélectionner une succession de plusieurs fichiers ou dossiers, cliquez sur le premier. Ensuite, la touche Maj enfoncée, cliquez sur le dernier de la série. Les deux éléments sur lesquels vous avez cliqué sont en surbrillance ainsi que chacun des fichiers ou dossiers qui se trouvent entre.

Windows XP permet aussi de sélectionner des fichiers au lasso. Pointez légèrement au-dessus du premier fichier ou dossier désiré puis, le bouton de la souris enfoncé, tirez jusqu'au dernier fichier ou dossier. La souris génère un lasso invisible (NdT : parfois appelé "élastique") qui entoure les éléments. Relâchez le bouton. Le lasso disparaît, laissant les fichiers en surbrillance.

- Vous pouvez faire glisser cet ensemble de fichiers de la même manière que pour un seul fichier.
- Vous pouvez aussi simultanément couper ou copier et coller cet ensemble à un nouvel emplacement en utilisant n'importe laquelle des méthodes décrites dans la

section "Copier ou déplacer un fichier, un dossier ou une icône".

- Il est aussi possible de supprimer cet ensemble.
- Il n'est en revanche pas possible de renommer globalement. Cette opération doit être faite au coup par coup.

- Pour sélectionner instantanément tous les fichiers d'un dossier, cliquez sur Édition/Sélectionner tout, ou appuyez sur Ctrl+A. Il existe un autre truc sympa : pour tout sélectionner sauf quelques fichiers, appuyez sur Ctrl+A puis, la touche Ctrl enfoncée, cliquez sur les fichiers à désélectionner.

Renommer un fichier, un dossier ou une icône

Un nom de fichier ou de dossier ne vous convient plus ? Vous n'avez qu'à en changer. Cliquez sur le nom tombé en disgrâce avec le bouton droit de la souris et, dans le menu contextuel, choisissez Renommer.

L'ancien nom est mis en surbrillance et disparaît dès le moment où vous commencez à taper le nouveau. Appuyez ensuite sur Entrée ou cliquez dans le Bureau pour valider le nouveau nom.

Vous pouvez aussi cliquer sur le nom du fichier ou du dossier pour le sélectionner ; patientez une petite seconde puis cliquez de nouveau dessus. Windows met l'ancien nom en surbrillance, prêt à le remplacer par le nouveau. D'autres cliquent sur le nom et appuient sur F2 : Windows les laisse alors renommer le fichier.

- Quand vous renommez un fichier, vous ne modifiez que son nom. Son contenu ne change pas, pas plus que sa taille, et il reste au même endroit.

- Il n'est pas possible de renommer un groupe de fichiers. Si vous essayez, un seul d'entre eux se prêtera à l'opération.

- Renommer certains fichiers sème la confusion dans Windows, notamment si ces fichiers sont des programmes. Abstenez-vous aussi de renommer les fichiers Mes documents, Mes images ou Ma musique.

Certaines icônes, comme celle de la Corbeille, n'accepteront pas d'être renommées. Comment savoir si une icône veut bien changer de nom ? Cliquez dessus avec le bouton droit de la souris. Si la commande Renommer ne figure pas dans le menu contextuel, c'est que l'icône ne peut pas être renommée. Vraiment pratique, ce bouton droit

Les noms de fichiers et de dossiers légaux et illégaux

Windows est assez maniaque sur la syntaxe des noms de fichiers et de dossiers (NdT : et de raccourcis). Pas de problème si vous vous en tenez aux chiffres et aux lettres. Mais n'essayez pas d'utiliser les caractères suivants :

```
: / \ * | < > ? "
```

Si vous en glissez un dans un nom, Windows XP affiche un message d'erreur à l'écran et vous invite à modifier le nom erroné.

Ces noms sont illégaux :

```
Document 1/7
Travail : 2
Envoi > Toto
1 < 2
Lettre aux "pourris"
```

Mais ces noms sont légaux, donc autorisés :

```
Première partie
Travail n°2
2 est supérieur à 1
Lettre aux #-$!:o@
```

- Pour peu que vous vous souveniez des caractères auxquels vous avez droit et de ceux qui sont interdits, vous n'aurez sans doute aucun problème.

- Vous utilisez un appareil photo numérique, un scanneur ou un lecteur MP3 ? N'employez jamais de caractères illégaux dans les noms des fichiers qu'ils produisent, car Windows piquerait sa crise au moment de l'importation dans le dossier Mes images.

- À l'instar de ses prédécesseurs, Windows XP attribue automatiquement une extension aux fichiers, ce qui lui permet de savoir quels programmes les ont créés. Normalement, Windows XP masque les extensions afin de ne pas dérouter l'utilisateur. Mais si vous rencontrez un jour une extension comme dans Pigé.doc, Lisez-moi.txt ou Mollusque.bpm, vous saurez que ces fichiers ont respectivement été créés par WordPad, par le Bloc-notes et par Paint. Ces extensions sont généralement cachées, de sorte que seules les icônes peuvent vous permettre de deviner d'où provient tel ou tel fichier.

Si vous tenez absolument à voir les extensions de fichiers, cliquez sur l'option Outils du menu d'un dossier (ou du Panneau de configuration), sur Options des dossiers, puis sur l'onglet Affichage. Cliquez ensuite dans la case de l'option Masquer les extensions de fichiers dont le type est connu. Vous ôtez ainsi la coche. Après avoir cliqué sur le bouton Appliquer, les noms des fichiers apparaissent avec leur extension (cochez de nouveau cette case ou cliquez sur le bouton Paramètres par défaut pour masquer les extensions).

Il vous arrivera parfois de trouver un nom de fichier comportant un *tilde,* comme dans Immobi~1.txt. C'est la manière spéciale qu'a Windows XP de gérer les noms de fichiers longs. Les noms des anciens programmes (NdT : ceux tournant sous DOS ou sous d'anciennes versions de Windows) n'avaient droit qu'à huit caractères. En cas de conflit, Windows XP réduit le nom long d'un fichier afin que ces anciens programmes puissent charger ces fichiers. En sortant du programme, le fichier conserve son nom réduit un peu bizarre (NdT : le chiffre est un numéro, pour le cas où plusieurs noms auraient un même commencement).

Copier l'intégralité d'une disquette

Pour copier des fichiers d'un disque vers un autre, faites-les glisser comme nous l'avons décrit précédemment. Mais pour copier l'intégralité d'une disquette, utilisez la commande Copie de disquette.

La différence ? Lorsque vous copiez des fichiers, vous faites glisser des noms de fichiers spécifiques. Mais quand vous copiez la totalité d'une disquette, la commande Copie de disquette effectue une duplication à l'identique : même les parties vides sont copiées ! C'est d'ailleurs pour cela que le processus est un peu plus long qu'un simple glisser-déposer de fichiers.

La commande Copie de disquette souffre de deux limitations principales :

- Elle ne peut copier que vers des disquettes de même *taille* ou *capacité*. De même qu'il est impossible de transvaser tout un bock de bière dans une flûte à champagne, vous ne pouvez transférer les données d'une disquette vers une autre que si cette dernière est capable d'engranger la même quantité de données.
- La copie ne s'effectue qu'entre des disques amovibles : disquettes 3"1/2, disquettes Zip, Syquest et autres périphériques aux noms ésotériques.

Voici comment vous devez procéder pour copier le contenu d'une disquette sur un autre disque amovible :

1. **Placez la disquette dans le lecteur.**

2. **Double-cliquez sur l'icône Poste de travail.**

3. **Cliquez avec le bouton droit de la souris sur l'icône de la disquette.**

4. **Dans le menu, choisissez la commande Copie de disquette.**

   Une boîte de dialogue vous demande de préciser vers quel lecteur la copie doit être faite.

5. **Cliquez sur le bouton Démarrer pour lancer la copie et suivez les directives.**

   La commande Copie de disquette est commode pour effectuer des copies de sauvegarde de vos programmes préférés.

La commande Copie de disquette écrase toutes les données du disque de destination. N'utilisez pas par inadvertance une disquette contenant des informations importantes.

En fait, vous ne devriez utiliser la commande Copie de disquette que pour effectuer des copies de sauvegarde de vos programmes. Il arrive parfois que ces programmes soient accompagnés de fichiers secrets cachés dans la disquette. En effectuant une copie complète (NdT : dite "bit à bit"), vous êtes sûr que l'intégralité de la disquette est dupliquée, y compris ces fichiers cachés.

Créer un dossier

Pour ranger de nouvelles informations dans une armoire de classement, vous prenez un dossier, vous collez dessus une étiquette avec son nom et vous commencez à le remplir de paperasses.

Pour stocker de nouvelles informations dans Windows XP – votre échange de billets doux avec l'administration fiscale par exemple –, vous créez un nouveau dossier, lui trouvez un nom évocateur, puis y placez vos fichiers.

Voici comment créer un nouveau dossier dans la zone Mes documents, qui est une sorte de fourre-tout pour tout ce que vous jugerez bon d'y mettre :

1. **Dans le menu Démarrer, choisissez Mes documents.**

2. **Cliquez avec le bouton droit de la souris dans la fenêtre de Mes documents et choisissez Nouveau.**

   Cliquer avec le bouton droit dans Mes documents fait apparaître un menu spécifique. Choisissez Nouveau.

3. **Dans le menu, sélectionnez l'option Dossier.**

   Dès que vous voyez un sous-menu apparaître à côté de l'option Nouveau, choisissez Dossier, comme l'illustre la Figure 10.5. Un nouveau menu apparaît sur le Bureau, attendant que vous le nommiez.

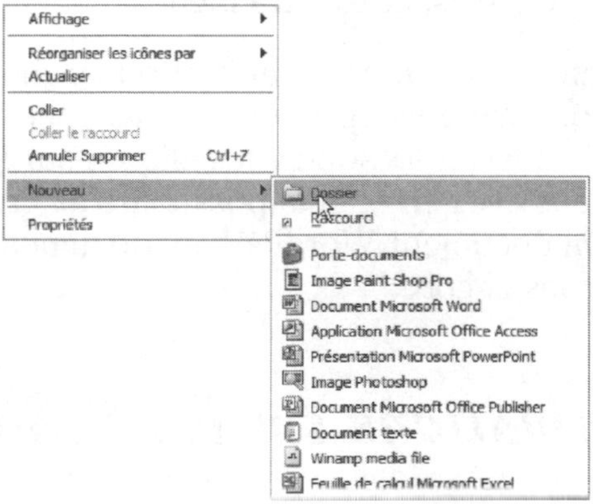

Figure 10.5 : Cliquez avec le bouton droit de la souris là où le nouveau dossier doit être créé. Choisissez ensuite Nouveau/ Dossier.

4. **Tapez le nouveau nom du dossier.**

   Le nom d'un dossier qui vient d'être créé est en surbrillance. Dès que vous commencez à taper, Windows XP efface automatiquement l'ancien nom et le remplace par le nouveau. Vous avez fini ? Appuyez sur

Entrée ou cliquez hors de la zone de texte que vous venez de remplir.

Si vous vous êtes trompé dans le nom et que vous vouliez recommencer, cliquez sur le dossier avec le bouton droit de la souris, choisissez Renommer puis recommencez.

Pour mettre des fichiers dans le nouveau dossier, faites-les glisser dessus. Ou suivez les instructions données dans la section "Copier ou déplacer un fichier, un dossier ou une icône".

Pour copier ou déplacer un ensemble de fichiers, sélectionnez-les tous à la fois avant de les faire glisser. Vous en saurez plus sur cette manipulation en vous reportant à la section "Sélectionner plusieurs fichiers ou dossiers", ci-dessus dans ce chapitre.

À l'instar des fichiers, seuls certains caractères sont autorisés pour nommer les dossiers. Tenez-vous-en aux chiffres et aux lettres, et tout ira bien.

Les observateurs perspicaces auront remarqué dans la Figure 10.5 que Windows propose de créer bien d'autres choses qu'un dossier lorsque vous cliquez sur le bouton Nouveau. Vous avez en effet la possibilité de créer un raccourci, un document WordPad, un document texte et d'autres choses encore.

Obtenir des informations sur les fichiers et les dossiers

Chaque fois que vous créez un fichier ou un dossier, Windows XP gribouille dessus une tapée d'informations secrètes : sa taille, sa date de création et autres banalités. Il vous laisse même parfois ajouter vos propres informations : des paroles pour les fichiers musicaux et les dossiers, des vignettes pour les dossiers graphiques et informations pertinentes.

Pour savoir ce que Windows XP appelle un *fichier* ou un *dossier*, cliquez sur un élément avec le bouton droit de la souris et, dans le menu, choisissez Propriétés. Par exemple, les propriétés du fichier Sonate de Mozart nous apprennent un tas de détails, comme le montre la Figure 10.6.

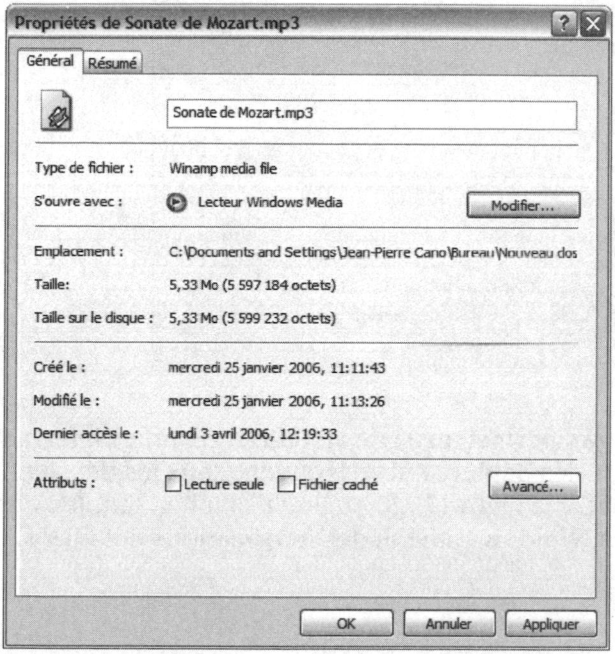

Figure 10.6 : Pour en savoir plus au sujet d'un fichier, cliquez sur son icône ou sur son nom avec le bouton droit de la souris et, dans le menu contextuel, choisissez Propriétés.

Windows nous apprend que ce fichier contient un fichier au format MP3 d'une sonate de Mozart. La taille du fichier est de 5,33 Mo et il est lisible par Windows Media Player, en fait le Lecteur Windows Media. Si vous voulez lire ce fichier avec un autre programme que le Lecteur Windows Media, cliquez sur le bouton Modifier et choisissez un autre logiciel audio dans la liste.

Cliquez sur l'onglet Résumé et, pour le plaisir, sur le bouton Avancé. Comme le montre la Figure 10.7, Windows affiche le nom de l'artiste, de l'album, l'année de création, la durée, et d'autres informations techniques concernant l'encodage du fichier.

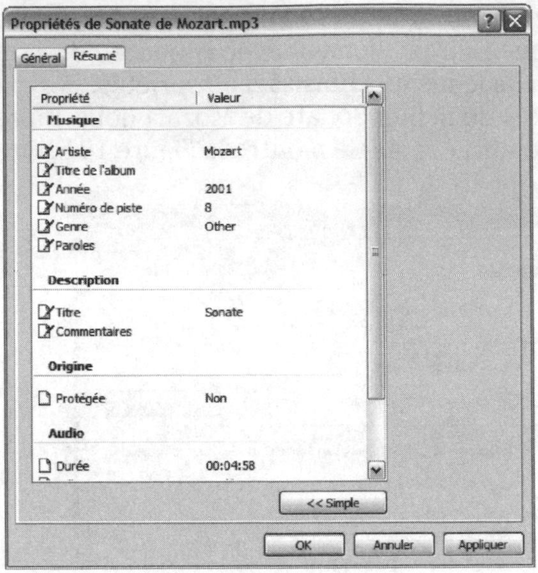

Figure 10.7 : Pour avoir des détails sur le contenu d'un fichier ou d'un dossier, cliquez sur l'onglet Résumé de la boîte de dialogue Propriétés.

Windows permet aussi de visualiser diverses informations à propos des fichiers qui se trouvent dans les dossiers, comme le montre la Figure 10.8. Au lieu d'afficher simplement des icônes, Windows affiche des informations détaillées.

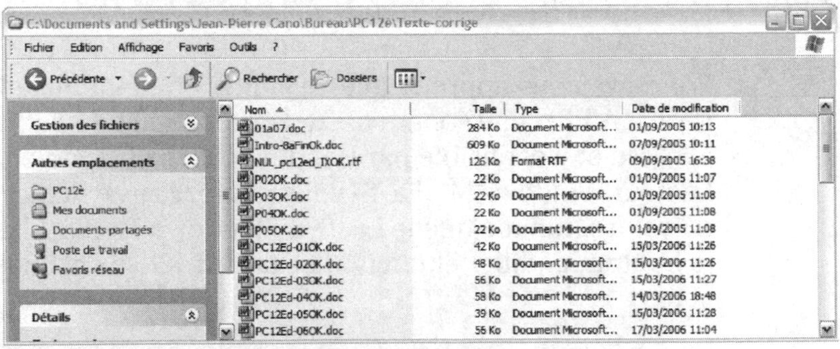

Figure 10.8 : Dans le menu d'un dossier, choisissez Affichage/Détails. Les fichiers sont listés avec leurs informations complémentaires.

- Dans le menu Affichage d'un dossier, sélectionnez Détails pour obtenir toutes les informations disponibles sur les fichiers qu'il contient.

- Pour passer d'un affichage à un autre, cliquez sur la minuscule flèche noire pointant vers le bas, à droite de la dernière icône de la barre d'outils d'une fenêtre de dossier (voir ci-contre). Un menu déroulant apparaît avec les diverses options d'affichage : Miniatures, Mosaïques, Icônes, Liste et Détails. Essayez-les toutes pour voir ce qu'elles donnent. Elles modifient uniquement la présentation des fichiers ; vous ne risquez pas de les endommager.
- Si la barre d'outils n'est pas affichée en haut de la fenêtre du dossier, cliquez dans le menu sur Affichage/ Barres d'outils/Boutons standard. La barre d'outils est désormais visible.

- Si vous ne vous souvenez pas à quoi servent les boutons de la barre d'outils, immobilisez un instant le pointeur de la souris sur un bouton ; Windows affiche une infobulle indiquant sa fonction et, occasionnellement, ajoute quelques informations supplémentaires en bas de la fenêtre.
- Bien que certaines informations complémentaires concernant les fichiers soient dignes d'intérêt, elles risquent d'occuper de la place dans la fenêtre, limitant le nombre de fichiers affichés. L'affichage des seuls noms est souvent une bonne idée. Ensuite, si vous voulez en savoir plus sur un fichier, rien ne vous empêche d'appliquer l'astuce ci-après.

En premier lieu, Windows XP affiche les noms des fichiers triés alphabétiquement dans la fenêtre Poste de travail. Mais, en cliquant dans un dossier avec le bouton droit de la souris et en choisissant d'autres types de tri dans le menu Affichage/ Réorganiser les icônes par, vous pouvez trier les fichiers selon d'autres critères. Par exemple, si vous choisissez Réorganiser les icônes par/Taille, les fichiers les plus gros sont placés en tête de liste. Ou alors, vous pouvez choisir l'option Date afin que les fichiers les plus récents se trouvent en haut de la liste. Des options de tri différentes sont proposées pour les fichiers de musique et les fichiers graphiques.

Vous pouvez également trier en cliquant sur les titres des colonnes d'une fenêtre, sur Taille par exemple. Le tri s'effectuera selon la colonne choisie (NdT : cliquer une seconde fois inverse l'ordre du tri).

C'est quoi l'Explorateur Windows ?

Bien que Windows affiche presque toujours les fichiers et les dossiers dans la fenêtre du Poste de travail, un autre programme peut s'avérer très utile pour examiner et gérer vos fichiers et vos dossiers. Le Poste de travail ne montre que le contenu d'un seul dossier à la fois. En revanche, Windows Explorer donne à voir tous les dossiers à la fois, comme le montre la Figure 10.9. Mieux, l'Explorateur Windows est facile à charger et il est tout aussi facile de s'en défaire.

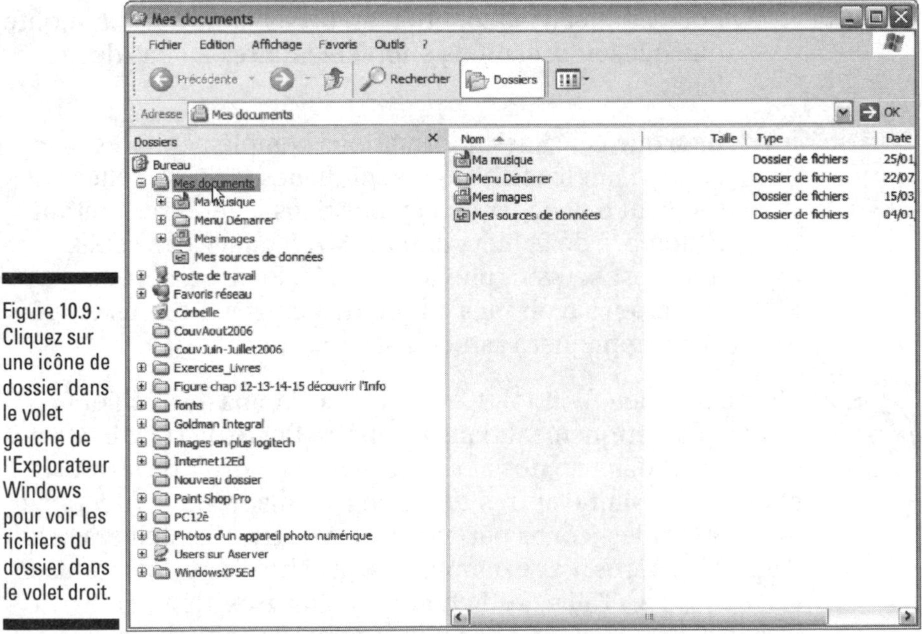

Figure 10.9 : Cliquez sur une icône de dossier dans le volet gauche de l'Explorateur Windows pour voir les fichiers du dossier dans le volet droit.

Pour charger l'Explorateur Windows à partir du Poste de travail, cliquez sur l'icône Dossiers, sous la barre de menus.

Une liste de dossiers apparaît spontanément dans le volet gauche, ce qui transforme le Poste de travail en Explorateur Windows. Si vous avez lu le début de ce chapitre, où il était question de dossiers organisés en arborescence, vous avez sans aucun doute remarqué que l'Explorateur Windows a adopté cette méthode d'affichage des fichiers.

Vous avez vu que les icônes de certains dossiers étaient précédées d'un petit signe "plus" ? Cela signifie qu'ils contiennent des sous-dossiers. Cliquez sur un signe "plus" et le dossier s'ouvre, affichant dans l'arborescence les sous-dossiers qu'il recèle. Cliquer sur des signes "plus" déploie l'arborescence des dossiers et donne idée du nombre de niveaux.

Windows affiche les noms des dossiers dans le volet de gauche et le contenu du dossier sélectionné dans le volet de droite. Il est ainsi beaucoup plus facile de déplacer ou copier des éléments d'un dossier à un autre.

Pour copier une lettre du Bureau vers le dossier Courrier professionnel, par exemple, ouvrez l'Explorateur Windows puis, dans le volet de gauche, cliquez sur Bureau ; le contenu du Bureau apparaît dans le volet de droite. Cliquez avec le bouton droit de la souris sur l'icône de la lettre à classer puis choisissez l'option Copier, comme nous l'avons expliqué plus haut dans ce chapitre, dans la section consacrée à la copie et au déplacement des fichiers.

Trouvez le dossier Courrier professionnel parmi les dossiers affichés dans le volet de gauche, cliquez dessus avec le bouton droit de la souris et choisissez Coller. Windows copie la lettre dans le dossier Courrier professionnel.

- Pour voir ce que contient l'ordinateur, certaines personnes préfèrent la méthode "tout montrer" de l'Explorateur Windows. D'autres préfèrent le Poste de travail. Les deux approches se valent. Essayez-les toutes deux et faites votre choix.

- Vous pouvez créer des dossiers et des documents dans l'Explorateur Windows, exactement comme dans le Poste de travail (nous avons expliqué la procédure précédemment dans ce chapitre). En fait, la plupart des commandes et la méthodologie sont identiques dans les deux interfaces. L'Explorateur Windows fonctionne comme le Poste de travail, mais avec en prime l'arborescence des dossiers dans le volet de gauche.

- Pour vous débarrasser de l'Explorateur Windows, et donc, supprimer l'affichage de tous ses dossiers dans le volet gauche, cliquez de nouveau sur l'icône Dossiers, dans la barre d'outils.

Comment me connecter au réseau ?

Windows XP est capable de connecter un grand nombre d'ordinateurs ensemble au travers d'un réseau domestique et, fort heureusement, il est ensuite assez facile d'aller récolter des fichiers dans les autres ordinateurs. C'est encore plus facile si quelqu'un d'autre a déjà configuré le réseau. Une fois qu'il est opérationnel, il suffit de prendre le train en marche. Il n'y a plus grand-chose à apprendre

Vous avez vu l'icône Favoris réseau dans le menu Démarrer ? C'est la clé qui ouvre la porte pour tous les ordinateurs actuellement connectés au vôtre.

Double-cliquez sur cette icône et une fenêtre semblable à celle de la Figure 10.10 apparaît. Sur votre ordinateur, elle sera bien sûr légèrement différente, car votre configuration n'est pas la même. Dans la Figure 10.11, de nombreux ordinateurs sont connectés en réseau.

Double-cliquez sur le dossier de l'ordinateur auquel vous voulez vous connecter. Une nouvelle fenêtre montre le contenu du dossier de cet ordinateur, qu'il soit dans une autre pièce, dans un autre bâtiment, voire à l'autre bout du monde.

- Quand vous visualisez les fichiers d'un autre ordinateur, tout se passe comme si c'était votre ordinateur. Ne vous privez pas de pointer et cliquer dans les dossiers d'autrui. Pour copier des fichiers de-ci, de-là, faites-les simplement glisser d'une fenêtre d'ordinateur à une

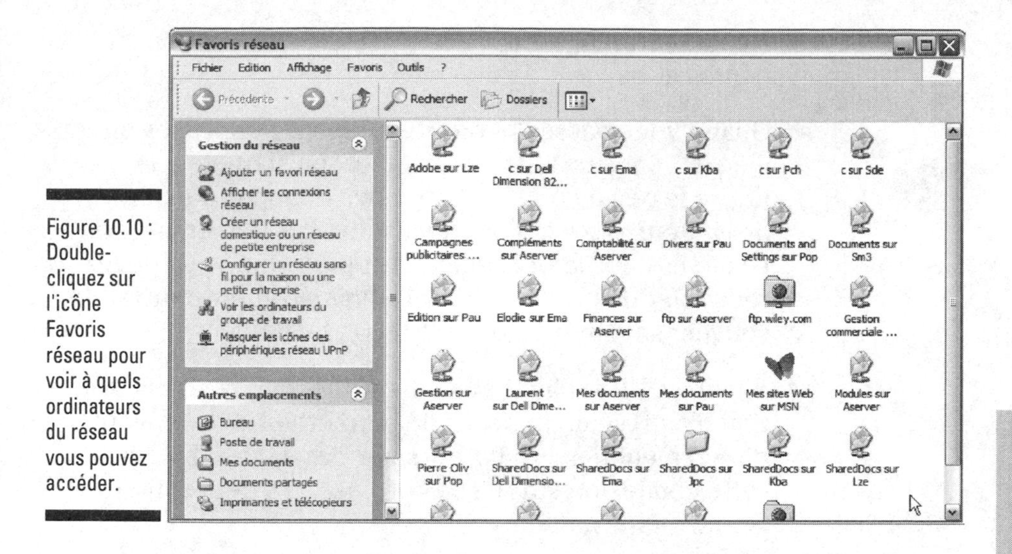

Figure 10.10 : Double-cliquez sur l'icône Favoris réseau pour voir à quels ordinateurs du réseau vous pouvez accéder.

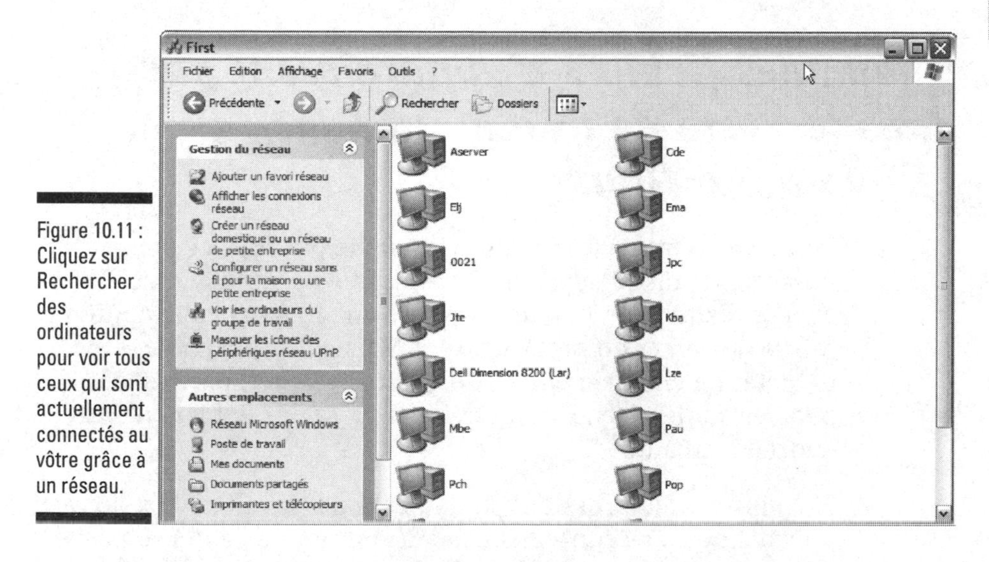

Figure 10.11 : Cliquez sur Rechercher des ordinateurs pour voir tous ceux qui sont actuellement connectés au vôtre grâce à un réseau.

autre. Il arrive parfois qu'un ordinateur exige un mot de passe ; dans ce cas, vous devrez obtenir la permission de son propriétaire.

- Vous pouvez circuler en toute quiétude sur le réseau, car vous n'avez accès qu'aux ordinateurs auxquels l'administrateur vous a réservé un accès. Votre parcours est balisé.

ATTENTION !

- Quand vous passez par le réseau pour supprimer un élément dans un autre ordinateur, ou si quelqu'un utilise le réseau pour détruire des données dans *votre* ordinateur, il n'y a plus rien à faire. Les fichiers ne sont pas jetés dans la Corbeille. C'est pourquoi vous devez redoubler de prudence, car l'administrateur pourra bien souvent savoir qui a détruit tel ou tel fichier.

- Windows XP est livré avec un processus de configuration d'un réseau domestique permettant de connecter directement des ordinateurs par des câbles. En fait, cette connexion établie, les ordinateurs peuvent partager un même modem.

Quand des fichiers n'apparaissent pas dans le Poste de travail ou dans l'Explorateur Windows

Windows XP renâcle parfois et n'affiche pas tout ce qui se passe sur le disque dur. En général, il se débrouille plutôt bien avec le disque dur, et mieux encore quand vous vous contentez de démarrer un programme Mais il est incapable de détecter un changement de disquette et il perd parfois les pédales sur le réseau, quand vous copiez des fichiers d'un endroit à un autre.

Si vous avez l'impression que le Poste de travail ou l'Explorateur Windows ne sont plus très au courant de ce qui se passe, demandez-leur d'*actualiser* l'affichage, c'est-à-dire de vérifier la liste des fichiers. Pour ce faire, cliquez sur Affichage/Actualiser, dans la barre de menus. Plus rapide encore : appuyez sur F5 (c'est l'une des touches de fonction situées en haut du clavier). Dans les deux cas, le programme vérifie l'affichage et, au besoin, met la liste à jour.

Appuyez sur la touche F5 chaque fois que vous insérez une nouvelle disquette dans le lecteur et que vous voulez voir ce qu'elle contient. Windows XP rafraîchit l'affichage et montre désormais les fichiers de la *nouvelle* disquette, et non ceux de l'ancienne.

Chapitre 11

En avant la musique avec le Lecteur Windows Media !

Dans ce chapitre :

- Lire des CD, des DVD, des fichiers MP3 ou WMA.
- Trouver et cataloguer la musique dans votre ordinateur.
- Créer des CD.
- Acheter de la musique et des films sur Internet.

Le Lecteur Windows Media 10 de Windows XP est loin de ces horreurs sonores. Il vous permet de gérer de fabuleuses vidéos, de voir des DVD, d'écouter des CD, des fichiers MP3, des stations de radio sur Internet, et bien plus encore. Mais seulement si vous appuyez *sur les bonnes touches*.

Stocker des fichiers dans la bibliothèque du Lecteur Windows Media

Lorsque vous lancez le Lecteur Windows Media pour la première fois, il vous demande si vous souhaitez qu'il trouve et organise automatiquement vos fichiers audio et vidéo afin de les placer dans sa bibliothèque. Si le Lecteur Windows Media n'a pas encore organisé vos fichiers, voici comment vous devez procéder :

1. **Sélectionnez Rechercher des fichiers multimédias dans le menu Outils (ou tapez la touche F3).**

2. **Indiquez au Lecteur Windows Media où il doit rechercher.**

   Cliquez sur le bouton Rechercher pour rechercher uniquement dans le dossier Ma Musique.

   Pour inclure d'autres dossiers ou lecteurs, cliquez sur le bouton Parcourir et sélectionnez le dossier ou le lecteur de votre choix. Pour rechercher sur la totalité de vos disques, cliquez sur la flèche associée à la liste déroulante Rechercher sur et sélectionnez Tous les lecteurs.

3. **Cliquez sur le bouton Rechercher pour lancer la recherche.**

Après avoir effectué la recherche, une fenêtre identique à celle de la Figure 11.1 s'affiche. Dans cette fenêtre, vos chansons sont classées par titre, artiste, genre, ou autres. Dans cette fenêtre, 4 catégories majeures sont listées :

- **Musique :** Tous vos fichiers audio (MP3, WMA et MIDI) apparaissent dans cette catégorie.
- **TV :** Dans cette catégorie apparaissent les émissions de télévision enregistrées sur des ordinateurs équipés de Windows Media Center. Si vous ne possédez pas cette version spéciale de Windows, vous ne verrez rien apparaître dans cette liste.
- **Vidéo :** Ici vous verrez apparaître les fichiers vidéo que vous aurez téléchargés sur Internet, ou les fichiers que vous aurez transférés depuis votre caméscope numérique.
- **Sélections :** Comme nous le verrons plus loin dans ce chapitre, apparaissent ici vos listes de lecture. Le Lecteur Windows Media crée des listes automatiques mais vous pouvez également créer vos propres listes de lecture.

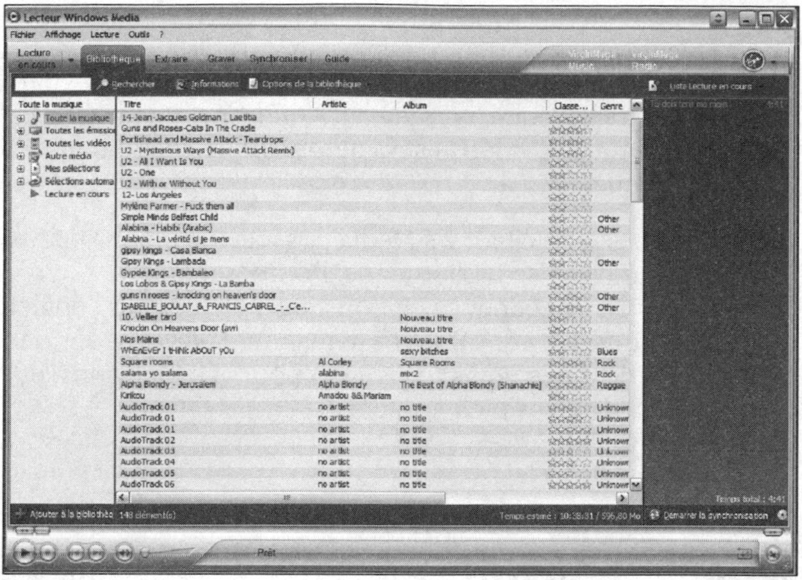

Figure 11.1 : La Bibliothèque du Lecteur Windows Media organise vos musiques et vos vidéos en catégories.

Qu'est-ce qu'une balise ?

Dans chacun de vos fichiers musicaux sont stockées des informations comme le nom de la chanson, celui de l'artiste, de l'album, et d'autres informations. Lorsque vous décidez d'organiser vos morceaux, le Lecteur Windows Media utilise ces balises et pas le nom du fichier pour créer ses catégories. La plupart des baladeurs numériques, comme le iPod, utilisent également ces balises, il est donc très important qu'elles soient bien à jour.

Lorsque des fichiers sont ajoutés, le Lecteur Windows Media remplit automatiquement ces balises à votre place.

La plupart des utilisateurs ne s'inquiètent pas de ces balises, mais certains, plus méticuleux, vérifient fréquemment qu'elles sont bien à jour. Pour vérifier vos balises et les modifier manuellement, cliquez sur Options dans le menu Outils, puis cliquez sur l'onglet Bibliothèque. Décochez toutes les cases de la zone Mises à jour automatiques des informations sur le média pour le fichier. Si vous souhaitez que le programme gère cela pour vous, laissez ces options cochées.

Pour éditer vos balises manuellement, cliquez avec le bouton droit de la souris sur un morceau et choisissez Editeur de balises avancé.

Pour mettre à jour automatiquement votre bibliothèque, choisissez Options dans le menu Outils, cliquez sur l'onglet Lecteur, et cochez la case Ajouter les fichiers de musique lus à la bibliothèque. Lorsque vous lancerez un morceau de musique ou une vidéo, il sera automatiquement ajouté à la bibliothèque.

Le Lecteur Windows Media possède de nombreuses options pour créer sa bibliothèque. Pour les modifier, ouvrez le menu Outils, sélectionnez Options, puis cliquez sur l'onglet Bibliothèque. Ici, vous pouvez demander la mise à jour des balises, corriger des noms de fichiers pour vos chansons, et réaliser bien d'autres tâches encore.

Les éléments de la fenêtre du Lecteur Windows Media

Le Lecteur Windows Media utilise les mêmes boutons et contrôles quel que soit le type de fichier qu'il lit. Dans la fenêtre 11.2, vous voyez affichée la page Lecture en cours et une chanson est en train d'être lue. Les légendes de la Figure 11.2 vous indiquent le rôle de chaque bouton et de chaque fonction.

Les boutons placés en bas de la fenêtre fonctionnent comme ceux d'un lecteur CD traditionnel. Les boutons rectangulaires situés en haut de la fenêtre, juste en dessous de la barre de menus, vous permettent d'effectuer les tâches suivantes :

- **Lecture en cours :** Cliquez sur ce bouton pour afficher des informations sur le média en cours de lecture.
- **Bibliothèque :** A partir d'ici, vous organisez vos musiques, vos vidéos, et vos listes de lecture. Pour lancer un fichier, faites un double-clic dessus.
- **Extraire :** Permet de copier un CD ou des fichiers spécifiques sur votre disque dur. (Sélectionnez Options dans le menu Outils pour personnaliser la manière dont les fichiers sont copiés).

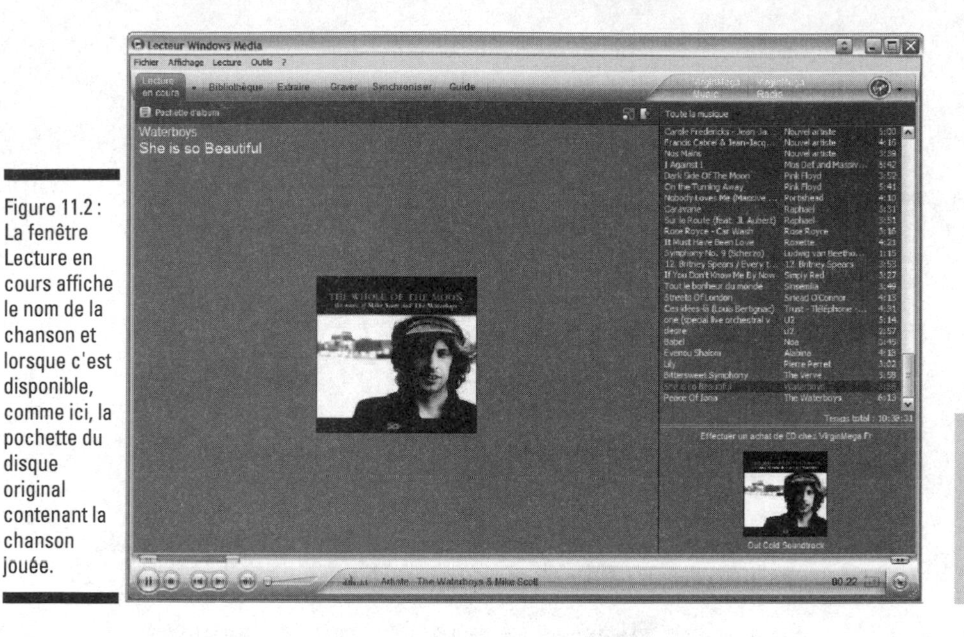

Figure 11.2 : La fenêtre Lecture en cours affiche le nom de la chanson et lorsque c'est disponible, comme ici, la pochette du disque original contenant la chanson jouée.

- **Graver :** Permet de copier de la musique de votre disque dur vers un CD.
- **Synchroniser :** Copie des fichiers vers votre baladeur numérique.
- **Guide :** Parcourt le site Microsoft (`windowsmedia.com`) à la recherche de musique, de vidéo, ou de stations de radio.
- **Boutiques en ligne :** A partir de là, vous pouvez sélectionner la boutique en ligne de votre choix pour effectuer vos achats de musique ou de DVD.

Ecouter un CD

Lire un CD avec le Lecteur Windows Media est une opération d'une simplicité enfantine. La seule confusion possible vient de l'apparition de la fenêtre de la Figure 11.3 lorsque vous insérez le CD dans le lecteur.

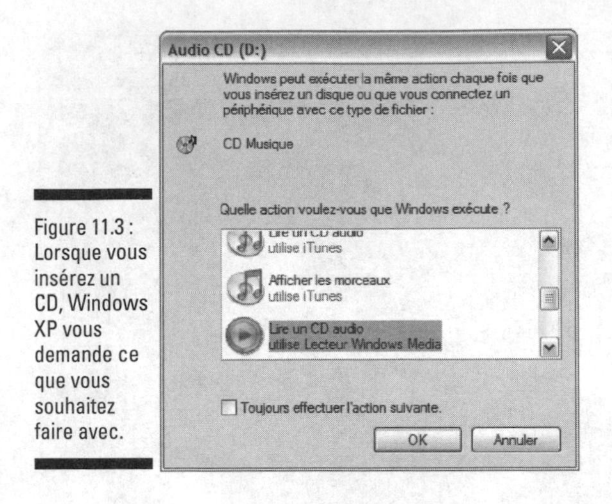

Figure 11.3 : Lorsque vous insérez un CD, Windows XP vous demande ce que vous souhaitez faire avec.

Vous avez plusieurs possibilités, le lire, le copier vers le disque dur, le graver, ou ne rien faire.

Pour le lire, choisissez Lire un CD audio et cliquez sur le bouton OK. Le Lecteur Windows Media s'ouvre en démarrant automatiquement la lecture du premier morceau du CD.

Lire un DVD ou un fichier vidéo

Le Lecteur Windows Media vous permet de lire des DVD ou des fichiers vidéo de type MPEG. De la même manière qu'il grave et copie les CD, il peut faire la même chose avec vos DVD. Il peut copier des films sur votre disque dur, ou copier vos vidéos personnelles sur DVD. Lorsque vous insérez un DVD dans votre lecteur, la lecture de celui-ci démarre automatiquement, comme pour un CD. Si la lecture ne démarre pas, choisissez DVD dans le menu Lecture et sélectionnez votre lecteur dans la liste.

La Figure 15.4 montre une vidéo au format MPEG en train d'être lue. La lecture d'un DVD ou d'une vidéo au format MPEG est équivalente, l'apparence de l'écran et les boutons de commande sont identiques.

Figure 11.4 : Pour basculer du mode Plein écran au mode standard, utiliser la combinaison de touches Alt-Entrée.

Le Lecteur Windows Media fonctionne comme un lecteur DVD de salon, la souris faisant office de télécommande. Vous cliquez sur les boutons pour piloter votre lecteur.

- Pour afficher la vidéo en plein écran, maintenez la touche Alt enfoncée et tapez la touche Entrée. Pour repasser en mode standard, tapez à nouveau la combinaison Alt-Entrée.
- Lorsque vous insérez un DVD dans votre lecteur, une boîte de dialogue identique à celle de la Figure 11.3 s'affiche. Pour réaliser une action, référez-vous à la section précédente Ecouter un CD.
- Il peut arriver que le Lecteur Windows Media refuse de lire votre DVD en vous demandant un décodeur. Si votre PC n'est pas livré avec ce décodeur, le Lecteur Windows Media ne pourra pas lire le DVD. Cliquez sur le bouton Aide dans la fenêtre du message d'erreur pour voir comment vous pouvez vous procurer ce décodeur.

Lire des fichiers audio (MP3 et WMA)

Le Lecteur Windows Media peut lire plusieurs formats de fichiers audio, mais lors de la lecture, il se comporte de la même manière quel que soit le format. Il place le morceau ou l'album dans Lecture en cours et lit les morceaux les uns à la suite des autres.

Si vous voulez lire un morceau en particulier, faites un double clic dessus. Le Lecteur Windows Media commence la lecture et le nom du morceau apparaît dans la liste Lecture en cours.

- Pour lire un album entier, cliquez avec le bouton droit de la souris dans la bibliothèque sur le nom de l'album de votre choix et choisissez Lecture.
- Pour écouter plusieurs morceaux d'un même album dans l'ordre de votre choix, cliquez sur le premier avec le bouton droit de la souris et choisissez Lecture, puis sur le second en choisissant Lecture, et ainsi de suite.
- Le Lecteur Windows Media peut créer des fichiers MP3 à condition que vous vous procuriez un *encodeur* ou *codec ;* il pourra également les lire. Vous trouverez ce genre de programmes gratuitement sur Internet.

Créer, sauvegarder et modifier des listes de lecture

Une liste de lecture est en fait une liste de morceaux de musique (ou de vidéos) qui est lue dans un ordre particulier. Vous pouvez créer et enregistrer autant de listes que vous le souhaitez et les écouter quand bon vous semble d'un simple clic de souris.

Pour enregistrer votre Lecture en cours sous forme d'une liste de lecture, cliquez sur le nom de votre liste (Figure 11.5) et sélectionnez Enregistrer la sélection sous. Donnez un nom à votre sélection et cliquez sur OK pour l'enregistrer.

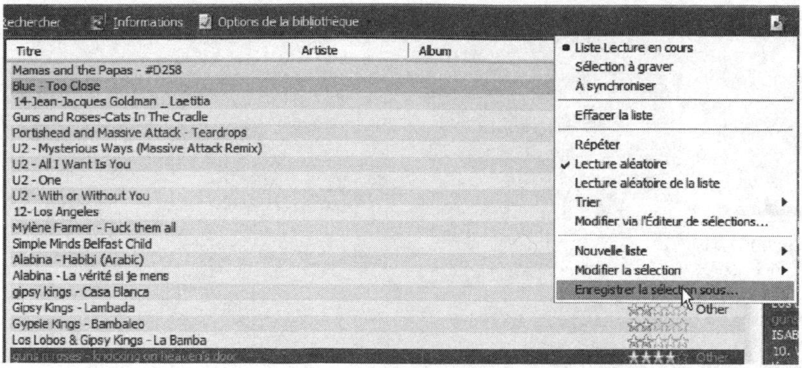

Figure 11.5 : Ici, on enregistre la liste de lecture en cours.

Pour créer une nouvelle liste de lecture, suivez ces étapes :

1. **Ouvrez le menu Fichier et sélectionnez Nouvelle liste lecture en cours.**

2. **Cliquez sur le bouton Liste lecture en cours au-dessus de la liste et choisissez Modifier via l'Editeur de sélection dans le menu qui s'affiche.**

   La fenêtre Modifier la sélection apparaît alors (Figure 11.6). Dans la liste déroulante en haut de la fenêtre apparaît Artiste\Album. Cela signifie que les chansons sont classées par artiste puis par album. En cliquant sur le nom de l'artiste, on voit les noms des albums disponibles pour celui-ci.

3. **Pour afficher le contenu de la boîte de dialogue par chanson, déroulez la liste Afficher la bibliothèque par et cliquez sur Artiste. Faites ensuite un double clic sur le nom de l'artiste de votre choix pour visualiser les titres par chanson et non pas par album.**

4. **Cliquez avec le bouton droit de la souris sur le nom de l'album ou de la chanson et sélectionnez Ajouter à la sélection.**

5. **Si vous ajoutez quelque chose par erreur, cliquez avec le bouton droit de la souris dessus et choisissez Supprimer de la liste. Réorganisez votre liste en faisant**

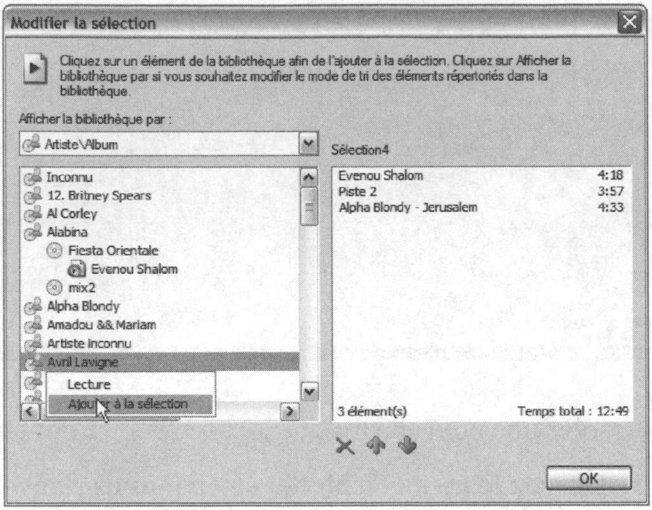

Figure 11.6 : Cliquez sur le nom d'une chanson avec le bouton droit de la souris, et choisissez Ajouter à la sélection.

glisser et en déplaçant les différents éléments qu'elle contient.

6. **Lorsque votre liste vous convient, cliquez sur le bouton OK.**

7. **Pour enregistrer votre liste, cliquez sur son nom courant au-dessus de la liste de sélection en cours et choisissez Enregistrer la sélection sous dans le menu qui s'affiche et donnez un nom à votre liste.**

Copier un CD sur votre disque dur

Tout d'abord, les mauvaises nouvelles : le Lecteur Windows Media ne peut pas créer de fichiers MP3, le standard de la musique numérique. Il crée par défaut des fichiers WMA protégés qui ne peuvent être lus sur un autre ordinateur ou sur un baladeur numérique.

Pour supprimer la protection des fichiers WMA, sélectionnez Options dans le menu Outils, et cliquez sur l'onglet Extraire de la musique. Décochez la case Protéger la musique contre la copie et cliquez sur OK.

Pour copier le contenu d'un CD sur votre disque dur, suivez les étapes ci-après :

1. **Ouvrez le Lecteur Windows Media et insérez un CD audio.**

   Si le CD démarre automatiquement, cliquez sur le bouton Stop.

2. **Cliquez CD et appareils mobiles dans le menu Fichier et sélectionnez Extraire le contenu d'un CD audio.**

   Parfois, les noms de l'artiste et des chansons contenus sur le disque s'affichent automatiquement. Si ce n'est pas le cas, cliquez sur le bouton Afficher des informations sur l'album dans le coin supérieur droit de la fenêtre. Le Lecteur Windows Media se connecte alors à Internet et tente de trouver des informations sur l'album. Si ce n'est pas le cas vous devez remplir ces informations manuellement en cliquant sur le bouton Artiste non trouvé.

3. **Assurez-vous que toutes les cases des chansons que vous souhaitez copier sont cochées.**

4. **Cliquez sur le bouton Extraire de la musique.**

   Si vous copiez votre premier CD, le Lecteur Windows Media vous demande dans quelle qualité vous souhaitez travailler. Si vous n'avez pas de préférences particulières, utilisez les paramètres par défaut.

   Les fichiers sont extraits un par un dans le dossier Ma Musique et le dossier prend le nom de l'artiste. Le processus prend entre 10 et 15 minutes, en fonction de la puissance de votre machine.

Copier des morceaux de musique vers votre baladeur

Le Lecteur Windows Media n'est pas compatible avec tous les baladeurs numériques. Il est optimisé pour transférer des fichiers WMA et pas des MP3. La plupart des utilisateurs emploient le logiciel livré avec leur baladeur pour réaliser cette opération.

Cependant, si vous désirez utiliser le Lecteur Windows Media pour transférer vos morceaux, voici les manipulations à réaliser :

1. **Connectez votre baladeur à votre PC.**
2. **Ouvrez le Lecteur Windows Media et cliquez sur le bouton Synchroniser.**
3. **Cliquez sur Modifier la sélection et créez une nouvelle liste de lecture.**
4. **Cliquez sur le bouton Démarrer la synchronisation.**

   Le Lecteur Windows Media envoie les fichiers vers votre baladeur (Figure 11.7).

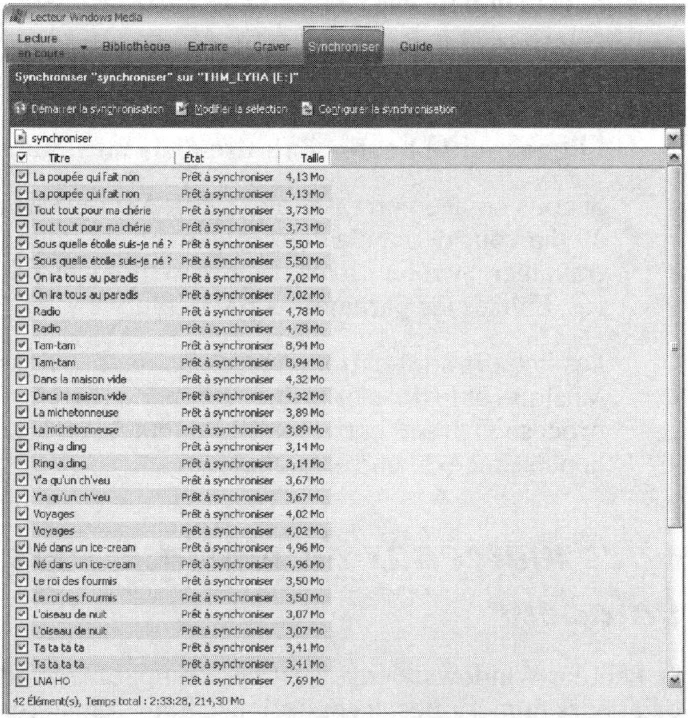

Lecteur Windows Media
Lecture en cours · Bibliothèque · Extraire · Graver · Synchroniser · Guide
Synchroniser "synchroniser" sur "THM_LYRA [E:]"
Démarrer la synchronisation · Modifier la sélection · Configurer la synchronisation
synchroniser

Titre	État	Taille
La poupée qui fait non	Prêt à synchroniser	4,13 Mo
La poupée qui fait non	Prêt à synchroniser	4,13 Mo
Tout tout pour ma chérie	Prêt à synchroniser	3,73 Mo
Tout tout pour ma chérie	Prêt à synchroniser	3,73 Mo
Sous quelle étoile suis-je né ?	Prêt à synchroniser	5,50 Mo
Sous quelle étoile suis-je né ?	Prêt à synchroniser	5,50 Mo
On ira tous au paradis	Prêt à synchroniser	7,02 Mo
On ira tous au paradis	Prêt à synchroniser	7,02 Mo
Radio	Prêt à synchroniser	4,78 Mo
Radio	Prêt à synchroniser	4,78 Mo
Tam-tam	Prêt à synchroniser	8,94 Mo
Tam-tam	Prêt à synchroniser	8,94 Mo
Dans la maison vide	Prêt à synchroniser	4,32 Mo
Dans la maison vide	Prêt à synchroniser	4,32 Mo
La michetonneuse	Prêt à synchroniser	3,89 Mo
La michetonneuse	Prêt à synchroniser	3,89 Mo
Ring a ding	Prêt à synchroniser	3,14 Mo
Ring a ding	Prêt à synchroniser	3,14 Mo
Y'a qu'un ch'veu	Prêt à synchroniser	3,67 Mo
Y'a qu'un ch'veu	Prêt à synchroniser	3,67 Mo
Voyages	Prêt à synchroniser	4,02 Mo
Voyages	Prêt à synchroniser	4,02 Mo
Né dans un ice-cream	Prêt à synchroniser	4,96 Mo
Né dans un ice-cream	Prêt à synchroniser	4,96 Mo
Le roi des fourmis	Prêt à synchroniser	3,50 Mo
Le roi des fourmis	Prêt à synchroniser	3,50 Mo
L'oiseau de nuit	Prêt à synchroniser	3,07 Mo
L'oiseau de nuit	Prêt à synchroniser	3,07 Mo
Ta ta ta ta	Prêt à synchroniser	3,41 Mo
Ta ta ta ta	Prêt à synchroniser	3,41 Mo
LNA HO	Prêt à synchroniser	7,69 Mo

42 Élément(s), Temps total : 2:33:28, 214,30 Mo

Figure 11.7 : Le Lecteur Windows Media envoie des fichiers WMA vers votre baladeur si votre lecteur est compatible avec ce format.

Quatrième partie

Au secours !

Dans cette partie...

Windows XP est capable d'exécuter des centaines de tâches de dizaines de façons. Autant dire qu'une kyrielle de choses peuvent vous tomber dessus en même temps.

Certains problèmes sont faciles à résoudre. Par exemple, un clic mal placé sur le Bureau peut faire disparaître toutes les icônes. Mais un autre clic bien placé les restituera toutes.

D'autres problèmes sont autrement plus complexes. Ils exigeront un savoir-faire d'informaticien pour les diagnostiquer et les résoudre, avec à la clé une facture en conséquence.

Cette partie du livre vous aide à distinguer les gros problèmes des petits incidents. Vous saurez s'il vous sera possible de corriger vous-même une petite misère en quelques clics et trucs ou, si la situation est grave, s'il vous faudra recourir à un "homme de l'art".

Chapitre 12

Personnaliser Windows XP (s'embrouiller dans le Panneau de configuration)

Dans ce chapitre :

- Explorer le Panneau de configuration.
- Personnaliser l'affichage.
- Modifier les couleurs.
- Changer de mode vidéo.
- Choisir un autre thème pour le Bureau.
- Comprendre les polices TrueType.
- Faire reconnaître le double-clic par Windows.
- Régler la date et l'heure de l'ordinateur.
- Changer pour une autre imprimante.
- Affecter des sons amusants aux diverses tâches de l'ordinateur.
- Installer de nouveaux éléments dans l'ordinateur.
- Installer ou supprimer des programmes.

Après avoir mis sur le marché plus d'une douzaine de versions de Windows, les gens de chez Microsoft se sont rendu compte qu'ils ne pouvaient plaire à tout le monde.

Chaque fois qu'une nouvelle fonctionnalité était ajoutée à leur dernière version, de nombreux utilisateurs de Windows ne manquaient pas de se plaindre et de dire qu'ils préféraient l'ancienne.

Microsoft a donc décidé d'essayer autre chose avec Windows XP. Les utilisateurs qui préfèrent l'ancienne apparence de Windows peuvent choisir la présentation classique. Windows XP reprend aussitôt ses vieux oripeaux et se comporte comme auparavant. Pour satisfaire également les nouveaux utilisateurs, Microsoft a ajouté des *centaines* de nouveaux paramètres qui permettent à chacun de configurer Windows à sa guise.

Découvrir la bonne option dans le Panneau de configuration

À l'instar du panneau des disjoncteurs électriques d'une maison, le Panneau de configuration contient des commutateurs qui commandent les différents paramètres du système d'exploitation. Ouvrez le Panneau de configuration à partir du menu Démarrer et vous pourrez passer une semaine entière à bidouiller les options variées de Windows XP.

Après avoir affiché le Panneau de configuration que montre la Figure 12.1, les icônes que connaissent bien les anciens utilisateurs de Windows ne sont plus visibles. À la place, Windows XP les regroupe en catégories, ce qui complique la recherche du bon commutateur.

Pour voir – ou retrouver – toutes les icônes du Panneau de configuration, cliquez sur le bouton Basculer vers l'affichage classique. Et voilà ! Toutes les icônes du Panneau de configuration sont désormais visibles, comme vous le constatez Figure 12.2.

En fonction des logiciels que vous avez installés sur votre machine, et de la version de Windows XP que vous utilisez, vous pouvez avoir des icônes supplémentaires. Dans la Figure 12.2, nous avons utilisé la toute dernière mise à jour de

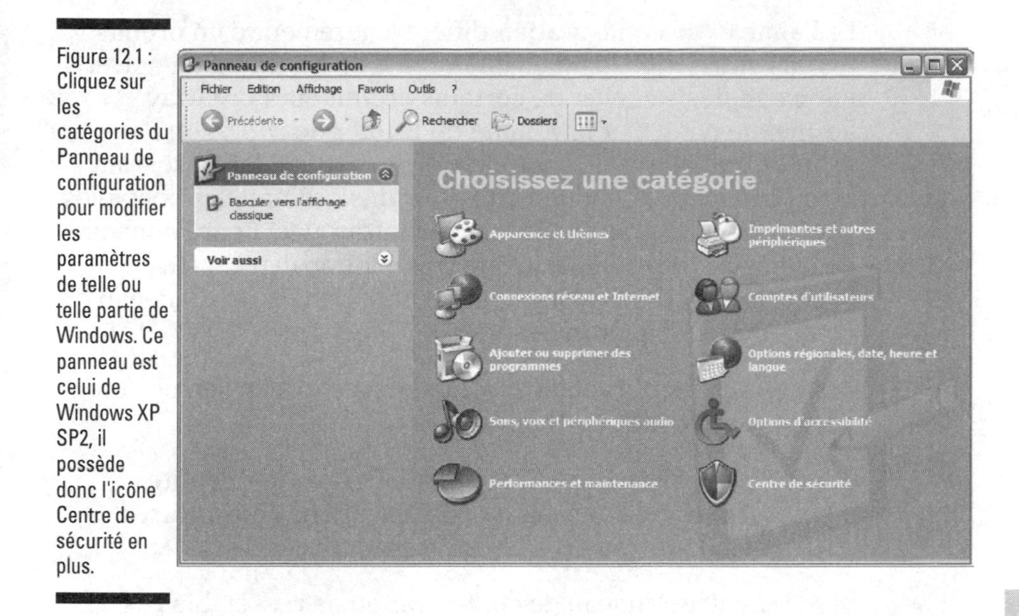

Figure 12.1 : Cliquez sur les catégories du Panneau de configuration pour modifier les paramètres de telle ou telle partie de Windows. Ce panneau est celui de Windows XP SP2, il possède donc l'icône Centre de sécurité en plus.

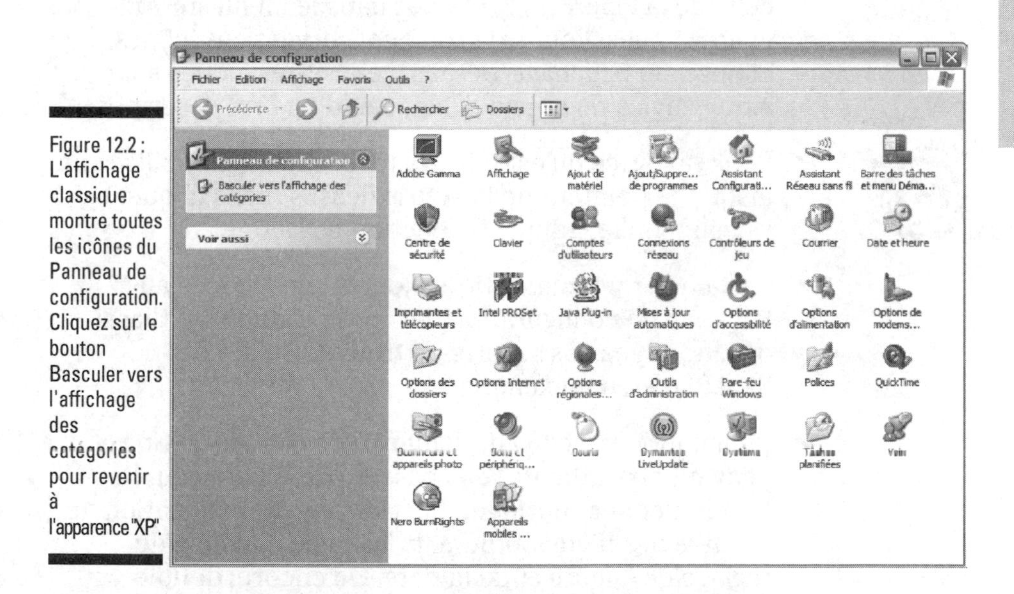

Figure 12.2 : L'affichage classique montre toutes les icônes du Panneau de configuration. Cliquez sur le bouton Basculer vers l'affichage des catégories pour revenir à l'apparence "XP".

Windows XP, Service Pack 2, qui comporte plusieurs icônes supplémentaires par rapport à la version précédente.

Le Panneau de configuration diffère légèrement d'un ordinateur à l'autre, car l'équipement varie d'un modèle à un autre. Par exemple, le clavier de certains ordinateurs Gateway permet de contrôler le volume du lecteur de DVD. Son Panneau de configuration comporte de ce fait une icône servant à configurer cette fonctionnalité. Certains ordinateurs portables communiquent grâce à un faisceau infrarouge. Leur Panneau de configuration comporte une icône Infrarouge. Le Tableau 12.1 décrit les icônes qui figurent dans votre Panneau de configuration et leur utilisation.

Les options les plus importantes seront abordées en profondeur plus loin dans ce chapitre.

- Ne vous laissez pas impressionner par la quantité d'icônes du Panneau de configuration. Vous n'aurez sans doute jamais à les utiliser toutes.

- Si votre Panneau de configuration ne ressemble pas à celui de la Figure 12.2, cliquez dans le menu sur Affichage/Icônes. Pour savoir à quoi servent ces icônes, cliquez sur Affichage/Détails. Les petites icônes sont alors suivies du nom de l'icône et d'un bref descriptif.

- Pour savoir ce qu'est telle ou telle icône, immobilisez un instant le pointeur de la souris dessus (sans cliquer). Une info-bulle indique la fonction de l'icône.

- Certains programmes tiers ajoutent des icônes au Panneau de configuration. En mode d'affichage Classique, ne soyez pas surpris de trouver l'icône de Real Player, par exemple.

- De nombreux menus du Panneau de configuration peuvent être atteints *sans* passer par le panneau. Double-cliquer sur l'horloge, dans la zone de notification de la barre des tâches, affiche la boîte de dialogue du réglage de l'heure et de la date. Ou encore, double-cliquer dans une partie vide de l'écran équivaut à double-cliquer sur l'icône Affichage.

Tableau 12.1 : Les icônes du Panneau de configuration.

À quoi sert l'icône	Quand l'utiliser
Grâce aux Options d'accessibilité, Microsoft a fait un admirable travail en faveur des handicapés. Elles facilitent la lecture de l'écran, ajoutent des signaux sonores et permettent aux handicapés physiques de travailler dans de meilleures conditions.	Si vous avez besoin de ces options, vous serez à même de le savoir.
Le bonheur des esthètes. L'icône Affichage donne accès à une foule d'arrière-plans, de couleurs, de polices et d'écrans de veille qui permettent de varier à l'infini les thèmes de Windows.	Un bon plan pour perdre son temps au lieu d'être productif.
Vous venez d'installer ce *nouveau gadget incontournable que vous devez absolument posséder* ? Cliquez sur cette icône pour démarrer l'Assistant Ajout de matériel. Ce programme s'occupe de toutes les tâches rébarbatives lorsque vous installez de nouveaux éléments dans l'ordinateur.	Si Windows n'a pas automatiquement détecté le matériel que vous venez d'installer, démarrez cet assistant pour que Windows et l'élément nouveau fassent connaissance.
Double-cliquez sur l'icône Ajout/Suppression de programmes pour installer un nouveau logiciel ou supprimer celui dont vous ne voulez plus. Cette icône permet aussi d'installer n'importe quel programme de Windows XP qui aurait été omis au moment de son installation.	Cliquez sur cette icône chaque fois que vous voulez installer un nouveau logiciel ou en supprimer un.
L'icône Barre des tâches et menu Démarrer sert à personnaliser la barre des tâches, à ordonner alphabétiquement son contenu. Windows XP propose ici une foule d'options de personnalisation.	La plupart des utilisateurs double-cliquent sur cette icône pour trier le menu Démarrer en ordre alphabétique ou désactiver les menus "personnalisés" qui omettent certaines options.
Utilisez l'icône Clavier pour modifier le délai de répétition d'une touche lorsque vous la maintenez enfoncée.	Rarement utilisée. Réglez votre clavier une fois pour toutes puis oubliez-la.
Seuls les administrateurs ont le droit de s'occuper des Comptes d'utilisateurs, d'en créer de nouveaux, de les modifier, notamment en changeant la petite vignette (portrait) attribuée aléatoirement par Windows.	Après avoir configuré les comptes, vous ne reviendrez plus très souvent ici.

À quoi sert l'icône	Quand l'utiliser
Utilisez l'icône Connexions réseau pour accéder à l'Assistant Connexion Internet ou à l'Assistant Nouvelle connexion qui permettent de vous connecter à Internet, à un autre réseau ou à un ordinateur au moyen d'un câble, et aussi de laisser d'autres ordinateurs se connecter au vôtre.	Utilisée par les allumés des réseaux et par ceux qui se connectent à Internet pour la première fois.
Windows XP détecte généralement les manettes de jeu et les gamepads qui viennent d'être branchés et les installe automatiquement. Double-cliquez sur l'icône Contrôleurs de jeu pour résoudre d'éventuels problèmes. C'est là aussi que vous étalonnerez et testerez votre manette de jeu si elle réagit mal.	Les fanas de jeux vidéo configurent leur contrôleur à chaque nouveau jeu.
Utilisez l'icône Date et heure pour modifier la date indiquée par l'ordinateur, l'heure et le fuseau horaire. Une case permet de passer automatiquement de l'heure d'été à l'heure d'hiver et inversement.	Affichez cette boîte de dialogue lorsque vous voyagez et que vous changez de fuseau horaire.
Utilisez l'icône Imprimantes et télécopieurs pour signaler une nouvelle imprimante à Windows XP, pour régler les paramètres d'une imprimante ou d'un fax, ou pour choisir quelle imprimante ou quel fax il doit utiliser.	Réglez ces options chaque fois que vous venez d'installer une nouvelle imprimante, ou pour modifier durablement les paramètres de celle que vous utilisez (pour changer sa configuration, cliquez avec le bouton droit de la souris sur l'icône d'une imprimante et choisissez Propriétés).
Windows XP est très conscient des questions d'alimentation électrique des nouveaux ordinateurs et des ordinateurs portables. Utilisez l'icône Options d'alimentation pour couper le moniteur – voire l'ordinateur tout entier – lorsque vous ne l'utilisez pas pendant un certain temps.	Fréquemment utilisée par les possesseurs d'ordinateur portable. Sur les ordinateurs de bureau, il est recommandé de couper le moniteur après 30 minutes d'inactivité.
Les Options de modem concernent notamment la téléphonie. C'est là que vous indiquez un changement de zone de téléphone lorsque vous voyagez avec votre ordinateur portable. Cliquez sur l'onglet Modem pour accéder aux paramètres du vôtre. Double-cliquez sur le nom du modem pour modifier ses commandes.	Fréquemment utilisée par les possesseurs d'ordinateur portable qui doivent régler leur modem en voyage, notamment dans un lieu (hôtel, entreprise...) équipé d'un standard téléphonique. Ignorée lorsque tout va bien.

À quoi sert l'icône	Quand l'utiliser
Utilisez l'icône Options des dossiers pour modifier la manière dont Windows affiche les dossiers et aussi leur comportement.	Généralement configurée une ou deux fois. Ensuite, on peut l'oublier.
Dès que vous vous serez connecté à Internet, l'icône Options Internet sera à votre disposition. Cliquez dessus pour ouvrir la boîte de Pandore contenant les innombrables boutons qui permettent de configurer la communication entre Windows XP et Internet.	Rarement utilisée, sauf la toute première fois, lorsqu'il faut tout configurer. Une fois que vous avez eu accès à Internet, vous n'avez plus grand-chose à faire.
Les Options régionales et linguistiques modifient l'affichage des nombres (signe décimal), du symbole monétaire, de la date (jj/mm/aa ou mm/jj/aa) ou de l'heure (sur 12 ou 24 heures) selon les pays. Si vous avez changé de fuseau horaire, double-cliquez simplement sur l'horloge, dans la zone de notification de la barre des tâches.	Surtout utilisée par les possesseurs d'ordinateur portable polyglottes et voyageurs.
Cliquer sur l'icône Outils d'administration affiche des statistiques détaillées sur l'utilisation de l'ordinateur que vous n'aurez sans doute jamais à connaître. Si vous pensez le contraire, vous allez plus loin que ce livre.	Laissez ça aux spécialistes et aux techniciens.
L'icône Polices permet de choisir la police utilisée par l'interface de Windows. C'est sur elle aussi que vous double-cliquerez pour installer des polices supplémentaires.	La plupart des programmes installent automatiquement leurs polices. Astuce : double-cliquer sur le nom d'une police affiche l'apparence de sa typographie.
Windows XP a consenti un gros effort pour gérer les scanneurs et les appareils photo numériques. Si Windows ne détecte pas automatiquement ces matériels, essayez de les installer grâce à l'icône Scanneurs et appareils photo.	Affichez la boîte de dialogue correspondante pour faciliter le transfert des images ou vérifier les connexions.
L'icône Sons et périphériques audio sert non seulement à régler le volume, mais aussi à associer des sons à différents événements. Cliquez sur l'onglet Sons et essayez quelques-uns des modèles proposés. Les possesseurs de carte son affichent la boîte de dialogue correspondante pour régler les paramètres audio, ceux des instruments MIDI, ou pour régler d'autres matériels comme les cartes d'acquisition vidéo ou les lecteurs de CD et de DVD.	Surtout utilisée à la maison ou dans les petits bureaux où le patron ne vient pas enquiquiner les gens lorsque l'ordinateur couine, bêle et ricane au gré de vos fausses manœuvres.

À quoi sert l'icône	Quand l'utiliser
Les options de l'icône Souris permettent d'accélérer le déplacement de son pointeur à travers l'écran, de la configurer pour les gauchers, de régler le double-clic et de modifier toutes sortes de paramètres.	Rarement utilisée. La crasse de la bille, des rouleaux et du tapis est à l'origine de la majorité des problèmes de souris. Mais allez quand même voir ces options, juste pour le plaisir.
À l'instar des passionnés de mécanique, les allumés d'informatique passent des heures à régler et peaufiner leur machine. Ne bidouillez pas dans les paramètres Système à moins que vous n'ayez un dépanneur digne de ce nom sous la main.	Ce que l'on peut faire (et défaire) ici dépend étroitement des compétences de l'utilisateur.
L'icône Tâches planifiées permet à Windows de fonctionner d'une manière fluide, car il exécute automatiquement des tâches de maintenance à intervalles réguliers.	Ignorez-la. Windows XP fait ce qu'il faut quand il le faut.
Cette icône permet de paramétrer la connexion pour un réseau sans fil à l'aide de l'Assistant Réseau sans fil.	Lorsque vous souhaitez déployer un réseau de type WiFi avec des périphériques sans fil.
Cette icône permet d'ouvrir le Centre de sécurité de Windows pour accéder aux paramètres du pare-feu, du logiciel antivirus et choisir la manière dont les mises à jour de Windows seront exécutées.	Utilisez-la pour vérifier l'état de votre antivirus, ou désactiver le pare-feu ou modifier ses paramètres.

Apparence et thèmes

La première catégorie du Panneau de configuration, Apparence et thèmes, régit l'apparition de Windows XP à l'écran. Cliquez dessus pour accéder aux liens vers trois icônes : Affichage, Options des dossiers, Barre des tâches et menu Démarrer. Chacune de ces icônes permet de modifier l'affichage des informations d'une manière ou d'une autre.

Lorsque vous accédez à la catégorie Apparence et thèmes, plusieurs tâches vous sont proposées comme Choisir un écran de veille. Cliquer sur l'une d'elles équivaut à cliquer sur un raccourci qui vous amène directement à la boîte de dialogue permettant d'effectuer les choix.

Modifier l'arrière-plan, l'écran de veille et la résolution

La partie du Panneau de configuration la plus communément utilisée est sans aucun doute l'icône Affichage. Contrairement à beaucoup d'autres paramètres du Panneau de configuration, ceux de l'icône Affichage ne contrôlent rien qui puisse prêter à conséquence. Vous pouvez donc les bidouiller à votre gré sans aucun risque. Mais prenez quand même la précaution de noter sur papier les paramètres d'origine ; vous pourrez ainsi les rétablir si jamais vos tripatouillages donnent de mauvais résultats.

Modifier l'image d'arrière-plan du Bureau

Windows propose deux façons de changer d'arrière-plan (l'image qui recouvre le Bureau). La première s'obtient en double-cliquant sur l'icône Affichage et en sélectionnant l'onglet Thèmes (voir Figure 12.3).

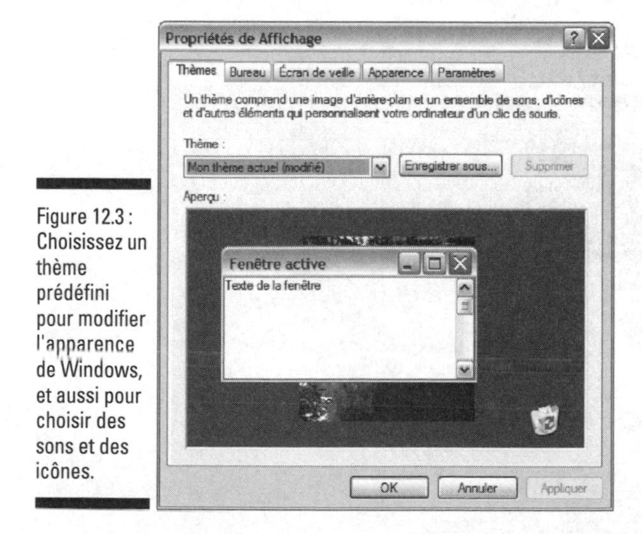

Figure 12.3 : Choisissez un thème prédéfini pour modifier l'apparence de Windows, et aussi pour choisir des sons et des icônes.

La fenêtre Propriétés de l'affichage de la Figure 12.3 montre un aperçu du thème "Windows XP". Un *thème* est un ensemble de couleurs, de sons, d'icônes et d'images d'arrière-plan qui donnent à Windows XP une apparence toute personnelle. L'utilisation des paramètres sous l'onglet Thèmes est un moyen rapide de modifier en un seul clic le *look* de Windows : choisissez-en un, et Windows XP s'habille aussitôt de neuf.

Pour découvrir d'autres thèmes, cliquez sur la flèche pointant vers le bas, dans la zone de liste déroulante Thème, et choisissez Thèmes supplémentaires sur Internet. Vous pourrez ainsi en télécharger d'autres.

Pour ne changer que l'image d'arrière-plan, cliquez sur l'onglet Bureau. Choisissez l'un des fonds proposés ; il apparaît dans la fenêtre d'aperçu. Il vous plaît ? Cliquez sur le bouton Appliquer pour le placer en arrière-plan sur le Bureau.

Pour voir les autres possibilités, cliquez sur le bouton Parcourir puis sur un fichier, dans le dossier Mes images ou tout autre emplacement contenant des graphismes utilisables. Vous y verrez d'autres arrière-plans (voir Figure 12.4). L'un d'eux vous plaît ? Cliquez sur OK pour terminer la manipulation et fermez la fenêtre Affichage.

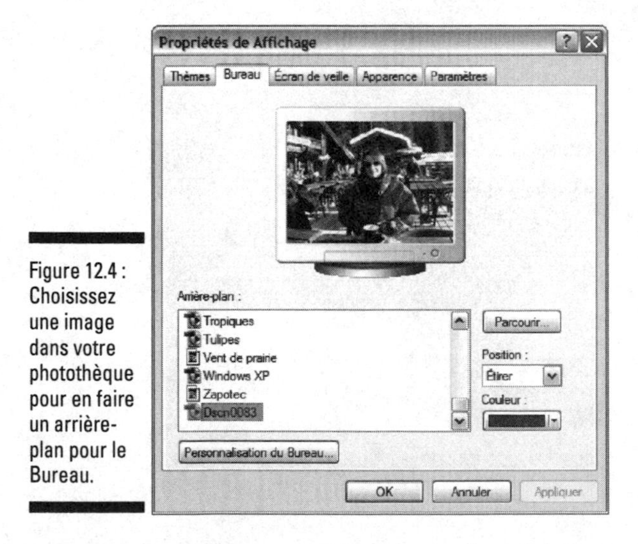

Figure 12.4 : Choisissez une image dans votre photothèque pour en faire un arrière-plan pour le Bureau.

Voici quelques conseils pour personnaliser votre Bureau :

TRUC

- Windows XP tient compte de la taille de l'image et décide automatiquement s'il est préférable de la répéter en *mosaïque* sur tout l'écran, de la *centrer* ou, si elle est trop petite, de l'*étirer*. Pour imposer votre choix, déroulez le menu Position et sélectionnez l'option désirée.
- Seuls les fichiers d'images aux formats BMP ou JPG peuvent servir d'arrière-plan. La plupart des appareils photo numériques produisent des images en JPG, mais la plupart des arrière-plans livrés avec Windows sont en BMP. En fait, toutes les images créées avec le logiciel Paint sont utilisables comme arrière-plan.
- Cliquez sur le bouton Personnalisation du Bureau puis sur l'onglet Web pour faire en sorte que Windows XP utilise un site Web comme arrière-plan. C'est amusant un moment, mais cela devient vite lassant. Car si vous cliquez par inadvertance sur un élément de la page Web au lieu d'une icône, Internet Explorer s'affiche aussitôt à l'écran et recherche l'élément.

- Il vous est arrivé d'être séduit par une fabuleuse image lors de vos pérégrinations sur le Web avec Internet Explorer ? Cliquez dessus avec le bouton droit de la souris et sélectionnez l'option Établir en tant qu'élément d'arrière-plan. Le zélé Windows XP copie cette image sur le Bureau et en fait votre nouvel arrière-plan.

Choisir un écran de veille

À l'époque préhistorique de la micro-informatique, les moniteurs étaient rapidement abîmés par un usage prolongé d'un même programme. Les grandes lignes de ce programme finissaient par marquer le revêtement interne de l'écran et restaient visibles même après avoir éteint le moniteur.

Pour éviter cette rémanence, les programmeurs ont inventé l'économiseur d'écran, appelé de nos jours *écran de veille*. Après une certaine durée de non-utilisation, l'écran est occupé par un fond monochrome (généralement du noir) ou par un motif suffisamment mouvant pour ne pas marquer le revêtement.

Les moniteurs actuels ne connaissent plus ce problème, mais les gens continuent d'utiliser des écrans de veille parce qu'ils animent agréablement l'ordinateur pendant les pauses.

- Windows est livré avec plusieurs écrans de veille, mais aucun n'est actif par défaut. Pour en utiliser un, cliquez sur l'onglet Écran de veille de la boîte de dialogue Propriétés de l'affichage. Cliquez ensuite sur la flèche pointée vers le bas de la zone de liste Écran de veille et sélectionnez celui que vous désirez.

- Immédiatement après avoir choisi un écran de veille, cliquez sur le bouton Aperçu pour voir l'effet en plein écran. Actionnez la souris ou appuyez sur une touche – la barre Espace – pour arrêter l'aperçu et revenir à l'écran normal.
- Les bidouilleurs peuvent cliquer sur Paramètres pour accéder à des options supplémentaires comme changer les couleurs ou la vitesse des animations, par exemple.
- Pour améliorer la sécurité, cochez la case À la reprise, protéger par mot de passe. Ainsi, lorsque quelqu'un veut utiliser l'ordinateur, Windows XP affiche l'écran d'accueil où les comptes peuvent être protégés par un mot de passe.
- Cliquez sur les flèches haut et bas de la zone de texte Délai pour indiquer à l'écran de veille au bout de combien de temps d'inactivité il doit se manifester. Si vous avez défini 5, par exemple, Windows XP attend que vous n'ayez touché ni au clavier ni à la souris pendant cinq minutes pour afficher l'écran de veille.

- Pour économiser l'électricité et augmenter la durée de vie de votre moniteur, cliquez sur le bouton Gestion de l'alimentation, en bas de la boîte de dialogue. C'est là que vous indiquerez à Windows XP qu'il peut couper le moniteur au bout d'un certain temps d'inactivité.

Modifier les couleurs de Windows

Vous voulez voir la vie en rose ? Windows peut apparaître dans la couleur de votre choix. Pour cela, il suffit de cliquer sur l'onglet Apparence, dans la boîte de dialogue Propriétés de l'affichage. Windows XP ne propose qu'un choix limité de couleurs, mais en basculant en style Classique, vous en aurez beaucoup d'autres.

Basculer dans d'autres modes vidéo

De même qu'il peut supporter des centaines de modèles d'imprimantes, Windows XP s'accommode d'une foule de types de moniteurs. Il est même capable de s'afficher selon de nombreux modes vidéo.

Par exemple, Windows XP peut s'afficher avec un nombre de couleurs défini, ou réduire ou augmenter la taille apparente des éléments à l'écran afin d'afficher plus d'informations à la fois. Le nombre de couleurs affichées ainsi que la taille de l'affichage dépendent du *mode vidéo*, appelé aussi *résolution graphique*.

Certains programmes Windows XP ne fonctionnent que dans un mode vidéo spécifique ; lorsque vous les utilisez, ils vous demandent de basculer dans ce mode graphique.

Voici ce qui se passe : le moniteur est branché à un endroit précis à l'arrière du boîtier de l'ordinateur. Cet endroit est la partie externe de la carte graphique. Cette dernière est un circuit imprimé avec des composants qui traduisent les signaux émis par l'ordinateur en informations affichées à l'écran. La carte graphique gère tous les commutateurs des modes vidéo. En permettant à la carte de passer d'un mode à un autre, il est possible d'afficher plus ou moins de couleurs, ou de faire varier la quantité d'informations que l'on peut y placer.

Pour faire en sorte que la carte graphique puisse basculer d'un mode vidéo à un autre, cliquez sur l'onglet Paramètres ; c'est l'un des cinq onglets de la boîte de dialogue Propriétés de l'affichage que montre la Figure 12.5. (Vous n'arrivez pas à afficher cette boîte de dialogue ? Cliquez avec le bouton droit de la souris dans une partie vide de l'écran puis, dans le menu contextuel qui apparaît, choisissez Propriétés.)

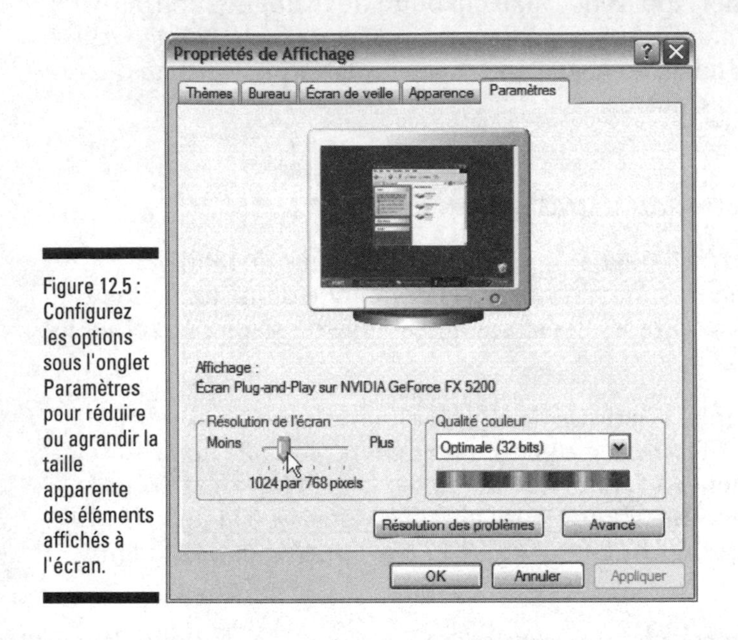

Figure 12.5 : Configurez les options sous l'onglet Paramètres pour réduire ou agrandir la taille apparente des éléments affichés à l'écran.

Dans Paramètres, sélectionnez le mode vidéo à utiliser par Windows XP. Cliquez sur la petite flèche à droite de la zone de liste déroulante Qualité couleur pour choisir le nombre de couleurs affichées par Windows XP. Actionnez le curseur sous le défileur Résolution de l'écran pour faire varier le nombre de lignes et le nombre de pixels par ligne affichés à l'écran. Si l'ordinateur n'arrive pas à gérer correctement le mode choisi, Windows XP vous laisse une chance de revenir sur votre décision.

- Les moniteurs informatiques et les cartes graphiques ou vidéo sont capables d'afficher Windows XP sous différentes *résolutions*. Plus la résolution est élevée, plus il est possible de loger des informations à l'écran (et plus les éléments sont petits).

- Pour passer à une résolution plus élevée, utilisez la souris pour actionner le curseur du défileur, dans la zone Résolution de l'écran. Observez ensuite les changements dans le petit aperçu. Plus vous décalez le curseur vers la droite, plus vous pouvez afficher d'éléments, mais corollairement, plus ces informations sont affichées en petit. Cliquez sur le bouton Appliquer, après avoir sélectionné une nouvelle résolution, pour voir ce qu'elle donne en plein écran.

- Lorsque Windows XP bascule dans une nouvelle résolution, il vous accorde généralement quinze secondes pour cliquer sur un bouton indiquant que vous approuvez la modification. Si la carte graphique ou le moniteur ne parviennent pas à gérer la nouvelle résolution, le bouton n'est pas affiché et, comme vous n'avez pu cliquer dessus – et pour cause ! –, Windows revient automatiquement à la résolution précédente.

- Selon son humeur du moment, Windows XP préférera parfois redémarrer l'ordinateur lorsque vous changerez le nombre de couleurs affichées. Pour déterminer comment Windows XP gère les modifications de la vidéo, cliquez sur le bouton Avancé, en bas de la boîte de dialogue.

- Vous voulez modifier le nombre de couleurs que Windows XP peut afficher ? Cliquez sur la petite flèche de la zone de liste déroulante Qualité couleur. Sélectionnez le nombre de couleurs à afficher dans la liste.

- Pour visionner les photos que vous avez prises avec un appareil photo numérique, vous voudrez sans aucun doute que Windows XP affiche le maximum de couleurs possibles. L'option Moyenne (16 bits) affiche en tout 65 535 couleurs. L'option Optimale (32 bits) affiche plus de 16,7 millions de couleurs.

- Windows XP fonctionne parfaitement avec deux moniteurs à la fois ou plus, avec des résolutions différentes sur chaque moniteur. Une carte graphique PCI devra avoir été installée pour chacun des moniteurs. Reportez-vous à l'encadré "Deux écrans à la fois" pour en savoir plus.

- Si Windows XP agit bizarrement avec la carte graphique ou le moniteur – ou si vous venez d'installer ce genre de matériel –, il faudra certainement le lui déclarer afin qu'ils apprennent à communiquer.

Deux écrans à la fois

Installez une deuxième carte graphique dans votre ordinateur, branchez un deuxième moniteur, et Windows XP Professionnel sera sans doute capable d'afficher des données sur les deux écrans à la fois, voire même trois si vous ajoutez une autre carte.

Ça a l'air d'un gadget, mais cette nouvelle fonctionnalité peut en vérité se révéler très commode. Vous pourrez par exemple afficher un navigateur Web sur un écran tout en conservant un Bureau net, où vous pourrez travailler commodément. Ou encore, vous effectuerez très facilement des copier-coller entre deux applications.

Attention toutefois : cette fonctionnalité multiécran est relativement nouvelle. C'est pourquoi beaucoup de programmes ne savent pas la gérer. La carte vidéo TV Viewer ne peut afficher les images télévisées que sur le *moniteur principal*, c'est-à-dire le premier. Si vous essayez de faire glisser la fenêtre vers le deuxième moniteur, elle disparaît tout simplement. Quant à la version Windows XP Édition Familiale, elle est incapable de gérer plusieurs écrans à la fois. Cette fonctionnalité n'existe que dans Windows XP Professionnel.

Modifier l'affichage des dossiers

Certaines personnes enferment leurs dossiers dans une armoire à l'épreuve du feu et ne les sortent que pour les déposer sur un bureau en acajou ancien au poli irréprochable. D'autres retournent le tiroir qui contient les dossiers sur leur vieux bureau bancal en espérant qu'aucun papier ne s'envolera à travers la fenêtre ouverte. À chacun son style de travail... Pour s'accommoder de ces différentes manières de travailler, Windows XP propose différentes façons de visualiser vos dossiers.

Pour régler ces paramètres, choisissez le Panneau de configuration dans le menu Démarrer puis, dans la zone Apparence et thèmes, double-cliquez sur l'icône Options des dossiers (vous pouvez aussi choisir les Options des dossiers dans le menu Outils de n'importe quel dossier). Les options qui nous intéressent se trouvent sous l'onglet Général que montre la Figure 12.6.

Figure 12.6 : Windows vous permet de définir la manière d'ouvrir les dossiers, leur apparence intérieure, et aussi s'il faut cliquer ou double-cliquer sur les fichiers pour les ouvrir.

La zone Tâches propose deux moyens pour un dossier d'afficher son contenu. Si vous préférez qu'une longue barre bleue apparaisse à gauche des dossiers, contenant des liens vers des emplacements comme Mes documents, sélectionnez le bouton d'option Afficher les tâches habituelles dans les dossiers. Pour éliminer cette barre et laisser plus de place aux icônes, sélectionnez plutôt le bouton Utiliser les dossiers classiques de Windows.

La zone Parcourir les dossiers définit la manière dont un dossier est ouvert. Si vous ouvrez un dossier qui se trouve dans un autre, ce sous-dossier doit-il s'ouvrir dans sa propre fenêtre ? Ou doit-il tout bonnement remplacer le contenu du dossier qui l'héberge, ne laissant qu'un seul dossier ouvert ?

Enfin, la zone Cliquer sur les éléments de la manière suivante, en bas de la boîte de dialogue, définit les options du clic de la souris. C'est là que vous paramétrez l'ouverture d'un fichier par un clic ou par un double-clic.

Aucune de ces options n'est bonne ou mauvaise. Tout dépend de votre façon de travailler. Essayez les différents paramètres pour découvrir ceux qui vous conviennent le mieux.

Paramétrer les Options des dossiers n'est pas particulièrement risqué, mais certains choix peuvent entraîner un fonctionnement pour le moins curieux de Windows XP. Si son comportement vous semble particulièrement étrange, c'est là que vous trouverez la solution au problème. Cliquez sur le bouton Paramètres par défaut, sous l'onglet Général de la boîte de dialogue Options des dossiers (reportez-vous à la Figure 12.6). Vos dossiers et le Bureau se comporteront exactement comme au moment de l'installation de Windows XP.

L'onglet Affichage des Options de dossiers contient dix-huit paramètres avancés. N'y touchez pas à moins d'avoir bien compris à quoi ils servent. Et si d'aventure vous en avez modifié un et que quelque chose vous paraît bizarre, cliquez sur le bouton Paramètres par défaut.

Enfin, ne vous amusez pas avec le contenu de l'onglet Types de fichiers, du moins aussi longtemps que vous n'êtes pas familiarisé avec Windows. Si vous ne maîtrisez pas ces options, Windows pourra ne plus savoir avec quelle application il doit ouvrir un fichier.

Ne vous en faites pas si certaines de ces options de Windows XP vous semblent déroutantes ou absurdes. Elles le sont.

- Les options des dossiers sont appréciées des gens qui adorent bidouiller leur ordinateur. Mais vous, vous pouvez vous en passer.

- Si vous étiez à l'aise avec Windows 95 ou 98, choisissez le style Classique. Si vous préférez Windows XP, ne touchez pas aux paramètres par défaut. N'en choisissez d'autres que si vous aimez personnaliser votre ordinateur et découvrir des fonctionnalités inédites.

Configurer la barre des tâches et le menu Démarrer

Après avoir cliqué avec le bouton droit de la souris sur le bouton Démarrer ou dans la barre des tâches (celle qui se trouve au pied de l'écran) et choisi Propriétés, vous accédez à la boîte de dialogue Propriétés de la Barre des tâches et du menu Démarrer que montre la Figure 12.7.

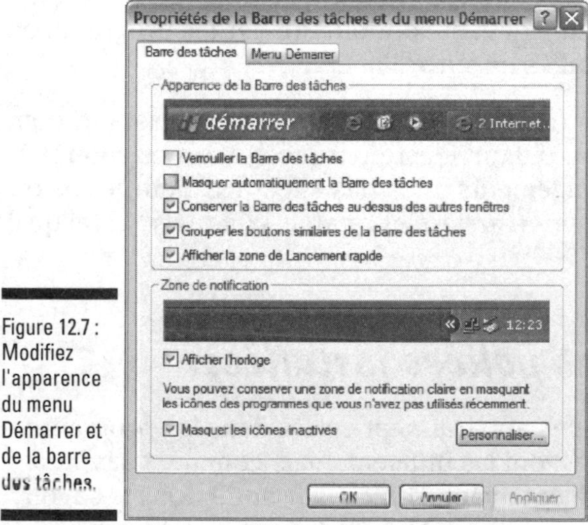

Figure 12.7 : Modifiez l'apparence du menu Démarrer et de la barre des tâches.

Nous aborderons ici certaines options du menu Démarrer qui peuvent être modifiées en affichant le contenu de l'onglet Menu Démarrer (la plupart des utilisateurs n'y touchent jamais).

Si vous avez pris vos habitudes avec les versions antérieures de Windows, sélectionnez le bouton d'option Menu Démarrer classique. Si vous voulez vous en tenir au *look* Windows XP, restez sous l'onglet Menu Démarrer et cliquez sur Personnaliser pour commencer vos bidouillages.

Le choix de l'option Petites icônes ne réduit pas les dimensions du menu Démarrer, mais vous pourrez y placer davantage d'icônes de programmes récemment utilisés. En fait, l'option Petites icônes augmente la valeur du paramètre Nombre de programmes dans le menu Démarrer, juste en bas, puisque ces icônes occupent moins de place.

Choisissez enfin si le navigateur Internet et le logiciel de messagerie doivent apparaître dans le menu Démarrer.

Pour effectuer des personnalisations de grande envergure, cliquez sur l'onglet Avancé. Par exemple, pour vous débarrasser de la déplaisante étiquette qui s'affiche dans le menu Démarrer chaque fois que vous venez d'installer un nouveau logiciel, ôtez la coche devant l'option Afficher les programmes nouvellement installés en surbrillance.

Le menu Démarrer n'est pas doté d'un bouton de restauration des paramètres par défaut. C'est pourquoi vous avez intérêt à noter tous les changements que vous effectuez, pour le cas où vous devriez revenir en arrière et rétablir Windows XP tel qu'il était auparavant.

Visualiser les polices installées

Les noms des polices apparaissent certes dans les programmes de Windows XP qui les utilisent, mais comment savoir à quoi elles ressemblent avant d'en choisir une ? Pour le savoir, cliquez sur Démarrer/Panneau de configuration, cliquez ensuite sur la commande Basculer vers l'affichage classique, puis double-cliquez sur l'icône Polices.

La fenêtre Polices permet de voir les noms de toutes les polices installées, et aussi d'en installer de nouvelles.

Par mesure de sécurité, ne supprimez jamais aucune des polices livrées avec Windows XP, mais seulement celles que vous aurez installées par la suite. Les programmes de Windows empruntent en effet souvent, pour leurs menus, les polices d'origine de Windows. C'est pourquoi, si vous en supprimez une, les menus disparaissent mystérieusement. Et surtout, au grand jamais, ne vous avisez pas de supprimer une police commençant par les lettres MS (ni d'ailleurs celles dont l'icône montre une lettre rouge).

Double-cliquez sur n'importe quelle icône de police pour voir sa typographie. Par exemple, si vous double-cliquez sur l'icône de la police Impact, Windows XP affiche un panneau typographique semblable à celui de la Figure 12.8 (cliquez sur le bouton Imprimer pour voir ce que la police donnera sur papier).

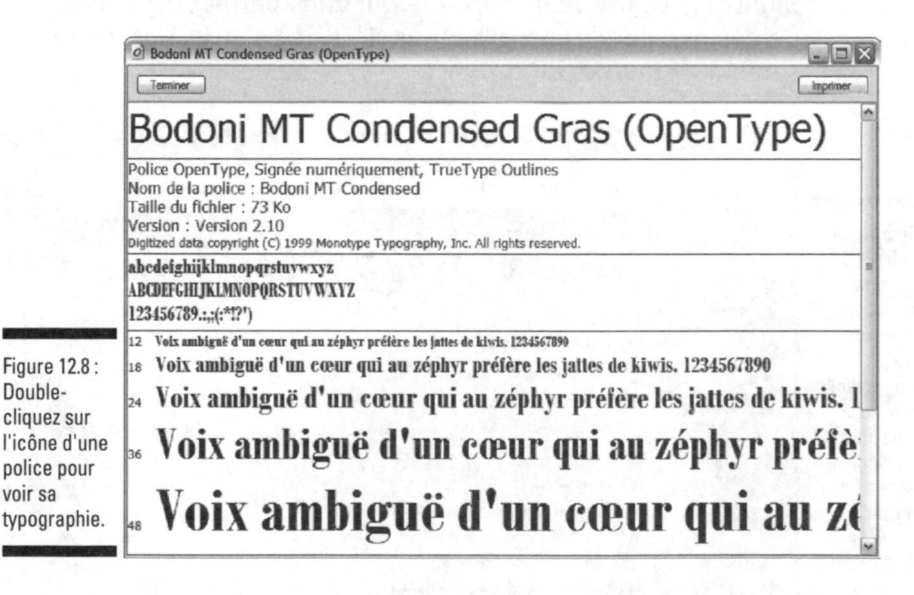

Figure 12.8 : Double-cliquez sur l'icône d'une police pour voir sa typographie.

- Les icônes comportant les deux lettres TT sont des polices de type TrueType ; ce sont les meilleures car elles sont imprimées telles qu'elles apparaissent à l'écran.
- **Remarque** : Vous n'aurez peut-être jamais à consulter les icônes de polices. Sachez simplement où les trouver, au cas où...

Connexions réseau et Internet

Cliquer sur cette icône démarre l'Assistant Connexion Internet qui vous aide à vous connecter au "réseau des réseaux". Elle donne aussi accès à la zone Connexion réseau qui vous permet de configurer un petit réseau d'entreprise ou domestique.

Ajouter ou supprimer des programmes

Windows XP facilite plus que jamais l'installation des programmes et leur mise à jour. Cliquer sur l'icône Ajout/Suppression de programmes ouvre la boîte de dialogue que montre la Figure 12.9. C'est elle qui vous permet d'installer ou de désinstaller des programmes tiers, mais aussi des composants de Windows XP.

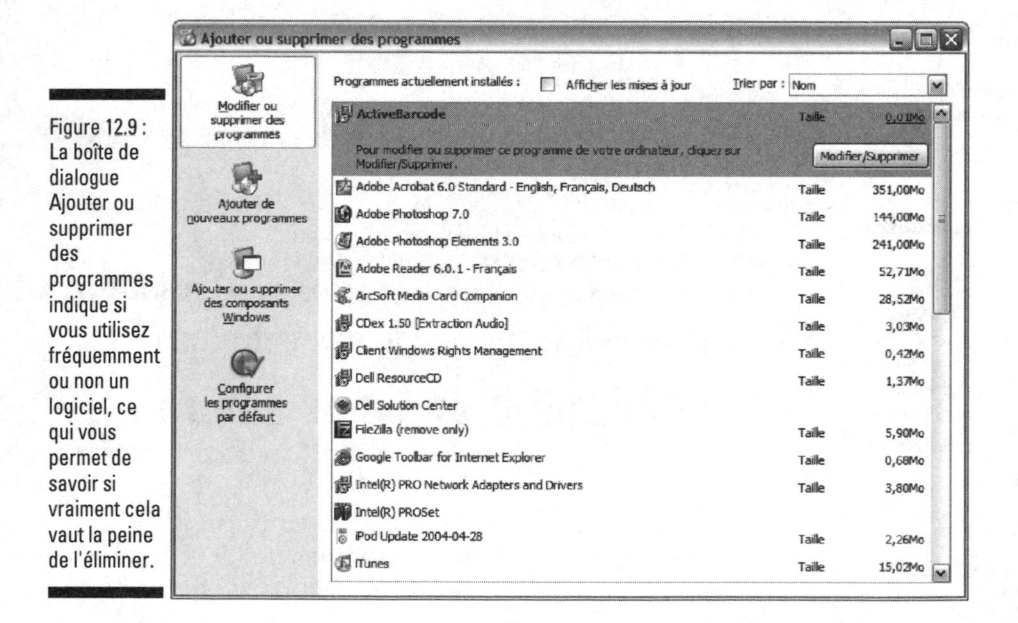

Figure 12.9 : La boîte de dialogue Ajouter ou supprimer des programmes indique si vous utilisez fréquemment ou non un logiciel, ce qui vous permet de savoir si vraiment cela vaut la peine de l'éliminer.

Supprimer des programmes

La catégorie Ajouter ou supprimer des programmes ouvre le panneau de la Figure 12.9. La fenêtre contient la liste des logiciels actuellement installés et mentionne leur taille, la date de la dernière utilisation et indique s'ils sont utilisés souvent ou non.

Cliquez sur le programme dont vous ne voulez plus, puis sur le bouton Modifier/Supprimer. Windows vous demande si vous êtes bien sûr. Si vous cliquez sur Oui, il extirpe le programme des tripes de l'ordinateur. Attention toutefois, car il est supprimé définitivement ; si vous avez des remords, il vaut mieux avoir le disque original du programme sous la main. Un logiciel supprimé n'est pas envoyé dans la Corbeille.

Utilisez *systématiquement* la fonction Ajouter ou supprimer des programmes pour désinstaller les logiciels dont vous ne voulez plus. La simple suppression de leur dossier n'est pas suffisante. Procéder ainsi sème la pagaille dans votre ordinateur, provoquant l'apparition de messages inattendus. (NdT : l'installation d'un logiciel entraîne l'écriture de nombreuses informations très techniques dans un programme de gestion appelé "base de registre", ainsi que l'installation d'une foule de fichiers de configuration et d'utilitaires dans divers sous-dossiers de Windows. Lorsque la désinstallation n'est pas faite dans les règles, ces informations et ces fichiers qui ne correspondent plus à rien sont néanmoins utilisés par Windows.)

Installer un nouveau programme

Quand vous voulez installer un nouveau logiciel, cliquez sur le bouton Ajouter de nouveaux programmes (il se trouve à gauche, dans la barre verticale). La fenêtre change d'apparence et propose les deux options décrites ci-dessous :

Ajouter un programme à partir d'un CD ou d'une disquette. Pour ce faire, insérez le CD-ROM ou la première des disquettes du logiciel dans le lecteur, puis cliquez sur Suivant. Windows localise le programme d'installation et procède automatiquement à l'installation. Si vous installez un logiciel téléchargé depuis Internet, Windows risque de se plaindre qu'il n'arrive pas à le trouver. Dans ce cas, cliquez sur le bouton Parcourir et indiquez-lui l'emplacement du programme d'installation que vous venez de télécharger.

Ajouter des programmes Microsoft. Pour effectuer la mise à jour de Windows, cliquez sur le bouton Windows Update. Windows se connecte à Internet et vous informe des composants qui nécessitent d'être changés pour correspondre à la dernière version en date. Suivez les instructions et téléchargez tous les éléments que Windows considère comme critiques.

Les logiciels livrés sur CD-ROM s'installent souvent d'eux-mêmes, automatiquement. Il suffit alors de les insérer dans le lecteur et de suivre les instructions.

Ajouter ou supprimer des composants de Windows

Voici un petit secret : Windows XP s'installe rarement dans sa totalité. Il omet souvent d'installer un programme permettant d'envoyer ou de recevoir des télécopies, par exemple, ou encore des programmes spéciaux destinés aux utilisateurs d'ordinateurs portables. Pour voir ce que Windows n'a pas installé ou, au contraire, supprimer des fonctionnalités qu'il a installées, cliquez sur le bouton Ajouter ou supprimer des composants Windows (il se trouve dans la barre de gauche de la boîte de dialogue Ajouter et supprimer des programmes).

Windows affiche une liste de tous ses composants. Ceux qui sont cochés sont installés ; les autres ont été omis. Les cases en grisé indiquent que certains des programmes de cette catégorie n'ont pas été installés. Double-cliquez sur cette catégorie pour voir ce qui a été installé et ce qui ne l'a pas été.

Pour ajouter un programme, cochez la case vide. Pour ôter un programme installé, cliquez dans sa case afin d'ôter la coche. Cliquez ensuite sur le bouton Appliquer.

Sons, voix et périphériques audio

Vous recherchez la commande du volume ? C'est là qu'elle se cache, dans les profondeurs du Panneau de configuration. Mais vous avez un moyen de la trouver plus facilement. Cette catégorie du Panneau de configuration recèle deux icônes : Sons et périphériques audio, et Voix (eh oui, Windows peut vous causer, mais avec une diction américaine). Voici comment ça se passe.

Régler le volume sonore et émettre des sons

Assez bizarrement, Windows XP ne permet pas de modifier rapidement et facilement le volume sonore. Cette fonction est évidemment prévue, mais elle est cachée. Vous trouverez ici un moyen simple de placer la commande de volume sur le Bureau, où elle sera toujours visible. C'est peut-être la meilleure astuce de ce livre...

Dans le Panneau de configuration, cliquez sur l'icône Sons et périphériques audio. Dans la boîte de dialogue des propriétés qui apparaît (voir Figure 12.10), cochez la case Placer l'icône de volume dans la barre des tâches. Cliquez ensuite sur Appliquer. Une petite icône avec un haut-parleur s'affiche dans la zone de notification de la barre des tâches, à proximité de l'horloge (Figure 12.11).

Pour couper le son afin de ne pas être gêné pendant une conversation téléphonique, cliquez sur la petite icône avec le haut-parleur de la Figure 12.11 et cochez la case Muet. Cliquez de nouveau dessus lorsque votre client qui appelait de la Patagonie méridionale aura raccroché, et que vous pourrez de nouveau vous laisser bercer par la musique.

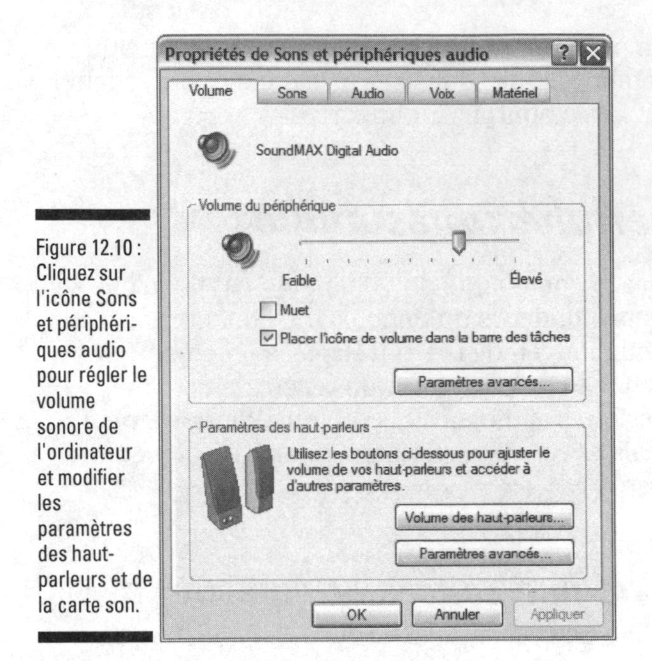

Figure 12.10 : Cliquez sur l'icône Sons et périphériques audio pour régler le volume sonore de l'ordinateur et modifier les paramètres des haut-parleurs et de la carte son.

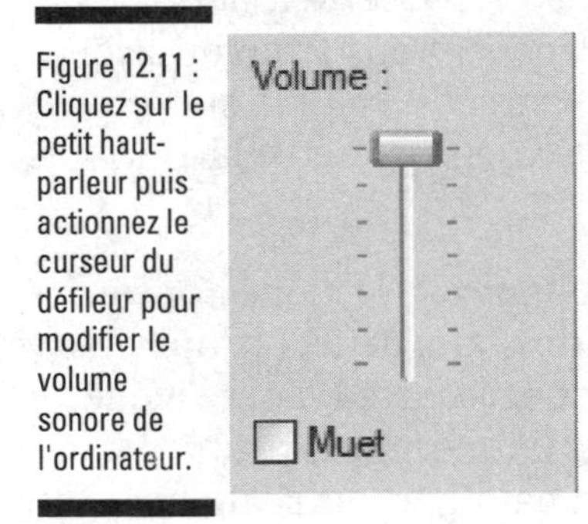

Figure 12.11 : Cliquez sur le petit haut-parleur puis actionnez le curseur du défileur pour modifier le volume sonore de l'ordinateur.

Ne manquez pas de cliquer sur le bouton Paramètres avancés, dans la zone Paramètres des haut-parleurs, pour indiquer à Windows quel type d'enceintes vous utilisez. Je ne saurais affirmer si cela change grand-chose à la qualité du son, mais il est bon de savoir que Windows se soucie tant de vos haut-parleurs.

Après avoir cliqué sur l'onglet Sons, Windows vous permet d'associer un son à divers événements (ouverture de Windows, arrêt critique, vidage de la Corbeille, etc.). La liste de ces événements figure dans la fenêtre Événements et, plus bas, une zone de liste déroulante permet de choisir le fichier son à affecter à l'événement sélectionné. Cliquez sur le bouton Aperçu – le petit triangle noir à gauche du bouton Parcourir – pour tester le son.

Les problèmes de configuration multimédia

Les gadgets du multimédia engendrent inévitablement leur lot de problèmes de configuration. Les formats de fichiers et les paramètres de configuration sont vraiment trop nombreux pour en faire aisément le tour. Bien que Windows XP réalise un remarquable travail en prenant automatiquement en charge l'installation du matériel, la boîte de dialogue des Propriétés de sons et de périphériques audio permet aux utilisateurs férus de technique de bidouiller différents paramètres. Comme les divers ordinateurs utilisent divers composants et éléments, ces paramètres varient d'un modèle à un autre. Voici cependant quelques généralités sur ce qu'offre cette boîte de dialogue :

- Sons : Comme nous l'avons mentionné dans ce chapitre, c'est sous cet onglet que vous affectez des sons aux différents événements de Windows.
- Audio : Cette page régit le matériel audio de votre ordinateur. C'est là que vous choisissez le périphérique à utiliser pour émettre des sons ainsi que celui pour l'enregistrement audio. À moins d'être musicien, vous ne toucherez pas à ces paramètres.
- Voix : Vous voulez écouter de la musique ? Converser avec d'autres fanas de jeux vidéo ? C'est là que vous pourrez vérifier si votre carte son est capable de diffuser de la musique tout en enregistrant votre voix. Assurez-vous d'avoir cliqué sur le bouton Test du matériel avant de passer à autre chose.
- Matériel : Windows XP recense ici tous les périphériques multimédias branchés à votre ordinateur. En cliquant sur l'un d'eux puis sur le bouton Propriétés, vous obtenez des informations à son sujet. Vous consulterez rarement cet onglet. Seuls les experts en son et vidéo, notamment les fanas de MP3, voudront voir quels codecs ont été installés.

Seuls des sons au format WAV peuvent être affectés à des événements. Il n'est pas possible d'utiliser des fichiers MP3, MIDI ou tout autre format audio sympa.

Performances et maintenance

Cette catégorie du Panneau de configuration contient quatre icônes : Outils d'administration, Options d'alimentation, Tâches planifiées et Système. Il y a de fortes chances pour que vous n'ayez jamais à les voir de près. Voici cependant un bref descriptif.

Obtenir des informations sur votre ordinateur

Certaines personnes se contentent de conduire leur voiture, d'autres aiment voir ce qu'il y a sous le capot. Pour jeter un coup d'œil à la mécanique de Windows, cliquez sur l'icône Système. Comme le montre la Figure 12.12, elle donne accès à une information complète. Plus qu'il vous en faut...

La fenêtre Propriétés système permet de configurer une foule de paramètres. L'onglet Matériel, par exemple, démarre l'Assistant Ajout de matériel. Sous ce même onglet, le bouton Gestionnaire de périphériques permet de voir toutes les parties de l'ordinateur et de vérifier si elles fonctionnent correctement ou non. Choisissez l'onglet Mises à jour automatiques pour décider de la fréquence à laquelle Windows XP doit télécharger les mises à jour.

Comme ce qui se trouve là est joliment compliqué, il est recommandé de ne pas y toucher à moins d'être sûr de ce que vous faites. Ces fonctions sont décrites dans des ouvrages plus spécialisés.

Activer ou désactiver les effets visuels

Windows XP s'efforce d'être cool, calme et zen. Et collectif. Ses fenêtres et ses menus apparaissent et s'effacent en

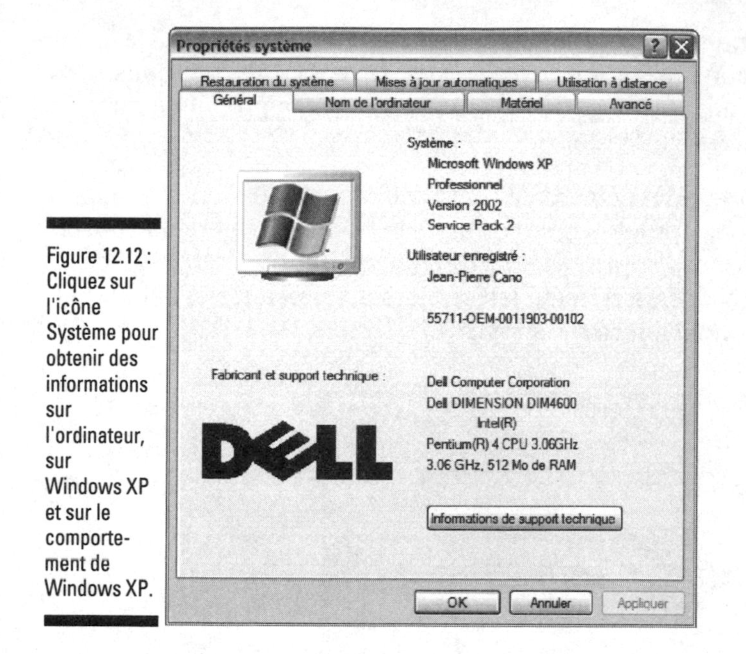

Figure 12.12 : Cliquez sur l'icône Système pour obtenir des informations sur l'ordinateur, sur Windows XP et sur le comportement de Windows XP.

douceur afin de préserver l'ambiance feutrée du travail. Mais parfois cette quiétude finit par devenir soporifique. Pour choisir entre le calme et la frénésie, cliquez sur l'icône Système puis sur l'onglet Avancé. Là, dans la zone Performances, cliquez sur Paramètres.

Pour que tout soit bien fluide, choisissez l'option Ajuster afin d'obtenir la meilleure apparence. Si vous voulez accélérer vos menus, sélectionnez Ajuster afin d'obtenir les meilleures performances, ou encore Paramètres personnalisés si vous ou n'importe qui d'autre veut se faire une idée de ce qui figure dans la liste. Vous n'aimez pas le résultat ? Cliquez sur le bouton Laisser Windows choisir la meilleure configuration pour mon ordinateur, et tout reviendra à la normale.

Libérer de la place sur le disque dur

Tôt ou tard, Windows XP se mettra à envoyer des messages, se plaignant de manquer de place sur le disque dur. Vous pouvez bien sûr toujours en installer un plus gros. Mais il existe une autre solution, moins radicale : faire appel à la commande Libérer de l'espace sur votre disque dur, qui se trouve dans la catégorie Performances et maintenance du Panneau de configuration.

Ou encore, ouvrez le Poste de travail depuis le menu Démarrer, cliquez sur le disque dur avec le bouton droit de la souris, et choisissez Propriétés. Cliquez sur le bouton Nettoyage de disque. Windows détecte les fichiers à supprimer et calcule l'espace ainsi libéré (voir Figure 12.13).

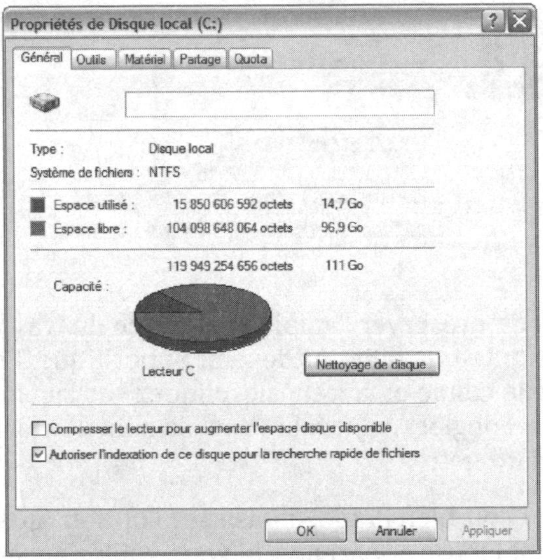

Figure 12.13 : L'outil Nettoyage de disque supprime les fichiers devenus inutiles, libérant ainsi de l'espace de stockage.

Veillez à sélectionner les Fichiers programmes téléchargés (s'il y en a), les Fichiers Internet temporaires, la Corbeille et les Fichiers temporaires. Cliquez sur OK puis sur Oui lorsqu'il vous sera demandé de confirmer. Windows efface ensuite les fichiers, libérant ainsi de la place.

Réarranger le disque dur pour accélérer les accès aux fichiers (défragmentation)

Lorsque des données sont écrites sur le disque dur, Windows se comporte comme le plus méticuleux des archivistes.

Il divise parfois un fichier en plusieurs parties qu'il range dans des coins et recoins. Malheureusement, lorsque ces endroits sont éloignés les uns des autres, Windows met un temps plus long à récupérer l'intégralité des fichiers. Pour accélérer les choses, défragmentez de temps en temps les fichiers. Pour cela, ouvrez le Panneau de configuration, cliquez sur Performances et maintenance, et choisissez l'option Réorganiser les éléments sur votre disque dur afin que les programmes s'exécutent plus rapidement.

Ou alors cliquez sur le bouton Démarrer puis sur Poste de travail. Cliquez ensuite avec le bouton droit de la souris sur le disque dur et choisissez Propriétés. Cliquez sur l'onglet Outils puis sur le bouton Défragmenter maintenant. Dans la boîte de dialogue Défragmenteur de disque, cliquez sur le bouton Analyser. Windows inspecte le disque dur et communique le résultat. Si son rapport préconise une défragmentation, cliquez sur le bouton Défragmenter. Si cette opération n'est pas nécessaire, cliquez sur le bouton avec un X, dans le coin supérieur droit de la fenêtre.

Défragmentez le disque dur régulièrement, notamment si vous avez l'impression que l'ordinateur est plus lent. Sinon, vous entendrez la tête de lecture du disque dur s'agiter frénétiquement en émettant des cliquetis caractéristiques.

Les autres icônes de performances et de maintenance

On ne touche pas aux Outils d'administration ! Il n'y a là rien qui puisse intéresser les utilisateurs peu désireux de bidouiller leur ordinateur. Cette icône ne s'adresse qu'aux techniciens.

Principalement conçues pour les ordinateurs portables, les Options d'alimentation permettent de configurer une minuterie qui éteint le moniteur, le disque dur ou l'ordinateur tout entier afin d'économiser l'énergie. Choisissez la configuration qui vous convient sous l'onglet Modes de gestion de l'alimentation puis cliquez sur le bouton OK. Utilisez les Options d'alimentation chaque fois que vous désirez indiquer à Windows XP comment il doit réagir après que quelqu'un a mis l'ordinateur en marche.

Les Tâches planifiées peuvent être oubliées. Windows XP les consulte lorsqu'il doit exécuter automatiquement certaines tâches. Il s'agit surtout de travaux de maintenance qu'il n'est pas nécessaire de modifier.

Imprimantes et autres périphériques

Dès que vous ajoutez un nouveau matériel à l'ordinateur, qu'il s'agisse d'une souris, d'une manette de jeu, d'un clavier ou d'une quelconque carte, vous devez utiliser l'Assistant Ajout de matériel. Sa petite icône se trouve dans la fenêtre Voir aussi, à gauche du panneau. Windows recherche le matériel nouvellement installé, le reconnaît et s'assure qu'il fonctionne correctement (du moins si tout se déroule comme prévu). Les autres icônes de cette catégorie servent essentiellement à configurer le matériel que vous venez d'installer.

Ajouter un nouveau matériel

Quand vous dévorez un sandwich, vous savez ce que vous mangez. Après tout, c'est vous qui l'avez choisi à la boulangerie du coin, mâché et avalé, puis qui avez essuyé les miettes de pain aux commissures de vos lèvres.

Mais quand vous ajoutez un nouvel élément à votre ordinateur, il est souvent éteint et Windows est en léthargie. Dès que vous l'allumez et que Windows XP revient à la vie, il se rend compte de la petite intervention chirurgicale qu'il a subie.

Voici la bonne nouvelle : si vous demandez à Windows XP de rechercher simplement le nouvel élément, il le découvrira probablement. En fait, Windows XP ne se contente pas de détecter le nouveau matériel ; il en prend connaissance puis entame avec lui une chaleureuse et profitable relation de travail en utilisant les paramètres corrects.

- Il arrive parfois que Windows XP détecte un nouveau matériel dès que l'ordinateur s'allume. Il recrute alors occasionnellement un assistant pour aider à le configurer.
- Windows XP est plutôt bon lorsqu'il s'agit d'identifier les éléments que les gens ont fourrés dans l'ordinateur, surtout si ce dernier est compatible Plug and Play.

Dans le Panneau de configuration, l'icône Ajout de matériel gère le processus de déclaration à Windows XP de tout nouveau périphérique que vous branchez à l'ordinateur :

1. **Double-cliquez sur l'icône Ajout de matériel, dans le Panneau de configuration, puis sur le bouton Suivant.**

   L'Assistant Ajout de matériel surgit comme un diable de sa boîte, prêt à déclarer à Windows XP tout ce que vous venez de fourrer dans le boîtier de l'ordinateur.

2. **Cliquez sur le bouton Suivant.**

   Windows XP recherche tout nouveau périphérique Plug and Play installé dans l'ordinateur.

C'est à partir d'ici que les choses deviennent un peu différentes. Windows XP a-t-il découvert un nouvel élément ? Si oui, cliquez sur le nom de ce nouvel élément dans la liste, puis cliquez sur Terminer et appliquez le restant des instructions de l'assistant.

Mais si l'assistant n'a rien trouvé, cliquez sur l'option Ajouter un nouveau périphérique matériel (elle se trouve tout en bas de la liste Matériel installé). Cliquez ensuite sur Suivant pour indiquer à Windows qu'il doit rechercher un périphérique supplémentaire. Suivez les instructions pour voir si Windows parvient à le détecter. S'il y arrive – il y a de quoi se réjouir –, cliquez sur le nom de ce périphérique afin que Windows l'installe.

Si Windows ne parvient pas malgré tout à localiser le nouveau matériel, vous devrez contacter le fabricant et demander un *pilote pour Windows XP*.

Configurer les imprimantes et les télécopieurs

La plupart du temps, votre imprimante fonctionne sans rechigner. Surtout si vous avez pensé à appuyer sur le bouton *Marche*. En vérité, la plupart des utilisateurs peuvent se dispenser de lire cette section. Même si vous avez installé une imprimante USB – c'est-à-dire connectée à un port USB, *Universal Serial Bus*, bus série universel –, vous n'avez pas à vous coltiner ce qui suit. Après avoir mis l'imprimante en marche et branché le câble dans le port USB, Windows la reconnaît automatiquement puis la configure.

Il vous arrivera néanmoins de devoir configurer certains paramètres, d'installer une nouvelle imprimante ou d'en ôter une ancienne. Dans tous les cas, commencez par ouvrir le Panneau de configuration, puis cliquez sur l'icône Imprimantes et autres périphériques et choisissez la catégorie Imprimantes et télécopieurs.

Si vous installez une nouvelle imprimante, insérez dans le lecteur la disquette ou le CD-ROM livré avec ; vous en aurez sûrement besoin pendant l'installation.

Sauf instruction contraire, choisissez toujours LPT1: comme port pour votre imprimante.

1. **Cliquez sur le bouton Ajouter une imprimante.**

   C'est magique ! Un assistant apparaît aussitôt, prêt à configurer la nouvelle imprimante.

2. **Cliquez sur le bouton Suivant et appliquez les instructions de l'Assistant Ajout d'imprimante.**

   Par exemple, cliquez pour indiquer à Windows si l'imprimante est physiquement connectée à l'ordinateur ou si elle est partagée par d'autres ordinateurs, sur un réseau.

3. **Cliquez sur Suivant et appliquez les instructions de l'assistant.**

La zone de liste déroulante de l'Assistant Ajout d'imprimante contient à gauche les noms des fabricants d'imprimantes et à droite les noms des modèles d'imprimantes de ce fabricant.

4. **Double-cliquez sur le nom de votre imprimante, si elle figure dans la liste. Windows XP vous demande d'insérer le disque d'installation dans un lecteur. L'ordinateur mouline un petit moment.**

   Le nom de la nouvelle imprimante apparaît dans la boîte de dialogue.

5. **Cliquez sur l'icône de la nouvelle imprimante et, dans le menu Fichier, sélectionnez Oui pour l'option Voulez-vous utiliser cette imprimante comme imprimante par défaut ?**

   C'est le cas. Si vous faites partie du commun des mortels, votre imprimante fonctionnera comme un charme.

Si plus d'une imprimante est connectée à l'ordinateur, cliquez avec le bouton droit de la souris sur l'imprimante que vous utilisez le plus souvent et, dans le menu, sélectionnez Définir comme imprimante par défaut. Ce choix indique à Windows XP d'utiliser cette imprimante particulière, sauf si vous en choisissez expressément une autre.

- Pour ôter une imprimante que vous ne comptez plus utiliser, cliquez sur son nom avec le bouton droit de la souris puis, dans le menu, choisissez Supprimer. Le nom de cette imprimante disparaît de toutes les boîtes de dialogue Imprimer, lorsque vous imprimez à partir d'un programme basé sur Windows XP.

- Pour partager une imprimante sur un réseau, cliquez sur son icône avec le bouton droit de la souris et choisissez Partager. Sélectionnez l'option Partager cette imprimante puis cliquez sur OK. L'imprimante apparaît désormais dans les options de tous les ordinateurs du réseau.

- Il est possible de modifier les options d'impression à partir de nombreux programmes. Choisissez Fichier dans la barre de menus du programme en question, puis Configuration de l'impression ou Imprimer. À partir de là, vous accédez souvent au même panneau d'options que celui du Panneau de configuration. Vous y trouverez les commandes permettant de modifier des éléments tels que le format du papier, la police et le type de graphismes.
- Consultez le guide d'installation de votre imprimante. Certains fabricants préfèrent que vous utilisiez leur logiciel et tiennent à l'écart l'Assistant Ajout d'imprimante. À moins que le manuel ne recommande de procéder autrement, faites toujours appel à l'Assistant Ajout d'imprimante (vous remarquerez peut-être que la nouvelle imprimante a déjà été configurée, de sorte que vous n'aurez pas à aller plus loin).
- Travailler sur une imprimante peut s'avérer plus compliqué que capturer un hamster en cavale qui s'est planqué au plus profond de la vaisselle. N'hésitez pas à utiliser tous les boutons d'aide de la boîte de dialogue. Vous aurez de bonnes chances d'y trouver de lumineux conseils, souvent en rapport avec votre modèle d'imprimante. Si efficaces que votre hamster n'aura plus qu'à bien se tenir...

Les contrôleurs de jeu

Bien que le système d'exploitation Windows XP soit plutôt orienté vers la productivité en réseau, Microsoft a aussi pensé à ceux qui, pour une raison ou pour une autre, ne sont pas astreints à travailler.

Comme les actuelles manettes de jeu et les gamepads font bien plus que vous laisser les remuer et appuyer sur des boutons, la zone Contrôleurs de jeu permet entre autres de les étalonner. Si vous utilisez différentes manettes pour différents jeux, c'est là que vous choisirez celle que vous voulez utiliser.

Si vous n'arrêtez pas de perdre à cause de l'imprécision de votre manette, cliquez sur le bouton Résolution des problèmes afin de diagnostiquer ce qui ne va pas et trouver une solution.

Scanneurs et appareils photo

Windows détecte habituellement les scanneurs et les appareils photo numériques lorsqu'ils sont en marche et connectés à l'ordinateur. Dans d'autres cas, ces matériels sont livrés avec leurs propres logiciels d'installation qui placent leurs icônes ici. D'autres appareils photo doivent explicitement être déclarés à Windows. Cliquez simplement sur l'icône Scanneurs et appareils photo puis choisissez l'option Ajouter un périphérique d'acquisition d'images.

Windows lance un assistant d'installation qui ressemble beaucoup à l'Assistant d'Ajout d'imprimante. Cliquez sur le nom du fabricant dans la fenêtre de gauche, puis choisissez le modèle de matériel à droite. Choisissez le port COM correct si vous savez où vous avez connecté l'appareil. Sinon, choisissez Détection automatique du port. Si le scanneur ou l'appareil photo sont en marche et que le câble a correctement été branché, Windows devrait le reconnaître et placer son icône à la fois dans la zone Poste de travail et dans la zone Scanneurs et appareils photo du Panneau de configuration.

Malheureusement, l'installation des scanneurs et des appareils photo n'est pas toujours aussi facile. Si la vôtre n'est pas automatiquement mise en œuvre, utilisez le logiciel fourni avec votre matériel. Il devrait fonctionner ; simplement, vous vous abstiendrez d'utiliser le logiciel intégré à Windows XP.

Pour récupérer les images de l'appareil photo que vous venez d'installer, mettez-le en marche et ouvrez le dossier Mes images. Choisissez l'option Obtenir les photos. Windows reconnaît les images et affiche une miniature de ce qu'elles représentent.

Pour sélectionner et choisir dans le stock, maintenez la touche Ctrl enfoncée tout en cliquant sur les bonnes images. En vérité, comme beaucoup d'appareils photo sont très longs à transférer leurs images, cette astuce s'avère très commode pour des récupérations rapides. Enregistrez les photos dans le dossier Mes images.

Faire reconnaître le double-clic

Cliquer deux fois avec la souris à intervalle très rapproché s'appelle un *double-clic* ; la plupart des utilisateurs en font dans Windows XP. Mais parfois vous n'arrivez pas à double-cliquer assez vite pour satisfaire Windows. Il s'imagine alors que vous avez effectué deux clics simples. Si vous rencontrez ce problème, cliquez sur l'icône Souris du Panneau de configuration. Elle se trouve dans la catégorie Imprimantes et autres périphériques.

Double-cliquer sur l'icône Souris donne accès à ses paramètres, comme le montre la Figure 12.14. Du fait que les différents ordinateurs sont livrés avec différents types de souris, les instructions qui suivent ne s'appliqueront peut-être pas au vôtre Les options des différentes souris sont cependant souvent les mêmes. Appuyez sur F1 pour obtenir de l'aide sur une option qui vous semblerait obscure.

Pour vérifier la vitesse du double-clic, double-cliquez dans la zone montrant un dossier. Si Windows XP reconnaît le double-clic, le dossier s'ouvre. Recommencez et le dossier se ferme.

Si cela ne fonctionne pas, actionnez le défileur à gauche vers Lent jusqu'à ce que Windows XP reconnaisse vos louables efforts pour produire un double-clic, puis cliquez sur le bouton OK pour vous remettre à l'ouvrage.

- Vous n'arrivez pas à double-cliquer sur une icône avec suffisamment de vélocité pour que Windows XP ouvre ce satané élément ? Cliquez une seule fois seulement et appuyez ensuite sur la touche Entrée. Ou alors, cliquez une seule fois dessus avec le bouton droit de la souris

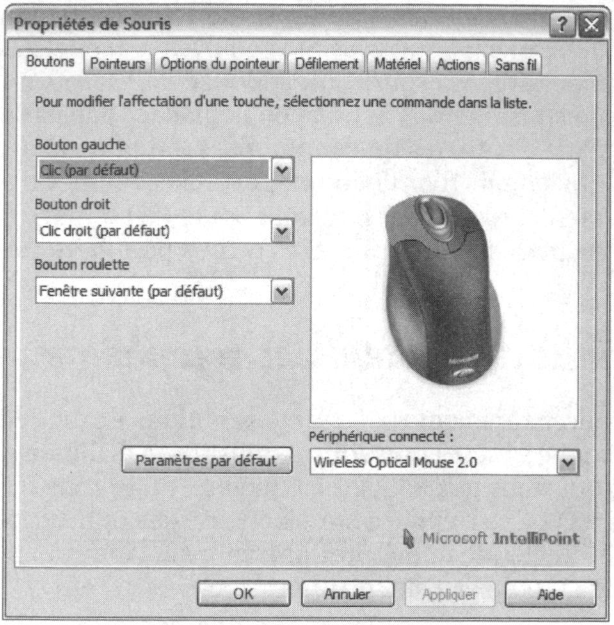

Figure 12.14 : Modifiez ici la vitesse du double-clic.

et, dans le menu contextuel qui ne manque pas d'apparaître, choisissez Ouvrir. Eh oui, il existe dans Windows XP plusieurs façons d'effectuer la même chose.

- Si vous êtes gaucher, cochez la case Permuter les boutons principal et secondaire (visible en haut, dans la Figure 12.14), puis cliquez sur le bouton Appliquer. Vous pourrez ainsi manier la souris de la main gauche et utiliser l'index pour appuyer sur le bouton principal.

- Il n'est pas indispensable que le pointeur de la souris se déplace à la meme vitesse que la souris elle-même. Pour lui faire traverser l'écran à la vitesse de l'éclair en n'actionnant que très peu la souris, cliquez sur l'onglet Options du pointeur. Ensuite, dans la zone Mouvement du pointeur, faites glisser le curseur du défileur vers Rapide. Pour ralentir le déplacement de la souris à l'écran, autorisant ainsi un pointage plus précis, glissez le curseur vers Lent.

- Certaines marques de souris sont dotées de fonctionnalités originales accessibles au travers d'onglets supplémentaires. La souris IntelliMouse de Microsoft permet de contrôler des actions en déplaçant une molette placée entre les deux boutons. C'est aussi là que les utilisateurs d'ordinateurs portables équipés d'un pavé tactile (*touch pad*) ou d'une boule de pointage (*trackball*) trouveront les paramètres de ces périphériques.

Options de modems et téléphonie

Vous aurez rarement recours à ces options de modems et de téléphonie, à moins que vous n'utilisiez un ordinateur portable et que vous ne changiez fréquemment de zone téléphonique. Dans ce cas, cliquez sur l'icône de ces options, puis sur l'onglet Règles de numérotation, enfin sur Nouveau pour ajouter un nouveau site d'appel.

Si votre modem réagit bizarrement, cliquez sur l'onglet Modems puis sur le bouton Dépannage pour voir si Windows saura déterminer ce qui ne va pas.

Comptes d'utilisateurs

Allez à cet emplacement pour modifier les comptes des personnes que vous autorisez à utiliser l'ordinateur. Vous pouvez définir des mots de passe, créer de nouveaux comptes, changer l'image – le portrait – d'un utilisateur dans l'écran d'accueil, et aussi modifier la manière dont les différents utilisateurs accèdent à Windows.

Options régionales, date, heure et langue

Principalement conçue pour les possesseurs d'ordinateurs portables qui voyagent, cette zone permet de modifier la date et l'heure de l'ordinateur et propose la prise en charge d'autres langues. Vous n'interviendrez ici qu'une seule fois, après quoi vous pourrez oublier ces paramètres.

Options régionales et linguistiques

Vous emmenez votre ordinateur aux États-Unis ? Cliquez sur cette icône et choisissez Anglais (États-Unis). Windows se configure automatiquement pour utiliser les formats de date et monétaire propres à ce pays. Vous trouverez ici une grande quantité de pays.

Configurer la date et l'heure

De nombreux utilisateurs ne se fatiguent pas à régler l'horloge de leur ordinateur. Ils se contentent de consulter leur montre-bracelet pour connaître l'heure. Ils oublient cependant un point important concernant l'ordinateur : il attribue toujours une date et une heure de création aux fichiers. Si ces paramètres sont erronés, les fichiers sont mal datés. Comment ferez-vous alors pour retrouver ceux que vous avez créés la veille ou la semaine dernière ? De plus, les courriers électroniques seront envoyés avec une date erronée, ce qui déroutera leur destinataires (NdT : et augmentera considérablement le risque qu'ils ne soient pas lus s'ils sont antidatés, car ils n'apparaîtront plus parmi les derniers courriers reçus, mais dans la partie ancienne de la liste, hors de vue).

De plus, Windows XP se base lui aussi sur l'horloge interne de l'ordinateur. Vous devrez régler la date et l'heure si l'ordinateur a fait un saut dans le passé ou s'il vit déjà dans le futur.

Pour régler la date et l'heure de l'ordinateur, choisissez l'icône Date et heure. Un petit calendrier s'affiche à l'écran, où vous pourrez choisir le jour et l'heure en cliquant.

Vous avez changé de fuseau horaire ? Cliquez sur l'onglet Fuseau horaire et sélectionnez dans la liste déroulante celui où vous vous trouvez.

Enfin, pour que Windows soit toujours à l'heure à la fraction de seconde près, cliquez sur l'onglet Temps Internet. Cochez la case Synchroniser automatiquement avec un serveur de temps Internet.

- Windows XP est doté d'un programme Rechercher capable de retrouver des fichiers selon leur date et l'heure où ils ont été créés, modifiés ou consultés pour la dernière fois. Cette fonction n'est fiable que si la date et l'heure de l'ordinateur sont correctes.

- Pour accéder plus rapidement aux paramètres de date et d'heure, double-cliquez sur la petite horloge qui se trouve dans la zone de notification de la barre des tâches. Windows XP affiche les mêmes boîtes de dialogue que si vous aviez ouvert le Panneau de configuration et double-cliqué sur l'icône Date et heure.

Chapitre 13
Quand Windows fait des siennes

Dans ce chapitre :

- Ramener l'ordinateur à une époque où il se portait mieux.
- Ramener une souris erratique dans le droit chemin.
- Corriger d'anciens logiciels qui ne tournent pas sous Windows XP.
- Comprendre les privilèges des comptes d'administrateurs.
- Sortir d'un menu où vous êtes bloqué.
- Maintenir Windows à jour.
- Retrouver les icônes du Bureau qui avaient disparu.
- Installer un pilote pour un nouvel élément de l'ordinateur.
- Installer d'autres parties de Windows XP.
- Que faire si l'on a cliqué sur le mauvais bouton.

Il y a des jours comme ça où rien ne va, et l'ordinateur n'y est parfois pas étranger. Il se met tout à coup à gronder, ou alors Windows XP est plus poussif qu'une limace essoufflée. D'autres fois, quelque chose ne tourne manifestement pas rond. Appuyer sur les touches déclenche un bip, les menus ne réagissent pas ou bien Windows vous accueille dès le démarrage par un message d'erreur peu avenant.

La plupart de ces problèmes apparemment ardus sont résolus par des solutions faciles à mettre en œuvre. Ce chapitre vous en présente quelques-unes.

Restaurer le passé grâce à la Restauration du système

Ça arrive à tout le monde : Windows fonctionne parfaitement jusqu'à un certain moment. Celui par exemple où, après avoir supprimé un fichier, Windows affiche sans cesse au démarrage un affreux message d'erreur.

Ou alors, vous avez installé un nouveau programme qui s'est dépêché de couper la communication avec votre scanneur, votre appareil photo numérique, le modem, voire les trois à la fois.

C'est dans de tels moments que vous voudriez bien retourner dans le passé, lorsque Windows fonctionnait bien. Fort heureusement, Windows est capable de remonter dans le temps grâce à quelques clics et à un programme nommé Restauration du système.

Chaque jour, Windows enregistre sur le disque dur une "image" de la configuration de votre ordinateur. Dès qu'il commence à se comporter de façon étrange, chargez la Restauration du système et cliquez sur le dernier jour où l'ordinateur fonctionnait bien : la Restauration du système remonte dans le temps afin de configurer l'ordinateur tel qu'il était lorsqu'il fonctionnait à merveille. Sauvé ! Voici comment faire pour se retrouver en des temps meilleurs :

1. **Enregistrez tous les fichiers ouverts, fermez tous les programmes puis chargez la Restauration du système.**

   Cliquez sur Démarrage/Tous les autres programmes, puis allez dans Accessoires/Outils système et cliquez sur Restauration du système.

2. **Cliquez sur Restaurer mon ordinateur à une heure antérieure. Cliquez ensuite sur Suivant.**

3. **Choisissez dans le calendrier une date à laquelle l'ordinateur fonctionnait bien puis cliquez sur Suivant.**

La veille est le meilleur choix. Mais si les symptômes remontent à plus loin, choisissez la journée qui *précède* la date à laquelle des dysfonctionnements se sont manifestés.

4. **Assurez-vous d'avoir bien enregistré tous les fichiers ouverts puis cliquez sur OK.**

   L'ordinateur mouline un moment puis il redémarre.

   La Restauration du système rétablit l'ordinateur à une époque où sa configuration ne posait aucun problème. Vous ne perdez rien de ce que vous avez enregistré.

   Si l'ordinateur fonctionne bien, ouvrez la Restauration du système ; ensuite, à l'Étape 2 ci-dessus, sélectionnez le bouton Créer un point de restauration. Vous indiquez ainsi à Windows qu'il doit prendre un instantané de sa configuration courante afin d'y revenir par la suite, si les choses se dégradent.

La Restauration du système est totalement réversible. Si l'ordinateur se comporte encore plus mal, chargez la Restauration du système et choisissez une autre date.

Avant d'installer un programme ou tout autre nouveau joujou informatique, chargez la Restauration du système et créez un point de restauration, au cas où l'installation s'avérerait désastreuse. Nommez ce point d'une façon évocatrice, comme *Avant l'installation de la webcam*. Vous saurez ainsi où vous en étiez avant que les choses aillent de travers.

Il est possible d'enregistrer de nombreuses restaurations dont chacune contient un instantané de la configuration de votre ordinateur.

Si vous restaurez l'ordinateur à un point antérieur où vous avez installé un logiciel ou un matériel, ces éléments risquent de ne pas fonctionner correctement. Dans ce cas, vous devrez les réinstaller.

Ma souris ne fonctionne pas bien

Il arrive parfois que la souris ne fonctionne pas du tout. Dans d'autres cas, le pointeur saute à l'écran de façon erratique, comme une puce folle. Voici quelques points à vérifier :

- Si aucun pointeur n'est visible à l'écran après avoir démarré Windows, assurez-vous que la prise de la souris est enfoncée bien à fond à l'arrière de l'ordinateur. Ensuite, quittez puis redémarrez Windows XP.

- Si le pointeur est visible mais qu'il ne bouge pas, c'est peut-être parce que Windows a confondu votre modèle de souris avec un autre.

- Le pointeur peut sauter d'un endroit à l'autre de l'écran si le mécanisme de la souris est encrassé. Commencez par retourner la souris et nettoyer la saleté accumulée sur le dessous (NdT : profitez-en aussi pour vérifier la propreté du tapis de souris). Faites ensuite pivoter la rondelle en matière plastique pour libérer la boule. Ôtez les poussières, cheveux et poils de chat. À l'intérieur de la trappe, grattez la crasse sur les rouleaux sans les rayer (avec la partie non phosphorée d'une allumette, par exemple). Veillez à ce qu'elle ne tombe pas dans le mécanisme. Si vous travaillez en pull de laine ou si le chat a pris l'habitude de piétiner le tapis de la souris, vous devrez effectuer ce nettoyage toutes les semaines environ.

- Si la souris fonctionnait bien et que maintenant les boutons semblent inversés, c'est peut-être parce que quelqu'un les a permutés dans le Panneau de configuration. Allez dans ce panneau, cliquez sur l'icône Souris et vérifiez si sa configuration est bien celle que vous désirez.

Faire tourner des programmes anciens sous Windows XP

Les programmeurs écrivent leurs logiciels pour des versions spécifiques de Windows. Ensuite, lorsqu'une nouvelle version apparaît, comme Windows XP, certains de ces logiciels ne s'accommodent pas de leur nouvel environnement et refusent de fonctionner.

Si un jeu vidéo ou tout autre programme refuse de tourner sous Windows XP, il reste une chance en utilisant le Mode de compatibilité. Cette fonctionnalité leurre les programmes en leur faisant croire qu'ils tournent sous la version de Windows pour laquelle ils ont été conçus, de sorte que tout se passe bien.

Si un programme vous fait des misères, cliquez sur son icône avec le bouton droit de la souris et choisissez Propriétés. Dans la boîte de dialogue qui apparaît, cliquez sur l'onglet Compatibilité. Après avoir vérifié sur l'emballage ou sur le disque d'installation pour quelle version ce programme a été conçu, sélectionnez-la dans le menu déroulant Exécuter ce programme en Mode de compatibilité pour (voir Figure 13.1).

Pour avoir plus d'informations sur cette fonctionnalité et obtenir une liste de compatibilité des programmes installés dans l'ordinateur, cliquez sur le lien En savoir plus sur la compatibilité des programmes (tout en bas de la boîte de dialogue, dans la Figure 13.1).

L'ordinateur me dit que je dois être Administrateur !

Vous *devez* être Administrateur pour effectuer la plupart des choses intéressantes dans Windows XP. Ce système d'exploitation a en effet été conçu pour que plusieurs utilisateurs puissent ouvrir une session de travail pour eux seuls.

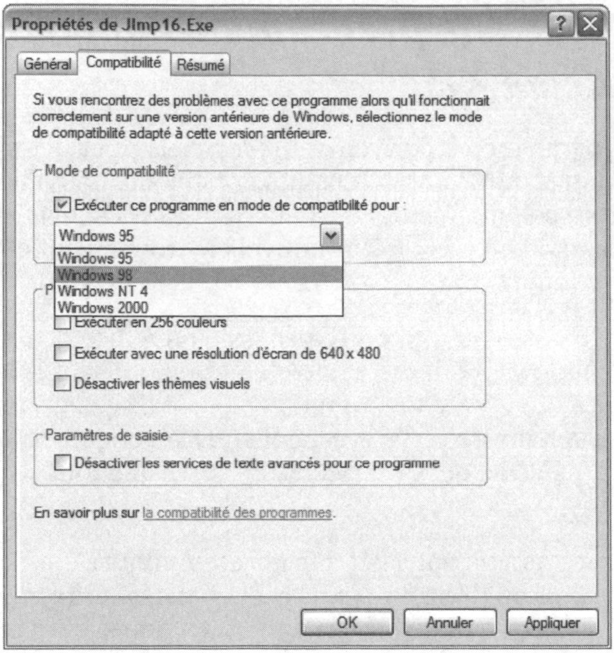

Figure 13.1 : En cas de problème, le Mode de compatibilité permet de sélectionner la version de Windows pour laquelle un programme a été conçu.

Windows XP enregistre séparément les paramètres de chacune de ces personnes, ce qui leur donne l'impression d'utiliser un ordinateur qui leur est propre.

Mais quelqu'un doit toutefois être en charge de l'installation d'un nouveau logiciel, de la modification des paramètres de réseau ou de l'ajout de matériel. Cette personne est l'Administrateur. Généralement, c'est le propriétaire de l'ordinateur qui détient le compte Administrateur ; les autres personnes ont des comptes limités ou invités.

Si un message signale que vous devez être Administrateur pour effectuer telle ou telle tâche sur l'ordinateur, vous devrez vous adresser au propriétaire de la machine pour obtenir de l'aide (si vous le harcelez assez souvent par vos demandes, il acceptera peut-être de transformer votre compte limité en compte administrateur pour être tranquille).

Je suis coincé dans un menu

Si vos frappes au clavier ne produisent pas des caractères mais déroulent à chaque fois des menus, c'est que vous êtes coincé dans les menus. Vous avez dû appuyer sur la touche Alt par inadvertance, ce qui arrive très facilement.

Quand vous appuyez sur la touche Alt, Windows détourne son attention du travail en cours et s'intéresse aux menus alignés en haut de la fenêtre.

Pour revenir au travail, appuyez de nouveau sur Alt. Ou encore, appuyez deux fois sur la touche Échap. L'une et l'autre vous feront sortir de ce mauvais pas.

Maintenir Windows à jour

Si vous avez une connexion Internet, vous n'avez en fait pas à vous soucier de maintenir Windows à jour, car il effectue lui-même cette opération grâce à son programme Windows Update. De temps en temps, vous verrez apparaître un petit message dans la zone de notification de la barre des tâches. Il signale que des mises à jour ont été téléchargées en tâche de fond et vous invite à terminer leur installation.

Lorsqu'un message apparaît dans la zone de notification, cliquez dessus. La fenêtre qui apparaît explique que Windows veut procéder à une installation afin d'être à jour. Donnez systématiquement votre accord en cliquant sur Oui. La mise à jour s'installe automatiquement ; Windows demandera ensuite à être redémarré.

Peu de temps après que l'Administrateur a commencé à utiliser l'ordinateur, Windows demande l'autorisation de souscrire à la mise à jour automatique. Cliquez sur Oui. Windows Update est le meilleur moyen, pour Microsoft, de corriger des erreurs de programmation et de garantir que Windows tournera sans encombre.

Toutes les icônes de mon Bureau ont disparu

Windows XP fait quelquefois des erreurs. Normalement, lorsque vous placez un fichier ou un raccourci sur le Bureau, vous le voyez. Mais comment réagiriez-vous si tout à coup toutes les icônes disparaissaient du Bureau ? Il se trouve que, dans un légitime désir de plaire à tout le monde, Windows XP propose une curieuse option qui rend les icônes du Bureau invisibles.

Si vous cliquez sur le Bureau avec le bouton droit de la souris, que vous choisissez Réorganiser les icônes par, puis Afficher les icônes du Bureau, vous désactivez l'option qui rend les icônes visibles. La coche de cette option disparaît, et avec elle toutes les icônes du Bureau !

C'est sûr, pour être net, votre Bureau est net. Mais il est terriblement difficile de cliquer sur des icônes que l'on ne voit pas. Pour les faire réapparaître, cliquez avec le bouton droit de la souris dans le Bureau et choisissez Réorganiser les icônes par/Afficher les icônes du Bureau. L'option est de nouveau active et toutes vos icônes réapparaissent.

Il paraît que je dois installer un nouveau pilote

Quand vous achetez un nouvel équipement pour votre ordinateur, il est généralement livré avec un logiciel appelé "pilote". Un *pilote* est une sorte d'intermédiaire qui indique à Windows comment il doit se débrouiller avec le nouvel élément. Quand vous achetez un nouveau clavier, une carte son, un lecteur de CD, une imprimante, une souris, un moniteur ou n'importe quel autre périphérique, vous devez en principe installer un pilote dans Windows. Son installation est heureusement des plus faciles.

- Les éditeurs et les fabricants mettent constamment leurs pilotes à jour afin de corriger des problèmes internes ou de faire en sorte qu'ils communiquent mieux avec leur environnement. Si le périphérique ne se comporte pas bien, un nouveau pilote le ramènera à la raison. Appelez le fabricant et demandez la dernière version du pilote ou, si vous faites partie des internautes, allumez votre modem et filez sur sa page Web afin de télécharger gratuitement le pilote.

- Pour trouver la page Web d'un éditeur ou d'un fabricant, faites appel à Internet Explorer. Allez sur le site `www.yahoo.fr` puis tapez le nom de la société. Il y a de fortes chances pour que Yahoo! vous y amène d'un seul clic de souris.
- Tous les périphériques ne fonctionnent pas avec Windows XP. Certains jeux ne reconnaissent même pas certaines cartes son, et certains logiciels ne fonctionnent pas avec certains lecteurs de CD. Amenez la liste des différents matériels dont se compose votre PC à la boutique informatique et, avant de sortir votre porte-monnaie, voyez avec le vendeur si le logiciel ou le périphérique que vous désirez acquérir est compatible.

- Pour obtenir la liste du matériel installé dans votre ordinateur, cliquez sur l'icône Poste de travail avec le bouton droit de la souris et choisissez l'onglet Gestionnaire de périphériques. Cliquez sur le bouton Imprimer puis sur OK. Ce qui figure sur la feuille sera sans doute assez obscur pour vous, mais les types de la boutique sauront déchiffrer ces informations.
- Après avoir enregistré Windows XP, le programme Windows Update gère différentes tâches de mise à jour. Il se connecte à une page Web particulière d'où il télécharge les données dont l'ordinateur pourrait avoir besoin.

Sa version de Windows contient plus de programmes que la mienne !

Windows XP s'installe de lui-même différemment sur différents types d'ordinateurs. Lors de l'installation sur le disque dur, il transfère différents fichiers. Si l'ordinateur est un portable, par exemple, Windows XP installera des programmes qui facilitent le transfert des fichiers et qui surveillent la charge de la batterie.

Windows XP est fourni avec un grand nombre de programmes parfois assez surprenants. Ne surchargez pas l'ordinateur en les installant tous ; il est inutile de l'encombrer de composants dont vous n'aurez pas besoin.

J'ai cliqué sur le mauvais bouton (mais je ne l'ai pas encore relâché)

Cliquer avec la souris s'effectue en deux étapes : une pression, un relâchement. Si vous venez de cliquer sur le mauvais bouton à l'écran, et que vous n'avez pas encore relâché le bouton de la souris, appuyez sur la touche Échap puis déplacez doucement le pointeur hors du bouton erroné.

Le bouton à l'écran reprend son apparence initiale et Windows XP fait comme si rien ne s'était passé. Heureusement.

Mon ordinateur est complètement bloqué

De temps en temps, Windows laisse tout tomber et fait le mort. Vous vous retrouvez avec un ordinateur bloqué ; vous aurez beau cliquer frénétiquement ou appuyer sur toutes les touches du clavier, rien n'y fera. Tout au plus, émettra-t-il des bips chaque fois que vous appuierez sur une touche.

Quand rien ne bouge à l'écran hormis le pointeur de la souris, c'est que l'ordinateur est bel et bien bloqué (c'est-à-dire "planté", dans le jargon des utilisateurs). Essayez ces différentes méthodes pour corriger le problème :

- **Méthode n° 1 :** Appuyez deux fois sur la touche Échap.

Cette action ne résout généralement rien, mais essayez quand même.

- **Méthode n° 2 :** Appuyez en même temps sur les touches Ctrl+Alt+Suppr.

  Avec un peu de chance, le Gestionnaire des tâches de Windows apparaîtra avec un message qui dit que "cette application ne répond plus". Il affiche la liste des programmes actuellement en cours d'exécution, y compris celui qui ne répond plus. Cliquez sur le nom du programme qui pose problème puis sur le bouton Terminer le processus. Vous perdrez bien sûr toutes les données non enregistrées contenues dans le programme, comme vous le savez (si quelqu'un a appuyé sur Ctrl+Alt+Suppr par accident, appuyez sur Échap lorsque le message de non-réponse de l'application apparaît afin de retourner dans Windows).

  Si cette manipulation ne donne rien, essayez de cliquer, dans le Gestionnaire des tâches de Windows, sur le menu Arrêter et choisissez Redémarrer. L'ordinateur devrait s'éteindre et redémarrer dans – espérons-le – de meilleures dispositions.

- **Méthode n° 3 :** Si les méthodes précédentes ont échoué, appuyez sur le bouton de réinitialisation de l'ordinateur (NdT : ce bouton, souvent identifié par le mot "Reset", se trouve généralement sur la façade du boîtier).

  Lorsque le panneau Arrêter l'ordinateur apparaît, cliquez sur le bouton Redémarrer.

Chapitre 14

Le système d'aide de Windows XP

Dans ce chapitre :

- Obtenir rapidement de l'aide et des conseils.
- Utiliser le système d'aide de Windows XP.
- Trouver une aide sur un problème particulier.
- Se déplacer dans le système d'aide.
- Rechercher dans l'intégralité de l'aide.
- Utiliser l'Aide par Internet.

Quand vous avez besoin d'aide, Windows XP se montre très prévenant et écoute vos doléances.

Cependant, certaines fois, il refuse de répondre clairement et vous mène en bateau, au gré d'une succession de questions en jargon informatique qui souvent ne mènent à rien.

Ce chapitre explique comment extraire l'information utile du système d'aide de Windows du peu convivial, voire inutile, système Aide et support.

De l'aide, et vite !

N'ingurgitez pas la totalité de ce chapitre si vous estimez cela inutile. Mais si vous le jugez utile, vous trouverez ici tout ce qu'il faut savoir pour exploiter le système d'aide de Windows XP.

Appuyez sur F1

Dès que quelque chose vous pose problème dans Windows XP, appuyez sur la touche F1. Ou alors cliquez sur le bouton Démarrer puis choisissez l'option Aide et support. Dans Windows et dans la plupart des logiciels tournant sous Windows, cette touche F1 est réservée à l'aide. Le plus souvent, Windows XP essaie de déterminer quel programme vous utilisez, après quoi il propose une aide propre à ce programme ou au contexte actuel. D'autres fois, l'appui sur F1 affiche le vaste Centre d'aide et de support, qui fait l'objet d'une prochaine section.

Cliquer avec le bouton droit sur l'élément qui pose problème

Windows affiche constamment des questions déroutantes en espérant que vous donnerez une réponse sensée. Si vous avez une idée de ce qui pose problème, vous aurez de bonnes chances d'obtenir des informations intéressantes.

Lorsqu'un bouton, un paramètre, une boîte de dialogue ou une option de menu vous titille, cliquez dessus avec le bouton droit de la souris. Une info-bulle Qu'est-ce que c'est ? apparaît, comme le montre la Figure 14.1 ; elle donne accès à une aide spécifique à cet élément. Cliquez sur l'info-bulle "Qu'est-ce que c'est ?", et Windows affiche les informations complémentaires (voir Figure 14.2) sur la région de l'écran qui vous intrigue.

Si quelque chose vous intrigue, demandez des explications à Windows XP. Cliquez sur cet élément avec le bouton droit de la souris, puis cliquez sur l'info-bulle "Qu'est-ce que c'est ?".

Choisir de l'aide dans le menu principal

Si l'appui sur la touche F1 ne donne rien, recherchez le mot Aide dans la barre de menus du programme en question, ou encore le point d'interrogation (?). Il se trouve généralement

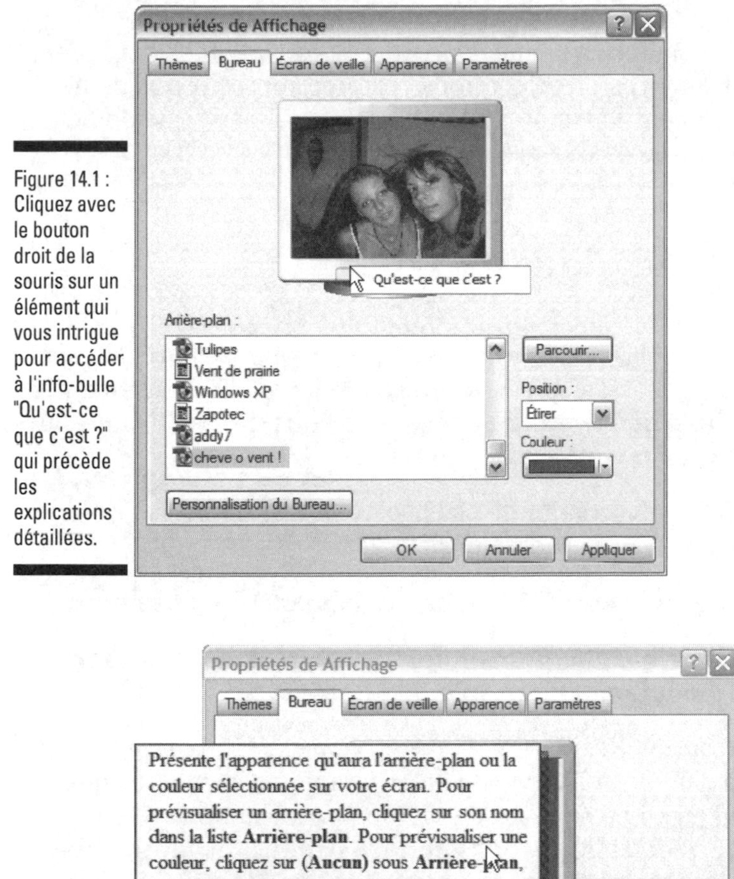

Figure 14.1 : Cliquez avec le bouton droit de la souris sur un élément qui vous intrigue pour accéder à l'info-bulle "Qu'est-ce que c'est ?" qui précède les explications détaillées.

Figure 14.2 : Cliquer sur l'info-bulle "Qu'est-ce que c'est ?" affiche des informations supplémentaires.

à droite des autres options du menu. Cliquer sur Aide ou sur ? donne usuellement accès à deux options : Rubriques d'aide et

À propos de. Cliquez sur Rubrique d'aide pour accéder immédiatement au programme d'aide de Windows XP et y trouver la solution à vos interrogations (cliquer sur À propos de ne fait qu'afficher la version du logiciel, ce qui n'est que de peu de secours en cas de problème).

Demander un dépannage

Il arrive parfois que le programme Aide et support de Windows XP fasse très fort : il vous explique très précisément comment résoudre votre problème. Mais malheureusement, il arrive aussi que le programme d'aide vous dise qu'il faut pour cela charger un *autre* programme.

Procédez comme suit pour laisser Windows XP résoudre lui-même ses propres problèmes :

1. **Dans le menu Démarrer, choisissez Aide et support.**

2. **Dans le menu Choisir une rubrique d'aide, cliquez sur Résolution d'un problème.**

   L'option Résolution d'un problème se trouve tout en bas à gauche de l'écran d'aide. Comme vous le voyez dans la Figure 14.3, la boîte de dialogue vous submerge sous un torrent d'informations et de questions. Windows propose en effet une aide à la fois généraliste et spécifique.

3. **Cliquez sur le sujet qui vous tourmente.**

   Cliquez par exemple sur Problèmes de messagerie électronique si votre logiciel de messagerie ne fonctionne pas correctement. Windows réveillera ses "robots" conçus pour résoudre différents types de problèmes. Choisissez Utilitaire de résolution des problèmes du courrier électronique si c'est là que réside votre problème. Notez que le dépannage d'Internet Explorer et modems peut aussi s'avérer efficace.

4. **Répondez aux questions du dépannage.**

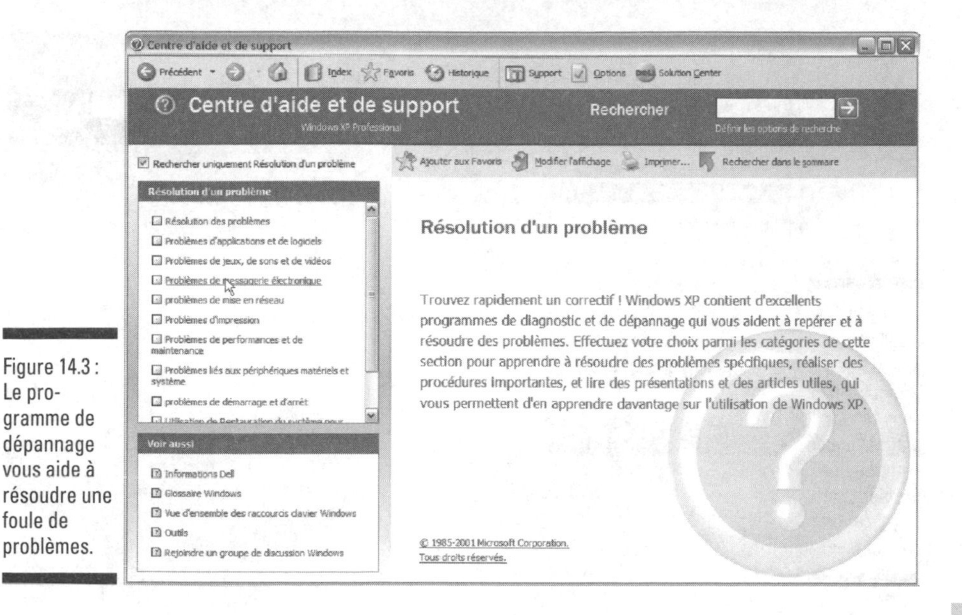

Figure 14.3 : Le programme de dépannage vous aide à résoudre une foule de problèmes.

Au fur et à mesure que vous répondez aux questions (voir Figure 14.4), Windows resserre la recherche de l'origine du problème jusqu'à ce qu'il puisse déterminer s'il arrivera à le résoudre par lui-même ou si la situation exige une intervention extérieure. Dans ce cas, vous devrez vous adresser à la boutique informatique ou au fabricant du matériel, ou à un passionné d'ordinateurs, ou au "petit-jeune-à-l'autre-bout-de-la-ville-qu'est-doué-en-informatique" pour vous tirer d'affaire.

Rechercher : laisser Windows se débrouiller seul

Quand il vous faut une réponse sans tarder, laissez Windows la trouver à votre place. Tapez quelques mots décrivant vos misères dans la zone de texte Rechercher, en haut de la boîte de dialogue. Cliquez sur la flèche verte qui se trouve juste à côté et Windows se fera un plaisir de lister toutes les informations utiles plus ou moins liées à votre problème. La procédure est rapide, facile, et c'est souvent le meilleur moyen de trouver la petite information utile qui vous manquait.

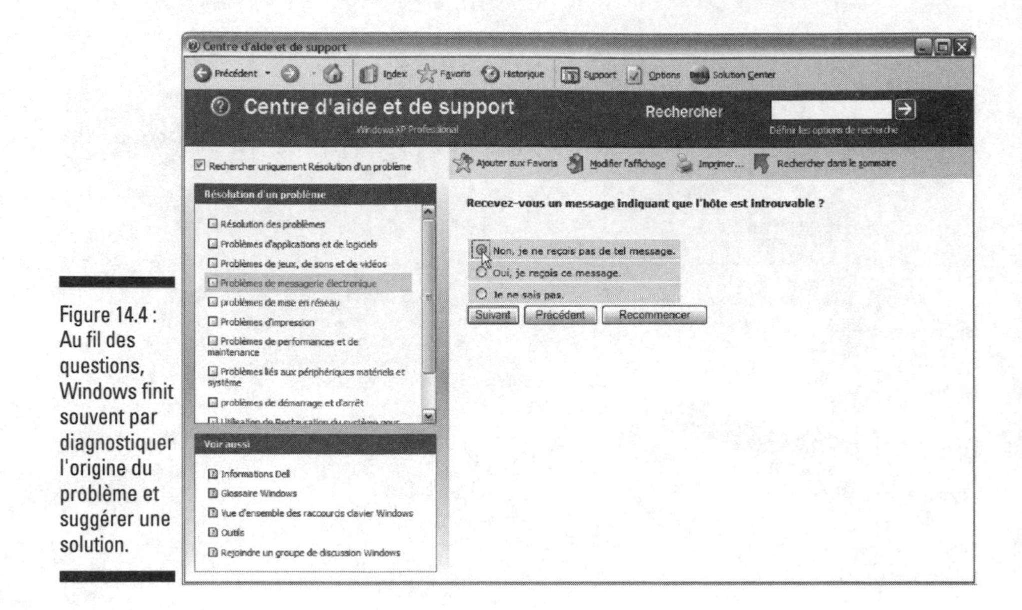

Figure 14.4 : Au fil des questions, Windows finit souvent par diagnostiquer l'origine du problème et suggérer une solution.

Faire appel au gourou informatique qui sommeille dans Windows XP

La barre des menus de quasiment tous les programmes contient l'option Aide ou son équivalent, le point d'interrogation (?). Cliquez dessus et le gourou informatique sort de son antre (NdT : eh oui)   pour vous venir en aide. Par exemple, cliquez sur ? dans Paint affiche le menu de la Figure 14.5.

Pour mettre en branle les neurones du gourou, cliquez sur Rubriques d'aide. Windows XP affiche la boîte de dialogue de la Figure 14.6. Elle contient toute l'aide de Windows à propos du programme Paint.

Pour voir une liste de sujets, commencez par cliquer sur la petite icône à gauche du mot Paint. Vous vous demandez comment utiliser les couleurs ? Cliquez sur la petite icône en regard de ce sujet et un livre s'ouvre à la bonne page, affichant une aide sur toutes les méthodes d'utilisation des couleurs. Par exemple, si vous voulez savoir comment choisir la couleur

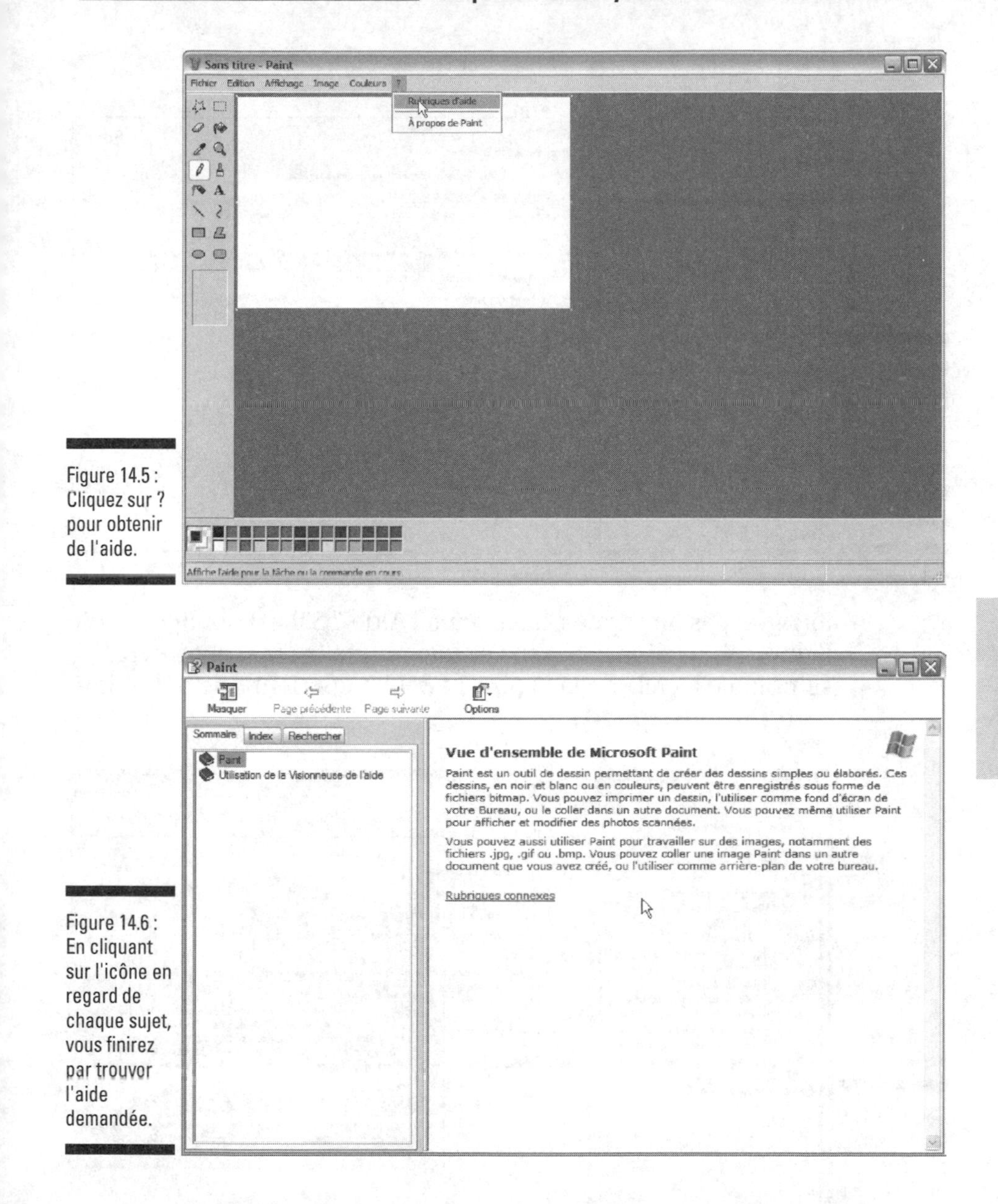

Figure 14.5 : Cliquez sur ? pour obtenir de l'aide.

Figure 14.6 : En cliquant sur l'icône en regard de chaque sujet, vous finirez par trouvor l'aide demandée.

d'un pinceau, cliquez sur les mots *Peindre à la brosse*. Le programme d'aide montre alors les informations supplémentaires à ce sujet, comme l'illustre la Figure 14.7.

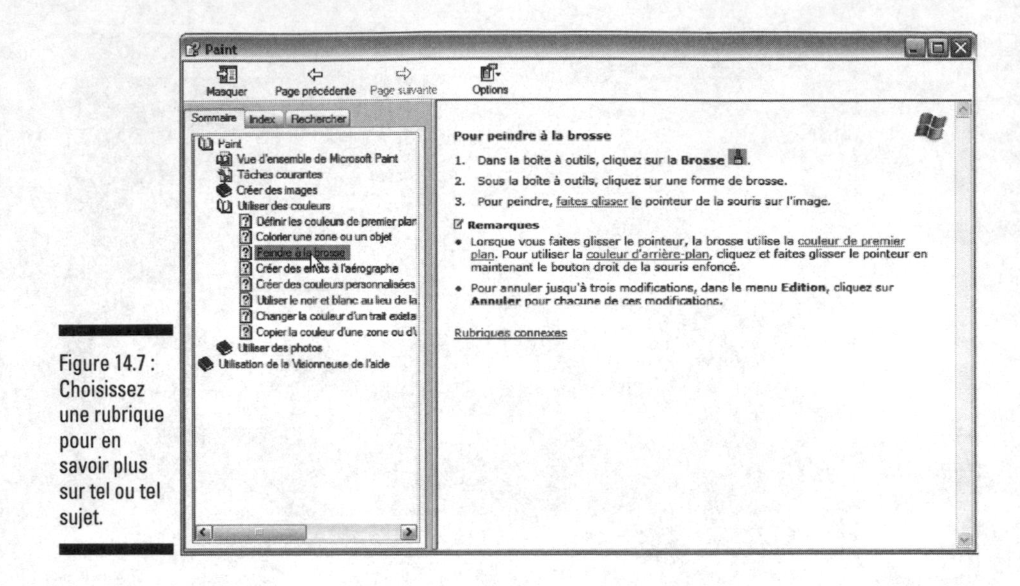

Figure 14.7 : Choisissez une rubrique pour en savoir plus sur tel ou tel sujet.

Intrigué par un terme utilisé dans l'Aide ? S'il est souligné (voir Figure 14.7), cliquez dessus et une nouvelle fenêtre s'ouvre, semblable à celle de la Figure 14.8. Elle contient une définition du terme obscur.

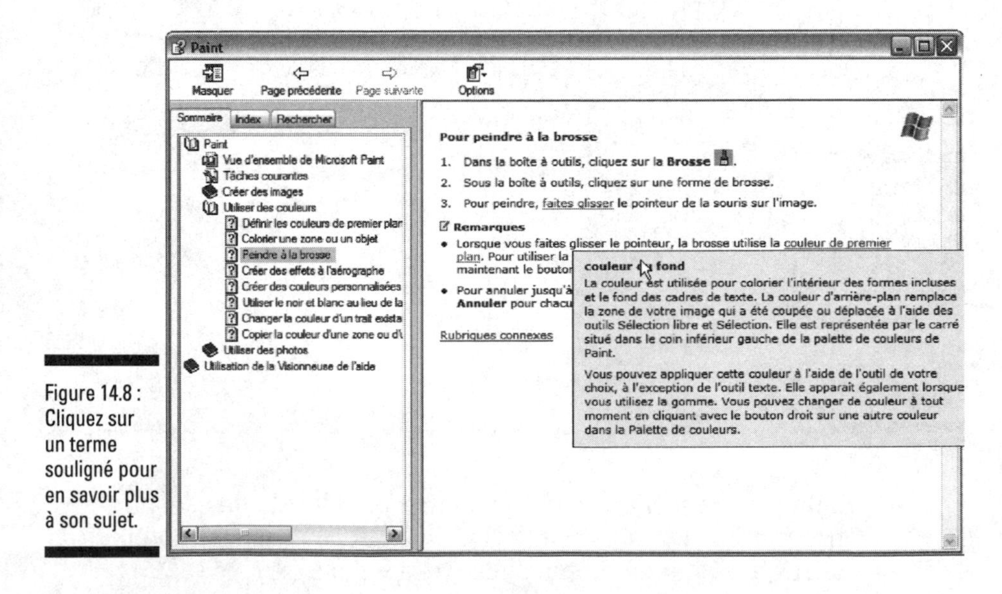

Figure 14.8 : Cliquez sur un terme souligné pour en savoir plus à son sujet.

Le système d'aide de Windows XP est parfois fastidieux, car il vous oblige à errer parmi des menus toujours plus détaillés pour trouver une information spécifique. Mais il est souvent plus rapide que de faire appel à "quelqu'un qui s'y connaît".

- Le moyen le plus rapide de trouver une aide dans un programme de Windows XP consiste à appuyer sur la touche F1. Windows affiche aussitôt la table des matières de l'aide au sujet de ce programme.
- Les boîtes de dialogue de l'aide contiennent une grande quantité d'informations. Il vous faudra parfois faire défiler la fenêtre pour tout lire.

- Si vous cliquez sur le mauvais sujet, Windows XP affiche des propos hors sujet. Cliquez sur l'onglet Sommaire, en haut de la fenêtre, pour revenir à la table des matières. Choisissez ensuite un autre sujet.
- Si vous désirez imprimer une page d'aide, cliquez dedans avec le bouton droit de la souris et, dans le menu contextuel, choisissez Imprimer. Vous en aurez ainsi un exemplaire sur papier.
- Pour récupérer un message d'aide et le placer dans votre propre travail, sélectionnez le texte à la souris puis, dans le menu, choisissez Copier. Windows permet de coller ces informations dans d'autres programmes. Je n'en vois pas trop l'utilité, mais bon, c'est faisable.

Trouver l'aide sur un point précis

S'il n'est nulle part fait allusion à votre problème dans la table des matières de la page à laquelle vous avez accédé, vous disposez d'autres moyens pour obtenir de l'aide ; la procédure est cependant un peu plus longue. Cliquez sur l'onglet Rechercher, en haut de n'importe quelle fenêtre d'aide (voir Figure 14.9). Décrivez votre problème en quelques mots puis cliquez sur le bouton Liste des rubriques. Windows XP se met en chasse pour ramener toute l'aide concernant le sujet que vous lui avez indiqué.

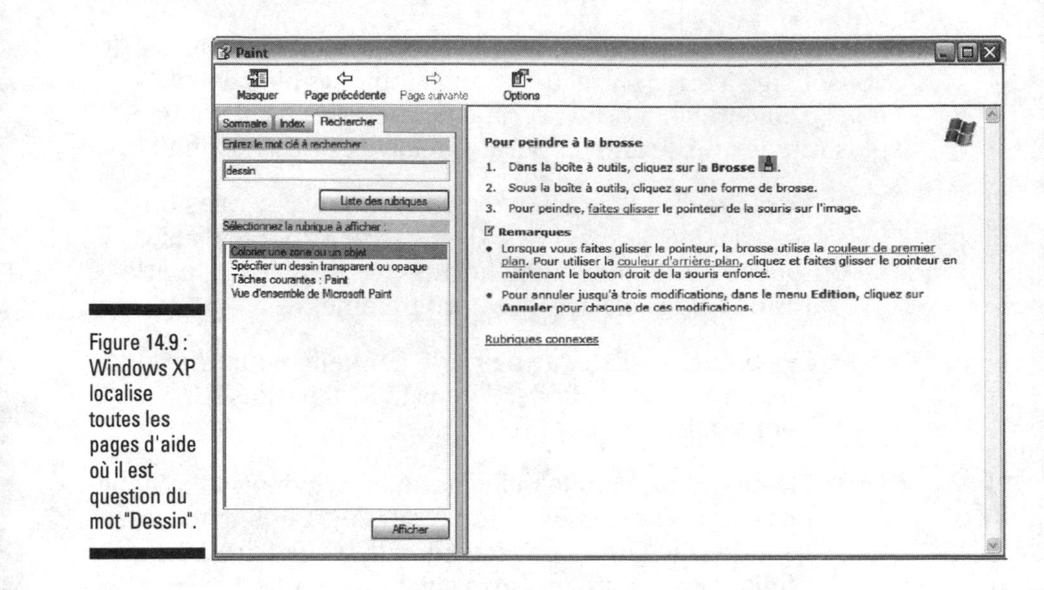

Figure 14.9 : Windows XP localise toutes les pages d'aide où il est question du mot "Dessin".

Si vous découvrez dans les trouvailles de Windows une rubrique qui correspond à ce que vous attendiez, cliquez dessus puis cliquez sur le bouton Afficher. Windows va directement à la page contenant les informations qui décrivent au mieux ce sujet particulier.

Un moyen plus rapide d'obtenir de l'aide consiste à cliquer sur l'onglet Index. Vous y trouverez la liste de tous les sujets que Windows veut bien aborder. La boîte de dialogue sous l'onglet Index fonctionne à la manière de l'index d'un livre : vous cliquez pour accéder à une liste alphabétique de sujets. Si l'un d'eux correspond même de loin à ce qui vous pose problème, double-cliquez dessus. Windows XP affiche la page dans l'Aide.

À partir de là, vous pouvez aller où bon vous semble en cliquant sur les mots ou les phrases soulignées. Tôt ou tard, vous finirez bien par tomber sur la bonne page d'informations.

Windows effectue une recherche alphabétique ; elle n'est, hélas ! pas très futée. C'est pourquoi, si vous recherchez une aide sur les marges, ne tapez pas **Ajouter des marges** ou **Modifier les marges**, mais contentez-vous de taper **marges**

afin que Windows affiche tous les mots commençant par la lettre *M*.

Le Centre d'aide et de support de Windows XP

Bien que la plupart des programmes de Windows soient dotés d'une aide qui leur est propre, à laquelle vous accédez en cliquant sur l'option de menu Aide ou ?, Windows XP est aussi équipé d'une aide globale. Elle répond aux questions sur Windows en général, mais aussi sur l'ordinateur. Pour la mettre en œuvre, cliquez sur Démarrer/Aide et support. Le programme s'affiche à l'écran, comme le montre la Figure 14.10.

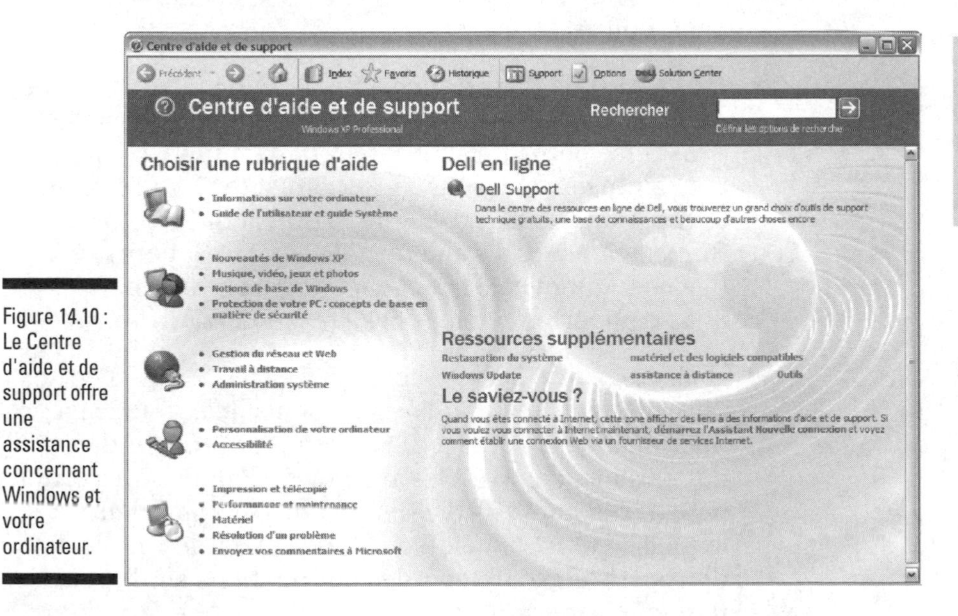

Figure 14.10 : Le Centre d'aide et de support offre une assistance concernant Windows et votre ordinateur.

Il propose une aide multiforme, comme nous le verrons d'ici peu.

Le Centre d'aide et de support de Windows XP fonctionne un peu à la manière d'un site Web. Pour aller d'une page en arrière, cliquez sur la flèche Précédent, en haut à gauche. Elle vous tirera d'affaire si vous vous êtes fourvoyé dans une impasse.

Le Centre d'aide et de support vous offre une assistance dans les domaines suivants :

- **Choisir une rubrique d'aide.** Cliquez sur cette option pour obtenir des informations générales sur un sujet. Cliquer sur Personnalisation de votre ordinateur, par exemple, affiche une liste des paramètres que vous pouvez modifier. Choisissez dans cette liste Menu Démarrer et le système d'aide vous explique comment ajouter des éléments au menu Démarrer, comment modifier la manière dont ces derniers s'ouvrent quand vous cliquez dessus, ou comment configurer dans les menus la liste des fichiers ou des documents récemment utilisés.

- **Demandez de l'assistance.** Coincé ? Voici deux moyens d'obtenir une aide extérieure : le programme Assistance à distance permet à l'utilisateur de Windows XP qui s'y connaît mieux que vous de se connecter à votre ordinateur par Internet. Ceci fait, le "bidouilleur fou" voit votre Bureau comme s'il s'était installé devant. Il pourra diagnostiquer votre problème, proposer un didacticiel et se comporter comme s'il se tenait derrière vous.

- **Choisissez une tâche.** Microsoft a placé là les sujets les plus communément utilisés. Un seul clic est suffisant pour maintenir votre ordinateur à jour, trouver des composants compatibles Windows XP pour votre ordinateur, restaurer l'ordinateur à une date antérieure à laquelle il fonctionnait bien, et démarrer des outils de diagnostic afin d'obtenir des informations sur l'ordinateur et le tester.

- **Le saviez-vous ?** Vous trouverez ici quelques astuces et conseils placés là au dernier moment. Avec un peu de chance, vous en trouverez un ou une qui vous sera utile.

Pour obtenir les meilleurs résultats, commencez votre périple dans Choisir une rubrique d'aide. Si votre problème y est mentionné, cliquez dessus et resserrez la recherche jusqu'à ce que vous ayez trouvé l'information la plus pertinente.

Si ça ne marche pas, utilisez la commande Rechercher, en haut de la page. Décrivez le problème par un ou deux mots-clés puis cliquez sur la flèche, juste à droite de Rechercher. Taper **courrier électronique** par exemple, comme dans la Figure 14.11, affiche une liste assez considérable de sujets. Cliquez sur l'un d'eux pour voir si la solution à votre problème s'y trouve.

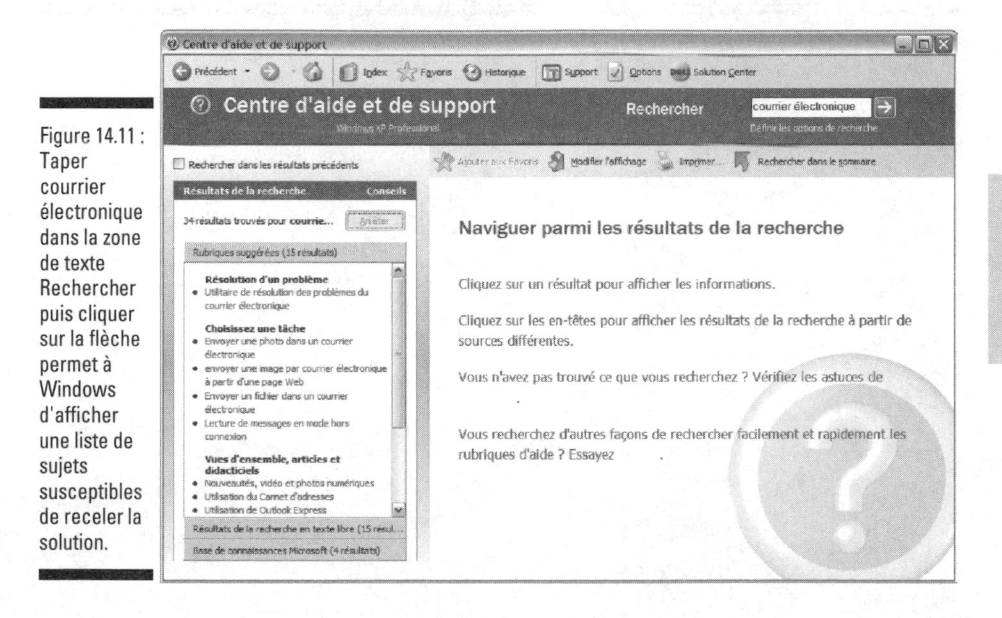

Figure 14.11 : Taper courrier électronique dans la zone de texte Rechercher puis cliquer sur la flèche permet à Windows d'afficher une liste de sujets susceptibles de receler la solution.

Comme vous le voyez dans la Figure 14.11, la commande Rechercher regroupe ses résultats dans trois zones. La première, *Résultats de la recherche*, est la plus intéressante ; elle propose des dépannages, des didacticiels étape par étape, et des informations générales. La zone *Résultats de la recherche en texte libre* liste toutes les parties contenant le mot recherché. La dernière, *Microsoft Knowledge Base* (base de connaissance Microsoft), affiche tous les résultats découverts dans une base de données regroupant tous les produits Microsoft.

Je ne sais où est cette aide si utile !

Vous avez découvert un sujet particulièrement intéressant dans l'aide ? Enregistrez-le pour vous y référer ultérieurement. Pour ce faire, cliquez sur le bouton Ajouter aux Favoris, en haut de la page. Par la suite, quand vous cliquerez sur le bouton Favoris du Centre d'aide et de support, le nom de la liste où figure ce sujet intéressant réapparaîtra.

Si vous avez oublié de créer un favori pour cette page si précieuse, il vous reste un moyen de la retrouver. Cliquez sur le bouton Historique, juste à côté. Vous verrez aussitôt s'afficher la liste des pages que vous avez visitées. Avec un peu de chance, vous trouverez celle que vous aviez tant appréciée.

Cinquième partie

Internet, me voilà !

"Depuis qu'il bouffe de l'Internet toute la journée, il a pris 20 kilos".

Dans cette partie...

Une fois que vous serez prêt à décoller, dans quelle direction allez-vous partir ? La plus grande difficulté dans l'utilisation d'Internet, c'est probablement de réussir à s'y connecter. Ici, nous vous expliquons quel type de service Internet vous convient le mieux et nous vous aidons à établir une connexion en vous donnant des instructions spécifiques aux systèmes d'exploitation les plus courants. Nous vous prodiguons également des conseils avisés sur le haut débit et le Wi-Fi (le fameux sans fil).

Chapitre 15

Surfer sur le Net : quels sont vos besoins ?

Dans ce chapitre :

- Choisir un ordinateur.
- Un modem, dites-vous ?
- Notre configuration préférée : le routeur.
- Rester en vie avec des firewalls, des antivirus et des antispyware.
- Les types d'accès.
- Accès bas débit et accès haut débit.
- Choix des fournisseurs d'accès.
- Les offres haut débit.
- Logiciels nécessaires.
- Que faire une fois connecté ?

Bon, alors, quelle est la route à suivre pour rejoindre Internet ? La réponse est : "Ça dépend." Internet n'est pas un simple réseau, c'est un conglomérat de centaines de milliers de réseaux distincts mais reliés ensemble et ayant chacun ses propres règles et procédures. Vous pouvez accéder au Net via n'importe lequel d'entre eux. Les lecteurs des précédentes éditions de ce livre nous ont suppliés de détailler, étape par étape, comment il fallait procéder. Nous vous donnerons des explications, chaque fois que nous le pourrons.

Voici quelles sont les étapes de base à suivre :

1. **Déterminez le type de votre ordinateur.**

2. **Voyez quels sont les types de connexion Internet disponibles dans votre voisinage immédiat.**

3. **Fixez-vous un budget moyen.**

4. **Réalisez la connexion et voyez si elle vous convient.**

5. **Installez les programmes qui protègent votre ordinateur contre les virus et les spywares.**

Ou, en d'autres termes, pour réaliser concrètement une connexion Internet, il vous faut :

- Un ordinateur (à moins que vous n'ayez un terminal Web relié à votre télé). Nous en dirons deux mots dans une minute.
- Un modem pour relier votre ordinateur au réseau téléphonique ou au câble. (Sachant qu'en matière de haut débit le terme *modem* perd tout son sens initial.)
- Un abonnement auprès d'un fournisseur d'accès afin d'établir une liaison entre votre propre machine et la Toile (autre nom du Web. En effet, *spider web* signifie *toile d'araignée*).
- Les logiciels nécessaires pour gérer les communications et exploiter votre connexion.

Nous allons examiner ces ressources l'une après l'autre.

Les comptes Internet sont faciles à utiliser mais peuvent s'avérer complexes à configurer. Le plus difficile est sans doute d'établir la première connexion. Toutefois, de nombreux FAI – entendez fournisseurs d'accès à Internet – mettent à la disposition de leurs clients des kits de connexion qu'il suffit d'installer. Vous répondez à quelques questions, et le tour est joué ! Si vous ne disposez pas d'un kit de connexion, utilisez l'Assistant Nouvelle connexion de Windows XP qui vous guide pas à pas dans cette procédure de configuration d'un ordinateur pour Internet.

Avez-vous un ordinateur ?

Comme Internet est un réseau d'ordinateurs, le seul moyen de s'y connecter est d'utiliser un ordinateur. Mais ceux-ci peuvent se présenter sous les déguisements les plus divers, et peut-être en avez-vous déjà un chez vous dont vous ne soupçonnez pas l'existence. Si vous *utilisez* un ordinateur sur votre lieu de travail et si, en particulier, vous avez accès à une forme quelconque de courrier électronique, il se peut que vous ayez, sans le savoir, une connexion Internet.

Non, je n'en ai pas ! Il a même fallu que j'emprunte ce livre

Si vous n'avez pas d'ordinateur, et ne souhaitez pas ou ne pouvez pas en acheter un, il reste encore quelques solutions envisageables.

Il est probable que vous pourrez accéder à Internet dans votre bibliothèque municipale. De plus en plus de bibliothèques proposent ce service qui rencontre un certain succès. Renseignez-vous pour connaître les horaires les moins encombrés.

Les écoles, universités et centres de formation permanente pour adultes offrent une autre solution. En effet, ces établissements proposent parfois des cours d'initiation à Internet. Un cours présente deux avantages par rapport à un livre : une démonstration en *direct live* de l'utilisation du Net et, plus important encore, quelqu'un à qui poser des questions sur des points qui demeurent obscurs malgré la lecture d'un livre, si bon, si clair, si divertissant soit-il – vous voyez à quel ouvrage nous faisons allusion...

Les *cybercafés* qui fleurissent un peu partout offrent encore une autre possibilité. Comme leur nom l'indique, les cybercafés sont des cafés où, en plus de vous abreuver, on vous loue à l'heure l'usage d'un ordinateur déjà raccordé à Internet.

Wi-Fi ? Comprends pas !

Si vous possédez un ordinateur portable, vous pouvez accéder à Internet grâce à la technologie Wi-Fi. Il s'agit d'un type de connexion sans fil qui profite de l'existence de certaines bornes de connexion Wi-Fi, c'est-à-dire de points d'accès à Internet que l'on trouve dans des lieux publics comme les gares, les aéroports, les cafés etc. Encore assez confidentiels en France, ces points d'accès Wi-Fi devraient se développer en masse dans les prochaines années. Pour en profiter, l'ordinateur doit être équipé d'une carte Wi-Fi, seul périphérique capable de détecter la présence d'un réseau sans fil accessible. Pour connaître les points d'accès Wi-Fi présents dans la région où vous voyagez, connectez-vous au site `www.linternaute.com/wifi/` illustré à la Figure 15.1.

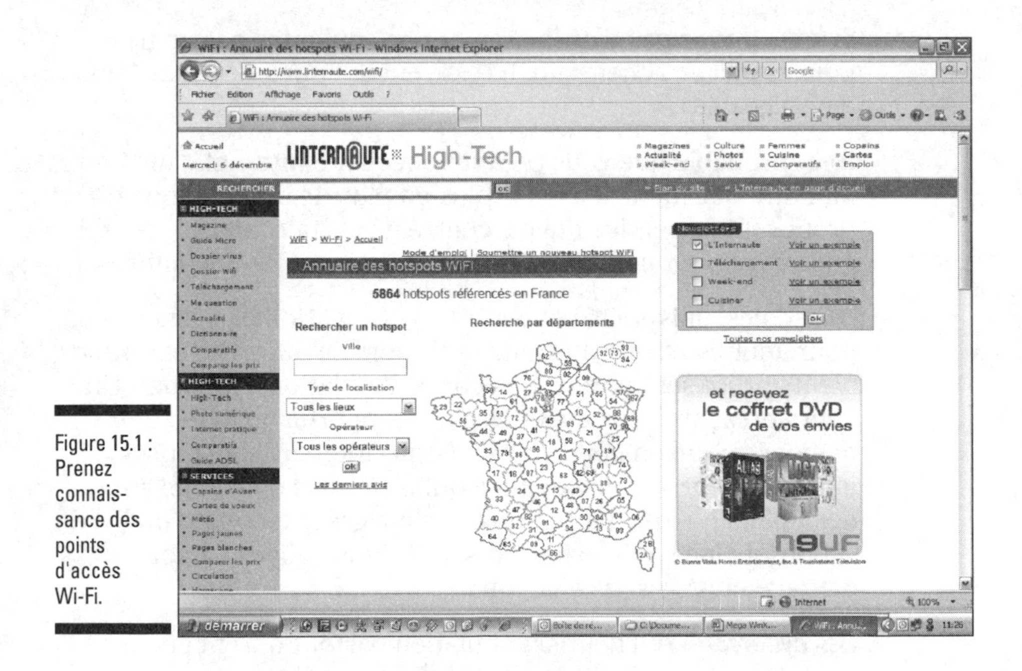

Figure 15.1 : Prenez connaissance des points d'accès Wi-Fi.

Enfin, n'importe quel ordinateur à 300 euros ou moins vous permettra de surfer sur le Web depuis votre domicile. Vous pouvez d'ailleurs profiter de la chute vertigineuse des prix pour acquérir un PC dès aujourd'hui. En effet, l'arrivée prochaine d'une nouvelle génération de machines dites Vista

Capable (Vista étant le nom du prochain système d'exploitation Microsoft devant remplacer Windows) est en train de sonner le glas des ordinateurs que nous utilisons aujourd'hui et qui sont, par la force des choses, quasiment soldés.

J'ai un vieux boîtier beige dans mon placard

À peu près n'importe quelle machine construite depuis 1980 peut théoriquement convenir. Théoriquement, seulement ! L'évolution rapide des matériels et des logiciels vous poserait tellement de problèmes que l'entreprise serait presque certainement vouée à l'échec. Aussi, si votre matériel a plus de cinq ans, mieux vaut envisager l'acquisition d'un nouvel ordinateur. Les ordinateurs sont de moins en moins chers. On en trouve pour moins de 500 euros dans les grandes surfaces, et parfois moins de 200 euros sur Internet... mais, que suis-je bête, c'est vrai que vous ne vous connectez pas encore à Internet !

Oui, j'en ai un tout neuf !

Ainsi, vous avez un ordinateur ! Ou peut-être avez-vous décidé d'en acheter un. La plupart des utilisateurs se connectent en laissant leur ordinateur composer le numéro de leur fournisseur d'accès. Lorsque vous allumerez votre nouvel ordinateur pour la première fois ou exécuterez l'un des programmes Internet préinstallés, votre ordinateur vous proposera d'appeler un fournisseur d'accès et de configurer votre compte par la même occasion. N'en faites rien, enfin pas pour l'instant. Lisez d'abord la suite de ce chapitre pour quelques recommandations et options très utiles.

Une autre méthode beaucoup plus efficace pour se connecter, mais qui n'est pas encore disponible partout, est la connexion à haut débit (mais en avez-vous réellement besoin ?). Un opérateur de télévision par câble ou de téléphonie apporte chez vous le matériel et le logiciel nécessaires et les installe sur votre ordinateur pendant que vous l'observez tranquillement.

Non, mais je vais en acheter un

D'interminables discussions opposent les partisans de tel ou tel type d'ordinateur. Nous n'entrerons pas dans cette querelle de chapelles. Il est souvent moins risqué de parler politique ou religion. Sachez néanmoins que les matériels les plus répandus sont actuellement ceux qui "tournent" sous Windows, toutes moutures confondues (3, 95, 98, Millennium, 2000, XP...). On les appelait à l'origine des "compatibles IBM", mais, actuellement, on les désigne généralement sous le terme générique de "PC" (*personal computer*, ordinateur personnel). À côté d'eux, on trouve aussi les Macintosh (Apple, la marque à la pomme), dont les nouveaux modèles iMac et Mac Mini ravissent les déçus du PC.

Si vous avez un ami versé dans l'informatique et prêt à vous aider dans votre connexion, envisagez l'achat d'un ordinateur du même type que le sien. Ainsi, lorsque vous aurez un problème, il sera mieux à même de vous aider.

J'ai un téléphone portable et/ou un ordinateur de poche

Quelques téléphones mobiles sophistiqués proposent un petit clavier et un écran un peu plus grand que celui des autres, de surcroît en couleur. Une technologie appelée WAP, c'est-à-dire *Wireless Application Protocol* (ou *protocole d'application sans fil*), permet d'afficher une version spécifique des pages Web sur l'écran de ces téléphones et de naviguer sur Internet. Le WAP est très populaire au Japon (ceci dit, Mireille Mathieu aussi !), mais ne connaît pas le même engouement en France.

Il faut savoir que l'accès Internet par un téléphone mobile exige un abonnement spécifique auprès de votre opérateur. Souvent, son coût est très élevé. De ce fait, l'intérêt est très relatif d'autant que, si naviguer sur un moniteur d'ordinateur est assez agréable du fait d'une surface d'affichage importante, il n'en va pas de même sur l'écran tout riquiqui d'un téléphone.

Il existe d'autres matériels compatibles avec la technologie WAP. Je pense en particulier aux PDA ou assistants personnels de type Palm. Ils sont conçus pour afficher du texte, envoyer et recevoir des e-mails et présenter des pages Web rudimentaires sur un écran qui n'a pas des dimensions exceptionnelles. Le plus simple, si vous envisagez d'utiliser un téléphone ou un PDA pour surfer sur le Web, est de vous rendre chez un revendeur et de demander une démonstration.

Un modem, dites-vous ?

Un *modem* est un dispositif qui relie votre ordinateur à la ligne téléphonique ou au câble. À moins que votre ordinateur ne soit dans un bureau équipé d'une connexion directe à Internet, vous avez besoin d'un modem. Il faut disposer du type de modem adapté à la connexion Internet que vous allez employer : un modem traditionnel pour une connexion à la demande (RTC), un câble modem pour un abonnement Internet par le câble ou un modem ADSL pour un accès ADSL haut débit. Enfin, une dernière solution propice au partage d'une connexion haut débit consiste à utiliser un modem-routeur avec technologie Wi-Fi. Ainsi, chez vous, tous les ordinateurs, quel que soit leur emplacement, et même si vous possédez un PC et un Mac, pourront se connecter à Internet grâce à cette liaison sans fil très performante. Vous en saurez plus à ce sujet au Chapitre 16.

Si vous choisissez un accès Internet ADSL ou câble (décrit au chapitre suivant), le prestataire Internet vous fournira le modem. En revanche, pour une connexion à la demande, c'est à vous de vous procurer le modem.

Eh oui, un MOdulateur-DEModulateur – puisqu'il faut l'appeler par son nom –, c'est un petit boîtier (dans le cas d'un modem externe) ou tout simplement une carte électronique présente à l'intérieur de la boîte de l'ordinateur qui va servir à interpréter et convertir les signaux électriques transitant entre votre ordinateur et la ligne téléphonique. Dans le premier cas, il faudra connecter votre modem à une prise *série* (appelée aussi RS232) ou à un connecteur USB qui se trouvent au dos (ou en façade) de votre ordinateur ; dans l'autre, vous n'aurez généralement rien à faire, car il sera très probablement déjà installé dans la machine.

Il existe aussi des modems internes plus délicats à installer puisqu'ils obligent à ouvrir l'ordinateur. La connexion de cette "carte" modem se fait sur un port PCI (je conçois que vous n'y compreniez rien). Une fois la carte insérée, allumez l'ordinateur. Windows détectera ce nouveau périphérique (nom générique donné à un matériel connecté à un ordinateur) et vous proposera d'installer les *pilotes* (ou *drivers*), c'est-à-dire des petits programmes qui permettent à l'ordinateur de faire fonctionner le modem.

Quel que soit le cas, il faudra aussi le raccorder à une prise de téléphone. Rassurez-vous, ce n'est pas pour autant que vous perdrez l'usage de votre téléphone.

L'une des caractéristiques fondamentales d'un modem est sa vitesse, ou plus exactement son *débit*, c'est-à-dire le nombre de caractères qu'il peut acheminer dans un sens ou dans l'autre par unité de temps. Les modems classiques, dits RTC (*réseau téléphonique commuté*), sont de moins en moins répandus car ils offrent des connexions bas débit. Ce débit s'exprime en *bits par seconde* (bps). Les ignorants (et certains commerciaux) continuent de confondre cette unité avec les *bauds*. Bien que techniquement ce soit très différent, pour eux, commercialement, c'est la même chose. Ces débits s'étendent généralement de 2 400 à 56 000 bps (ou 56 K, la partie bps étant laissée de côté). Certains modems peuvent aussi se comporter comme des fax. D'autres sont également dotés de fonctions plus exotiques telles qu'un répondeur téléphonique intégré.

N'oublions pas la solution proposée par Orange (France Télécom dans l'esprit) sous le nom de *bas débit pro*. Elle vous offre un débit jusqu'à 5 fois plus élevé avec l'option Booster. En raison de l'évolution des techniques, cette solution n'est préférée à l'ADSL (voir un peu plus bas) que lorsque ce dernier n'est pas disponible là où vous résidez.

Vérifiez que le modem qui vous est vendu comporte bien deux câbles : un pour le relier à la prise téléphonique ; l'autre pour le connecter à votre ordinateur. En réalité, il y en aura un troisième, destiné à le relier à un petit boîtier que vous devrez enficher dans une prise de courant. Précisez le type de connexion (série ou USB) dont vous disposez à l'extérieur de votre ordinateur. Si votre ordinateur a moins de cinq ans, il disposera certainement d'une ou plusieurs prises USB. Pour les machines plus anciennes, vous achèterez un modem de type série. Enfin, en termes de marques, techniquement tous les modems se valent, à peu de choses près.

TRUC

Note à l'intention des utilisateurs d'ordinateurs portables. Les machines récentes ont presque toujours un modem intégré. Si ce n'est pas le cas de la vôtre, elle possède probablement un connecteur permettant d'enficher des périphériques au format d'une carte de crédit (appelé PCMCIA ou PC Card). Achetez alors une carte modem qui puisse s'y glisser. Bien que son coût soit nettement plus élevé, cela en vaut la peine. Une autre solution est d'insérer un adaptateur Wi-Fi USB pour que votre portable se connecte à Internet par le biais d'un modem-routeur Wi-Fi ou sur un point d'accès Wi-Fi que vous trouverez dans certains lieux publics.

TRUC

Revenons un instant sur le haut débit. Lorsque vous souscrivez à une des offres que nous étudions un peu plus loin dans ce chapitre, vous recevez un boîtier ressemblant à un décodeur CANAL+ ou TNT qui permet plusieurs choses :

- De vous connecter à Internet à la vitesse de votre FAI. En effet, maintenant que certaines connexions affichent une vitesse supérieure à 20 Mbps, n'envisagez pas de vous connecter à AOL haut débit avec la Freebox de chez Free, ou à Free avec l'AOLbox. Quoi qu'il en soit, pourquoi aller chercher un modem ailleurs alors que le FAI le propose dans son offre pour que vous bénéficiiez de toutes les possibilités de la connexion ?

- De créer un réseau domestique Wi-Fi permettant à plusieurs ordinateurs de se connecter à Internet sans abonnement supplémentaire et d'échanger des données avec les fonctions de routeur. Ce système routeur/modem est soit intégré au modem, soit disponible sous forme d'une carte PCMCIA que vous insérez dans le modem.

- De téléphoner par Internet sans changer de téléphone. Ici, vous raccordez votre téléphone au boîtier ADSL ou, comme avec l'AOLbox + AOLphone, vous avez un pack complet modem/téléphone immédiatement opérationnel. Vous ne payez plus de communications à France Télécom. Le téléphone est donc gratuit en local et en national. Le boîtier fait office de répondeur. Nous verrons également que certaines régions françaises étant en dégroupage total, il est possible de résilier son contrat auprès de France Télécom pour ne plus payer d'abonnement à cet opérateur. A partir de là, l'abonnement ADSL comprend le téléphone illimité, et vous ne dépensez pas un centime de plus... sauf si vous appelez des numéros spéciaux ou des téléphone cellulaires (des mobiles quoi !).

- De recevoir la télévision en numérique. Ici, vous branchez la prise Péritel du boîtier ADSL à celle de votre téléviseur. Cette fonctionnalité n'est plus balbutiante comme il y a encore à peine dix-huit mois. C'est la télévision numérique à la carte. Plus d'abonnement à des bouquets fantaisistes. Vous ne payez que les chaînes qui vous intéressent. (Toutefois, les deux grands de la télévision satellitaire que sont CANALSAT et TPS, proposent leurs bouquets via ADSL.)

- D'utiliser le boîtier comme modem-routeur. Il suffit d'insérer une carte PCMCIA dans le boîtier, puis des adaptateurs Wi-Fi dans vos PC pour que tous les ordinateurs de la maison se connectent à Internet via une seule connexion haut débit. Tous les FAI n'offrent pas cette solution appréciable.

Conclusion : vous comprenez que l'enjeu du haut débit est de vous permettre de vous connecter à Internet à la vitesse grand V, tout en téléphonant et en regardant la télévision numérique. Le tout pour un abonnement mensuel fort raisonnable (auquel s'ajoutera éventuellement l'abonnement à la formule CANALSAT ou TPS de votre choix, plus des chaînes optionnelles à la demande). Toutefois, vous découvrirez dans la section consacrée au *dégroupage* que, malgré l'avènement de la téléphonie gratuite par Internet, tout le monde ne peut pas encore se passer de l'opérateur historique – j'ai nommé France Télécom – donc de s'affranchir du paiement d'un abonnement mensuel.

Les fournisseurs d'accès

Résumons-nous : vous devez d'abord posséder un micro-ordinateur et un modem, avoir le téléphone et, enfin, souscrire un abonnement auprès d'un fournisseur d'accès.

Pour vous connecter à Internet, vous avez deux choix possibles, trois avec un peu de chance :

- **Choix 1 : abonnez-vous à un service en ligne.** Appelé aussi "fournisseur de contenu", tel qu'AOL. Ces services paraissent plus faciles à utiliser pour le néophyte et les informations qu'ils proposent sont présentées d'une façon plus organisée. Mais tous ne vous donnent pas un *full Internet access* (accès à l'ensemble des ressources d'Internet), et vous devez utiliser leur logiciel pour vous connecter.
- **Choix 2 : abonnez-vous à un fournisseur d'accès (FAI).** Un FAI ne vous propose rien d'autre que l'accès à l'ensemble des ressources d'Internet, sans aucune valeur ajoutée. Malgré cela, vous pouvez accéder à leur site portail, c'est-à-dire une page Web qui contient des informations dans la majorité des domaines de la vie

domestique (journaux, météo, astrologie, e-commerce, etc.) comme le montre la Figure 15.2. Pour utiliser ce compte, vous avez besoin d'un programme de connexion à distance (fourni avec votre système d'exploitation), d'un logiciel de messagerie et d'un navigateur Web (nous expliquerons tous ces termes un peu plus loin dans ce chapitre). Aujourd'hui, la plupart des FAI proposent des programmes de connexion automatisés sous forme de kit de connexion.

Figure 15.2 : La page d'accueil d'un FAI.

- **Choix 3 : optez pour une connexion haut débit du type ADSL ou câble.** L'ADSL (*Asymmetric Digital Subscriber Line*), qui permet de faire passer simultanément des données et de la voix sur une ligne téléphonique et le câble (disponible seulement dans les grandes villes bénéficiant de la télédistribution par câble) n'est pas disponibles sur tout le territoire national. Si l'accès Internet par le câble télévision est disponible dans votre ville, tout ce que vous aurez à faire sera d'appeler le câble-opérateur pour prendre rendez-vous avec un technicien qui se chargera de l'installation. Finis, alors, les aléas de la connexion : vous êtes connecté en permanence sans faire exploser votre facture de téléphone (et sans bloquer votre ligne téléphonique). Si vous choisissez cette option, ne vous réjouissez pas trop vite.

Internet, tout Internet et rien d'autre qu'Internet...

L'autre type de connexion à considérer est la fourniture d'accès "pure et dure", sans rien d'autre, ce que les Américains appellent *ISP* (*Internet Service Provider*). Elle vous fournit de la "connectivité" à Internet et rien d'autre. Ici, plus d'interface propriétaire, tout est banalisé, et vous ne vous apercevez de la différence d'un fournisseur d'accès à un autre que par la qualité de ses prestations, la facilité et la régularité des connexions, le débit réel de la ligne, la compétence de l'assistance technique, etc.

Une fois la connexion établie, votre ordinateur devient partie intégrante d'Internet. Vous saisissez des informations destinées à des logiciels qui tournent sur votre propre machine, et ce sont ces derniers qui communiquent avec Internet.

Ce type d'accès vous permet de profiter de tous les avantages du système d'exploitation de votre ordinateur : affichage graphique, souris, reproduction sonore, etc. Pour les systèmes multitâches comme Windows et Mac OS, vous pouvez même lancer concurremment plusieurs applications Internet : lire votre courrier électronique, télécharger un fichier, surfer sur le Web... Vous pouvez, par exemple, lire un message électronique présentant une page Web intéressante, basculer directement vers votre navigateur Web (le plus souvent Netscape Navigator, Firefox ou Internet Explorer), consulter cette page, puis revenir à votre programme de messagerie pour reprendre votre lecture là où vous l'aviez laissée. La plupart des programmes de messagerie actuels chargent automatiquement une page Web si vous cliquez (Outlook Express, par exemple) ou double-cliquez sur une URL (adresse Internet) placée dans un message sous la forme d'un lien de couleur bleue.

Autre avantage non négligeable : vous pouvez utiliser n'importe quel programme Internet en plus de ceux que votre fournisseur d'accès a pu vous remettre. Vous pouvez télécharger sur Internet une nouvelle application et la mettre immédiatement en service. Votre fournisseur d'accès n'agit que comme un conduit de données entre votre ordinateur et le Net.

Internet en déplacement

Rester connecté en déplacement est parfois difficile. Une possibilité consiste à brancher votre modem sur la prise téléphonique de l'hôtel et à composer le numéro de votre prestataire Internet. Vérifiez auprès de ce dernier si cela reste possible partout au prix d'un appel local ou si cela est compris dans votre forfait. De même, si vous allez à l'étranger, voyez avec votre prestataire s'il propose une formule. De nombreux hôtels d'affaires haut de gamme fournissent l'accès haut débit à Internet. Votre ordinateur doit disposer d'un port réseau (Ethernet). La connexion coûte environ 10 euros par jour.

La majorité des nouveaux portables sont équipés Wi-Fi, c'est-à-dire l'Ethernet radio sans fil. Si le vôtre ne l'est pas, vous pouvez acheter un adaptateur Wi-Fi à brancher dans un des emplacements sur le côté de l'ordinateur. Les points d'accès Wi-Fi (*hotspots* en anglais), où vous captez le signal radio et pouvez vous connecter au Net, se répandent dans les cybercafés, les hôtels et les immeubles de bureaux. Vous pouvez allumer votre PC, capter un signal Wi-Fi et naviguer sur le Net.

Si vous voulez surfer tout en vous déplaçant, équipez votre portable d'un *modem cellulaire,* un modem qui fonctionne comme un téléphone cellulaire (téléphone portable). Les modems cellulaires, plutôt chers et lents, ne remplacent pas une connexion classique. Ils sont cependant pratiques pour se

Combien ça coûte, tout ça ?

Vous pouvez dépenser pas mal d'argent pour réaliser votre connexion Internet. Ou, si vous vous débrouillez bien, réduire votre mise de fonds à l'essentiel. Nous allons voir de plus près ce qu'il en est.

Tarifs des prestataires d'accès

Les deux formules les plus courantes sont la connexion gratuite illimitée, hors coût de communications téléphoniques, et le forfait pour un certain nombre d'heures par mois, limité ou illimité, frais de communications téléphoniques inclus. Si le nombre d'heures est limité et que vous dépassez le quota, vous devez alors payer chaque minute de connexion supplémentaire. Dans la gamme des forfaits, vous trouvez des offres allant de trois heures à l'illimité par mois pour une somme à payer qui fluctue entre 5 et 30 euros. N'oubliez pas que vous êtes dans le cadre d'une connexion RTC, c'est-à-dire bas débit, qui plafonne à 56 Kbps.

Voyons de plus près à qui s'adressent de façon préférentielle ces deux types de connexion :

- L'accès gratuit hors coût de communication téléphonique intéressera surtout ceux qui ne se connectent que peu à Internet, principalement pour envoyer ou recevoir du courrier électronique. Leur consommation excède rarement trois à cinq heures par mois, et le coût des forfaits pour si peu d'heures n'est pas réellement intéressant.
- Les forfaits intéresseront surtout les internautes assidus, car le coût de la minute de connexion est plus faible qu'avec l'autre formule, pour peu que l'on parvienne, toutefois, à une consommation réelle voisine (en plus ou en moins) du nombre d'heures auquel on a souscrit. Ces forfaits peuvent être illimités.

connecter afin d'envoyer ou de recevoir de petites quantités de données, comme la feuille de route d'un dépanneur lui indiquant ses lieux d'intervention.

Si vous ou vos enfants commencez à surfer régulièrement, vous réaliserez que, lorsque vous êtes connecté, le temps s'arrête et que vous y restez beaucoup plus que vous n'auriez imaginé. Même si vous pensez que vous ne serez connecté que quelques minutes par jour, si vous n'avez pas de forfait, vous serez surpris de la note de téléphone.

Les connexions haut débit câble et ADSL coûtent de 10 euros à ? par mois. Ce point d'interrogation s'explique par le fait que nous avons des offres multiples et fantaisistes, plus l'installation et le coût du modem spécial nécessaire (il existe cependant des offres avec modem et frais d'installation gratuits, moyennant un engagement, d'un an par exemple), et des surcoûts pour la téléphonie illimitée et la télévision (consultez la section "Les offres haut débit", un peu plus loin dans ce chapitre). Le câble et l'ADSL ne monopolisent pas votre ligne téléphonique lorsque vous êtes connecté. De nombreuses personnes qui utilisent des modems ordinaires finissent par s'offrir une seconde ligne téléphonique. Lorsque vous ajoutez le coût de la seconde ligne téléphonique au coût de l'abonnement Internet, vous comprenez que l'ADSL, ou le câble, n'est pas beaucoup plus cher. Les connexions câble et ADSL sont toujours disponibles – il n'y a pas de processus d'appel – et sont plus rapides.

Les connexions à haut débit

Si vous êtes de ceux qui veulent sans cesse être à la pointe du progrès et utiliser les tout derniers gadgets à la mode, vous allez vouloir la connexion Internet la plus rapide pour profiter pleinement de toutes les fantaisies graphiques : animations, son, vidéo, télévision, et téléphonie illimitée. Tout cela implique la transmission de grandes quantités d'informations qui, pour certaines, dépassent les possibilités raisonnables de la plupart des connexions bas débit. Les connexions à haute vitesse (à *haut débit*) vous procurent une *bande passante* supérieure, vous permettant de transférer dans le même intervalle de temps une quantité d'informations plus élevée. La bonne nouvelle, c'est que les connexions à haut débit sont aujourd'hui disponibles pour les simples mortels à un prix raisonnable.

Le haut débit a vu sa vitesse augmenter dans des proportions incroyables ces trois dernières années. Alors que nous pensions rester de nombreuses années à 128 ou 512 Kbps, les 8, 10, voire 20 Mbps et plus sont désormais disponibles sur les lignes dégroupées. Nous en verrons les implications un peu plus loin dans ce chapitre.

Il vous faudra une carte réseau

Les connexions haut débit à Internet utilisent des modems spéciaux fournis par le FAI. Ces modems se branchent sur votre ordinateur à l'aide d'un de ces deux dispositifs : une carte réseau de type Ethernet ou un port USB.

La majorité des nouveaux ordinateurs est fournie avec une *carte réseau* intégrée qui peut également être utilisée pour connecter l'ordinateur à un réseau local ou LAN (par exemple, un réseau à la maison, à l'école ou au bureau). Les cartes réseau (ou *adaptateurs réseau, cartes LAN, adaptateurs Ethernet*) disposent d'un *connecteur RJ-45* qui ressemble au connecteur du téléphone, mais en plus gros.

Les nouveaux ordinateurs sont aussi habituellement équipés d'au moins deux ports USB, utilisés pour connecter toutes sortes de choses à votre ordinateur, de la souris à l'imprimante, en passant par des disques durs ou des graveurs de DVD (un port USB se présente sous forme d'un petit trou rectangulaire).

Si l'installateur du modem câble ou ADSL vous signale que votre ordinateur ne dispose pas de la carte réseau ou du port USB nécessaire pour connecter votre modem haut débit, pas de panique. Si l'installateur ne peut pas vous fournir l'adaptateur nécessaire, rendez-vous dans votre boutique d'informatique pour faire ajouter une carte réseau ou un adaptateur USB.

Les offres haut débit

Ne nous voilons pas la face. Internet est à l'heure du haut débit, c'est sûr, et ça ne fait qu'empirer. Une récente étude montre que la France est un des pays d'Europe les plus intéressés par cette nouvelle technologie, surtout quand on la couple avec la téléphonie gratuite illimitée. Comme nous l'avons dit dans la section traitant des connexions et des offres RTC, c'est-à-dire basées sur une ligne téléphonique classique, l'utilisateur que vous êtes a intérêt de passer au haut débit si :

- Votre temps de connexion dépasse allègrement le forfait souscrit auprès d'un FAI.
- Vos besoins en téléchargement (musique, vidéo, images, etc.) sont conséquents.
- Vous désirez un affichage rapide des pages Web.
- Vous souhaitez ne plus payer de communications téléphoniques à France Télécom quand vous appelez votre mère qui habite à l'autre bout de la France.
- Vous souhaitez recevoir des chaînes de télévision choisies individuellement et ne faisant pas partie d'un bouquet.
- Vous désirez que plusieurs personnes, c'est-à-dire ordinateurs, surfent sur Internet simultanément, pendant que la grande sœur téléphone et que le petit dernier regarde ses dessins animés.
- Vous travaillez à la maison.

En revanche, si vous souhaitez uniquement envoyer des e-mails sans effectuer de recherches approfondies sur le Web, ni profiter de la téléphonie gratuite parce que le montant de vos factures est largement inférieur à 30 euros par mois soit 60 euros tous les deux mois, une connexion RTC suffira, et peut-être même sans souscrire le moindre forfait.

Mais, nous sommes dans une section consacrée à l'étude des offres actuelles en matière de haut débit. Nous allons donc envisager les deux types de connexions haut débit les plus répandues, c'est-à-dire le câble et l'ADSL, ignorant le satellite qui reste encore un type de connexion marginal mais qui prendra certainement de l'ampleur dans les zones géographiques qui ne bénéficieront jamais de l'ADSL.

Connexions par câble

Comme nous l'avons dit plus haut, Internet est également accessible par le câble. Les abonnés à un réseau de télévision non hertzien (c'est-à-dire n'utilisant ni antenne ni parabole) bénéficient, dans ce cas, d'un tarif privilégié. Ce type de service n'est disponible que dans les grandes villes. N'y comptez pas si vous habitez dans une région desservie par les corbeaux.

Quant à la tarification appliquée, elle est variable et va de 20 à 60 euros par mois pour une connexion illimitée, avec un débit de 1 à 20 Mo. La politique antérieure, qui consistait à limiter à une certaine quantité l'information transférée, au-delà de laquelle un supplément devait être versé au prestataire de services, semble avoir été totalement abandonnée.

Attention, toutefois, car la solution du câble télévision pour se connecter à Internet n'offre pas que des avantages. D'abord, vous êtes lié au fournisseur d'accès qui gère le câble, et il vous est totalement impossible d'en changer. Or, on sait qu'une position de monopole n'incite pas un fournisseur à faire preuve de zèle dans la qualité de ses prestations, quelles qu'elles soient. En outre, si vous habitez dans une zone ou un immeuble où beaucoup de gens ont choisi cette solution et se partagent donc l'accès au même câble, le débit réel de la connexion pourra être très inférieur à celui qui était annoncé par votre prestataire.

Deux offres sont actuellement en présence :

- **Noos (ex-Lyonnaise Câble).** Le coût mensuel de l'abonnement dépend de la formule choisie. Au jour où nous écrivons ces lignes, Noos propose :
  - *NOOS NET 1 Méga*, une connexion à 1 Mo/s pour 24,90 euros par mois, en plus de l'abonnement TV. Si vous ajoutez la téléphonie gratuite illimitée en France métropolitaine, il vous en coûtera 29,90 euros par mois.

- *NOOS NET 4 Méga*, une connexion à 4 Mo/s pour 29,90 euros par mois, en plus de l'abonnement TV. Si vous ajoutez la téléphonie gratuite illimitée en France métropolitaine, il vous en coûtera 34,90 euros par mois.
- *NOOS NET 20 Méga*, une connexion à 20 Mo/s pour 34,90 euros par mois, en plus de l'abonnement TV. Si vous ajoutez la téléphonie gratuite illimitée en France métropolitaine, il vous en coûtera 39,90 euros par mois.
- Les Packs Noos très variés qui proposent l'accès Internet et le téléphone gratuit illimité, ainsi qu'une autre formule incluant la TV. Les prix s'échelonnent de 51 à plus de 100 euros lorsque vous désirez TV, Internet, et téléphonie.

Pour plus de détails, consultez le site `www.noos.fr` (Figure 15.3).

Figure 15.3 : La page d'accueil de Noos.

- **Orange.** Il faut vous y faire ! Wanadoo n'existe plus puisque c'est désormais la filiale de téléphonie mobile de France Télécom Orange qui se charge d'Internet. Les formules d'abonnement sont de 1, 8, et 18 mégas pour un prix respectif de 24,90, 29,90, et 39,90 euros. Viennent ensuite les offres Livebox qui incluent l'Internet, le téléphone et la télévision selon l'option choisie. Les vitesses de connexion sont de 1 Mo, 8 Mo et 18 Mo. Il est compliqué de savoir exactement ce que vous allez payer. A priori, pour bénéficier du téléphone gratuit, et c'est là le paradoxe, vous devez payer 10 euros en plus du montant de la formule d'abonnement choisi à la Livebox. Il semble que l'abonnement Internet 18 Mo + TV + Téléphone revienne à 39,90 + 10 + 3 euros (location Livebox) = 52,90 euros. Pour plus de détails, consultez le site `www.orange.fr`, illustré à la Figure 15.4.

Figure 15.4 : La page d'accueil de Orange.

Chaque fois que vous envisagez un abonnement, vous croulez sous les offres promotionnelles à tel point qu'il est difficile de savoir combien vous paierez réellement pour vous connecter et/ou recevoir la télévision par câble. Lisez bien, même si cela est rébarbatif, les renvois aux fameuses clauses petit 1 et petit 2. Ensuite, prenez votre calculette et faites l'addition. Vous constaterez que la solution câble/Internet n'est certainement pas la plus rentable.

L'ADSL

L'ADSL (*Asymmetric Digital Subscriber Line*) permet de faire passer simultanément des données et de la voix sur une seule ligne téléphonique en mode haut débit. Ainsi, vous ne bloquez pas votre ligne téléphonique lorsque vous êtes sur le Net. Le débit théorique est fonction de la distance qui sépare l'abonné du sous-répartiteur local, et il décroît lorsque cette distance augmente. Théoriquement, il peut atteindre dans le meilleur des cas plus de 20 Mbps dans le sens descendant (en réception).

Dans les zones urbaines, le raccordement à l'ADSL ne pose pratiquement pas de problème dès que France Télécom y a établi un point d'accès. Il n'en va pas de même dans les zones rurales (ou même dans la grande couronne parisienne) où certains abonnés peuvent se situer dans des zones à faible densité de population, éloignées du répartiteur France Télécom. Avant d'accepter votre demande de raccordement, France Télécom effectuera un essai de la qualité technique de votre ligne et, si le résultat ne permet pas de garantir le débit spécifié pour la formule à laquelle vous souscrivez, votre demande sera refusée. Il ne vous restera plus qu'à espérer qu'un répartiteur soit installé plus près de chez vous ou que la qualité de votre ligne soit améliorée, ce qui peut demander un certain temps.

Pour nous résumer, disons que les offres ADSL, s'adressant à des particuliers et proposées courant septembre 2006, s'harmonisent autour de 30 par mois en plus de votre abonnement téléphonique normal (puisque vous restez abonné à France Télécom). Mais, concernant ce dernier point, le dégroupage total permet à certains, et bientôt à d'autres, de résilier leur contrat auprès de notre cher opérateur historique qu'est France Télécom.

À noter que le fait d'être connecté en permanence à Internet n'implique pas que vous ne paierez plus vos communications téléphoniques locales. Ces dernières vous seront facturées tous les deux mois, comme à l'accoutumée si vous n'avez pas opté pour la téléphonie gratuite par Internet via votre *modem* ADSL.

La technique

En même temps que le modem ou le boîtier ADSL, vous recevrez un ou plusieurs filtres qui se présentent comme une prise gigogne à enficher à la place de votre fil allant du combiné téléphonique à votre connecteur mural. Il en sort un connecteur téléphone classique sur lequel vous rebrancherez votre combiné et une autre prise (toute petite) sur laquelle vous raccorderez votre modem. Une arrivée téléphonique ADSL ne peut pas supporter plus de trois filtres. Au-delà, il faut faire intervenir un technicien, ce qui ne se fera pas gratuitement. Dans ce secteur de connectique les formules peuvent varier. Ainsi AOLbox + AOLphone prend la forme d'un boîtier unique sur lequel vous rechargez directement le téléphone sans fil fourni par AOL.

Ce qu'est devenu ADSL aujourd'hui

ADSL a explosé au niveau du nombre d'abonnés, mais surtout au niveau des vitesses de connexion et des possibilités désormais offertes. Ces possibilités varient d'un fournisseur d'accès à un autre, et d'un utilisateur à un autre. En effet, d'un côté il y a ce que permet la technique et de l'autre, les besoins de l'utilisateur. De cette constatation, il résulte deux choix :

- Une connexion ADSL classique consistant en un modem ADSL 512 voire 1024 Kbps. Dans ce cas, vous ne ferez que surfer sur Internet, télécharger des fichiers et envoyer/recevoir des mails. (Finalement, c'est peut-être ce que l'on attend d'Internet.) Toutefois, avec des offres comme celle de Free, il est permis de téléphoner gratuitement même en 512 Ko/s dès l'instant que vous êtes connecté via la Freebox.

- Une connexion ADSL avec un boîtier dont le nom varie en fonction du FAI. Par exemple, chez Free, il se nomme *Freebox*, chez Orange, *Livebox*, chez neuf telecom, *Neuf Box*, ou encore *Alicebox* chez Alice. Dans ce cas, vous pouvez, en fonction des services offerts, surfer sur Internet, télécharger des fichiers, envoyer/recevoir des e-mails (c'est la moindre des choses), mais aussi téléphoner gratuitement (ou moyennant un forfait supplémentaire) et recevoir des chaînes de télévision numérique. La vitesse de connexion varie alors de 512 Kbps à plus de 20 Mbps.

L'ADSL n'est effectif que si vous êtes raccordé au réseau ADSL. Ce raccordement se fait en transparence pour le client. La procédure générique est une demande de raccordement envoyée à France Télécom par le FAI auquel vous souscrivez un abonnement ADSL. Pour savoir si vous êtes connecté, il suffit de laisser brancher en permanence le modem ou le boîtier. Une fois le raccordement effectif, la synchronisation ADSL s'opère automatiquement et s'affiche sous forme d'un voyant vert, ou de l'affichage de l'heure en façade du boîtier. En fonction de votre boîtier ou de votre modem, la synchronisation ADSL prendra d'autres formes. Vous comprendrez qu'il n'est pas possible de tester les matériels de tous les FAI ou services en ligne disponibles en France.

Quand êtes-vous connecté ?

La réponse dépend encore du type de connexion ADSL dont vous disposez.

Avec un modem ADSL, c'est-à-dire des connexions dépassant rarement les 1024 Kbps, la connexion se fait comme avec un modem RTC. Vous devez lancer votre navigateur ou votre programme de connexion. Il compose un numéro de téléphone qui permet alors de vous connecter au réseau ADSL. À partir de cet instant, comme le prix de votre forfait entend une connexion illimitée, rien ne vous oblige à vous déconnecter. En d'autres termes, restez connecté 24h/24. La déconnexion ne se fera qu'au moment où vous éteindrez votre ordinateur.

Avec les nouveaux boîtiers qui envahissent maintenant le marché, vous vous connectez à une vitesse allant de 512 Kbps à plus de 20 Mbps, en fonction de la qualité de votre ligne et des services de votre FAI. En général, vous êtes connecté au réseau ADSL en permanence, même ordinateur éteint. Bien sûr, celui-ci devra être allumé pour surfer sur le Net mais, en revanche, vous n'avez pas besoin de le mettre en marche pour téléphoner ou regarder la télévision par l'intermédiaire de ce boîtier.

À grand renfort publicitaire, les FAI annoncent des vitesses vertigineuses, dont la fameuse barrière des 20 Mo. N'oubliez jamais que cette vitesse n'est atteinte que dans des conditions optimales. Or, je ne connais personne qui en dispose. À mon avis, il faut habiter dans les locaux techniques du FAI pour surfer à la vitesse de 20 Mo ou plus. Je suis personnellement raccordé à un prestataire offrant ladite vitesse. Mais, comme mon domicile se situe à 3 474 mètres du nœud de raccordement ADSL, je subis un affaiblissement de 49 dB. Résultat : je surfe en 2 Mbits/s, ce qui me permet de téléphoner sans problème, mais pas de recevoir la télévision dans des conditions optimales (c'est un diaporama !).

Les déconnexions aléatoires existent. En effet, le réseau ADSL est le théâtre de nombreuses opérations de maintenance et de mise à niveau. Il peut donc arriver que vous soyez déconnecté une fois par 24 heures. Dans ce cas, si vous utilisez un modem ADSL classique, relancez la procédure de numérotation pour rétablir la connexion. Avec un boîtier ADSL, la connexion se rétablit automatiquement. Si ce n'est pas le cas au bout de plusieurs heures, débranchez l'alimentation électrique de votre boîtier et rebranchez-la quelques secondes plus tard, ou bien appuyez sur le bouton de réinitialisation souvent positionné sous le boîtier. Ces actions relancent la procédure de synchronisation du boîtier avec le réseau ADSL. La connexion sera alors rétablie. Si vous êtes trop souvent déconnecté, cela peut venir de trois choses :

- Vous n'avez pas installé de filtres ADSL sur toutes les prises téléphoniques auxquelles sont raccordés d'autres téléphones.

- Un de vos filtres ADSL est défectueux.
- Le boîtier ou le modem ADSL est défectueux.

Le dégroupage

Le *dégroupage*, on en parle beaucoup aujourd'hui. Mais qu'est-ce que c'est exactement ? Est-ce important de souscrire auprès d'un FAI qui propose le dégroupage partiel ou total ? La réponse dépend de vos désirs.

La totalité du réseau téléphonique français appartient à notre opérateur historique France Télécom. Il est donc difficilement envisageable, notamment pour une question de coût et de temps, qu'un autre opérateur implémente un réseau téléphonique concurrent. Toutefois, par décision européenne, France Télécom ne peut plus jouir de son monopole sur l'utilisation de son propre réseau. Cette société doit donc louer une partie de ses infrastructures à d'autres opérateurs qui y installeront leurs équipements et pourront offrir des services concurrentiels, brisant ainsi le monopole de France Télécom sur la téléphonie et son pendant incontournable aujourd'hui, Internet. C'est cela le dégroupage.

Techniquement, le dégroupage est partiel ou total.

Dégroupage partiel

Sur une ligne téléphonique, les fréquences basses transmettent la voix et les fréquences hautes les données. Ces deux types d'informations transitent simultanément par un support unique qu'est la ligne téléphonique. Cela explique que vous puissiez, au même moment, surfer en haut débit et téléphoner.

Le dégroupage partiel donne accès, à un autre opérateur que France Télécom, à la bande des fréquences hautes (c'est-à-dire non vocales). Comme il s'agit d'une opération technique "bon marché", les nouveaux FAI peuvent proposer et gérer toute la connexion ADSL. Par conséquent, vous surfez sur Internet par le biais d'un forfait souscrit auprès d'un FAI ou d'un service en ligne haut débit, avec la possibilité de téléphoner sans recourir directement à France Télécom. On parle de *téléphonie gratuite* en plus de l'accès Internet haut débit. Toutefois, dans ce genre de configuration, France Télécom continue à gérer le réseau téléphonique. Il est donc impossible de résilier son abonnement auprès de l'opérateur historique. De nombreux utilisateurs pestent car ils sont obligés de rester abonnés à France Télécom alors qu'ils ne lui paient plus aucune communication. On peut dire, par exemple, qu'un utilisateur de Free qui dispose de la Freebox paie un abonnement de 29,90 euros, pour surfer sur Internet et téléphoner gratuitement, abonnement auquel s'ajoute celui de France Télécom. On obtient la coquette somme de 43 euros par mois. Mais, on ne peut pas faire autrement tant que notre ligne téléphonique n'est pas éligible pour passer à une chose bien plus intéressante pour le consommateur : le dégroupage total.

Dégroupage total

Le dégroupage total, comme son nom le laisse supposer, donne à un opérateur autre que France Télécom la possibilité de gérer tous les aspects d'une ligne téléphonique. Exit France Télécom pour le client.

Les conséquences pratiques d'un dégroupage total

Vous pouvez alors résilier votre abonnement auprès de France Télécom, c'est-à-dire économiser environ 13 euros par mois plus le prix de vos communications locales et nationales. Désormais, vous ne pouvez plus téléphoner que par l'intermédiaire du matériel fourni par votre FAI, c'est-à-dire le boiter de connexion ADSL sur lequel est raccordé votre téléphone. Vous disposez d'un nouveau numéro commençant par 08, mais certains FAI proposent la portabilité du numéro. Grâce à elle, vos correspondants continuent à vous téléphoner en composant le numéro qui vous a été attribué par France Télécom. Lorsque vous êtes totalement dégroupé, toute personne qui vous appelle, quelle que soit sa zone géographique en France, ne paie que le prix d'une communication locale. De plus, la plupart des FAI permettent de téléphoner gratuitement vers les 25 pays de l'union européenne (voir la liste des pays sur le site de FAI).

Voici les opérateurs qui se lancent dans le dégroupage total. Si, à terme, vous ne désirez plus passer par France Télécom et souhaitez ne payer qu'un seul forfait pour surfer sur Internet et téléphoner sans limite, il est plus judicieux de vous diriger vers eux :

- **neuf telecom.** Très actif en matière de dégroupage, neuf telecom équipe de nombreux répartiteurs dans toutes les grandes villes de France. Dans ce sens, neuf telecom a construit son propre réseau longue distance avec des technologies de dernière génération. Ce réseau dessert les principales agglomérations françaises. Sur ce principe, neuf telecom propose l'Internet haut débit 20 méga, la téléphonie illimitée en France, vers les pays de l'union européenne et quelques autres pays du monde, la télévision et une connexion modem-routeur Wi-Fi, le tout grâce à son boîtier Neuf Box. (Voir le Tableau comparatif 15.1 en fin de section.)
- **Cegetel.** N'est entré sur le marché de l'ADSL grand public que depuis janvier 2004. (Voir le Tableau comparatif 15.1 en fin de section.)
- **Free.** Immédiatement présent sur le dégroupage partiel et total, Free ne propose ses offres ADSL qu'à ses clients finaux. Malgré un réseau dégroupé moins important, mais qui ne cesse de progresser, Free est l'opérateur le plus innovant. Ses offres sont claires. Un seul prix et toutes les possibilités : Internet haut débit à 28 Mbps. À cela s'ajoute la télévision numérique, la téléphonie gratuite vers les fixes de 28 pays, par le biais de son boîtier Freebox qui fait également office de routeur. (Voir le Tableau comparatif 15.1 en fin de section.)

En conséquence, avant de souscrire à une offre comprenant la téléphonie gratuite, renseignez-vous pour savoir si votre ligne passera ou non en dégroupage total. Lui seul permet de résilier votre abonnement auprès de France Télécom pour éviter de payer tous les mois 13 euros à fonds perdus.

Pour accéder au dégroupage total, il suffit de le demander au FAI. Normalement, il s'occupe d'en avertir France Télécom. Auprès d'un prestataire comme Free, ma demande de dégroupage total a été effective deux jours après la réception de mon courrier par le FAI. France Télécom a confirmé par lettre la résiliation de mon abonnement. Désormais, tout en conservant mon ancien numéro de téléphone, je surfe en ADSL, je téléphone et je peux regarder la télévision pour la somme forfaitaire de 29,90 euros. Finis les 26 euros d'abonnement bimestriel !

La téléphonie par Internet, sous forme de connexion par un boîtier ADSL, pose quelques problèmes. D'abord, les communications sont parfois étranges. Vous vous entendez avec un certain écho. Même si ce problème tend à diminuer, il reste présent. Parfois, votre interlocuteur a l'impression que vous parlez dans une caverne, ou que vous n'êtes plus là. À certains moments, il est impossible d'établir la moindre communication. Enfin, par ce principe numérique, il n'est plus possible d'envoyer de fax.

Où trouver un fournisseur d'accès ?

- Consultez les magazines informatiques spécialisés dans Internet (par exemple *.Net)*. Outre de nombreuses publicités, vous y trouverez parfois des tableaux comparatifs.
- Demandez à vos amis ayant un accès Internet quel fournisseur d'accès ils utilisent et quel est le degré de leur satisfaction.
- Le site Web `www.lesproviders.com` propose des tableaux régulièrement mis à jour détaillant les différents modes de connexion à Internet. Mais il n'intéressera évidemment que ceux qui sont déjà pourvus d'une connexion Internet et désirent en changer.

Tableau 15.1 : Les offres ADSL avec téléphonie et autres services.

FAI	Vitesse de connexion	Téléphonie	Télévision	Routeur	Dégroupage total	Prix	Site
neuf telecom	20 mégas	Oui vers 25 pays de l'union européenne + autres destinations	Oui avec abonnement supplémentaire	Oui	Oui	29,90 €	www.neuftelecom.fr
Cegetel	20 méga	Oui	Non	Oui avec surcoût de 49 €à l'achat	Oui pour 6 €/mois	30,90 €, 36,90 € (dégroupage total))	www.cegetel.fr
Free	28 méga en zones dégroupées	Oui	Oui (plus abonnement à des chaînes thématiques)	Oui	Oui	29,99 €	http://adsl.free.fr/
AOL	18 mégas	Oui	Oui	Oui	Oui	de 18,90 à 29,90 €	http://adsl.aol.fr/acces-internet/nouveau/offre.html
Orange	1 méga, 8 méga et 18 méga	Oui avec abonnement supplémentaire sauf pack illimité et la Livebox (3 €/mois)	Oui	Oui	Non	A vous de calculer selon que vous ajoutez la TV et le téléphone	www.orange.fr
Alice (Telecom Italia, ex Tiscali)	20 méga	Oui mais avec un surcoût pour le monde entier	Oui	Oui	Oui	29,95 €	www.aliceadsl.fr/.
Club-Internet	24 méga	Oui (vers 40 destinations internationales)	Non	Oui	Oui	24,90 €	www.club-internet.fr

La souscription d'un abonnement

Tous les fournisseurs d'accès ont un numéro de téléphone que vous pouvez appeler pour avoir des précisions sur leur offre. Vous pouvez ainsi poser toutes les questions qui vous viennent à l'esprit, ce qui peut s'avérer utile, surtout si vous êtes nouveau venu à Internet. Parmi ces questions, renseignez-vous sur le ou les logiciels qui vous seront fournis. Si les réponses que vous obtenez ne vous paraissent pas convaincantes ou que votre interlocuteur semble avoir d'autres choses plus importantes à faire qu'à vous renseigner, essayez un autre fournisseur. C'est une solution possible mais ce n'est pas la meilleure, car vos interlocuteurs seront des commerciaux et non des techniciens. Soit ils ne seront pas capables de répondre à des questions trop précises, soit ils inventeront...

Si vous avez déjà de l'expérience, que vous préfériez "parler" avec une machine, que vous possédiez déjà l'équipement de base nécessaire ou qu'un de vos amis vous permette d'utiliser à cette fin son installation, connectez-vous sur le serveur Web de votre fournisseur (presque toujours indiqué dans sa publicité). Vous pourrez ainsi avoir un maximum de détails ou bien constater le flou de son offre. Dans ce cas, vous avez compris ce qu'il vous reste à faire.

Nous allons, sous forme de tableau, récapituler les offres ADSL dites modernes, c'est-à-dire celles qui incluent au moins la téléphonie. Pour les autres, connectez-vous au site Web d'un FAI.

ATTENTION !

Les fournisseurs d'accès ont pris l'habitude d'afficher et de vendre les vitesses de connexion les plus rapides. Vous devez impérativement aller sur leur site Web pour savoir si la région où vous habitez fait partie des zones dégroupées, donc les plus rapides. Si ce n'est pas le cas, ça le deviendra sans doute un jour. Mais, en attendant, vous surferez à des vitesses bien moindres, par exemple 1024 Ko/s au lieu de 20 Mo/s.

Nous n'incluons pas volontairement les opérateurs téléphoniques qui ne sont pas des FAI historiques, ou du moins ne vont pas aussi loin, dans leur offre ADSL, que certains autres concurrents. Toutefois, nous vous conseillons d'apprécier leurs offres sur leurs sites et notamment :

- TELE2 à www.tele2.fr/internet/haut-debit/adsl.html.

Vérifiez toujours les points suivants :

- Le raccordement au réseau ADSL est-il gratuit ?
- Y a-t-il des frais de déconnexion en cas de résiliation ?
- Le modem est-il ou non fourni sans surcoût ?
- La téléphonie est-elle incluse dans l'abonnement ?
- Le routeur est-il intégré ou faut-il ajouter une carte au boîtier ? À quel prix ?
- Un accès bas débit illimité est-il proposé en cas de panne du réseau ou de votre matériel ? C'est ce qu'offre Free en plus de son haut débit par la Freebox. Vous disposez d'un numéro spécialement dédié à votre ligne téléphonique qui permet de vous connecter en bas débit avec un modem traditionnel en cas de panne de votre Freebox. Rien ne vous empêche alors de connecter simultanément une machine en haut débit et une autre en bas débit. Vous ne payez rien ! Bien évidemment, si vous êtes en dégroupage total, dans la mesure où vous n'avez plus de ligne téléphonique classique, l'offre bas débit gratuite ne vous sert à rien !

Le choix n'est pas simple. Nous ne pouvons pas conseiller tel opérateur plutôt que tel autre. Les chiffres parlent d'eux-mêmes, à vous d'aller vers la meilleure solution technique au regard de vos besoins. Demandez une validation de votre débit réel et non pas du débit théorique. En effet, même si théoriquement vous pouvez disposer de 24 mégas de débit qu'en est-il réellement ?!

Bien évidemment, consultez régulièrement les offres car les prix et services du Tableau 15.1 ne sont qu'indicatifs. C'est un marché où la concurrence est rude, donc matière à fluctuations.

Surfer oui, mais en toute sécurité !

Bien. Avec toutes ces propositions, vous allez bien finir par vous connecter à Internet. Toutefois, dès que le modem sera correctement installé et la communication Internet établie, patientez un peu avant de foncer tête baissée dans l'antre du monstre. Vous devez vous protéger, car s'il y a bien un lieu virtuel aussi dangereux que le réel, c'est Internet où il est impératif de sortir couvert.

Y'a le feu à la baraque !

Un *pare-feu*, ou *firewall*, est une barrière dressée entre votre (ou vos) ordinateur(s) et Internet. Dans les grosses entreprises, le pare-feu est un ordinateur dédié à une seule tâche : surveiller le trafic entrant et sortant pour déceler les tentatives d'intrusions en tout genre. À la maison ou au bureau, vous avez deux possibilités :

- Utiliser le pare-feu intégré de Windows XP. Pour savoir s'il est opérationnel sous Windows XP SP2, cliquez sur Démarrer/Panneau de configuration/Pare-feu Windows. Si dans la boîte de dialogue éponyme, vous notez que le pare-feu est désactivé, cliquez sur le bouton radio Activé (recommandé).

  Cliquez sur OK pour quitter la boîte de dialogue Recommandation.

  Si vous ne voyez pas l'icône en question, cliquez sur le lien Basculer vers l'affichage classique en haut à gauche du Panneau de configuration.

  Qu'ouïs-je ? Vous n'avez pas installé Windows XP SP2 ? SP2 signifie Service Pack 2. Il s'agit d'une mise à niveau importante de Windows XP qui vient combler de nombreuses failles de sécurité et qui facilite la mise en œuvre des réseaux Wi-Fi. Pour vous procurer cette mise à jour gratuite, téléchargez-la à l'adresse suivante : `http://telecharger.yacapa.com` (lien Incontournables).

Dès que le pare-feu de Windows XP est opérationnel, vous disposez d'une première protection contre les pirates du Web. Toutefois, il faudra régulièrement mettre à jour Windows via le site Web Windows Update et la fonction du même nom intégrée à Windows XP.

- Vous pouvez également utiliser un *routeur*, c'est-à-dire un petit périphérique externe qui s'installe entre votre ordinateur et votre modem. Souvent, le modem lui-même fait office de routeur, ce qui évite d'en acheter un quand il vous est fourni par votre FAI. Le routeur contient en général un logiciel pare-feu qui est sans arrêt en activité. Pour plus d'informations sur l'utilisation des routeurs et la connexion de plusieurs ordinateurs, consultez le Chapitre 16.

Nous recommandons l'utilisation d'un routeur. D'abord, c'est une fabuleuse petite machine qui va permettre de connecter un modem et donner ainsi la possibilité à plusieurs ordinateurs installés chez vous d'accéder simultanément au Web. De plus, si vous consultez bien les offres haut débit que nous détaillons un peu plus haut dans ce chapitre, vous constaterez que de plus en plus de FAI proposent un modem ADLS de type routeur, et généralement Wi-Fi.

Un brin d'immunité

Les *virus* sont de petits programmes qui arrivent par e-mail ou dans des logiciels que vous téléchargez. Immédiatement installés dans votre ordinateur, ils n'y font rien de très catholique. Il faut que vous installiez impérativement un programme antivirus ! IMPÉRATIVEMENT ! Ce programme devra être régulièrement mis à jour.

Il existe de nombreux logiciels antivirus. Les deux programmes les plus utilisés sont McAfee VirusScan, que vous pouvez télécharger à l'adresse `www.mcafee.fr`, et Norton Antivirus que vous découvrirez sur le site `www.symantec.fr`. Bien que très puissants, ces antivirus sont la cible des infections les plus virulentes car ils sont fortement implémentés dans l'univers informatique. Ainsi, certains virus commencent par détruire l'antivirus pour ensuite se répandre comme une traînée de poudre dans tout l'ordinateur. Si vous craignez de telles attaques, optez pour des solutions parallèles comme l'excellent AVG Anti-Virus que vous trouverez sur le site www.avgfrance.com. AVG Anti-Virus existe en version gratuite ; cependant, cette version s'avère parfois insuffisante. Il est recommandé de dépenser quelques 45 euros dans une version plus élaborée d'AVG qui se met à jour facilement, rapidement, et dont le moteur interne est régulièrement actualisé pour lutter encore plus efficacement contre les virus. Les éditeurs d'antivirus proposent de plus en plus de solutions tout en un, c'est-à-dire un antivirus qui fait office de pare-feu et auquel s'adjoint un antispyware.

Vous devez mettre à jour votre antivirus. Je préconise une misc à jour quotidienne car l'activité antivirus est très importante. D'ailleurs, pour en être tenu régulièrement informé, je conseille également de vous abonner à une lettre de diffusion sur le sujet. Connectez-vous au site www.secuser.com. Dans la rubrique Newsletters, saisissez votre adresse e-mail et cliquez sur OK. Dès qu'un nouveau virus, du phishing, ou des spywares joueront les trouble-fêtes sur Internet, vous en serez averti par e-mail. Son contenu vous indiquera la marche à suivre pour vous en protéger. Il s'agira en général de mettre immédiatement à jour votre antivirus, de ne pas répondre à certains mails, et d'éviter certains sites.

Les espions sont parmi nous !

Le spyware est un programme qui s'installe dans votre ordinateur pour épier tous vos taits et gestes. Il existe de nombreux logiciels antispyware, souvent gratuits, qui permettent d'empêcher leur installation et de déloger ceux qui sont déjà en place. Néanmoins, il n'existe pas un seul programme antispyware capable de tous les identifier. Pour cette raison, je recommande d'utiliser deux ou trois programmes de ce type.

Voici les plus connus :

- **Spybot Search & Destroy** que vous pouvez télécharger sur www.spybot.info/fr/index.html dans de nombreuses langues dont le français.

De nombreux programmes gratuits se nomment sans scrupules "spybot". Par conséquent, n'utilisez pas un moteur de recherche comme Google pour trouver un antispyware. Allez sur le site Web officiel www.spybot.info pour télécharger le programme.

- **Ad-Aware SE Personal** que vous pouvez télécharger sur le site http://www.01net.com/telecharger/windows/Securite/anti-spyware/fiches/11643.html ; vous trouverez un patch de mise à niveau en français sur ce même site mais à l'adresse suivante : http://www.01net.com/telecharger/windows/Securite/anti-spyware/fiches/25543.html.

Notre configuration Internet modèle

Vous savez certainement que les auteurs et le traducteur de ce livre utilisent Internet. Et vous vous demandez quel type de connexion privilégient-ils ? Pour nous tous, voici la configuration Internet de rêve :

- Un ordinateur (sous système Windows, Mac ou Linux).
- Une connexion Internet ADSL ou câble, c'est-à-dire du haut débit !
- Un routeur, disposant d'un pare-feu, installé entre vos ordinateurs et Internet, sachant que certains modems font également office de routeurs.

Et maintenant que vous êtes connecté ?

Dès que vous avez ouvert un compte auprès de votre FAI et que vous disposez du modem parfaitement bien configuré, votre ordinateur peut accéder à Internet. Il suffit pour cela de lancer les logiciels appropriés, comme l'indispensable navigateur Web.

Exécuter des programmes Internet

Vous pouvez faire fonctionner plusieurs applications Internet simultanément. Par exemple, vous pouvez lancer la réception d'un e-mail et recevoir un message indiquant une super adresse Web. Sans quitter votre programme de messagerie, ouvrez votre navigateur Web, consultez la page Web, puis revenez à votre messagerie pour prendre connaissance des autres e-mails. La plupart des programmes de gestion des e-mails surlignent et soulignent les adresses Web (URL), permettant d'accéder directement aux sites en cliquant dessus.

Vous n'êtes en aucun cas limité aux programmes que vous fournit votre FAI. Dès que vous surfez sur le Web, personne ne vous empêche de télécharger et d'installer de nouveaux logiciels. Votre FAI n'est qu'une interface entre votre ordinateur et le World Wild Web.

Quitter Internet

Toutes les bonnes choses ont une fin. Alors, à un moment ou à un autre, vous allez quitter Internet. Comment ? Tout dépend de votre type de connexion.

Si vous utilisez une ligne téléphonique classique, il suffit simplement de cliquer sur le bouton Déconnecter de la boîte de dialogue de la connexion. Ceci a pour effet de raccrocher le téléphone. Cette fonction est également programmable dans votre navigateur Web et votre logiciel d'e-mail. Par exemple, après avoir relevé votre courrier, la connexion peut être automatiquement coupée. Ceci est intéressant lorsque vous vous connectez au prix d'une communication locale, ou si vous avez souscrit un forfait limitant vos connexions gratuites à un certain nombre d'heures.

En revanche, si vous avez une connexion haut débit, vous pouvez rester connecté 24h/24. D'ailleurs, vous ne trouverez pas de bouton Déconnecter, mais plutôt Désactiver. Si vous cliquez dessus, vous ne faites que couper la liaison que votre ordinateur établit avec le modem. Il suffira de réactiver cette connexion en passant par Démarrer/Connexions/Afficher toutes les connexions. Là, vous double-cliquerez sur le nom de la connexion que vous utilisez pour de nouveau être connecté au réseau haut débit. Lancez votre navigateur Web pour surfer.

Bien que vous disposiez de tout un tas de programmes permettant d'aller sur Internet et de relever ou d'envoyer des mails, un seul établit la connexion pour tous les autres. Il s'appelle Accès à distance pour les modems classiques et Connexion réseau pour le haut débit. Il prend la forme de l'icône d'un moniteur affichée dans la zone de notification de Windows XP, c'est-à-dire à côté de l'horloge.

Chapitre 16

Partager votre connexion Internet

Dans ce chapitre :

- Créer un réseau chez vous.
- Faire communiquer tous vos ordinateurs sans utiliser de câbles.
- Connecter votre ordinateur portable à la maison et en voyage.

De plus en plus de foyers possèdent plusieurs ordinateurs – un dans le bureau du papa, un autre dans le salon et un autre encore dans la chambre de l'adolescent qui vit encore à la maison.

Vous n'avez pas besoin de souscrire un abonnement auprès d'un FAI pour chacun de ces ordinateurs. Il suffit de les raccorder à un réseau – soit avec un câblage spécifique, soit par un système sans fil – et de les configurer pour partager le même modem et accéder ainsi au Net les uns indépendamment des autres. Ce chapitre explique comment établir ces deux types de réseau.

Ne limitez pas votre accès Internet à un seul ordinateur

Au début de l'ère de ces ordinateurs gigantesques que l'on vénérait derrière une tour en verre, un de mes amis, visionnaire, clamait haut et fort qu'un jour les ordinateurs seraient partout. Bien évidemment, il fut brûlé vif sur la place publique pour ce blasphème ! Mais l'histoire lui a donné raison. Aujourd'hui, les ordinateurs sont de plus en plus petits, et il devient difficile de trouver un foyer où il n'y a pas au moins un ordinateur. Lorsque plusieurs machines s'installent, presque à notre insu, dans un même espace de vie, chacun de ses utilisateurs a envie de l'utiliser pour se connecter à Internet. Faut-il donc que les machines soient situées les unes à côté des autres pour communiquer avec cet autre monde ? La réponse est non !

Les connexions haut débit facilitent la mise en place de systèmes où chacun des ordinateurs peut se connecter au Net, tout en étant dans des endroits aussi différents que le grenier, la cave, la chambre des parents, le salon et la salle de jeux des enfants. Cette connexion à Internet est d'autant plus agréable qu'elle est simultanée. En effet, la ligne téléphonique n'est pas monopolisée par un ordinateur et les autres machines ne sont pas censées, chacune leur tour, attendre que celle-ci soit libérée pour en profiter. Avec le haut débit, le téléphone n'existe plus et la bande passante est telle que chacun peut simultanément aller sur Internet, envoyer et recevoir des e-mails, discuter dans une chatroom ou une messagerie instantanée (comme MSN), et même téléphoner quand le système ADSL le permet.

Pour partager une même connexion Internet entre plusieurs ordinateurs, vous devez les connecter à un réseau appelé *local aera network (LAN)*, c'est-à-dire un *réseau local*. Ensuite, vous connectez ce réseau (et non pas chaque ordinateur) à Internet. Un réseau local, et je sens que vous allez être surpris, est un réseau qui se trouve dans un lieu unique, c'est-à-dire un local comme un immeuble, et qui établit une grande quantité de connexions à l'aide de câbles mais aussi en l'absence de câbles. Le tout sans utiliser de ligne téléphonique. D'abord outil de prédilection des entreprises qui mettaient en réseau tous les ordinateurs de la société, le LAN arrive progressivement chez le particulier. Comprenez donc une chose fort simple : si, chez vous, plusieurs ordinateurs sont connectés les uns aux autres, vous avez un LAN, c'est-à-dire un réseau local.

La Figure 16.1 montre un réseau local typique : un modem câble ou ADSL est connecté à un *routeur*, c'est-à-dire un matériel qui va connecter votre LAN à Internet. Puis, vous connectez chaque ordinateur à un *hub* (concentrateur de prises réseau) ou à un point d'accès (si vous avez développé un réseau sans fil). Ensuite, chaque ordinateur doit être connecté au réseau local pour partager et profiter de tous les matériels qui sont raccordés au routeur.

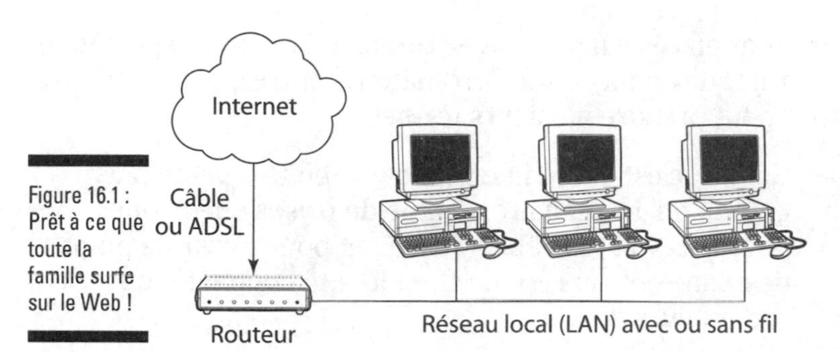

Figure 16.1 : Prêt à ce que toute la famille surfe sur le Web !

Il n'est pas impératif que tous les ordinateurs d'un réseau local utilisent la même version de Windows – voire même Windows. Vous pouvez connecter au même LAN des PC tournant sous Windows ou Linux, et des Mac qui, par définition, fonctionnent sous Mac OS. En fait, ils communiquent tous par le même protocole réseau, c'est-à-dire celui utilisé par Internet lui-même.

Créez d'abord un LAN

Les réseaux locaux ou LAN existent en deux variétés : avec et sans fil. Un réseau à fil est dit *câblé*. Dans ce cas, un câble part de chaque ordinateur et se raccorde à un boîtier central. *A contrario*, le réseau sans fil utilise des signaux radio et non pas des câbles. Cette différence induit deux hypothèses bien simples : si tous vos ordinateurs sont dans la même pièce, utilisez un réseau câblé ; en revanche, s'ils sont dans des pièces distantes, voire certains à un étage et d'autres au rez-de-chaussée, il est plus facile de créer un réseau sans fil bien que cela puisse coûter un peu plus cher et produire un réseau légèrement plus lent. Il est possible de combiner les deux systèmes. De nombreux systèmes sans fil disposent de prises pour accueillir des câbles permettant ainsi de relier physiquement des ordinateurs situés très près les uns des autres.

Au centre – le hub ou routeur

Pour créer un réseau, vous avez besoin d'un boîtier spécifique qui permet de connecter les ordinateurs entre eux au LAN. Ce boîtier peut prendre plusieurs formes :

- Un *hub*, c'est-à-dire une espèce de boîte à peine plus grande qu'un annuaire, équipé de prises spécifiques pour recevoir les câbles réseau et pour servir de point de connexion au réseau. C'est lui qui connecte tous les ordinateurs du LAN.
- Un *switch* qui est une race plus sophistiquée de hub car il accélère la vitesse du réseau.
- Un *point d'accès* qui est un hub sans fil. Il dispose d'une ou deux antennes radio à la place de prises.
- Un *routeur* est comme un hub qui facilite l'accès à Internet et qui dispose de fonctionnalités comme un firewall (voir le Chapitre 15). Il existe aujourd'hui de plus en plus de modems qui font office de routeurs.

Nous recommandons l'utilisation d'un routeur car il protège efficacement votre réseau des tentatives d'intrusion quelles qu'elles soient. Les routeurs existent avec ou sans fil. La version câblée dispose de nombreuses prises jack selon le nombre d'ordinateurs que vous devez y connecter. En règle générale, les routeurs sans fil n'ont qu'une seule prise destinée à recevoir le câble du modem, disposent d'une antenne pour que les ordinateurs se connectent au réseau et offrent parfois des prises supplémentaires afin que les ordinateurs se trouvant dans la même pièce que le routeur y soient connectés directement.

Configurer un routeur

Les routeurs sont livrés avec un câble dit *Ethernet.* Il permet d'y raccorder le modem. Ce câble ressemble à une grosse prise téléphonique et répond au doux nom de RJ-45.

Configurer un routeur pour des connexions ADSL exigeant un nom d'utilisateur et un mot de passe

La plupart du temps, le routeur n'est pas raciste. Il accepte toute personne qui y est connectée. Toutefois, dans certaines hypothèses, une connexion ADSL exige un nom d'utilisateur et un mot de passe. Vous devez les indiquer au routeur. Si ce n'est pas votre cas, inutile de lire cette section. Vous y reviendrez si l'installation d'un programme impose de modifier la configuration du routeur. Les instructions de configuration des routeurs sont génériques. Cependant, elles pourront varier sur quelques points de détail. Par conséquent, gardez toujours un œil averti sur le manuel d'utilisation fourni avec votre matériel.

Pour configurer un routeur, vous utilisez le navigateur Web de votre ordinateur. Comme un routeur n'a ni écran ni interface pour afficher et recevoir des informations, vous devez passer par un ordinateur connecté au routeur afin d'effectuer sa configuration. Même si vous installez un réseau sans fil, la configuration initiale est plus simple si un ordinateur est connecté à la prise Ethernet du routeur. En effet, le routeur sait alors avec quelle machine il communique. Suivez ces étapes :

1. **Éteignez le routeur et l'ordinateur.**

2. **Branchez le câble Ethernet dans l'adaptateur réseau de votre ordinateur et insérez l'autre extrémité du câble dans la prise Ethernet du routeur.**

3. **Allumez le routeur puis l'ordinateur.**

4. **Démarrez votre navigateur Web et saisissez l'adresse du routeur dans la barre d'adresse du logiciel. Vous**

affichez alors la page d'accueil du routeur, avec ses paramètres de configuration.

Habituellement, l'adresse est `192.168.0.1` (c'est-à-dire une adresse réservée par Internet aux utilisateurs d'un réseau local). Si l'adresse Web ne donne pas de résultats, consultez la documentation livrée avec le routeur.

5. **Si la page de configuration du routeur exige un mot de passe, consultez le manuel livré avec celui-ci et saisissez-le.**

   Vous accédez à la page de configuration de votre routeur, comme à la Figure 16.2.

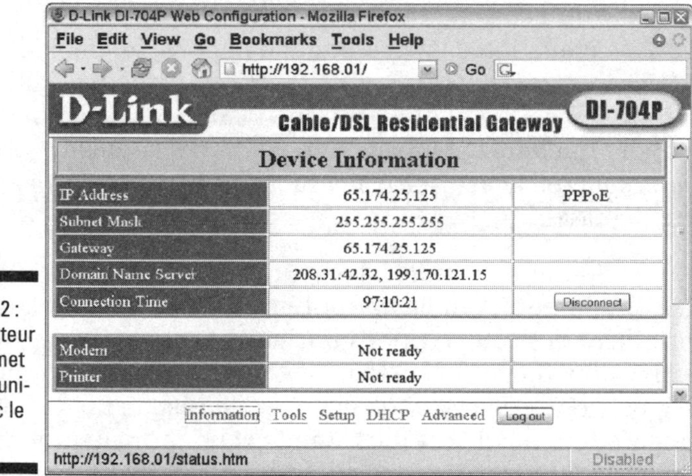

Figure 16.2 : Le navigateur Web permet de communiquer avec le routeur.

6. **Si vous disposez d'une connexion haut débit qui exige un nom d'utilisateur et un mot de passe, cherchez le champ textuel qui permet de les saisir.**

   Suivez les instructions figurant dans le manuel du routeur ou cliquez sur les onglets et les liens de la page jusqu'à ce que vous trouviez les termes "Username" et "Password" (eh oui, c'est en anglais !). Dans Username, saisissez le nom d'utilisateur, et dans Password, le mot de passe.

7. **Si besoin, cliquez sur un bouton Save (enregistrer), Done (terminé) ou OK pour valider ces informations.**

   Si vous ne voyez aucun bouton ou lien de la sorte, ne vous inquiétez pas.

Désormais, votre routeur sait comment se connecter à votre compte ADSL.

Connecter votre LAN au modem

Raccordez le routeur à votre modem câble ou ADSL. Allumez le modem (si ce n'est pas déjà fait), redémarrez le routeur et vérifiez que vous pouvez surfer sur le Web. Si ça ne marche pas, vérifiez le câble du modem, assurez-vous que votre connexion Internet connaît bien votre nom d'utilisateur et votre mot de passe.

Raccorder vos ordinateurs au LAN

Une fois le routeur configuré, le réseau local ne peut être créé qu'avec des câbles... s'il s'agit d'un réseau câblé. Un LAN utilise un câble Ethernet de type RJ-45 que vous trouverez dans toutes les bonnes boutiques de fournitures informatiques, électriques, électroniques, voire au rayon informatique des grandes surfaces ou de certains magasins multimédias. À chaque extrémité d'un câble Ethernet se trouve une prise RJ-45. Elle ressemble à un gros connecteur téléphonique. Vous avez besoin d'un câble pour chaque ordinateur à connecter au réseau, plus un autre pour le modem.

Sur chaque ordinateur, insérez la prise RJ-45 mâle dans son équivalent femelle (soit il est intégré à la carte mère, soit vous avez ajouté une carte réseau interne disposant bien sûr de cette prise femelle). Faites de même pour le modem. Puis, branchez l'autre extrémité du câble Ethernet dans le routeur.

Une fois vos ordinateurs ainsi connectés, donnez-leur les informations nécessaires sur le réseau local. Sur chaque ordinateur tournant sous Windows, procédez comme ceci :

1. **Cliquez sur Démarrer/Tous les programmes/Accessoires/Communications/Assistant Configuration du réseau.**

   Une autre méthode consiste à cliquer sur Démarrer/Panneau de configuration/Connexions réseau et Internet, puis sur le lien Assistant Configuration réseau.

2. **Suivez les instructions de l'assistant. Lorsque l'assistant demande de choisir une méthode de connexion, activez l'option "Cet ordinateur se connecte à Internet via une passerelle résidentielle ou via un autre ordinateur sur mon réseau" (Figure 16.3).**

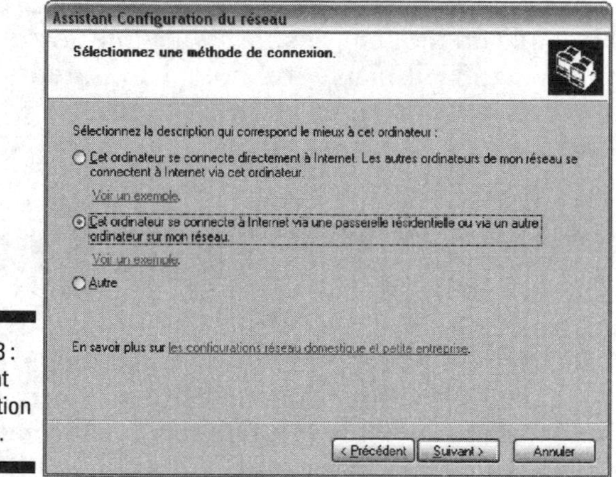

Figure 16.3 : L'Assistant Configuration du réseau.

   La "passerelle résidentielle" est votre routeur. À l'étape suivante, l'assistant demande de donner un nom à votre ordinateur, comme l'illustre la Figure 16.4.

3. **Quand l'assistant demande un nom d'ordinateur, donnez-lui le nom sous lequel il apparaîtra sur le réseau (comme "SALLEDEJEUX", "BUREAU" ou "TIBURCE").**

   Faites ce que vous voulez : l'essentiel est de vous en souvenir.

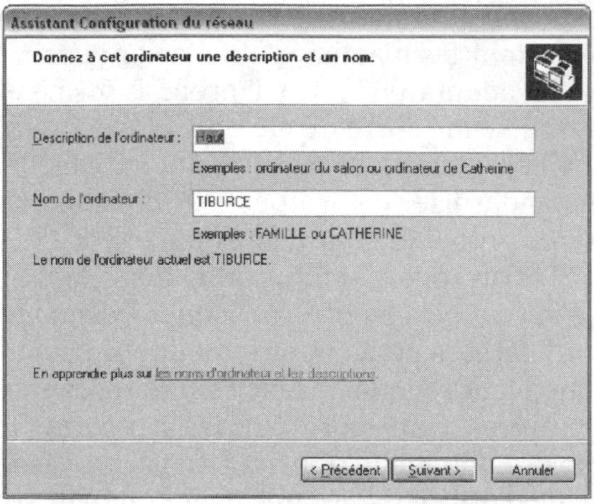

Figure 16.4 : Configuration de Windows pour qu'il communique avec votre LAN.

4. **Quand l'assistant demande d'indiquer le nom du *groupe de travail*, utilisez le même nom pour tous les ordinateurs du réseau local.**

   Personnellement, j'utilise le nom proposé par défaut, c'est-à-dire "MSHOME". Vous pouvez par exemple saisir **GROUPEDETRAVAIL** ou encore **WORKGROUP** qui fait plus pro.

Si vous connectez un Mac à votre réseau local, celui-ci l'identifiera probablement sans que vous ayez à lever le petit doigt. Si vous devez ou voulez configurer votre connexion réseau sous Mac OS X, cliquez sur le menu Apple/Préférences Système. Dans la fenêtre éponyme, cliquez sur Réseau. Dans la liste Afficher, choisissez Ethernet intégré, puis cliquez sur le bouton TCP/IP.

À bas les câbles ! Vive le Wi-Fi

Si vos ordinateurs sont répartis à plusieurs endroits de votre habitation, par exemple à un étage et au rez-de-chaussée, il n'est pas très aisé de tirer des câbles dans toute la maison pour créer le réseau local. Le Wi-Fi va permettre de faire la même chose qu'un réseau câblé, mais sans câble !

De nombreux ordinateurs portables ont des fonctionnalités Wi-Fi intégrées. Pour les machines qui n'en ont pas, vous devez ajouter un adaptateur Wi-Fi. Il prend la forme d'une carte PCI interne, d'une sorte de clé USB, ou encore d'une carte PCMCIA. Les constructeurs Wi-Fi ont fait un effort remarquable pour standardiser ce protocole de communication. Vous disposerez probablement d'un équipement à la norme .11b ou .11g. Si le protocole semble donc bien établi, le point sensible du Wi-Fi est de savoir jusqu'à quelle distance du routeur les ordinateurs peuvent se situer pour profiter d'un signal suffisant à leur reconnaissance sur le réseau, donc pour accéder entre autres à Internet. Seuls les systèmes équipés d'une antenne directionnelle pourront se trouver assez loin du routeur. Ceci dit, j'utilise personnellement un petit adaptateur USB qui est connecté à un ordinateur situé au rez-de-chaussée alors que le routeur Wi-Fi se trouve à l'étage, et la communication est impeccable.

NOTE TECHNIQUE

Les différentes normes Wi-Fi

Les ingénieurs qui travaillent sur les équipements réseau aiment améliorer les choses. Il n'est donc pas étonnant de trouver plusieurs types de réseau sans fil. Les standards ont été établis par une organisation professionnelle appelée IEEE (c'est-à-dire *Institute of Electrical and Electronics Engineers*, que vous trouverez sur le site `http://ieee.org`). Ce groupe d'intervenants porte le numéro 802. Pour simplifier la nomenclature des groupes, il faut savoir qu'ils ont été scindés en une bonne vingtaine de sous-groupes dont les plus connus sont le 802.3, qui a développé l'Ethernet, et le 802.11, qui s'est focalisé sur l'Ethernet sans fil. Le groupe 802.11 a assigné des lettres à ses projets. Ainsi, le projet 802.11b original présentait une liaison Wi-Fi de 11 mégabits (millions de bits par seconde). Il devint très populaire au début des années 2000. Vint ensuite la norme 802.11g, qui délivre 54 mégabits et est aujourd'hui la plus répandue. Heureusement, le .11b et le .11g peuvent communiquer entre eux à la vitesse du .11b. Évitez le .11a qui, apparu étrangement après le .11b, est plus rapide mais incompatible avec ce dernier. Toutes les versions .11 sont *Wi-Fi*. Donc, lorsque vous vous équipez pour un réseau sans fil, vérifiez que tous vos appareils sont estampillés *802.11b* ou *802.11g*.

Les ondes radio Wi-Fi sont sur la même bande de fréquences que les téléphones sans fil, c'est-à-dire 2,4 GHz. Vous pouvez donc estimer une portée identique. Il serait vraiment très étonnant que tous les ordinateurs présents dans votre maison ne puissent pas profiter de cette connexion sans fil.

Définir un mot de passe

Il serait singulier et même inquiétant qu'un individu se promène dans votre maison et se connecte à votre réseau sans fil. Non, on ne rentre pas chez vous comme dans un moulin ! Oui, mais il est assez facile d'y entrer autrement. Imaginez quelqu'un, avec un ordinateur portable, stationné dans sa voiture non loin de chez vous. Son adaptateur Wi-Fi recherche la présence de réseau Wi-Fi. Pas de chance, il tombe sur le vôtre ! Il va utiliser votre connexion sans fil, et vous aurez bien du mal à vous en apercevoir. Sauf si vous voyez votre imprimante se mettre en marche toute seule et si des fichiers, importants ou non, deviennent introuvables là où vous les aviez stockés sur votre disque dur. La fragilité du Wi-Fi impose de sérieuses précautions.

Déjà, le Wi-Fi exige souvent un mot de passe. Mais cela fait bien rire les adeptes du *wardriving,* c'est-à-dire ceux qui, depuis leur voiture, cherchent à pénétrer les réseaux Wi-Fi des autres. Par conséquent, si vous avez des données importantes à protéger, oubliez la protection par mot de passe. Les hackers savent les craquer bien plus aisément que vous ne l'imaginez.

Pour pallier ce problème, les ingénieurs sont ingénieux – et c'est d'ailleurs pour cela qu'on les appelle des ingénieurs. Ils ont donc créé un système de mot de passe crypté dont le plus largement utilisé est le *WEP.* On parle de clé WEP, qui est l'acronyme de *Wired Equivalent Privacy.* Cette clé est un code alphanumérique codé sur 64 ou 128 bits. Pour éviter qu'un hacker puisse facilement craquer votre clé WEP, codez-la sur 128 bits. Certes, cela vous fait entrer un chiffre à rallonge, mais plus il y a de mélange de caractères, plus il sera compliqué de trouver la clé qui ouvre la porte d'accès à votre réseau

Wi-Fi. Ce qu'il faut savoir c'est que, même pour vous, chaque ordinateur aura besoin d'indiquer (une seule fois, rassurez-vous), le numéro de la clé WEP pour accéder au réseau Wi-Fi que vous avez installé dans votre maison.

Des équipements Wi-Fi plus sécurisés utilisent un modèle de mot de passe appelé *WPA* (*Wi-Fi Protected Access*). Si vos matériels le permettent, utilisez WPA au lieu de WEP. En effet, les clés WPA peuvent avoir n'importe quelle longueur !

La méthode la plus simple pour créer cette clé est d'y procéder lorsque vous installez votre réseau, comme cela est décrit dans la prochaine section.

Créer la connexion Wi-Fi

Voici comment créer un réseau Wi-Fi :

1. **Configurez le routeur puis les ordinateurs qui vont s'y connecter.**

   Pour cela, consultez la section "Configurer un routeur" plus haut dans ce chapitre.

2. **Avec votre navigateur Web, affichez la page de contrôle du routeur (dont l'adresse est habituellement** `192.168.0.1`**) pour configurer le routeur comme il se doit.**

   Il se peut fort bien que cette configuration se fasse sur le site Web de votre FAI ADSL.

3. **Donnez un nom à votre réseau sans fil. Chaque réseau Wi-Fi doit avoir un nom.**

   De manière très originale, le fabricant du routeur et/ou de vos adaptateurs Wi-Fi propose de lui donner son nom, comme `linksys` ou encore `bewan`, voire `défaut`. Nous vous suggérons quelque chose du genre `Maison`, ou encore le nom de votre fournisseur d'accès.

4. **Activez la saisie de la clé WEP et définissez-la !**

L'attribution de la clé WEP peut se faire de plusieurs manières. Soit vous disposez d'un choix total ; dans ce cas, vous saisissez ce que vous voulez. Soit votre FAI vous a fourni un modem-routeur sous lequel est écrit en caractères minuscules (il faut presque une loupe pour le lire) le numéro de la clé WEP uniquement utilisable pour ce modem-routeur. Soit, enfin, l'activation des fonctions routeur et Wi-Fi se fait par Internet, et c'est sur une page Web que vous choisissez une clé WEP 64 ou 128 bits. Là encore, deux choix : vous créez vous-même la clé ou bien vous activez une option par laquelle le FAI vous délivre automatiquement la clé WEP. Notez-la bien !

Une fois la clé WEP connue, vous devez l'indiquer à chaque ordinateur qui tente de se connecter à votre réseau Wi-Fi.

5. **Cliquez sur Démarrer/Connexions/Connexion réseau sans fil (Figure 16.5).**

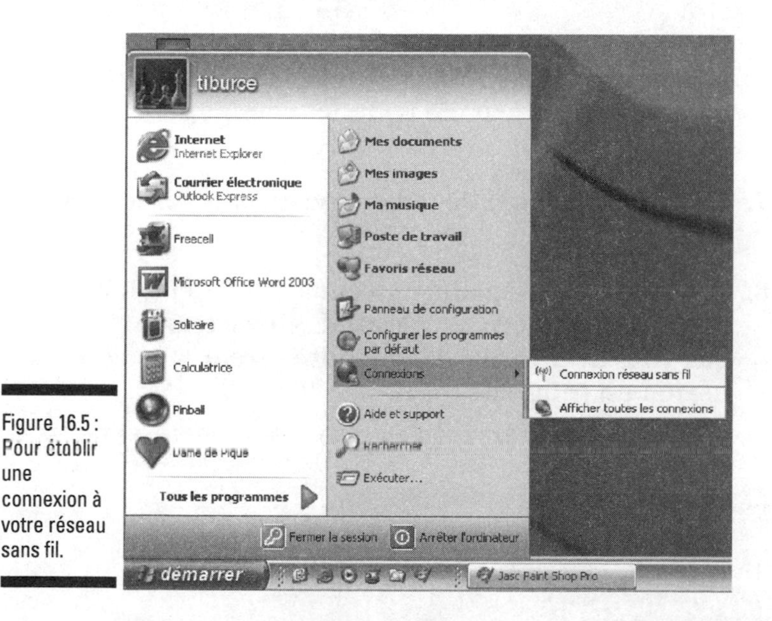

Figure 16.5 : Pour établir une connexion à votre réseau sans fil.

6. **Le PC cherche les ondes, puis il liste les réseaux disponibles. Vous devez y voir le vôtre, parfaitement**

identifié par le nom que vous lui avez donné à l'Étape 3 (Figure 16.6).

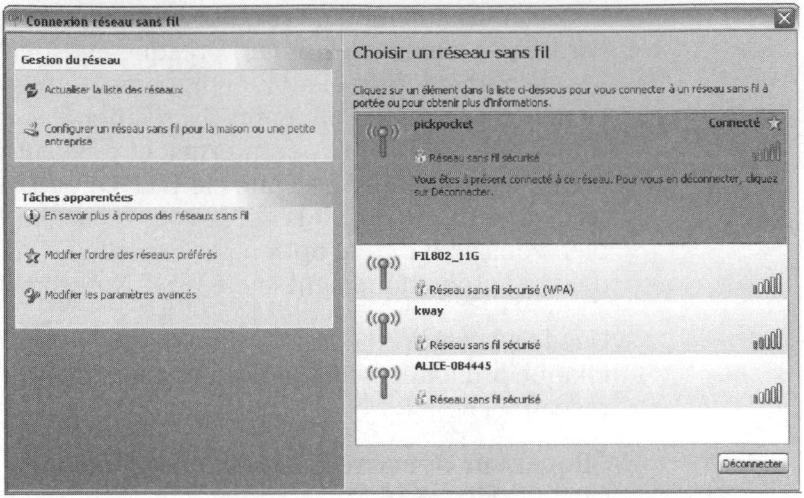

Figure 16.6 : Les réseaux Wi-Fi disponibles dans votre zone géographique.

Si vos proches voisins ont un réseau Wi-Fi, vous le verrez dans la liste ! Mais, pour vous y connecter, vous devez connaître leur clé WEP... et vous ne connaissez que la vôtre.

7. **Cliquez sur le nom de votre réseau, puis sur le bouton Connecter.**

8. **Windows vous demande alors de saisir deux fois le numéro de la clé WEP, c'est-à-dire exactement celui que vous avez choisi. La moindre erreur et la connexion est refusée.**

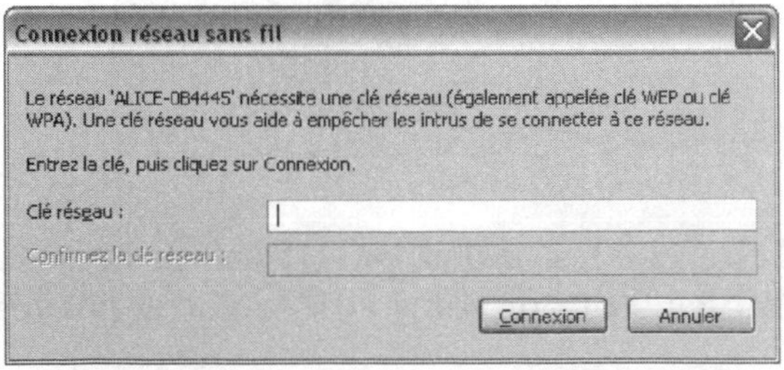

Figure 16.7 : La connexion à un réseau Wi-Fi exige d'en connaître la clé WEP ou WPA.

9. Cliquez sur Connexion. Vous êtes en ligne !

Comme Windows mémorise la configuration sans fil, il ne vous redemandera pas cette clé à chaque connexion.

Partage de connexion Internet ? Achetez un routeur !

Plusieurs versions de Windows proposent une fonction qui s'appelle le Partage de connexion Internet. Le problème est qu'il vous faut quand même un hub ou un routeur pour connecter vos ordinateurs à un LAN.

Si vous souhaitez vraiment utiliser le Partage de connexion Internet, vérifiez que votre ordinateur est aussi bien connecté à votre modem câble ou ADSL qu'à votre LAN (réseau local), et également que vous n'éteignez jamais cet ordinateur. Ce que vous ferez par la suite dépend de votre version de Windows :

- Windows XP : Cliquez sur Démarrer/Tous les programmes/Communications/Assistant Nouvelle connexion. Dans la fenêtre Type de connexion réseau, choisissez Configurer un réseau domestique ou un réseau de petite entreprise. L'assistant vous guidera dans le reste de la procédure, de manière à bien identifier qui est le *serveur* (l'ordinateur qui se connecte à Internet) et qui sont les *clients* (les autres ordinateurs du réseau).
- Windows Me : Cliquez sur Démarrer/Programmes/Accessoires/Communications/Home Networking Wizard.

Si vous avez une connexion Internet qui exige une action de votre part pour vous connecter au Web, votre serveur se connectera automatiquement (si vous avez de la chance) lorsqu'un autre ordinateur du réseau cherchera à se connecter à Internet. Sinon, vous devrez recourir au programme client qui va réveiller le routeur avant que vous vous connectiez. Si vous utilisez une connexion haut débit, Internet est toujours là quand vous en avez besoin.

Utiliser un ordinateur portable chez vous et ailleurs

Le seul avantage d'un ordinateur portable est de l'emmener avec vous pour travailler. Cependant, aujourd'hui, je ne vois pas l'intérêt de se trimbaler un portable si vous n'avez même pas la possibilité de consulter vos e-mails dix-sept fois par jour. Si vous avez configuré votre ordinateur portable pour la connexion Wi-Fi de votre domicile, comme cela est expliqué dans la précédente section, vous n'aurez aucun mal à comprendre comment utiliser cette fonctionnalité en voyage.

Espion es-tu là ?

Nous savons qu'en matière de Wi-Fi, les clés WEP assurent une grande sécurisation de votre système. Pour entrer chez vous, il faut quand même être rudement gonflé et super balèze. En revanche, l'intérêt du Wi-Fi *nomade*, c'est-à-dire réservé aux ordinateurs portables, connaît de véritables problèmes de sécurité. Par exemple, qu'en est-il si vous accédez au point Wi-Fi de tel aéroport ou de tel hôtel ? Ces réseaux Wi-Fi n'ont en effet aucune clé WEP, car ils perdraient tout leur intérêt qui est précisément de permettre aux voyageurs de se connecter au Net sans contrainte. Partout, dans ces circonstances, vous pouvez être victime d'un espion, d'un hacker qui pénètre votre système et y prend tout ce qui l'intéresse.

Heureusement, quelques précautions rudimentaires vous préserveront de bien des dangers. Lorsque vous visitez des sites Web, vérifiez que chaque site où vous saisissez un mot de passe, ou tout autre type d'informations privées, utilise un système de cryptage SSL. Pour en être certain, assurez-vous que l'adresse commence par https:// et que la barre d'état du navigateur affiche l'icône d'un cadenas. Si le site ne propose pas ce cryptage, abandonnez l'opération et attendez d'être revenu à la maison. Pour obtenir quelques conseils sur la sécurité liée au programme de mails, consultez la section "Le problème du mail" en fin de chapitre.

À la maison et au bureau

Le nombre d'ordinateurs portables présents dans les foyers se multiplie à la vitesse grand V, même chez ceux qui n'en ont pas besoin. Le succès d'une connexion réseau dépend de votre portable, mais également du réseau mis en œuvre chez vous ou au bureau. En général, voici comment devraient fonctionner les diverses configurations :

- Si la maison et le bureau ont un réseau câblé, votre ordinateur fonctionnera par simple raccordement physique à ce réseau. Si cela ne marche pas au bureau, demandez-en la raison à l'administrateur réseau de votre société.
- Si des fichiers et des imprimantes sont partagés au bureau et pas à la maison, ou inversement, Windows ne saurait les trouver dans les deux endroits. En revanche, rien ne vous empêchera d'aller sur Internet. Ce sont deux choses totalement indépendantes.
- Si le réseau de votre domicile et du bureau est sans fil, ou si l'un est câblé et l'autre pas, créez une configuration pour chacun d'eux comme cela est expliqué plus haut dans ce chapitre. Votre PC portable sera alors identifié sur les deux réseaux.

Un peu de Wi-Fi avec mon soda

Il n'y a pas si longtemps, lorsque vous alliez dans un café, vous commandiez... bien un café justement, ou un soda, une bière, un apéritif, enfin de quoi vous rincer le gosier. Aujourd'hui, vous pouvez demander en plus d'une boisson, un accès Wi-Fi ! "Garçon un Wi-Fi s'il vous plaît !", "Et un cappuccino, deux cafés, un thé, un Wi-Fi, et deux croissants !" Encore faut-il que vous ayez sous la main votre ordinateur portable, fabuleuse machine du travailleur itinérant. Même si cela reste marginal en France, les points d'accès Wi-Fi ne devraient pas tarder à se développer à grande vitesse.

L'utilisation d'un point d'accès Wi-Fi dans ce genre d'établissement tient uniquement à la politique de son responsable. Ainsi, l'accès Wi-Fi est souvent gratuit pour le consommateur. Dans ce cas, vous commandez votre soda, vous allumez votre portable, cliquez sur Démarrer/Connexions. Dans la liste des réseaux Wi-Fi disponibles, vous devez voir celui du café en question. Cliquez dessus, puis sur le bouton Connecter. C'est bon !

De nombreux portable disposent d'un bouton de connexion direct au réseau Wi-Fi. Appuyez dessus pour lancer une procédure d'analyse des réseau sans fil existant dans votre voisinage. Dès que l'ordinateur portable détecte des réseaux, il les affiche. Connectez-vous au réseau voulu en saisissant la clé WEP ou WPA.

Dans d'autres lieux moins sympathiques, vous devez payer pour profiter du point d'accès Wi-Fi. Cela ajoute à la connexion une étape supplémentaire qui est celle de sortir votre porte-monnaie. Une fois connecté, votre navigateur Web affichera la page d'accueil du point d'accès payant qui, en général, vous explique comment régler votre temps de connexion.

Les paiements et les modes d'utilisation existent sous de multiples formes. Cela va d'un forfait horaire que vous payez au temps de connexion, à l'achat d'un ticket affichant un code que vous devez saisir pour entrer dans le réseau. Souvent le point d'accès Wi-Fi vous laisse investir le réseau, comme à la Figure 16.8, mais pour y faire quelque chose, vous devez payer !

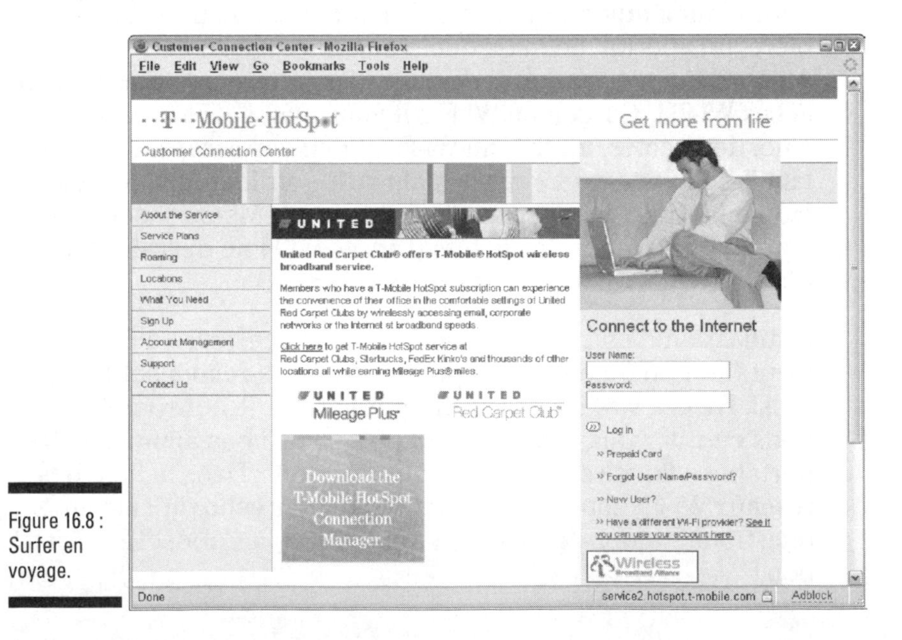

Figure 16.8 : Surfer en voyage.

Une méthode plus commune consiste à souscrire un abonnement supplémentaire auprès d'un prestataire qui met des points d'accès Wi-Fi un peu partout sur le territoire français. Mais le *nec plus ultra* est quand même l'accès gratuit depuis les cafés. Pour en savoir plus sur cette gratuité, consultez le site `www.hotcafe.fr/fr/index.php`.

Aéroports, hôtels, et au-delà

Vous trouverez des points d'accès Wi-Fi dans les aéroports, les hôtels, les gares, etc. Souvent, dans les hôtels, le point d'accès Wi-Fi est un service. Qui dit service dit supplément. Le prix varie considérablement ainsi que la méthode de connexion. Dans certains établissements, vous utilisez le point d'accès comme le minibar de votre chambre. Dans d'autres, vous demandez un code d'accès à votre arrivée. Alors, voyagez, allez dans bars, hôtels, restaurants, partout, et consultez les offres !

Si vous rencontrez des problèmes lors d'une connexion Wi-Fi dans l'un de ces lieux, le personnel de l'hôtel, par exemple, ne saura pas vous sortir d'affaire. Il vous communiquera un numéro le téléphone commençant par 08 du support technique de la société qui gère ce point d'accès. Là, vous exposerez votre problème et pourrez faire état de votre mécontentement.

Le problème du mail

Les points d'accès Wi-Fi des cafés, des hôtels, des gares et des aéroports sont très pratiques mais sont loin d'être privés. Ceci est un vrai problème lorsque vous envoyez et recevez des e-mails. En effet, vous souhaitez que ce courrier reste confidentiel. Or, votre ordinateur doit envoyer votre nom d'utilisateur et votre mot de passe sur Internet pour pouvoir vous connecter au serveur de mail de votre FAI.

Le plus simple est de passer par un système de type Web mail, c'est-à-dire un site Web sécurisé auquel vous vous connectez pour lire et envoyer du courrier électronique. Vérifiez si votre

FAI propose ce service. Je pense qu'en France, ils le proposent tous car je connais bon nombre de personnes qui n'utilisent pas Outlook Express (ou autre) pour envoyer et recevoir leurs mails. Ils vont sur le site Web de leur FAI et cliquent sur un lien Webmail, ou encore Mon compte, pour lire et envoyer leurs messages.

Sixième partie

Webmania

"Depuis qu'on achète sur Internet, je me demande où passe notre argent."

Dans cette partie...

Aucun doute sur ce point : le Web est l'endroit le plus populaire d'Internet. Il a d'ailleurs pris un tel essor ces dernières années que le grand public a tendance à l'assimiler à Internet. Nous vous expliquons ici ce qu'est *exactement* le Web et comment en tirer parti. Nous vous donnons également de bonnes astuces pour trouver plus facilement ce que vous y cherchez. Un chapitre sur le commerce électronique vous apprendra tout ce qu'il vous faut savoir pour dépenser vos sous en ligne en toute confiance ou pour faire des investissements judicieux. Enfin, vous utiliserez le Web pour vous relaxer en écoutant de la musique.

Chapitre 17

Le monde merveilleux et farfelu du Web

Dans ce chapitre :

- Hyper qui ?
- Maîtriser les URL.
- Pointer, cliquer, parcourir, surfer et autres connaissances de base.
- Introduction à Internet Explorer et à Firefox.
- Installer un autre navigateur qu'Internet Explorer.

De nos jours, les gens parlent davantage du *Web* que du *Net*, avec une légère tendance à confondre les deux. Mais il ne s'agit pas du tout de la même chose, puisque le World Wide Web (que nous appelons familièrement le Web, par goût inné du raccourci) n'a d'existence réelle qu'en raison d'Internet, qui est la couche logicielle et matérielle lui servant de support. Le Web est le cœur d'Internet, mais Internet existait bien avant le Web, et la disparition de ce dernier ne perturberait Internet en aucune façon.

Ce chapitre explique ce qu'est le Web, d'où il vient et comment installer et utiliser les navigateurs Firefox et Internet Explorer. Vous apprendrez à employer votre navigateur Web pour afficher des pages Web. Si vous êtes déjà un habitué du Net et que vous avez opté pour Firefox ou Internet Explorer, passez directement au Chapitre 18.

Qu'est-ce que le Web ?

Le Web est une collection de "pages" contenant des informations, reliées logiquement les unes aux autres et réparties sur toute la surface du globe. Chaque page peut contenir du texte, des images, des sons, des animations, de la vidéo... Nous ne pouvons pas terminer cette énumération autrement qu'avec des points de suspension, car presque chaque jour il naît de nouveaux "objets Web". Ce sont ces liens entre les pages qui rendent le Web si intéressant. Techniquement, on parle de *liens hypertextes*, expression que les Américains raccourcissent en *hyperlinks* (*hyperliens*). Chacun de ces liens pointe sur une autre page et, quand on clique dessus, cette page s'affiche sur votre écran, quel que soit l'endroit où elle se trouve physiquement. Pour voir ces pages, on se sert d'un programme spécialisé appelé *navigateur* (en anglais : *browser*). Pas de panique, nous allons très bientôt reparler de ce type de programme particulier.

Les liens que peut renfermer chaque page affichée sous vos yeux peuvent vous conduire vers Sydney, Johannesburg, Darmstadt ou Oslo (ou même tout près de chez vous) instantanément. Théoriquement, ce transport est instantané, mais, dans la réalité, la vitesse de ce déplacement virtuel dépend d'un tas de facteurs dont nous reparlerons.

Lier des pages

Le système hypertexte crée des liens entre diverses bribes d'informations. Au fur et à mesure que vous établissez ces liens logiques, vous voyez se tisser cette toile d'araignée d'où le Web tire son nom. Ce qu'il y a de remarquable ici : ces documents ne sont pas nécessairement situés au même endroit et ils peuvent fort bien être disséminés un peu partout dans le monde, l'ensemble de ces liens restant transparent pour vous. Vous pouvez vous représenter le Web sous la forme d'un système d'informations analogue à un mille-pattes géant, gigantesque mais amical.

En outre, toutes ces informations peuvent être consultées de façon automatisée par des logiciels, appelés *moteurs de recherche*, qui vous permettent d'obtenir en quelques secondes toutes les références concernant un argument de recherche formé par l'association de mots-clés.

C'est ce système de documents pointant les uns vers les autres qu'on appelle *hypertexte*. La Figure 17.1 montre comment se présente une page Web. Chaque mot ou groupe de mots souligné est en réalité un *appel de lien* pointant vers une autre page.

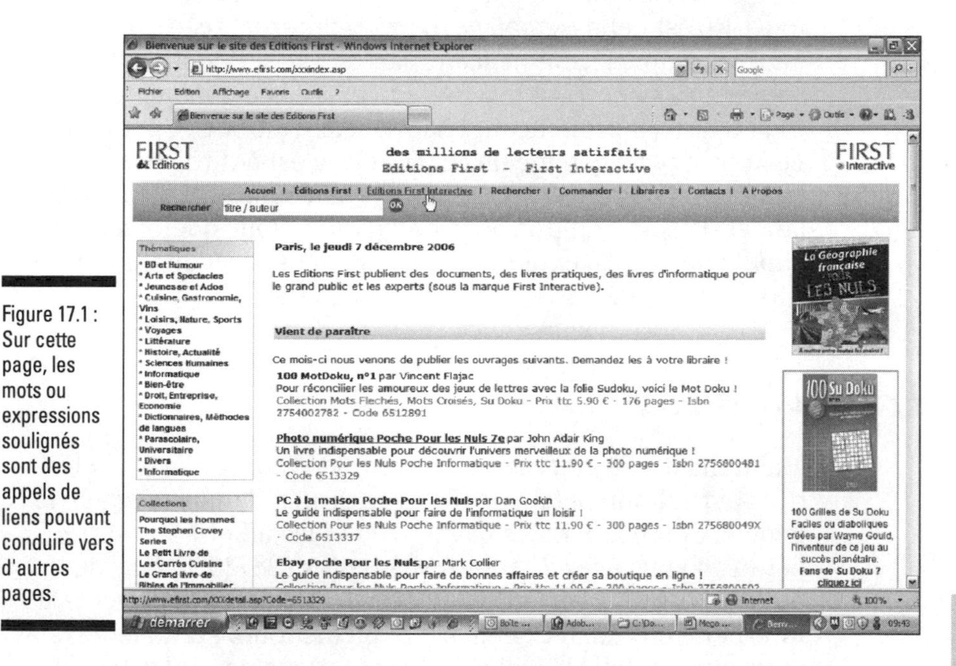

Figure 17.1 : Sur cette page, les mots ou expressions soulignés sont des appels de liens pouvant conduire vers d'autres pages.

Si vous comprenez la structure de base du Web, vous saurez mieux l'utiliser. L'*hypertexte* est un moyen de relier des informations de façon à faciliter leur découverte. En théorie, du moins. Dans les bibliothèques traditionnelles (vous savez, celles qui possèdent des étagères surchargées de livres), les informations sont classées de façon arbitraire, souvent par ordre alphabétique d'auteur, parfois par sujet. Ce type de classement ne reflète pas nécessairement l'existence d'un lien logique d'un ouvrage à l'autre. Dans le monde de l'hypertexte, en revanche, les informations sont organisées selon les liens logiques qui existent entre elles, ce qui semble plus... logique !

Un nom pour chaque page

Pour trouver une page particulière sur le Web, encore faut-il pouvoir désigner cette page par son nom comme on désigne un livre par son titre. C'est ici qu'intervient la notion d'*URL*, un système d'adressage universel permettant une identification unique, donc non ambiguë, d'une page donnée. Concrètement, une URL est cet assemblage, *a priori* hétéroclite, de mots imprononçables commençant par `http://` et continuant souvent par `www`. Tout le monde le prononce comme un sigle, c'est-à-dire en prononçant chaque lettre ("U-R-L"), personne ne le prononce comme un acronyme, c'est-à-dire un mot ("hurle"). Vous en savez désormais suffisamment pour vous lancer dans la pratique de la navigation. Pour quelques détails supplémentaires, entièrement techniques *et* facultatifs, sur les URL, voyez l'encadré "Au royaume des URL".

La navigation

Maintenant que vous savez tout sur le Web, vous voulez le découvrir. Pour ce faire, vous avez besoin d'un *navigateur*, le logiciel qui récupère les pages Web et les affiche sur votre écran. Si vous avez Windows 95 ou plus (98, 2000, NT, Me ou XP), tout Mac récent ou un autre ordinateur avec accès à Internet, vous en avez déjà probablement un. Par ailleurs, si vous avez installé le logiciel Internet remis par votre fournisseur d'accès à Internet (FAI), vous en avez aussi un.

Voici les navigateurs les plus populaires :

- **Internet Explorer (IE)** est le navigateur que Microsoft fournit avec chaque version de Windows depuis Windows 98. En fait, Microsoft insiste pour dire qu'il s'agit d'un composant intégral de Windows lui-même. Mais si c'est vrai, comment se fait-il qu'il existe une version autonome pour Mac ou UNIX ? Hum... Microsoft

D'où vient le Web ?

Le Web a été inventé en 1989 au CERN (Centre européen pour la recherche nucléaire), le centre de physique des particules, à Genève, en Suisse, un endroit assez inattendu pour une révolution en informatique. Le petit génie se nomme Tim Berners-Lee, un Anglais, actuellement directeur du consortium W3C (*World Wide Web Consortium*), chargé de l'élaboration des standards du Web.

Tim a créé le protocole HTTP *(HyperText Transfer Protocol)*, utilisé pour échanger des informations entre clients et serveurs Web. C'est lui également qui a défini le langage HTML *(HyperText Markup Language)* qui n'est pas réellement un langage au sens informatique du terme, mais plutôt un ensemble de commandes de description de page. Enfin, c'est lui qui a inventé l'URL *(Uniform Resource Locator)*, sorte d'adresse banalisée servant à identifier les ressources accessibles par le Web. Il a conçu le Web comme un moyen universel et simple d'échanger des informations indépendamment des matériels et systèmes d'exploitation utilisés. Les premiers navigateurs Web contenaient des éditeurs qui permettaient à tout utilisateur de créer des pages Web aussi facilement que de les lire.

Si vous voulez en savoir davantage sur le développement du Web et le travail du consortium W3C, pointez votre navigateur sur `www.w3.org`. Tim a été anobli en 2004 par la reine Elizabeth II et porte désormais le titre de Sir Tim Berners-Lee.

distribue maintenant des versions pour Windows, Mac et quelques versions d'UNIX. Il est fréquemment accompagné d'Outlook Express, le logiciel d'e-mail et de newsgroup de Microsoft. La dernière version est la 7.0, téléchargeable sur le site Microsoft à l'adresse `http://www.microsoft.com/france/windows/ie/downloads/default.mspx`. Voir la Figure 17.2

- **Firefox** est le dernier navigateur *open source* (développé par une communauté de programmeurs à laquelle toute personne compétente peut participer) que vous trouverez à `http://www.mozilla-europe.org/fr/products/firefox/`. C'est un navigateur qui a pris ce qu'il y avait de meilleur chez Mozilla et Netscape. Vous pouvez

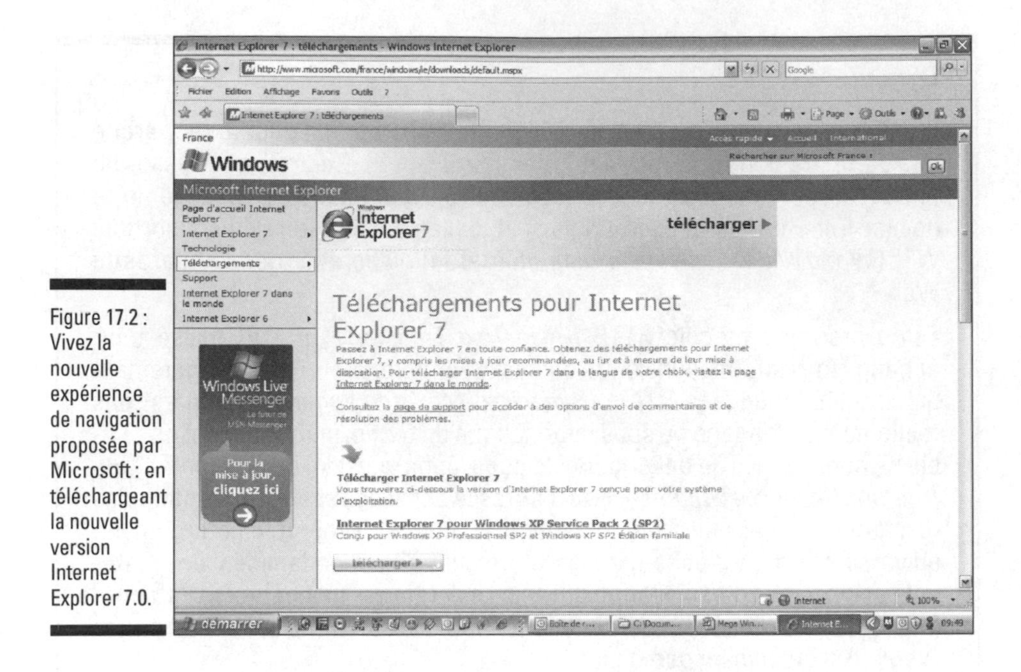

Figure 17.2 : Vivez la nouvelle expérience de navigation proposée par Microsoft : en téléchargeant la nouvelle version Internet Explorer 7.0.

télécharger gratuitement Mozilla pour Windows, Mac, et Linux. Firefox est bien plus rapide qu'Internet Explorer et il est bien moins la cible des spywares. Reportez-vous à l'encadré "Pourquoi opterais-je pour Firefox ?" pour savoir ce que nous pensons exactement d'Internet Explorer et de Firefox.

Nous décrirons en détail Internet Explorer et Firefox au cours du livre. Si vous n'avez pas de navigateur ou que vous vouliez en essayer un autre, lisez la section "Comment se procurer et installer un navigateur", plus loin dans ce chapitre.

Surf avec votre navigateur

Lorsque vous ouvrez Firefox, vous obtenez un écran comme celui de la Figure 17.3. La fenêtre d'Internet Explorer 7 est présentée sur la Figure 17.1. De nombreux FAI font en sorte que votre navigateur affiche leur page d'accueil – Internet Explorer affiche une page Microsoft et Firefox la page Mozilla jusqu'à ce que vous choisissiez une autre page d'accueil.

Pourquoi opterais-je pour Firefox ?

Ces deux programmes sont gratuits et téléchargeables sur Internet. Malgré ces points communs, notons des différences importantes.

Les avantages de Firefox :

- Firefox est plus rapide.
- Firefox n'utilise pas de contrôles ActiveX, une fonction d'Internet Explorer qui favorise l'intrusion des spywares.

Les avantages d'Internet Explorer :

- Certains sites Web exigent Internet Explorer car ils mettent en œuvre des contrôles ActiveX.
- Si vous utilisez Windows, vous disposez d'Internet Explorer, ce qui évite d'avoir à télécharger un autre navigateur et permet de surfer dès votre connexion Internet établie.

Internet Explorer et Firefox savent tous deux afficher et imprimer des pages Web. Cependant, la sécurité est la chose la plus importante sur Internet et, dans ce domaine, Internet Explorer n'arrive pas à la cheville de Firefox. Donc, utilisez ce navigateur sauf pour les sites qui exigent Internet Explorer. Sachez qu'il est tout à fait possible d'utiliser deux navigateurs Web sur un même ordinateur. Privilégier Firefox ne signifie pas que vous ne pouvez plus utiliser Internet Explorer lorsqu'il s'avère nécessaire.

Si vous décidez d'essayer Firefox, exécutez-le et cliquez sur Aide(?)/Pour les utilisateurs d'Internet Explorer afin de vous guider dans l'utilisation de votre nouveau navigateur.

Toutefois, si vous installez Firefox après des mois d'utilisation d'Internet Explorer, le programme d'installation demande s'il doit ou non importer dans Firefox les Favoris et autres cookies utilisés dans Internet Explorer. À vous de décider du bien-fondé de votre réponse affirmative ou négative.

En haut de la fenêtre, on trouve un ensemble de boutons et la barre de navigation, ou barre d'adresse, qui contient l'URL de la page actuelle (Figure 17.4). Rappelons que les URL sont un aspect très important du Web, ce sont elles qui nomment

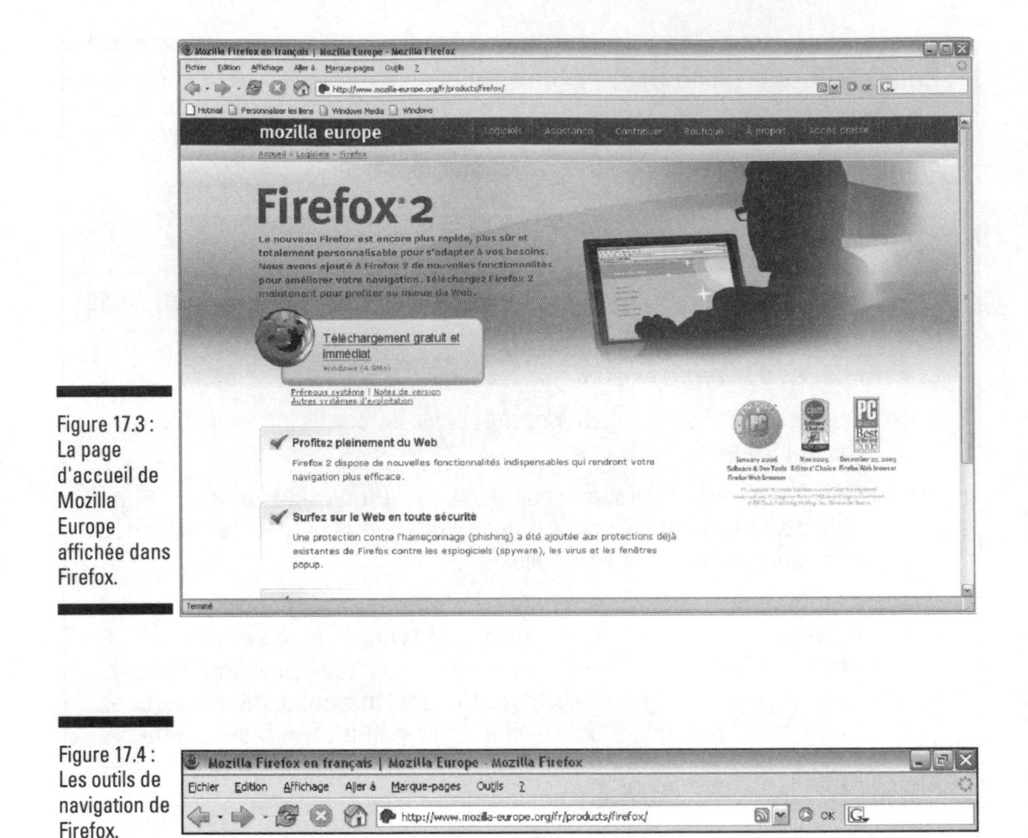

Figure 17.3 : La page d'accueil de Mozilla Europe affichée dans Firefox.

Figure 17.4 : Les outils de navigation de Firefox.

toutes les pages du Web. Pour plus de détails, consultez l'encadré "Au royaume des URL" dans ce chapitre.

La plus grande partie de la fenêtre du navigateur est occupée par la page Web consultée. C'est quand même ce à quoi est censé servir un navigateur ! Les boutons, barres et menus servent à trouver votre chemin sur le Web et à réaliser des actions comme imprimer et enregistrer des pages.

Petite exploration

La première chose que vous devez savoir, c'est comment aller d'une page à l'autre sur le Web. C'est facile. Il suffit de cliquer sur un lien qui vous paraît intéressant. À l'écran, un lien peut apparaître comme une image, un mot ou une suite de mots affichés dans une autre couleur que le texte normal (en bleu, le plus souvent) et soulignés. Si vous n'êtes pas certain que ce soit bien un lien, observez le pointeur de la souris : de flèche, il se change en main lorsqu'il est placé sur un lien. Si vraiment vous êtes dans le doute, alors cliquez dessus, ça ne va pas vous mordre. Si ce n'est pas un lien, il ne se passera rien, et c'est tout le mal que ça risque de vous faire.

Au royaume des URL

L'une des raisons d'être du Web est de vous permettre d'aller d'un point à l'autre, d'un serveur à l'autre. C'est pourquoi la notion de lien est si importante. Mais encore faut-il savoir où aller.

Pour cela, le plus simple est de donner une adresse à tout ce qui peut être considéré comme une ressource du Web. Dans la vie quotidienne, c'est par une adresse que vous localisez la boutique où vous voulez faire quelques emplettes. Voyons comment se présente une adresse Web ordinaire :

```
http://www.monserveur.fr/monfichier.html
```

La première chose que l'on repère dans une URL est son préfixe (ici : `http://`), qui indique le type de ressource auquel on a affaire. `http` signifie *HyperText Transfer Protocol* (protocole de transfert hypertexte) et désigne le protocole utilisé sur le Web. Attention à ne pas confondre "http", la façon dont les pages sont envoyées sur le Net, avec "html", la façon dont les pages sont codées en interne.

Les détails du reste de l'URL dépendent du modèle mais la plupart des modèles sont semblables. À la suite des deux-points, on trouve deux slashes (jamais des antislashes, ou backslashes) et le nom de l'ordinateur hôte où se trouve la ressource (`www.monserveur.fr`). Vient ensuite un autre slash et un *chemin d'accès* qui donne le nom de la ressource sur cet hôte (ici, le fichier nommé `monfichier.html`).

On peut aussi trouver, dans une URL, un numéro de port précédé d'un caractère ":" comme dans `http://www.$5.fr:80/machin.html`. *Grosso modo*, cela indique le type de programme du serveur qui doit gérer l'adresse. Pour `http`, c'est 80, qui est la valeur par défaut. C'est pourquoi il est inutile de l'indiquer.

Enfin, une URL Web peut comporter une *portion recherche* à la fin, à la suite d'un point d'interrogation :

```
http://net.gurus.com:80/index.phtml?chickens
```

Lorsqu'une URL comporte une portion recherche, cela indique à l'ordinateur hôte ce qu'il faut rechercher. Il est rare que l'on tape soi-même la portion recherche – elle est construite automatiquement par les formulaires des pages Web.

Outre le préfixe `http://`, on peut trouver `ftp://`, `mailto:`, `file:///`, etc. Une URL avec `mailto :` indique qu'il s'agit d'une ressource de type "courrier électronique" ; elle se présente ainsi :

```
mailto:internet6@gurus.com
```

Cela signifie que c'est une adresse e-mail. Lorsque vous cliquez sur une URL `mailto:`, vous lancez votre programme de gestion des e-mails pour envoyer des commentaires au créateur d'une page Web.

Une URL dont le préfixe est `ftp://` signale un serveur de fichiers accessible au moyen du protocole FTP. En voici un exemple :

```
ftp://ftp.univ.lille-1.fr/pc/coast/wulist.zip
```

Enfin, le préfixe `file` permet de voir un document HTML local, c'est-à-dire situé sur la même machine. Dans ce cas, on ne passe pas par Internet. C'est le moyen couramment utilisé pour tester localement un document HTML. En voici un exemple :

```
file:///c|/web/index.htm
```

Sous Windows, cela signifie qu'on va examiner le document HTML `index.htm` situé dans le répertoire \web du disque C:. On notera que le caractère ":" a été ici remplacé par un caractère "|" (barre verticale), puisque le caractère ":", comme nous venons de le voir, a une autre signification (il précède le numéro éventuel de port).

Arrière toute !

Les navigateurs n'ont pas la mémoire courte : ils se souviennent du chemin qu'ils ont parcouru et, en particulier, de la dernière page affichée. Si celle que vous venez d'afficher ne vous plaît pas et que vous souhaitiez revenir à la précédente, cliquez tout simplement sur l'icône la plus à gauche de la rangée supérieure, celle qui porte une flèche tournée vers la gauche. Vous pouvez également passer par le clavier : appuyez sur la touche fléchée pointant vers la gauche tout en maintenant enfoncée la touche Alt (celle qui se trouve à gauche de la barre d'espacement).

Parfois, en cliquant sur un lien, la page atteinte s'ouvre dans une nouvelle fenêtre du navigateur Web. En effet, que ce soit Internet Explorer ou Firefox, chacun peut afficher plusieurs pages simultanément. Lorsqu'un lien s'ouvre dans une nouvelle fenêtre, le bouton Précédent ou Reculer d'une page n'est pas accessible.

Où aller ?

Qui, de nos jours, n'a pas sa page sur le Web ? On appelle *page d'accueil* la page Web principale d'un site Web. À toute occasion, vous verrez paraître, dans un message, dans une revue, dans les pages de votre journal quotidien, sur une pub d'un écran TV, une chaîne de mots abscons précédés du fatidique `http://` qui signale l'adresse d'une page Web. Si vous souhaitez y accéder, voici comment procéder :

1. **Cliquez dans la zone de saisie d'adresse, située en haut de la fenêtre de navigation (Figure 17.5).**

Figure 17.5 : Saisissez ici l'adresse Web à visiter.

2. **Saisissez l'URL de la page que vous voulez atteindre.**

   C'est quelque chose comme `http://www.efirst.com`. En général, vous pouvez vous contenter de taper `www.efirst.com`.

3. **Appuyez sur Entrée.**

Si l'URL de la page que vous voulez charger figure dans un courrier électronique, un message lu sur Usenet ou une page de traitement de texte, vous pouvez la transférer dans la boîte de saisie de votre fenêtre de navigation au moyen d'un classique copier/coller, ce qui vous évite de la retaper avec les risques d'erreur que cela implique :

1. **Sélectionnez l'URL que vous voulez copier.**

   En général, en la balayant du pointeur de votre souris, tout en maintenant enfoncée la touche Maj.

2. **Appuyez sur Ctrl+C (Cmd+C sur Mac) pour copier la chaîne de caractères dans le Presse-papiers.**

3. **Cliquez dans le champ de saisie d'adresse du navigateur.**

4. **Appuyez sur Ctrl+V (Cmd+V sur Mac) pour coller le contenu du Presse-papiers et appuyez sur Entrée.**

De nombreux autres logiciels de courrier font mieux encore : ils interprètent automatiquement les URL placées dans leurs messages e-mail de sorte que, lorsque vous passez le pointeur de la souris sur une adresse que vous avez reçue, celui-ci se change en main. Il suffit alors de cliquer ou de double-cliquer pour basculer vers votre navigateur et afficher la page Web correspondante.

De vilains garçons peuvent facilement créer des mails contenant des URL qui, lorsque vous cliquez dessus, ne vous envoient pas du tout là où vous pensez aller. Bien évidemment, vous ne vous rendez compte de rien. Méfiez-vous des messages dont l'origine semble suspecte. Par exemple, si vous recevez un message de ce type émanant soi-disant de votre banque, ne cliquez pas sur le lien proposé. En effet, vous risquez de tomber sur une fausse page identique à celle du site Web de votre banque. On vous demande votre nom d'utilisateur, votre mot de passe et votre numéro de compte bancaire. Lorsque vous recevez de tels messages, rendez-vous sur le site de votre banque en saisissant son adresse dans la barre d'adresse ou de navigation de votre navigateur Web, mais jamais en cliquant sur un lien figurant dans un e-mail.

Par où commencer ?

Nous en apprendrons davantage au Chapitre 19 sur l'art de rechercher différents trésors sur le Web, mais, pour l'instant, voici un bon moyen d'avoir le pied à l'étrier : allez à la page de Yahoo! (édition française). Mais oui, ce nom comporte bien un point d'exclamation accolé à la fin ! Pratiquement, cela revient à taper ce qui suit dans la boîte de saisie Adresse du navigateur :

```
http://www.yahoo.fr
```

Vous êtes aussitôt (cnfin, presque, car il faut tenir compte de la charge d'Internet et le temps d'attente peut être très variable selon l'heure de la journée où vous faites l'expérience) transporté sur Yahoo! où se trouve un répertoire contenant des millions d'adresses de pages Web classées par sujet. En regardant çà et là, vous allez bien trouver quelque chose d'intéressant.

Cette page a un drôle d'air

Il arrive qu'une page Web soit altérée ou que vous l'interrompiez (en cliquant sur le bouton Arrêter dans la barre d'outils ou en appuyant sur la touche Echap). Pour indiquer à votre navigateur de recharger le contenu de la page : dans Firefox, cliquez sur le bouton Actualiser ou appuyez sur Ctrl+R ; dans Internet Explorer, cliquez également sur le bouton Actuallser ou appuyez sur F5.

Sortez-moi de là !

Tôt ou tard, il va bien falloir que vous vous arrêtiez de surfer sur le Web, ne serait-ce que pour aller manger ou satisfaire quelque besoin naturel. Vous fermez votre navigateur exactement comme vous quittez tout programme Mac ou Windows : vous choisissez la commande Fichier/Quitter (Fichier/Fermer avec Internet Explorer, bizarrement) ou appuyez sur la combinaison Alt+F4. Sous Windows, vous pouvez également cliquer sur le bouton de fermeture (X) placé dans le coin supérieur droit de la fenêtre d'affichage.

Comment se procurer et installer un navigateur

Avec un peu de chance, un navigateur est déjà installé sur votre machine (il serait même hyper étonnant qu'il en soit différemment). Tous les navigateurs récents se ressemblent tellement que nous vous suggérons de garder celui qui s'y trouve, quel qu'il soit (pour l'instant, du moins). Si vous n'avez pas de chance, vous n'avez pas de navigateur ou un vieux modèle que vous devez mettre à jour pour bénéficier des fonctions récentes exploitées dans les pages Web. Si vous utilisez une version de Firefox antérieure à la 1.5 ou d'Internet Explorer antérieure à la 7.0, vous passez à côté de nombreuses caractéristiques nouvelles. Heureusement, les navigateurs ne sont pas difficiles à obtenir et à installer, et la plupart sont gratuits.

Même si vous possédez déjà un navigateur, de nouvelles versions de Firefox et d'Internet Explorer naissent toutes les heures (ou presque) ! Les versions récentes corrigent les bugs des précédentes et n'en introduisent pas toujours de nouveaux. Elles comblent aussi certaines failles de sécurité qui permettent aux pirates (hackers) d'entrer dans les systèmes informatiques. Dans ce sens, Internet Explorer 7.0 est bien plus sécurisé que ne pouvait l'être la version 6.0.

Comment se procurer un navigateur ?

Pour obtenir ou mettre à jour Firefox, allez à l'adresse `http://www.mozilla-europe.org/fr/products/firefox/`. Pour

Internet Explorer, rendez-vous à `http://www.microsoft.com/downloads/search.aspx?displaylang=fr`.

Si vous faites une mise à jour d'une version antérieure du navigateur vers une plus récente, l'ancienne version sera remplacée par la nouvelle. Le programme d'installation sera peut-être même assez intelligent pour conserver vos réglages et signets (favoris) actuels.

La première fois que vous ouvrez votre navigateur

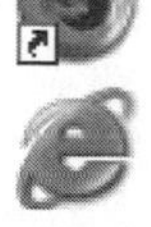

Pour ouvrir votre nouveau navigateur, cliquez sur son icône. Ou sélectionnez-le dans le menu Démarrer de Windows XP.

La première fois que vous exécutez Firefox, vous êtes invité à importer tous vos paramètres Internet Explorer (ou de tout autre navigateur Web que vous utilisiez avant lui). Cela est important car, à nos âges, on n'aime pas changer nos habitudes. En plus, vous avez peut-être une liste impressionnante de Favoris que vous souhaitez retrouver dans Firefox. Profitez donc de l'opportunité qui vous est offerte d'importer toutes ces informations.

La première fois que vous exécutez Internet Explorer, il ouvrira éventuellement l'Assistant Internet ou Nouvelle connexion pour vous aider à vous connecter à Internet. Si vous désirez suivre les conseils de Microsoft pour le choix d'un FAI, suivez les instructions affichées. Si vous avez déjà une connexion Internet, indiquez-le.

Chapitre 18

Allez faire un tour de navigateur !

Dans ce chapitre :

- Enregistrer et imprimer des pages Web.
- Demander à votre navigateur de mémoriser des noms d'utilisateur et des mots de passe.
- Naviguer dans plusieurs fenêtres à la fois.
- Afficher des pages Web dans des onglets.
- Marquer vos pages préférées.
- Contrôler les cookies stockés sur votre ordinateur.
- Arrêter les popups.
- Ajouter des plug-ins à votre navigateur.

La lecture du Chapitre 17 vous a enseigné le navigateur Web. Mais cela est insuffisant pour agir en internaute averti et responsable, ou disons intelligent. Vous devez apprendre à utiliser quelques fonctions telles que l'impression des pages Web, l'affichage simultané de plusieurs pages et la mise en mémoire des pages où vous aimeriez revenir régulièrement.

Enregistrer des éléments du Web

Très souvent, vous rencontrerez des éléments d'une page que vous aurez envie de conserver. Il peut s'agir d'une image ou de tout autre type de fichier, voire même d'une page Web entière. L'enregistrement de ces éléments est très facile à réaliser.

Enregistrer une page Web

Lorsque vous enregistrez une page Web, vous devez décider si vous n'en gardez que le texte ou si vous sauvegardez sa version HTML. Cette dernière version inclut tous les codes qui président à la mise en forme de la page.

Voici comment enregistrer une page Web affichée :

1. **Cliquez sur Fichier/Enregistrer sous (aussi bien dans Internet Explorer que dans Firefox).**

   Une boîte de dialogue d'enregistrement standard apparaît.

2. **Assignez un nom à cette page dans le champ Nom du fichier, ou bien laissez le nom affiché par défaut.**

3. **Dans la liste Type, choisissez la forme sous laquelle vous allez sauvegarder cette page sur votre disque dur.**

   Choisissez Fichier texte pour ne conserver que la version texte de la page avec quelques petites marques indiquant l'emplacement des images. Optez pour Page Web HTML uniquement ou Page Web complète pour conserver cette page dans sa mise en forme actuelle, c'est-à-dire exactement telle que vous la voyez à l'écran.

4. **Cliquez sur le bouton Enregistrer.**

Enregistrer une image

Pour enregistrer une image affichée sur une page Web :

1. **Cliquez sur l'image avec le bouton droit de la souris.**

2. Dans le menu contextuel, choisissez la commande Enregistrer l'image sous, comme le montre la Figure 18.1.

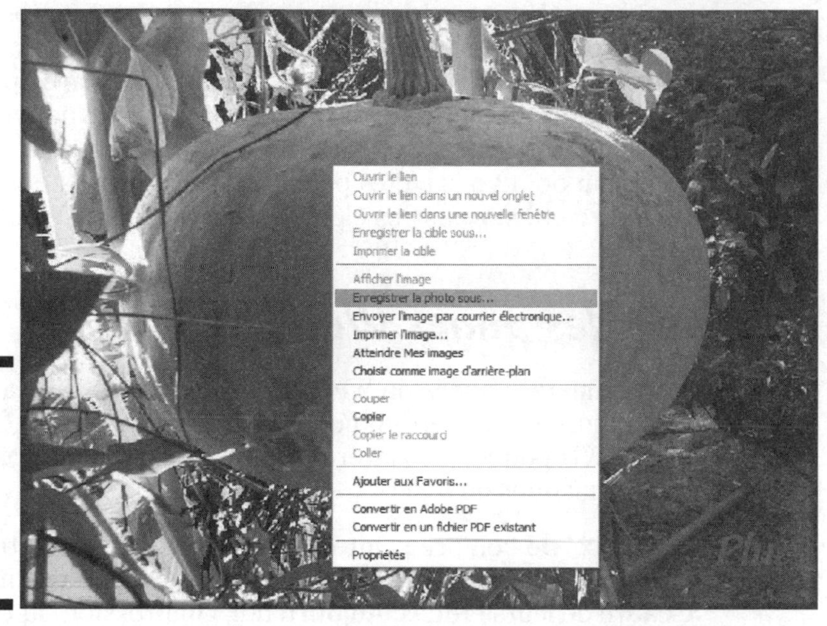

Figure 18.1 : Enregistrez, sur votre disque dur, une image trouvée sur une page Web.

3. Dans la boîte de dialogue Enregistrer l'image, utilisez la liste Enregistrer dans pour localiser le disque dur et le dossier de stockage de cette image. Dans le champ Nom du fichier, modifiez si besoin le nom assigné par défaut. Enfin, dans le champ Type, choisissez le format graphique sous lequel vous désirez enregistrer cette image. Cliquez sur Enregistrer.

Dans Internet Explorer, une petite barre d'outils apparaît dans le coin supérieur gauche de l'image sur laquelle vous placez le pointeur de la souris. Cliquez sur l'icône de la disquette pour enregistrer l'image.

N'oubliez jamais que tout ce que vous voyez sur le Net est protégé par la loi sur le copyright. Par conséquent, vous ne pouvez pas utiliser les textes, les images, les vidéos, la musique, etc. comme bon vous semble car vous n'en avez pas la propriété artistique. En d'autres termes, vous ne pouvez jamais utiliser, sans autorisation préalable des auteurs, tout document dont vous n'êtes pas vous-même le créateur. Conclusion : n'utilisez pas ces éléments sur votre site Web !

Imprimer des pages Web

Aux premières années du Web, toutes les pages affichaient une commande d'impression qui ne fonctionnait pas ! On pensait à l'époque que l'internaute ne souhaitait que consulter les informations en ligne.

C'est faux ! De nombreux internautes aiment se constituer des dossiers complets à titre privé, professionnel, ou encore dans le cadre de leurs études. Aujourd'hui, l'impression du contenu d'une page Web est très simple à réaliser.

Soit vous cliquez sur le bouton Imprimer cette page (ou Imprimer), soit vous invoquez Fichier/Imprimer. Le navigateur doit effectuer une nouvelle mise en page du contenu Web afin de le rendre présentable sur une feuille A4. Ceci demande un peu de temps. Une barre de progression permet de savoir où vous en êtes de cette impression.

Si la page que vous envisagez d'imprimer contient des cadres (une mise en forme qui consiste à scinder le contenu d'une page Web en petites zones indépendantes dont vous pouvez faire défiler les éléments et les actualiser indépendamment du reste de la page), cliquez sur la partie de la fenêtre à imprimer. Sinon, vous n'obtiendrez que l'impression des cadres extérieurs, c'est-à-dire ceux qui en général ne contiennent que le titre et des boutons.

Remplir des formulaires

Dans une page Web, un *formulaire* est une page remplie de champs de saisie, de cases à cocher, de boutons radio, de listes qui permettent de communiquer des informations à un site Web lorsque vous cliquez sur le bouton Envoyer ou Submit. La Figure 18.2 montre un formulaire typique.

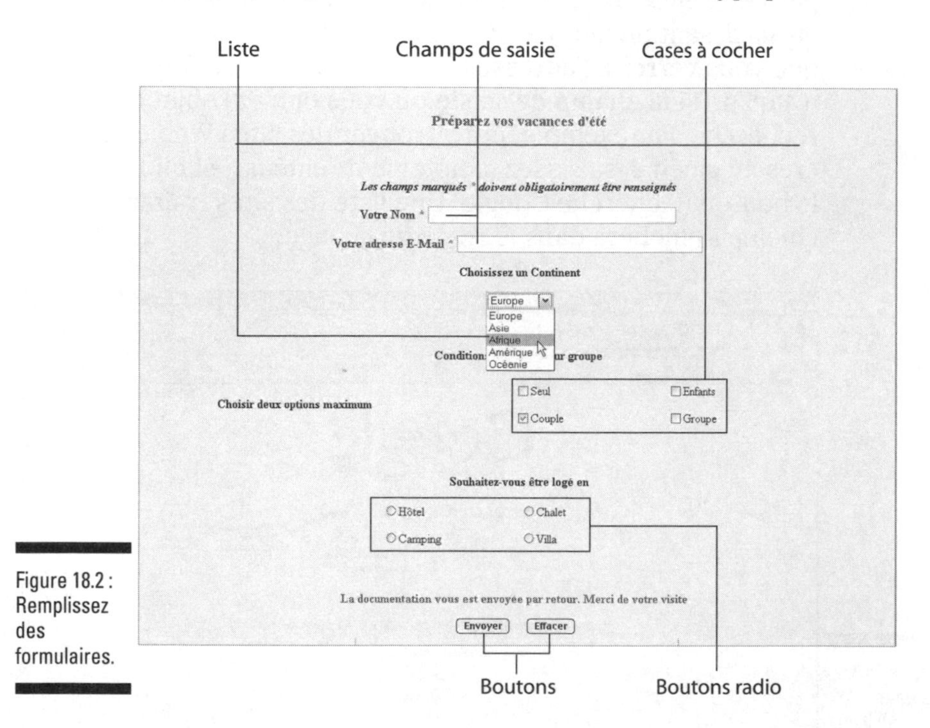

Figure 18.2 : Remplissez des formulaires.

Les *champs de saisie* permettent de taper des informations comme votre nom, votre adresse e-mail ou encore votre adresse postale. Les petits carrés sont des *cases à cocher*. Elles permettent de choisir plusieurs options (ou réponses) proposées. En revanche, les petits cercles sont des *boutons radio*. Dès que vous en activez un, les autres ne peuvent plus l'être simultanément. Donc, chaque fois que vous cliquez sur un bouton radio, il devient actif au détriment de tout autre. Vous ne choisissez donc qu'une seule option. Les formulaires contiennent également des *listes* dont les différentes natures permettent d'effectuer un ou plusieurs choix.

Les formulaires ont également des boutons. Ils sont généralement au nombre de deux. L'un permet d'envoyer, donc de valider, le formulaire, et l'autre permet de l'annuler. Parfois, vous en verrez un troisième qui permet de vider le contenu pour recommencer la saisie des informations.

Certaines pages Web intègrent un *champ de recherche*. Cela permet d'effectuer une recherche d'informations sur un site en saisissant un mot-clé. Par exemple, la page Web de Google, que vous verrez à l'adresse `www.google.fr` et à la Figure 18.3, n'a qu'un seul champ de saisie où vous entrez l'objet de votre recherche. Par exemple, pour trouver des sites Web consacrés au cinéma, saisissez simplement "cinéma" et cliquez sur le bouton Recherche Google. Une liste des sites traitant de cinéma s'affichera dans le reste de la page.

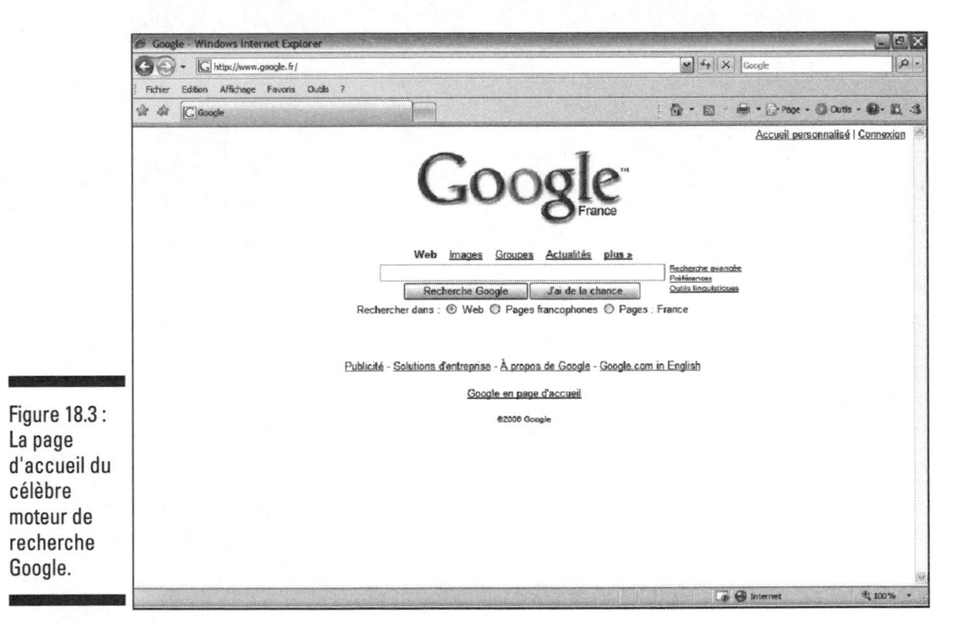

Figure 18.3 : La page d'accueil du célèbre moteur de recherche Google.

Utiliser des pages Web sécurisées

Lorsque vous remplissez un formulaire en ligne, vous êtes amené à communiquer des informations confidentielles

– votre numéro de carte bancaire, par exemple. Heureusement, les pages Web savent crypter les données que vous envoyez et que vous recevez d'un *serveur Web sécurisé*.

L'icône d'un petit cadenas affichée dans le coin inférieur droit de la page permet de savoir que tout ce qui se déroule sur la page est crypté. Si ce fameux petit cadenas est ouvert ou absent, c'est que la page n'est pas cryptée. Firefox affiche également ce cadenas à droite de l'adresse, dans la barre de navigation, et surligne l'intégralité de l'URL en jaune.

Le remplissage des formulaires est quasiment toujours réalisé dans une page Web sécurisée. Ceci évite tout détournement des informations par quelques personnes malintentionnées. Le cryptage des données saisies est sécurisant.

Firefox et Internet Explorer vous préviennent des dangers encourus lorsque vous entrez dans une page sécurisée et vous conseillent sur ce qu'il est judicieux ou non de faire. Comme ces messages s'affichent très souvent, une case à cocher permet d'indiquer au programme de ne plus distiller cet avertissement (Figure 18.4).

Alerte de sécurité

Vous êtes sur le point de visualiser des pages au moyen d'une connexion sécurisée.

Les informations que vous échangerez sur ce site seront cryptées afin d'empêcher leur lecture ou leur interception par des tiers.

Ne plus afficher ce message

OK | Plus d'infos

Avertissement de sécurité

Bien que cette page soit chiffrée, les informations saisies vont être transmises en clair (sans chiffrement) et pourraient être lues lors de leur acheminement.

Voulez-vous vraiment transmettre ces informations ?

Continuer | Annuler

Figure 18.4 : Internet Explorer et Firefox vous avertissent des dangers encourus.

Laisser votre navigateur gérer vos mots de passe

De nombreux sites Web demandent la saisie d'un nom d'utilisateur et d'un mot de passe. Par exemple, lorsque vous achetez quelque chose sur un site Web, vous ouvrez généralement un compte qui stocke votre adresse de facturation et de livraison. Cela permet de régler vos achats plus rapidement. Pour accéder à ce compte, vous devez systématiquement saisir votre nom d'utilisateur et votre mot de passe. Comme vous avez probablement défini des quantités industrielles de mots de passe, il est parfois salutaire de demander à votre navigateur Web de les conserver en mémoire.

Firefox et Internet Explorer savent mémoriser les noms d'utilisateur et les mots de passe. Cependant, cette fonction pratique peut s'avérer dangereuse si d'autres personnes utilisent votre ordinateur dans un lieu public comme une bibliothèque ou un cybercafé. En revanche, si vous êtes seul à accéder à votre ordinateur, vous pouvez demander au navigateur de mémoriser certains de vos noms d'utilisateur et de vos mots de passe.

Lorsque vous accédez à une page Web qui requiert ces deux informations, votre navigateur affiche un message, comme celui représenté à la Figure 18.5. Cliquez sur Oui si vous désirez ne pas avoir à saisir le mot de passe lors de votre prochaine visite. Avec Firefox, vous disposez d'un bouton Jamais pour ce site. Si vous cliquez dessus, la cause est entendue. Vous serez systématiquement obligé de saisir le mot de passe pour ce site spécifique. Si vous répondez Non, aucune mise en mémoire n'est faite, mais le message s'affichera de nouveau lorsque vous reviendrez sur le site.

Voici comment contrôler la manière dont les mots de passe sont stockés par Firefox :

1. **Cliquez sur Outils/Options.**
2. **Cliquez sur la catégorie Vie privée (Figure 18.6).**

Figure 18.5 : Votre navigateur peut stocker les mots de passe saisis sur les sites Web.

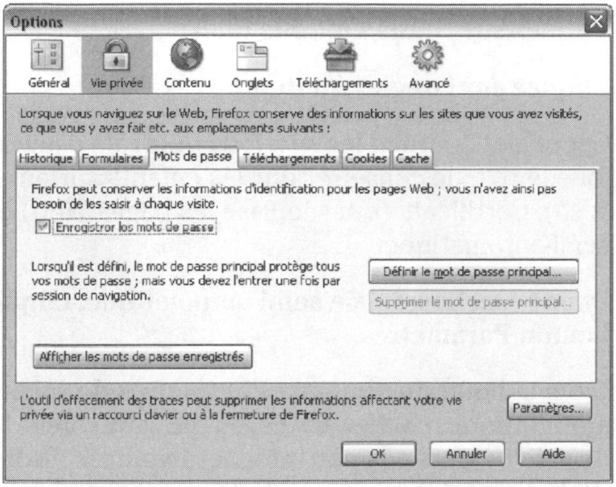

Confirmer

Voulez-vous que Firefox se souvienne de ce mot de passe ?

Oui | Jamais pour ce site | Pas maintenant

Options

Général | Vie privée | Contenu | Onglets | Téléchargements | Avancé

Lorsque vous naviguez sur le Web, Firefox conserve des informations sur les sites que vous avez visités, ce que vous y avez fait etc. aux emplacements suivants :

Historique | Formulaires | Mots de passe | Téléchargements | Cookies | Cache

Firefox peut conserver les informations d'identification pour les pages Web ; vous n'avez ainsi pas besoin de les saisir à chaque visite.

Enregistrer les mots de passe

Lorsqu'il est défini, le mot de passe principal protège tous vos mots de passe ; mais vous devez l'entrer une fois par session de navigation.

Définir le mot de passe principal...

Supprimer le mot de passe principal...

Afficher les mots de passe enregistrés

L'outil d'effacement des traces peut supprimer les informations affectant votre vie privée via un raccourci clavier ou à la fermeture de Firefox.

Paramètres...

OK | Annuler | Aide

Figure 18.6 : Gestion des mots de passe dans Firefox.

3. **Cliquez sur Mots de passe.**

   Voici les options disponibles :

   - Si vous décochez l'option Enregistrer les mots de passe, cette fonction se trouve désactivée. (Cochez la case pour la réactiver.)
   - Cliquez sur le bouton Afficher les mots de passe enregistrés pour éventuellement supprimer des noms d'utilisateur et des mots de passe que Firefox a mémorisés pour vous.
   - Cliquez sur le bouton Définir le mot de passe principal pour indiquer un mot de passe que vous n'aurez besoin de saisir qu'une seule fois, à chaque session

Firefox. (Cette option réduit le nombre de mots de passe à mémoriser, tout en maintenant un haut niveau de sécurité.)

4. **Cliquez sur OK pour quitter la boîte de dialogue Options.**

Dans Internet Explorer, la mémorisation des noms d'utilisateur et des mots de passe est une tâche gérée par la fonction de saisie semi-automatique. Voici comment faire :

1. **Cliquez sur Outils/Options Internet.**
2. **Cliquez sur l'onglet Contenu.**

   Cet onglet contient les sections Contrôle d'accès (qui joue le rôle de censeur pour les enfants surfant sur le Web), Certificats (qui sécurise les pages Web) et Saisie semi-automatique.

3. **Dans la section Saisie semi-automatique, cliquez sur le bouton Paramètres.**
4. **Dans la boîte de dialogue Paramètres de saisie semi-automatique, cochez les cases qui contrôlent les types de saisies stockées par Internet Explorer : Adresses Web, Formulaires, Noms d'utilisateur et mots de passe sur les formulaires (Figure 18.7).**

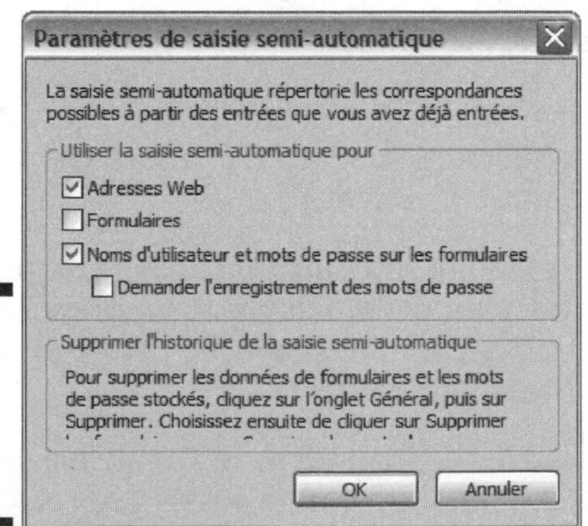

Figure 18.7 : Gestion des mots de passe dans Internet Explorer.

Internet Explorer ne vous affiche pas la liste des mots de passe mémorisés. Cependant, vous pouvez contourner cela en activant ou en désactivant la case Demander l'enregistrement des mots de passe.

5. **Cliquez sur OK pour quitter la boîte de dialogue Paramètres de saisie semi-automatique, puis de nouveau sur OK pour fermer la boîte de dialogue Options Internet.**

TRUC

Personnellement, nous laissons nos navigateurs Web mémoriser les mots de passe de nos différents comptes quand ceux-ci n'engagent aucunement des informations personnelles et/ou bancaires. Par exemple, si nous avons un compte sur le site Web des fans de Harry Potter pour nous permettre de discuter en ligne avec d'autres personnes partageant notre passion, nous ne risquons pas grand-chose à laisser en mémoire dans le navigateur le mot de passe correspondant. Il est clair que nous ne procéderons pas de la même façon avec le nom d'utilisateur et le mot de passe d'accès à notre compte bancaire.

Des fenêtres ouvertes sur le monde

Firefox et Internet Explorer sont capables de faire plusieurs choses à la fois (c'est ce qu'on appelle du *multitraitement*), et notamment d'afficher plusieurs pages Web simultanément. Lorsque nous cliquons çà et là dans les pages Web, nous aimons bien ouvrir de multiples fenêtres pour retourner rapidement à une page précédente en basculant simplement d'une fenêtre à l'autre. Firefox, quant à lui, joue sur le registre des onglets. Dès que vous désirez afficher une nouvelle page, il suffit de demander à ce qu'elle s'ouvre dans un onglet pour conserver à disposition la page que vous vous apprêtez à quitter. Cliquez alors sur l'onglet d'une page pour en afficher le contenu et passer ainsi rapidement de page en page.

Des fenêtres un peu partout

Pour ouvrir une nouvelle page dans Internet Explorer ou Firefox, cliquez du bouton droit de la souris sur un lien et, dans le menu qui surgit, choisissez la commande Ouvrir dans une nouvelle fenêtre ou Ouvrir le lien dans une nouvelle fenêtre. Pour fermer une fenêtre, cliquez sur sa case de fermeture (représentant une croix dans le coin supérieur droit) ou appuyez sur Alt+F4. Les Macintosh n'ont qu'un seul bouton (sauf pour les utilisateurs possédant une Mighty Mouse dont ils ont paramétré le clic-droit) : pour ouvrir une nouvelle fenêtre, maintenez le bouton enfoncé jusqu'à ce que s'affiche ce menu dynamique, puis sélectionnez la commande appropriée. Vous fermez toutes les fenêtres de votre Mac de la même façon, en cliquant sur un bouton en haut de la fenêtre.

Vous pouvez également ouvrir une nouvelle fenêtre sans pour autant suivre un autre lien. Pour cela, appuyez sur Ctrl+N ou cliquez sur Fichier/Nouveau/Fenêtre dans Internet Explorer et sur Fichier/Nouvelle fenêtre dans Firefox. Tout au long de cette section, les utilisateurs de Mac penseront "pomme" à la place de Ctrl.

Jeux d'onglets

Firefox se sert d'*onglets*, c'est-à-dire de plusieurs pages entre lesquelles vous pouvez permuter dans la même fenêtre. La Figure 18.8 présente une fenêtre Firefox avec quatre onglets. Pour afficher une autre page, il suffit de cliquer sur son onglet en haut de la fenêtre. Cliquez sur la page assortie d'une étoile, tout à gauche de la série d'onglets (ou appuyez sur Ctrl+T), pour créer un nouvel onglet vide ou sur le X tout à droite pour supprimer l'onglet courant. Les onglets travaillent en *multithread*, c'est-à-dire qu'un chargement peut se dérouler à l'arrière-plan dans un onglet pendant que vous en consultez un autre. Des flèches en rotation sont visibles dans l'onglet en cours de chargement. Dans la majorité des cas, nous trouvons les onglets plus pratiques que les fenêtres. Les deux sont exploitables conjointement ; rien n'empêche d'ouvrir plusieurs fenêtres dans Firefox, chacune pouvant afficher plusieurs onglets.

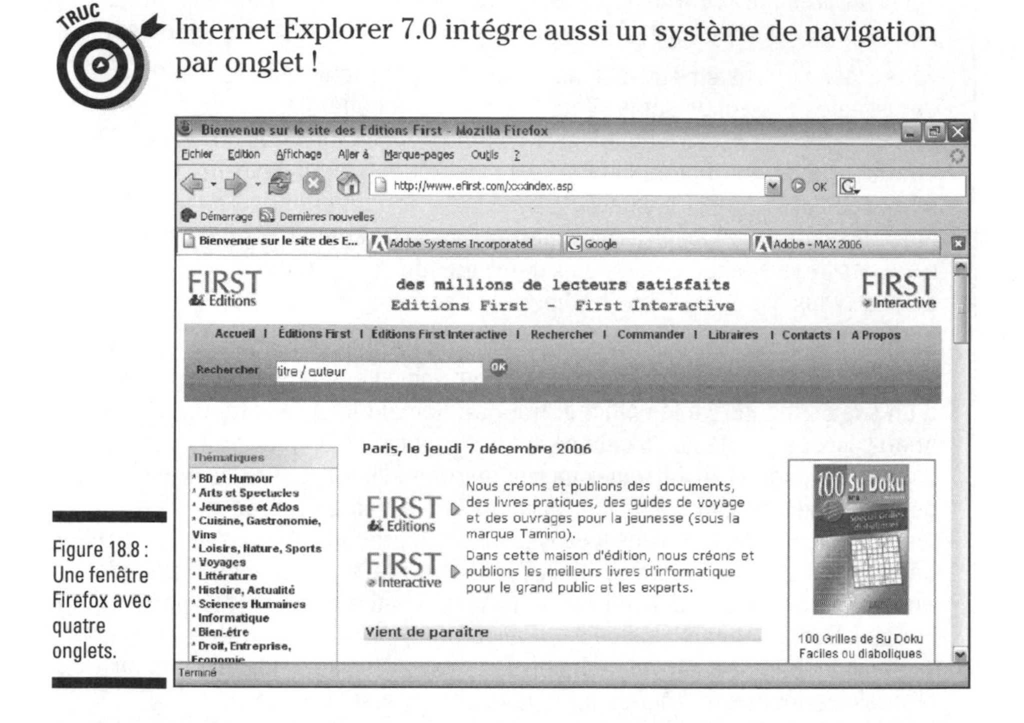

Internet Explorer 7.0 intégre aussi un système de navigation par onglet !

Figure 18.8 : Une fenêtre Firefox avec quatre onglets.

Multitâche et téléchargement

Si vous demandez à votre navigateur de commencer à télécharger un gros fichier, il affichera généralement une petite fenêtre dans un coin de votre écran. Firefox y affiche un curseur illustrant la progression du transfert. Internet Explorer, lui, présente des petites pages voletant de gauche à droite, d'un dossier à un autre, ainsi qu'une barre de progression. Certaines personnes trouvent cela amusant ! Et, pendant ce temps-là, vous pouvez revenir à la fenêtre principale de votre navigateur et continuer votre promenade sur le Web.

Attention : Faire deux ou trois choses à la fois avec votre navigateur lorsque vous êtes connecté à Internet par une ligne téléphonique peut vous faire gagner du temps. Tout dépend, en fait, du débit maximal de votre modem. La vitesse de transfert – toutes choses égales par ailleurs – sera divisée par le nombre de fenêtres actives du navigateur. Un seul transfert de fichier peut solliciter presque 100 % de la capacité de votre modem. Par conséquent, si plusieurs activités sont lancées, elles se dérouleront toutes plus lentement.

Si une tâche consiste en un téléchargement de gros fichiers et que l'autre est une simple promenade sur le Web, tout se passe généralement bien, parce que vous passez pas mal de temps à contempler la page que vous venez de charger, ce qui permet au fichier de se transférer tranquillement. Mais ce n'est pas parce que Firefox et Internet Explorer permettent de télécharger plusieurs fichiers en même temps que vous allez y gagner quoi que ce soit. Il n'y a pas de raison d'en traiter plus d'un seul (deux, à la rigueur) à la fois, et, en plus, vous risquez de vous tromper.

Sachez que les navigateurs Web disposent de ce que l'on appelle un *cache*. Il s'agit d'une zone de stockage où le programme va enregistrer les images d'un site de manière à les afficher très rapidement lors de votre prochaine connexion. Le problème du cache est qu'il peut masquer une version actualisée d'une page Web. Imaginez un site marchand sur lequel vous retournez quelques jours plus tard. Comme les images et les tarifs sont récupérés dans le cache du navigateur, vous ne voyez que des produits anciens et des prix périmés. Pour éviter cela, vous devez recharger la page en appuyant sur la touche F5 du clavier, quel que soit le navigateur utilisé (Internet Explorer ou Firefox). Sachez cependant que ces navigateurs, en règle générale, chargent systématiquement la nouvelle version des pages Web lorsque leur contenu a radicalement changé. Toutefois, F5 reste un excellent réflexe.

Favoris et signets

Il y a réellement des tas d'endroits passionnants à visiter sur le Web, parmi lesquels certains que vous aimerez revoir. Par bonheur, les petits malins qui ont conçu les navigateurs ont pensé à vous procurer un moyen de mémoriser les bonnes adresses, afin que vous n'ayez pas besoin d'écrire ces sacrées URL sur un bout de papier. Ce sont les *bookmarks*, que tout le monde traduit par *signets* ou *favoris*.

Le nom peut changer mais l'idée reste simple. Votre navigateur vous permet d'enrichir votre "carnet d'adresses" en y ajoutant l'URL de la page qu'il affiche. Plus tard, quand vous voudrez y revenir, vous n'aurez qu'à "feuilleter" ce carnet virtuel et à y rechercher le site qui vous intéresse.

Il y a deux façons d'utiliser les signets. L'une consiste à se les représenter comme les entrées d'un menu qui viendrait s'ajouter aux menus de votre navigateur. L'autre est de les considérer comme une page de liens.

Marque-pages avec Firefox

Pour accéder aux signets de Firefox – pardon, aux marque-pages –, cliquez sur le menu Marque-pages. Pour en ajouter un, correspondant à la page actuellement affichée, cliquez sur Marquer cette page ou appuyez sur Ctrl+D. Les signets se présentent comme des entrées du menu qui apparaît lorsque vous cliquez sur le menu Marque-pages (Figure 18.9). Pour atteindre une des pages de la liste, il suffit de cliquer sur l'entrée correspondante.

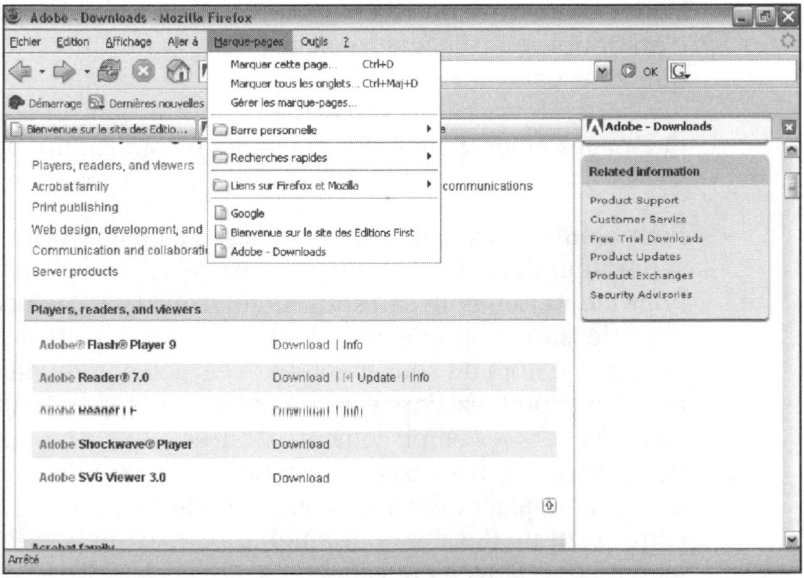

Figure 18.9 : Marquer des pages pour mieux les consulter dans Firefox.

Si vous êtes comme la plupart des surfeurs du Net, votre liste de signets va s'allonger, et bientôt votre écran ne sera plus assez grand pour l'afficher en entier, ce qui est peu commode. Il est cependant possible de donner au menu une forme plus manipulable. Choisissez Marque-pages/Gérer les marque-pages pour afficher la fenêtre Signets (Figure 18.10).

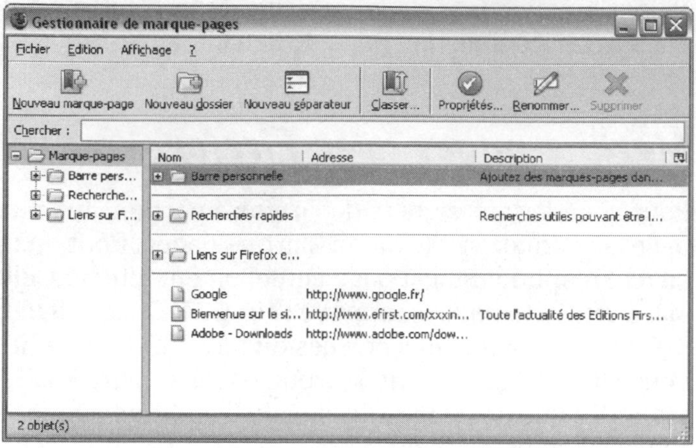

Figure 18.10 : La fenêtre Gestionnaire de marque-pages comporte des commandes pour déplacer, modifier et supprimer ces signets.

Vous pouvez atteindre la page qu'un signet représente à l'aide d'un double-clic. La fenêtre peut même rester ouverte tandis que vous naviguez sur le Web. Il est aussi possible d'ajouter des séparateurs et des sous-menus pour organiser les marque-pages et les menus. Les sous-menus ont l'allure de dossiers.

Pour ajouter un séparateur, choisissez Fichier/Nouveau séparateur dans la fenêtre Gestionnaire de marque-pages. Pour ajouter un nouveau sous-menu, actionnez Fichier/Nouveau dossier. Avant de créer le dossier, Firefox vous demande de taper le nom du sous-menu et éventuellement une description. Vous pouvez alors glisser les signets, séparateurs et dossiers vers les emplacements désirés dans la fenêtre Gestionnaire de marque-pages. Glissez un élément dans un dossier pour le placer dans le sous-menu de ce dossier ; double-cliquez sur un dossier pour afficher ou masquer ce sous-menu. Les changements effectués dans la fenêtre Gestionnaire de marque-pages sont immédiatement reportés dans le menu Marque-pages. Il est ainsi facile de manipuler les signets jusqu'à obtenir quelque chose qui vous plaît. Firefox place d'office certaines pages dans vos signets ; ne vous gênez pas pour les effacer si vos goûts diffèrent.

Lorsque vous avez fini de jouer avec vos signets, cliquez sur le bouton de fermeture de la fenêtre, appuyez sur Ctrl+W, ou encore cliquez sur Fichier/Fermer, pour refermer la fenêtre.

Marque-pages en un clic sous Firefox

La Barre personnelle est une rangée de boutons affichée juste au-dessous de la case d'adresse. Si ce n'est pas le cas, choisissez Affichage/Barre d'outils/Barre personnelle. Cette rangée de boutons donne un accès rapide à un certain nombre de sites Web de Firefox. Il est pratique de les remplacer par vos propres favoris. Lorsque vous organisez vos signets dans la fenêtre Gestionnaire de marque-pages, placez vos sites favoris dans le dossier Barre personnelle – tous les sites présents dans ce dossier apparaissent systématiquement dans la Barre personnelle. Il est même possible d'ajouter des dossiers et d'y insérer des signets. Nous apprécions beaucoup cette caractéristique de Firefox.

L'approche d'Internet Explorer

Internet Explorer utilise une méthode proche de celle de Firefox : vous pouvez enrichir votre liste de favoris avec l'URL de la page couramment affichée, puis consulter et réorganiser votre dossier Favoris. Sous Windows, le dossier des favoris est partagé avec d'autres programmes qui peuvent, eux aussi, y ajouter des éléments. C'est pourquoi on peut y trouver un peu n'importe quoi et pas seulement des éléments touchant au Web.

Pour ajouter la page actuelle à votre dossier Favoris, choisissez Favoris/Ajouter aux Favoris. La boîte de dialogue Ajout de Favoris (Figure 18.11). Cliquez sur le bouton Nouveau dossier, si vous voulez placer le nouveau favori dans un dossier de façon qu'il apparaisse dans un sous-menu du menu Favoris, ou directement sur Ajouter pour le placer dans la racine du dossier Favoris.

Vous pouvez également cliquer sur le bouton Ajouter aux favoris pour placer une adresse dans le dossier Favoris.

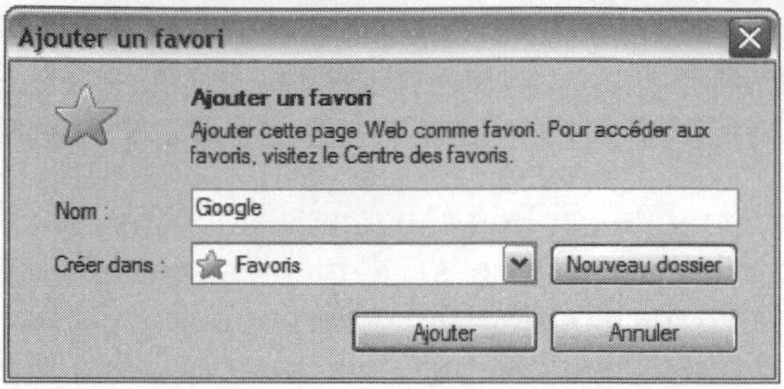

Figure 18.11 : Ajout d'une page Web aux favoris d'Internet Explorer.

Internet Explorer propose dans la barre d'outils un bouton Favoris pour afficher votre liste de favoris du côté gauche de la fenêtre d'Internet Explorer. Cette liste s'appelle la barre Favoris. Un autre clic sur le bouton Favoris masque la liste. Le raccourci pour afficher cette liste est Ctrl+I. Lorsque la liste des favoris est affichée, un clic sur un favori suffit pour accéder au site correspondant. Un autre moyen de revenir à un site Web dans la liste des favoris est de dérouler le menu Favoris : les favoris se trouvent en bas de ce menu.

Pour réorganiser le dossier Favoris, choisissez Favoris/Organiser les Favoris. La fenêtre Organisation des Favoris (Figure 18.12) permet de créer des dossiers pour les favoris, de déplacer les favoris, de les modifier et de les supprimer. Pour voir le contenu d'un dossier, cliquez dessus. Lorsque vous avez fini d'organiser vos favoris, cliquez sur le bouton Fermer.

Les dossiers créés dans la fenêtre Organisation des Favoris apparaissent dans le menu Favoris. Les éléments placés dans les dossiers apparaissent dans les sous-menus. Pour revenir à une page Web ajoutée au dossier Favoris, cliquez dessus dans le menu Favoris.

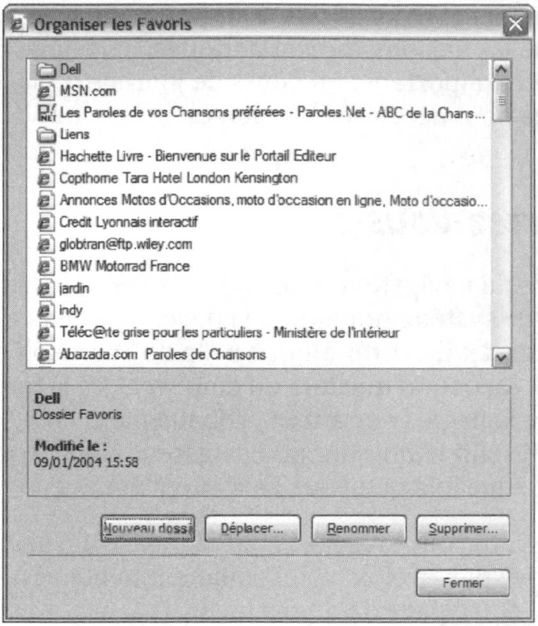

Figure 18.12 : Dans cette fenêtre, organisez les favoris définis dans Internet Explorer.

Favoris en un clic sous Internet Explorer

La barre d'outils Liens apparaît habituellement juste au-dessous ou à droite de la case Adresse ? Si ce n'est pas le cas, choisissez Affichage/Barres d'outils/Liens. Il est très intéressant de remplacer les sites proposés par vos sites préférés. Lorsque vous organisez vos favoris, glissez dossiers et favoris dans le dossier Liens : tout ce qui se trouve dans le dossier Liens apparaît automatiquement sur la barre d'outils Liens. Cette caractéristique est très pratique pour les sites Web que vous visitez souvent.

Personnaliser votre navigateur

À moins de bénéficier d'une connexion directe à Internet par une ligne à haut débit (ou par le câble), vous allez passer une grande partie de votre temps à attendre que vos pages se chargent. Et, même dans ce cas, tout particulièrement en ce qui concerne les liaisons transatlantiques, les temps d'attente risquent d'être importants en cours de journée. Voici quelques astuces pour accélérer les choses.

D'où partez-vous ?

À l'ouverture du navigateur, une *page d'accueil* s'affiche. Ainsi, Firefox charge systématiquement la page d'accueil de Mozilla, tandis qu'Internet Explorer affiche celle de Microsoft et parfois de MSN. Au bout d'une fois ou deux, malgré la beauté manifeste de la page, vous aurez probablement envie de ne pas la voir. Il suffit d'indiquer au navigateur la page qu'il doit afficher à chaque fois que vous l'exécutez.

Dans Firefox : Si vous êtes lassé par la page d'accueil par défaut affichée par Firefox, voici comment indiquer au programme une autre page de démarrage :

1. **Dans le menu Outils, cliquez sur Options.**

   La fenêtre Options s'affiche (Figure 18.13).

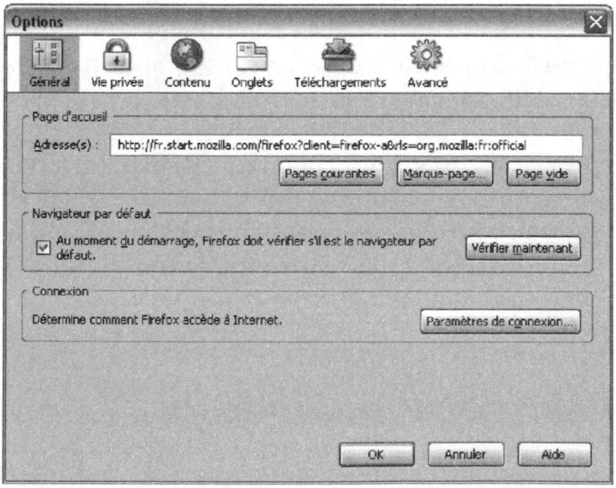

Figure 18.13 : Dans la fenêtre Options de Firefox, vous indiquez le site Web qui s'affichera systématiquement au démarrage du navigateur.

2. **Cliquez sur la catégorie Général.**

Cette catégorie est éventuellement déjà sélectionnée. Ses réglages apparaissent dans la partie inférieure de la fenêtre. Le premier paramètre, Page d'accueil, indique l'adresse Web par défaut de la page que Firefox affiche systématiquement.

3. **Pour démarrer sans page Web, cliquez sur le bouton Page vide.**

   Pour choisir la page à charger au démarrage, saisissez l'URL de la page à charger dans le champ Adresse(s). Pour que la page ouverte du site que vous visitez actuellement devienne la page de démarrage de Firefox, cliquez sur le bouton Page courante.

4. **Cliquez sur OK.**

Il est possible d'indiquer à Firefox d'ouvrir plusieurs pages de démarrage (ou pages d'accueil). Chacune s'affichera dans un onglet du programme. Pour les définir, commencez par les afficher sous forme d'onglets dans Firefox. (Nous rappelons que le raccourci pour créer un onglet est Ctrl+T). Ensuite, cliquez sur Outils/Options. Dans la boîte de dialogue Options, sélectionnez Général et cliquez sur le bouton Pages courantes. Désormais, les pages des sites affichées dans des onglets s'ouvriront systématiquement au démarrage de Firefox. Pas mal comme fonction, non ?

Dans Internet Explorer : Par défaut, Internet Explorer tente, lui aussi, de charger la page d'accueil de MSN, c'est-à-dire le site portail de Microsoft. Pour changer cet amorçage, vous pouvez spécifier l'adresse d'une autre page ou démarrer avec une page vierge. Suivez ces étapes pour démarrer avec une page vierge au lancement d'Internet Explorer :

1. **Affichez la page Web à employer comme page de démarrage.**

   Par exemple, la page Yahoo! ou encore Google, le célèbre moteur de recherche.

2. **Cliquez sur Outils/Options Internet.**

Vous obtenez la boîte de dialogue Options Internet (Figure 18.14).

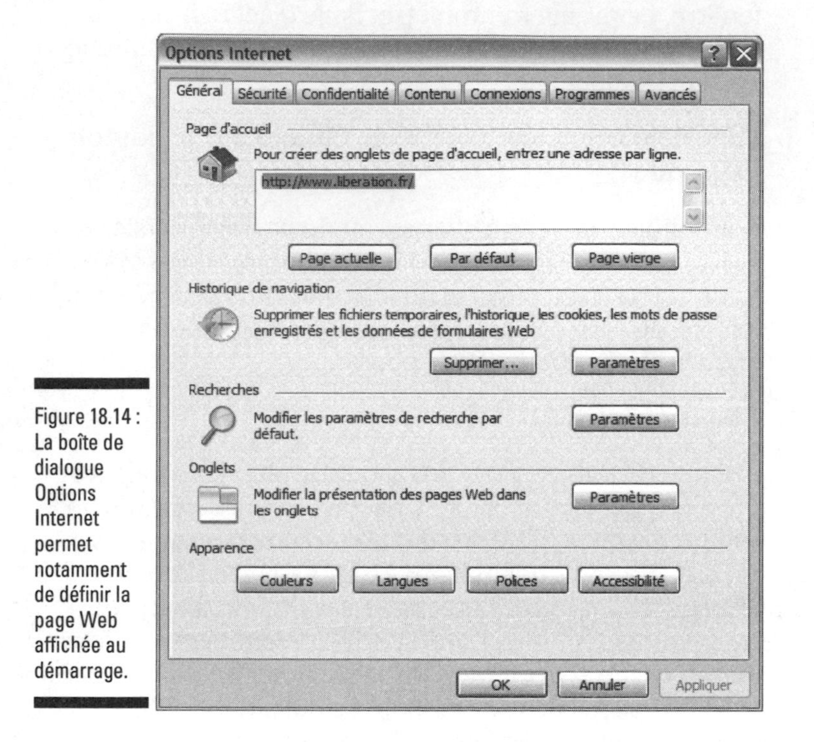

Figure 18.14 : La boîte de dialogue Options Internet permet notamment de définir la page Web affichée au démarrage.

3. **Cliquez sur l'onglet Général.**

   En réalité, il est probablement déjà sélectionné. Nous précisons cela au cas où vous auriez parcouru le contenu des autres onglets.

4. **Dans la section Page d'accueil de la boîte de dialogue, cliquez sur le bouton Page actuelle.**

   L'URL de la page actuelle s'affiche dans la case Adresse. Pour débuter avec une page vide, cliquez sur le bouton Page vierge.

5. **Cliquez sur OK.**

Choisissez une page de démarrage contenant peu d'images : en commençant par une page Web qui se charge plus rapidement ou même sans page du tout, vous n'attendrez pas longtemps avant de commencer à naviguer.

Personnaliser votre barre d'outils

La barre d'outils est la rangée d'icônes qui se situe juste sous les menus du navigateur. Par défaut, le navigateur Web propose les boutons les plus utiles. Cependant, vos habitudes d'internaute démontreront sans doute que certains ne vous servent à rien et qu'en revanche, d'autres vous seraient bien utiles. Heureusement, il est possible de personnaliser les barres d'outils et d'y inclure les boutons qui exécutent les commandes dont vous avez besoin le plus souvent.

Que ce soit dans Internet Explorer ou Firefox, vous personnalisez une barre d'outils en cliquant dessus avec le bouton droit de la souris, sauf sur les boutons Précédente et Suivante (Internet Explorer) ou Reculer et Avancer d'une page (Firefox). Dans le menu contextuel qui s'affiche, cliquez sur Personnaliser.

Dans Firefox, cette action ouvre la boîte de dialogue Modification des barres d'outils (Figure 18.15). Il suffit de localiser le bouton correspondant à la commande que vous désirez exécuter et de le glisser-déposer jusqu'à la barre d'outils. Idem pour vous débarrasser d'un bouton inutile. Cliquez dessus dans la barre d'outils de Firefox et, sans relâcher le bouton de la souris, glissez-déposez-le dans la boîte de dialogue Modification des barres d'outils.

Dans Internet Explorer, cliquez avec le bouton droit et choisissez Personnalisation de la Barre de commandes , puis dans le sous-menu qui s'affiche, sélectionnez Ajouter ou supprimer des commandes, vous accédez à la boîte de dialogue Personnalisation de la barre d'outils (Figure 18.16). La liste de gauche affiche les boutons disponibles, c'est-à-dire ceux que vous pouvez ajouter à la barre d'outils, et celle de droite ceux situés actuellement sur ladite barre. Pour supprimer un bouton de la barre d'outils, sélectionnez-le dans la liste Boutons de la barre d'outils et cliquez sur le bouton Supprimer.

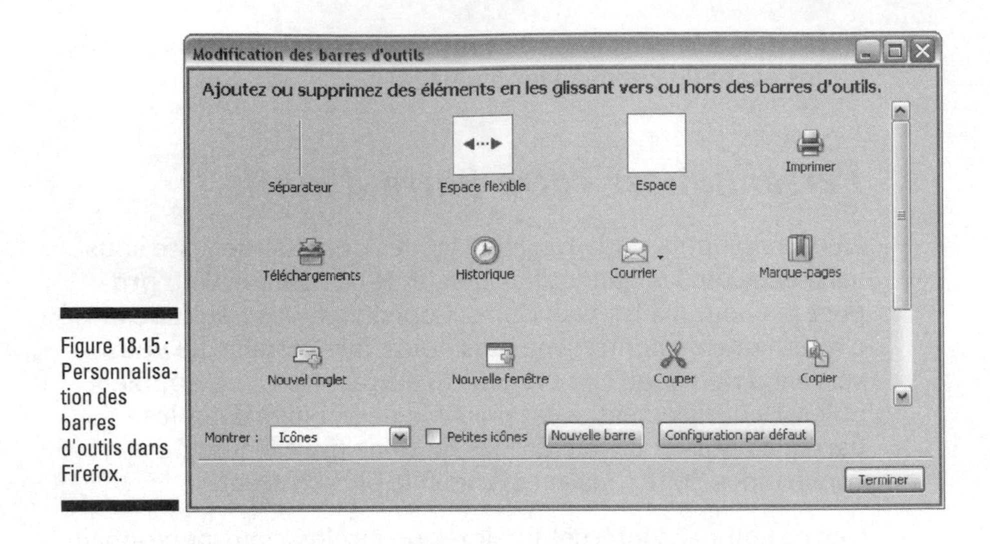

Figure 18.15 : Personnalisation des barres d'outils dans Firefox.

De même, pour enrichir cette barre de nouveaux boutons, sélectionnez-les dans la liste Boutons disponibles et cliquez sur le bouton Ajouter.

Figure 18.16 : Personnalisation des barres d'outils dans Internet Explorer.

Si quelqu'un d'autre a utilisé votre navigateur et qu'il ne ressemble plus du tout à celui que vous aviez l'habitude d'employer, vous pouvez facilement rétablir les choses :

- **Si toute la partie supérieure du navigateur a disparu**, c'est que le navigateur est affiché en mode plein écran. Appuyez simplement sur la touche F11 pour basculer son affichage en mode normal.

- **S'il manque certaines de vos barres d'outils**, cliquez sur Affichage/Barres d'outils. Toute barre non cochée n'est jamais affichée. Il suffit alors de cliquer sur les noms des barres d'outils que vous désirez faire apparaître dans l'interface du navigateur. Une coche s'affiche à gauche du nom de la barre d'outils. Dans Internet Explorer, vous disposez des barres d'outils Boutons standard, Barre d'adresses et Liens. Dans Firefox, vous avez la Barre de navigation et la Barre personnelle (qui affiche les marque-pages).

- **Si les boutons de votre barre d'outils ne sont pas ceux que vous avez l'habitude d'utiliser**, cliquez avec le bouton droit de la souris sur la barre d'outils (à l'exception des boutons Précédente, Suivante, Reculer d'une page et Avancer d'une page). Dans le menu contextuel, cliquez sur Personnaliser la Barre de commandes. Dans la boîte de dialogue Modification des barres d'outils de Firefox, cliquez sur le bouton Configuration par défaut. Dans la boîte de dialogue Personnalisation de la barre d'outils d'Internet Explorer, cliquez sur le bouton Réinitialiser. Ensuite, cliquez sur le bouton Fermer dans Internet Explorer et sur le bouton Terminer dans Firefox.

- **Si votre navigateur, et plus particulièrement Internet Explorer, a un aspect très étrange**, et affiche, par exemple, des publicités que vous n'avez jamais demandées, il y a de grandes chances pour qu'il soit infecté de spywares.

Effacer l'historique

Tous les navigateurs, quels qu'ils soient, contiennent une fonction très utile souvent appelée Historique. Près de la boîte dans laquelle vous entrez les URL des pages que vous souhaitez afficher, se trouve une petite flèche pointant vers le bas. Lorsque vous cliquez sur cette flèche, une liste des dernières pages Web affichées apparaît.

Pour afficher l'historique dans un volet indépendant d'Internet Explorer, cliquez sur Affichage/Volet d'exploration/ Historique. Pour un résultat identique dans Firefox, cliquez sur Aller à/Historique. La liste des sites Web visités s'affiche chronologiquement. Vous pouvez fermer l'historique par un clic sur le bouton de fermeture (X) du volet d'exploration ou du panneau latéral.

Quelques lecteurs nous ont demandé si on pouvait effacer ces adresses. En effet, tandis qu'ils essayaient de taper `www.disney.fr`, leurs doigts se sont emmêlés et ils ont tapé `www.hot-xxx-babes.com` (ça peut arriver à tout le monde). Comme certaines de ces requêtes semblaient vraiment urgentes, nous leur expliquons comment procéder.

- **Firefox :** Ici, rien de plus simple. Choisissez Outils/ Options et cliquez sur la catégorie Vie privée. Puis, choisissez l'onglet Historique et enfin cliquez sur le bouton Vider l'historique de navigation.
- **Internet Explorer :** Choisissez Outils/Options Internet, cliquez sur l'onglet Général, puis sur le bouton Supprimer l'Historique. Cliquez ensuite à nouveau sur le bouton Supprimer l'Historique et choisissez ensuite Oui lorsque le programme vous demande de confirmer votre choix.

Contrôler les cookies

Pour améliorer votre vie en ligne, les éditeurs de navigateur Web ont inventé un type spécial de message qui permet à un site Web de vous reconnaître lorsque vous visitez à nouveau ce site. Ces informations, baptisées *cookies*, sont stockées sur votre propre machine.

En général, les cookies ne sont pas dangereux et se révèlent même utiles. Toutefois, vous pouvez les contrôler aussi bien dans Firefox que dans Internet Explorer. Il existe plusieurs formes de cookies :

- **Cookies internes :** Ce sont les cookies venant directement du serveur qui vous a fourni la page Web actuellement affichée. Ces cookies sont utilisés pour se souvenir de vous lorsque vous vous inscrivez comme membre du site. Le confort, c'est de ne pas avoir à saisir de nouveau, à chaque visite, vos nom d'utilisateur et mot de passe. Vous avez le choix entre Accepter, Bloquer ou Demander, auquel cas il vous sera demandé de choisir. Cette dernière option devient vite fastidieuse si vous tombez sur de nombreux cookies. Certains sites stockent plus de trois cookies *par page*.
- **Cookies tierce partie :** De nombreux sites Web font appel à des entreprises spécialisées pour fournir des publicités à leurs pages Web, et ces publicités tierce partie placent habituellement des cookies sur votre machine dans le but de collecter des données marketing. Les options sont les mêmes que précédemment. Les cookies tierce partie ne sont utiles qu'aux entreprises de publicité ; il n'y a donc aucune raison de les accepter.

Contrôler les cookies dans Firefox

Cliquez sur Outils/Options, puis affichez le contenu de la catégorie Vie privée. Cliquez sur l'onglet Cookies, comme à la Figure 18.17. Plusieurs options s'offrent à vous :

- **Autoriser les sites à placer des cookies :** Certains ne fonctionnent pas sans cookie, notamment les sites de chat des groupes Yahoo! (`http://fr.groups.yahoo.com/`).
- **Pour le site Web d'origine seulement :** N'accepte que les cookies internes. C'est l'option que nous utilisons.
- **Tant que je n'ai pas supprimé de cookies venant du site :** Si vous supprimez des cookies du site en question dans la boîte de dialogue Afficher les cookies, Firefox n'autorisera plus les cookies provenant du site en question.

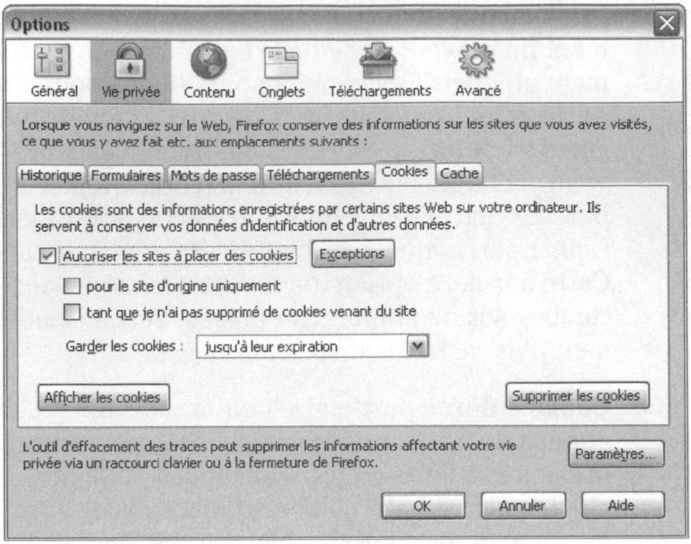

Figure 18.17 : Contrôler les cookies dans Firefox.

- **Exceptions :** Vous pouvez spécifier ici des sites dont les cookies seront bloqués, autorisés ou encore tous les accepter. Cliquez sur ce bouton. Dans le champ Adresse du site Web, saisissez l'URL du site concerné, puis cliquez sur l'un des trois boutons Bloquer, Autoriser pour la session ou Autoriser.
- **Afficher les cookies :** Liste les cookies que Firefox a stockés depuis que vous surfez sur le Net. Vous pouvez également en apprécier le contenu. Vous pouvez supprimer n'importe quel cookie de cette liste, ou bien tous les cookies en cliquant sur Supprimer tous les cookies.
- **Garder les cookies :** Vous indiquez à Firefox la période pendant laquelle il va garder les cookies : jusqu'à leur expiration (le paramètre habituel), jusqu'à la fermeture de Firefox ou me demander à chaque fois (option très agaçante).

Contrôler les cookies dans Internet Explorer

Cliquez sur Outils/Options Internet pour afficher la boîte de dialogue Options Internet. Le contrôle des cookies se trouve dans l'onglet Confidentialité (à gauche sur la Figure 18.18). Cliquez sur le bouton Avancé pour afficher la boîte de dialogue Paramètres de confidentialité avancés. Par défaut, Internet Explorer 7.0 gère les cookies de façon plutôt agressive, en autorisant l'accès à un cookie uniquement aux serveurs que vous avez contactés, pas aux *serveurs tiers* (serveurs Web autres que celui qui a stocké à l'origine le cookie sur votre ordinateur). Les serveurs tiers fournissent habituellement des publicités et autres popups. Vous pouvez choisir de les gérer vous-même en cochant la case Ignorer la gestion automatique des cookies dans la boîte de dialogue Paramètres de confidentialité avancés. Les options sont :

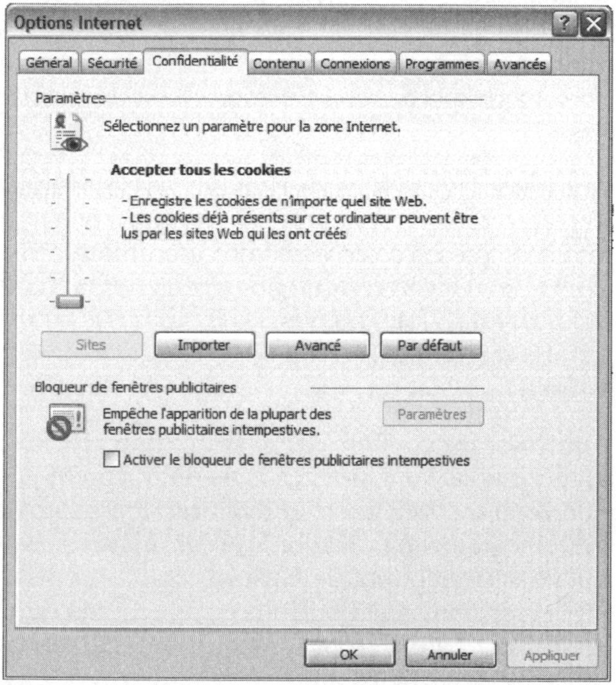

Figure 18.18 : Contrôle des cookies avec Internet Explorer.

- **Cookies internes :** Vous choisissez d'accepter, de refuser ou ce que l'on vous demande de choisir. Cette dernière option devient fatigante à la longue.

- **Cookies tierce partie :** Ces cookies viennent d'ailleurs, c'est-à-dire pas uniquement du site Web autorisé. Donc, refusez-les !
- **Toujours autoriser les cookies de la session :** Cette option laisse passer tous les cookies de session (type de cookie utilisé pour pister une unique occurrence de votre visite sur un site Web). Ces cookies sont couramment utilisés par des sites d'achats comme Amazon.fr.

Si vous utilisez une ancienne version d'Internet Explorer (Internet Explorer 5.0 ou 5.5), cliquez sur Outils/Options Internet pour afficher la boîte de dialogue Options Internet. Le contrôle des cookies se trouve sur l'onglet Sécurité. Cliquez sur Internet (le globe coloré), puis sur Personnaliser le niveau pour afficher la boîte de dialogue Paramètres de sécurité. Descendez jusqu'à la section Cookies. Deux paramètres sont proposés :

- **Autoriser les cookies stockés sur votre ordinateur :** Certains cookies sont stockés sur votre ordinateur de manière que les sites Web vous identifient : "Bienvenue, Tom ! Voici les livres que nous vous recommandons aujourd'hui." Vous pouvez les inhiber (Désactiver), les autoriser (Activer) ou indiquer à IE de vous demander votre avis avant de stocker chaque cookie (Demander).
- **Autoriser les cookies par session (non stockés) :** Certains cookies sont stockés mais uniquement jusqu'à ce que vous quittiez Internet Explorer. Par exemple, les systèmes de panier d'achat (programmes serveurs Web qui vous permettent de faire vos achats en remplissant un panier dans une boutique en ligne, puis de valider la commande) stockeront temporairement des informations sur les articles dans votre panier. Vous avez le choix entre Désactiver, Activer ou Demander.

Bloquer les popups

Une des pires inventions de ces dernières années est celle des *fenêtres popups* qui surgissent sur votre écran sans y avoir été invitées lorsque vous visitez certains sites Web. Certains popups apparaissent immédiatement, d'autres sont masqués par votre fenêtre principale jusqu'à ce que vous la fermiez. Dans la majorité des cas, les popups sont des publicités. Vous serez heureux d'apprendre que Firefox et Internet Explorer peuvent bloquer la majorité des popups.

Pas de popups chez Firefox

Cliquez sur Outils/Options, puis sur Contenu. Vous y découvrez une option qui bloque les popups, comme le montre la Figure 18.19.

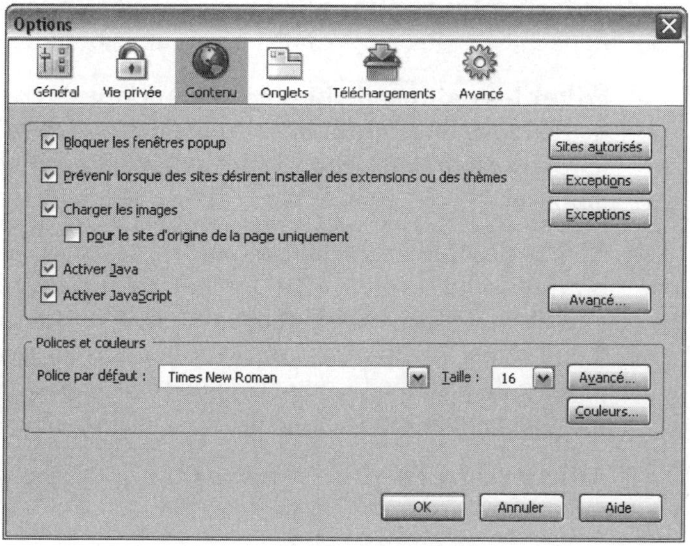

Figure 18.19 : Gestion des popups dans Firefox.

Le blocage des popups empêche certains sites Web de fonctionner. En particulier, certains sites d'achats affichent de petites fenêtres dans lesquelles vous devez taper vos informations de carte bancaire, par exemple. Firefox permet d'inclure dans les sites autorisés ceux pour lesquels le blocage ne doit pas s'opérer.

Dès qu'un site tente d'ouvrir un popup, un message apparaît en haut de la page Web. Il indique textuellement : "Firefox a empêché ce site d'ouvrir une fenêtre popup. " Cliquez sur le bouton Options de ce message et choisissez l'une des options suivantes (Figure 18.20) :

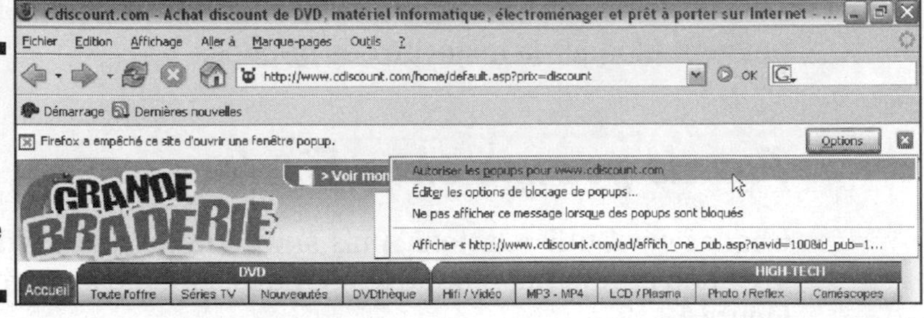

Figure 18.20 : Blocage et gestion des popups dans une page Web affichée par Firefox.

- **Autoriser les popups pour *nom du site*** place ce site dans la liste des sites dont les popups sont autorisés.
- **Éditer les options de blocage de popups** ouvre la boîte de dialogue Sites autorisés. Vous pouvez y modifier la liste des sites pour lesquels l'affichage des popups est autorisé.
- **Ne pas afficher ce message lorsque des popups sont bloqués.** Plutôt que d'être prévenu par un tel message lors de la tentative d'affichage de popups, une petite icône rouge X apparaît dans le coin inférieur droit de la fenêtre de Firefox. Cliquez dessus pour afficher les options de gestion du popup.
- **Afficher *adresse de la fenêtre popup*** affiche uniquement le popup qui vient d'être bloqué.

Pour fermer le message d'avertissement sans appliquer une option particulière, cliquez sur le bouton de fermeture X situé dans son coin supérieur droit.

En informatique, il y a toujours des parades. Au fur et à mesure que les navigateurs Web ont su bloquer les popups, de petits génies ont trouvé d'autres astuces pour les afficher malgré tout. Si vous êtes confronté à ce problème, installez l'extension gratuite de Firefox qui se nomme Adblock. Vous la trouverez sur le site `http://addons.mozilla.org/extensions/`

`?application=firefox`. Là, cliquez sur le lien Adblock. Dans la page suivante, cliquez sur Install Now.

Bloquer les popups avec Internet Explorer

Qu'en est-il d'Internet Explorer ? En réponse à la popularité de Firefox, Microsoft a enfin intégré un bloqueur de popups.

Chaque fois qu'un popup tente de s'afficher, Internet Explorer affiche un message qui a sensiblement la même forme que celui de Firefox (Figure 18.21). Cliquez dessus pour y trouver des options similaires. Vous pouvez modifier les options de blocage des popups en cliquant sur Outils/Options Internet. Cliquez ensuite sur l'onglet Confidentialité et jetez un œil sur la section Bloqueur de fenêtres publicitaires intempestives située en bas de la boîte de dialogue. Pour bloquer les popups, il suffit de cocher la case Bloquer les fenêtres publicitaires intempestives. Le bouton Paramètres permet de définir une liste de sites dont vous autorisez les popups.

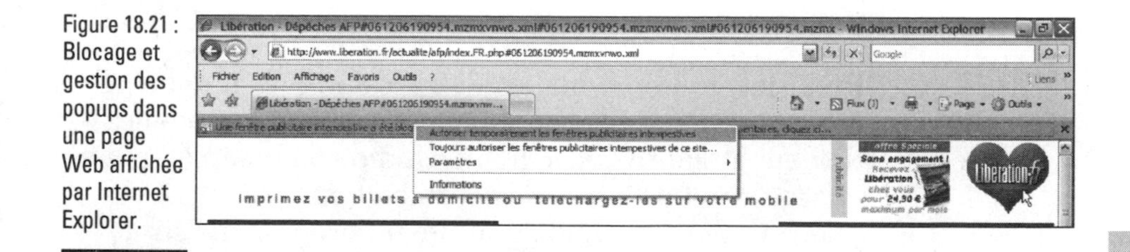

Figure 18.21 : Blocage et gestion des popups dans une page Web affichée par Internet Explorer.

Soyez in : dansez, chantez et bavardez avec votre navigateur !

Des images dans une page Web ? C'est du passé ! Maintenant, on voit des animations, des banderoles qui clignotent et qui défilent, et on entend des musiquettes. Chaque mois, des nouveautés apparaissent dans ce domaine et les navigateurs ont bien du mal à rester dans la course. Vous pouvez étendre les fonctionnalités de votre navigateur avec des *plug-ins* qui sont de petits programmes (des assistants, aussi appelés *compléments*) qui viennent l'aider à exécuter certaines fonctions. Côté Internet Explorer, ce sont des *contrôles ActiveX* (anciennement appelés *contrôles OCX*) – autre forme de programmes annexes – qui volent au secours d'Internet Explorer.

Que peut faire un navigateur lorsqu'il rencontre de nouvelles informations dans une page Web ? Télécharger le plug-in approprié pour traiter ce nouveau type d'information. Les fans de *Star Trek* y verront une forme de vie parasitaire qui se colle à votre navigateur et accroît son intelligence.

Au palmarès des plug-ins

Voici quelques-uns des plug-ins les plus courants :

- **Flash Player :** Lit des fichiers audio et vidéo ainsi que d'autres types d'animations. Disponible sur `http://www.adobe.com/shockwave/download/index.cgi?P1_Prod_Version=ShockwaveFlash&Lang=French`.
- **RealPlayer :** Reproduit les fichiers audio au fur et à mesure de leur téléchargement (d'autres programmes doivent attendre que le fichier audio soit complètement chargé avant de lancer sa reproduction). Vous pouvez télécharger une version gratuite du programme sur le site `http://france.real.com`.
- **QuickTime :** Reproduit les animations permettant de les "jouer" au fur et à mesure de leur chargement (disponible sur `www.apple.com/fr/quicktime`).
- **Adobe Reader :** Affiche les fichiers Acrobat (au format PDF), formatés exactement de la façon prévue par l'auteur. On rencontre de très nombreux fichiers Acrobat bien utiles, notamment des formulaires administratifs. Disponible sur `http://www.adobe.com/fr/products/acrobat/readermain.html`.

Comment utiliser des plug-ins avec un navigateur

Une fois que vous vous êtes procuré un plug-in, il faut le lancer, c'est-à-dire double-cliquer sur son nom de fichier dans l'Explorateur Windows afin de l'installer. Selon ses fonctionnalités, vous avez différents moyens de le tester. En général, choisissez un fichier que ce plug-in puisse lire et contentez-vous de regarder (ou d'écouter) ce qui se passe.

Chapitre 19

Aiguilles et bottes de foin (ou comment trouver ce que l'on cherche sur le Net)

Dans ce chapitre :

- Stratégies de base.
- Trouver des informations sur le Web.
- Recherche de personnes sur le Web.
- Modules de recherche intégrés.

OK, j'ai bien compris que le Net était plein de trésors. Mais comment les trouver ? Voilà une excellente question. Merci de l'avoir posée ! C'est ce genre de question qui rend notre pays si grand et si fort. Nous vous félicitons et vous disons : "Continuez de poser des questions ! – Question suivante, s'il vous plaît ?"

Oh, vous voulez une réponse ? Par chance, il existe sur le Net (attention, termes techniques à suivre) un tas de machins pour trouver toutes sortes de trucs. Plus particulièrement des index et des répertoires référençant tout ce qui est intéressant et disponible sur le Net.

TRUC

Moteurs de recherche et répertoires : où est la différence ?

Quand nous parlons de *répertoire*, ce n'est pas au sens où on l'entend habituellement à propos d'un système d'exploitation, mais plutôt à celui de l'accessoire de bureau qu'on peut assimiler à un carnet d'adresses. Plus précisément, il s'agit d'une liste dont les entrées sont réparties par catégorie, partiellement ou totalement, par une main humaine et non par un ordinateur. On peut dire que le sommaire de ce livre est un répertoire.

En revanche, un *moteur de recherche* est un dispositif qui effectue régulièrement des analyses du contenu des pages Web. Il en extrait quelques mots-clés qui vont permettre de répertorier plus facilement les sites donc de les trouver assez rapidement. Ainsi, en fonction de cette analyse, le moteur de recherche sera capable de sortir les pages Web dont le contenu semble, selon ces fameux mots-clés, se rapprocher le plus des informations que vous désirez trouver.

Un *index* est une liste de mots-clés extraits d'articles desquels ont été supprimés tous les *le, la, au, aux*, etc., c'est-à-dire tout ce qui n'est pas vraiment significatif. La recherche se concentre ainsi sur les mots et l'on obtient toutes les entrées qui les contiennent. Un peu comme l'index qui se trouve à la fin de ce livre. Chacun de ces systèmes présente des avantages et des inconvénients. Les répertoires bénéficient d'une meilleure organisation, mais les index recensent davantage de termes. Les répertoires utilisent une terminologie cohérente, alors que les index utilisent tous les termes, quels qu'ils soient, des pages Web référencées. Les répertoires comportent donc moins de pages inutiles, mais les index (dans la mesure où ils sont générés plus ou moins automatiquement) sont plus souvent mis à jour.

Il y a un certain degré de recoupement entre les deux méthodes. Yahoo!, par exemple, le répertoire de pages Web le plus connu, vous permet d'effectuer des recherches par mot-clé, et Google, principalement un index, inclut également une version du répertoire ODP (*Open Directory Project*). De nombreux index classent leurs entrées par catégorie, ce qui vous aide à affiner votre recherche.

Le Net offre plusieurs types d'index et de répertoires différents pour tout ce que vous pouvez y chercher. Malheureusement, dans la mesure où les index tendent à être organisés en fonction du type de service qu'ils procurent et non en fonction de la nature de ce qu'ils référencent, vous trouvez des ressources de type Web à un endroit, des ressources de type e-mail à un autre, et ainsi de suite. Vous pouvez lancer vos recherches exactement comme vous l'entendez, selon ce que vous cherchez et selon la manière dont vous aimez procéder. (John a remarqué que son restaurant préféré ne présente qu'un plat sur son menu et que c'est précisément celui qu'il préfère. Internet est aussi éloigné de cet idéal que vous pouvez le craindre.)

Pour structurer cette étude, nous avons défini plusieurs sortes de recherches :

- **Thèmes.** Endroits, choses, idées, entreprises – tout ce que vous voulez savoir sur le sujet.
- **Recherches intégrées.** Recherches par thème qu'un navigateur est capable de lancer automatiquement.
- **Personnes.** Êtres humains en chair et en os que vous voudriez contacter ou espionner.
- **Produits et services.** Tout ce que vous pouvez acquérir, depuis un prêt hypothécaire jusqu'à du dentifrice.

Pour trouver quelque chose sur un sujet donné, nous allons utiliser l'un des nombreux index et répertoires disponibles tels que Yahoo! et Google. Pour rechercher des personnes, nous devrons utiliser des annuaires qui sont (par bonheur) différents des répertoires des pages Web. Quelque chose vous échappe ? Continuez de lire, vous allez comprendre.

Stratégies de base

Lorsque nous devons faire une recherche sur le Web concernant un sujet précis, nous commençons toujours avec un des guides du Web (index et répertoires) que nous allons étudier dans cette section.

Tous s'utilisent à peu près de la même façon :

1. **Lancez votre navigateur (Firefox, Internet Explorer ou un autre).**
2. **Allez sur votre moteur de recherche préféré, comme Google, illustré à la Figure 19.1.**

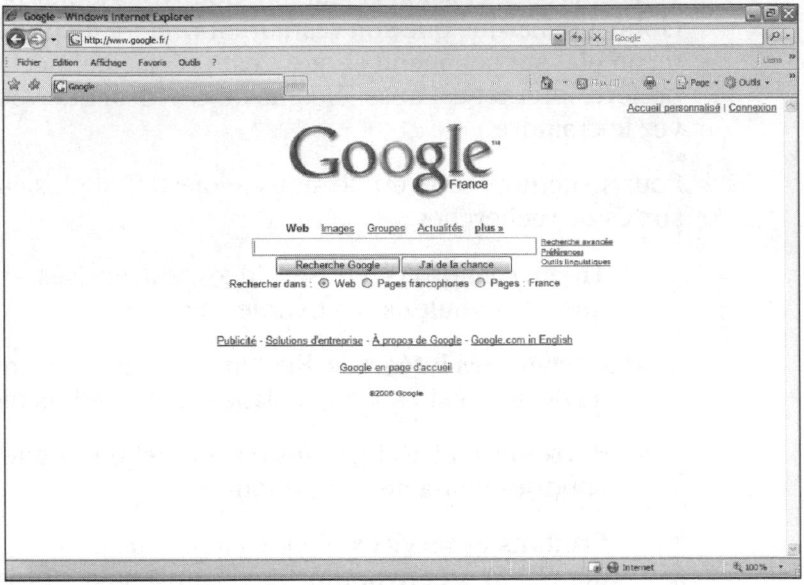

Figure 19.1 : Google affiché dans Internet Explorer.

De nombreux navigateurs permettent de définir votre moteur de recherche par défaut. Si ce n'est pas le cas, il suffit d'en faire votre page d'accueil. En effet, aller sur Internet, c'est bel et bien pour y chercher quelque chose. Quoi de plus logique alors de démarrer votre session Web avec la page d'accueil d'un de ces moteurs.

3. **Dans le champ de saisie du moteur, tapez les mots-clés sur lesquels porte votre exploration Web, puis cliquez sur le bouton Rechercher (le nom de ce bouton peut varier d'un moteur à un autre).**

C'est l'approche par index. Après un délai plus ou moins long (le Web est immense), une page d'index va vous être renvoyée avec des liens vers les pages qui correspondent à vos critères de recherche, comme l'illustre la Figure 19.2.

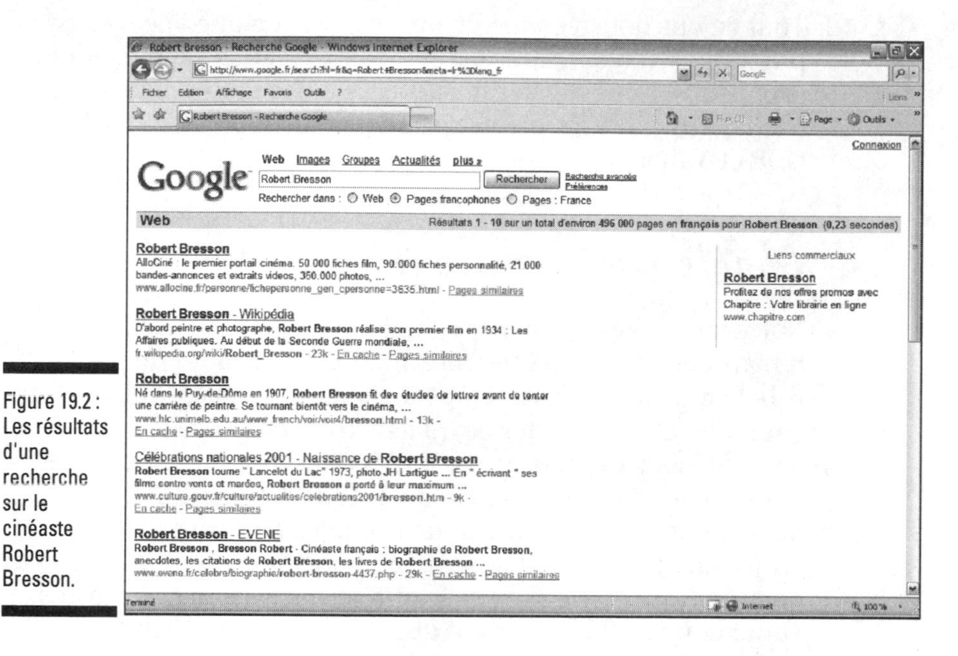

Figure 19.2 : Les résultats d'une recherche sur le cinéaste Robert Bresson.

4. **Affinez et répétez votre recherche jusqu'à ce que vous trouviez quelque chose qui vous convienne.**

   De clic en clic, vous finirez par trouver ce que vous recherchez.

5. **Si le moteur de recherche retourne des résultats trop aléatoires pour être correctement utilisés et que vous ne trouviez pas de mots-clés pertinents, essayez un répertoire comme** `http://dmoz.org/World/Fran%C3%A7ais/` **ou** `www.yahoo.fr`.

   Cliquez sur le sujet qui vous intéresse. Dans cette approche spécifique d'une recherche sur Internet, comprenez bien que vous partez du général pour arriver au particulier. À chaque clic, la recherche s'affine, et il est rare que vous ne finissiez pas par trouver ce qui vous intéresse.

Passons à la pratique

Tout ce que nous venons de dire est un peu une vue de l'esprit. Concrètement, nous allons vous expliquer comment nous procédons. Nous utiliserons pour cela nos moteurs de recherche favoris : Google, qui est principalement un index, puis ODP et Yahoo!, qui sont des répertoires.

Google-oogle, notre index favori

Notre index Web favori est Google (comme vous avez pu le remarquer dans la précédente section). Il dispose de petits robots qui passent leur temps à visiter des pages Web partout sur le Net et à rapporter ce qu'ils y trouvent. Cela produit un énorme index des mots rencontrés dans ces pages ; lorsque vous recherchez quelque chose, il choisit dans l'index les pages contenant les mots que vous avez demandés. Google utilise un système de classement sophistiqué, basé sur le nombre de sites Web qui se font référence les uns les autres, et qui donne le plus souvent des résultats proposant les meilleures pages en premier.

Raison numéro un d'échec de recherche

Ce n'est peut-être finalement pas *votre* raison numéro un mais c'est en tout cas la *nôtre* : la mauvaise orthographe d'un des termes de recherche. Vérifiez soigneusement. John note que ses doigts insistent pour taper "Interent", ce qui n'affiche que les pages Web des autres personnes ayant le même défaut. Merci à notre amie Jean Armour Polly pour nous avoir rappelé de parler de ce problème.

L'exploitation de Google ou de tout autre index est un exercice de télépathie. Vous devez deviner les mots figurant dans les pages que vous recherchez. C'est parfois facile – si vous cherchez des produits du terroir, *produits terroir* est un bon jeu de termes de recherche car vous savez le nom de ce que vous recherchez. D'un autre côté, si vous avez oublié quels animaux ont donné l'alerte au Capitole (les oies), il sera assez difficile d'extraire une page d'index utile parce que vous ne savez pas exactement quels mots rechercher. Si vous tentez *animaux capitole*, vous trouverez entre autres des informations sur le club Toulouse Capitole Agility (consacré à l'éduction canine) et sur le cinéma Capitole à Paris.

Maintenant que nous vous avons bien découragé, essayez quelques recherches sur Google. Pointez votre navigateur sur `www.google.fr`. Vous obtenez un écran comme sur la Figure 19.1 plus haut dans ce chapitre.

Saisissez certains termes de recherche. Google trouvera les pages qui répondent le mieux aux critères. Nous avons bien dit "le mieux" pas "exactement". S'il ne peut trouver tous les termes, il trouve les pages qui s'approchent le plus du groupe de mots. Google ignore les mots qui reviennent trop souvent pour être utilisables en tant que termes d'index, comme *et*, *le* et *de* et les termes comme *internet* et *mail* (cependant, il est parfois intéressant d'employer des articles et prépositions). Ces règles peuvent être décourageantes mais il n'est pourtant pas difficile d'obtenir des résultats utiles de Google. Il suffit de penser à de bons termes de recherche. Essayez notre exemple en tapant **recette des tomates farcies** et en cliquant sur le bouton Recherche Google. Vous obtenez la réponse présentée sur la Figure 19.3.

Vos résultats ne seront pas exactement les mêmes que sur la Figure 19.3 car Google aura actualisé sa base de données d'ici là. Google indique avoir trouvé 356 000 correspondances mais, ayant pitié de vous, n'en affiche que 10 à la fois. Bien que ce soit probablement plus que vous en attendiez, consultez au moins deux autres écrans de réponses si le premier écran ne comporte pas ce que vous voulez. Des numéros de page sont visibles en bas de l'interface de Google ; cliquez sur Suivant pour afficher la page suivante de sites (Figure 19.4). Le bouton J'ai de la chance effectue la recherche et vous mène directement au premier lien, ce qui marche bien lorsque, effectivement, vous êtes chanceux.

Figure 19.3 : Des pages sur les tomates farcies.

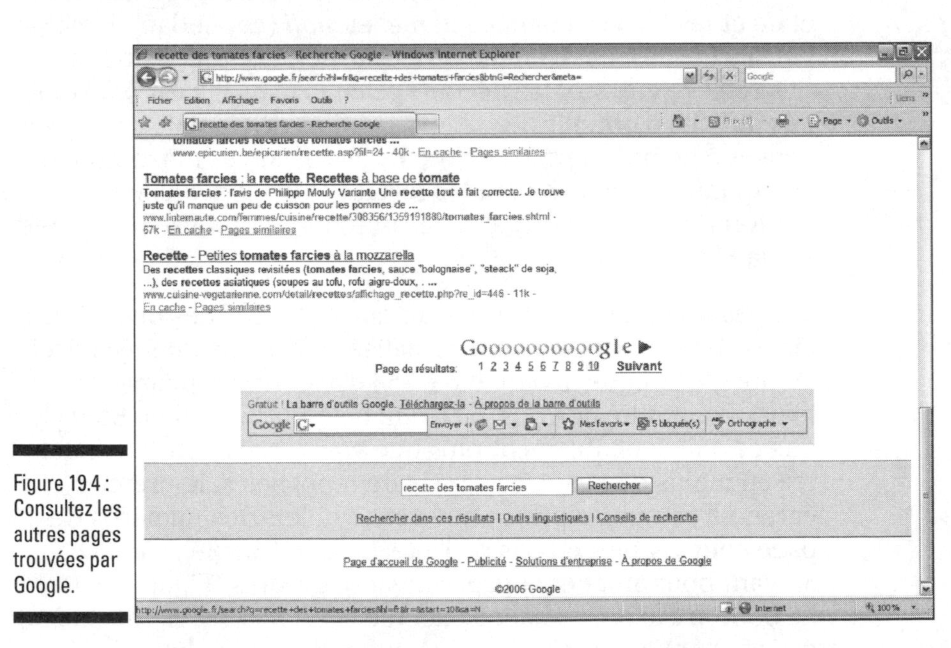

Figure 19.4 : Consultez les autres pages trouvées par Google.

Conseils pratiques pour la recherche sur index

Google facilite l'affinage de votre recherche pour cibler plus exactement ce que cherchez. Après chaque recherche, vos termes de recherche apparaissent dans une case en haut de la page pour que vous puissiez les modifier et réessayer. Voici quelques conseils sur la modification des termes :

- Saisissez la plupart des termes de recherche en minuscules. Tapez les noms propres avec une capitale initiale, comme Elvis. Ne tapez pas de mots entièrement en capitales.
- Si plusieurs mots doivent être ensemble, placez-les entre guillemets, comme dans "Elvis Presley".
- Utilisez + et - pour indiquer les mots devant apparaître ou ne pas apparaître, comme +Elvis +Costello -Presley si vous faites une recherche sur l'Elvis moderne, pas l'Elvis classique.
- Pour trouver des fichiers particuliers, comme de la musique MP3 d'un groupe spécifique tel que The Cure, saisissez ceci : index the cure *.mp3. Ceci fonctionne pour n'importe quelle extension de fichier.

Encore plus d'options dans Google

Bien que simple d'utilisation, Google est rempli d'options :

- **Vous pouvez trouver un itinéraire.** Saisissez une adresse et Google vous propose un lien vers un site spécialisé dans les plans et les itinéraires. Vous pouvez saisir le nom d'une personne, un code postal, et même un numéro de téléphone. Par exemple, essayez **202-456-1414**. Les informations sont collectées sur des sources publiques. Par conséquent, vous ne trouverez jamais quelqu'un qui veut absolument rester anonyme. De plus, le premier résultat est celui d'une soustraction. Eh oui ! Google intègre une calculatrice !
- **Vous pouvez trouver des informations par Usenet.** *Usenet* est une collection géante de *groupes de discussions* ou *newsgroups* que l'on trouve sur le Web. Pour effectuer une telle recherche dans Google, cliquez sur

le lien Groupes. Si un sujet a été traité il y a vingt ans, vous en trouverez encore des informations grâce à Usenet. C'est également un lieu idéal pour dépanner un ordinateur. En bref, toute question trouve sa réponse sur Usenet. Pour savoir comment fonctionne Usenet et ce qu'il recouvre, connectez-vous à `www.usenet-fr.net/`.

- **Vous pouvez chercher des images et du texte.** Si vous désirez que votre recherche affiche des images, cliquez simplement sur le lien Images. Par exemple, avec "tomates farcies", vous obtiendrez de belles photos de tomates farcies, comme le montre la Figure 19.5.

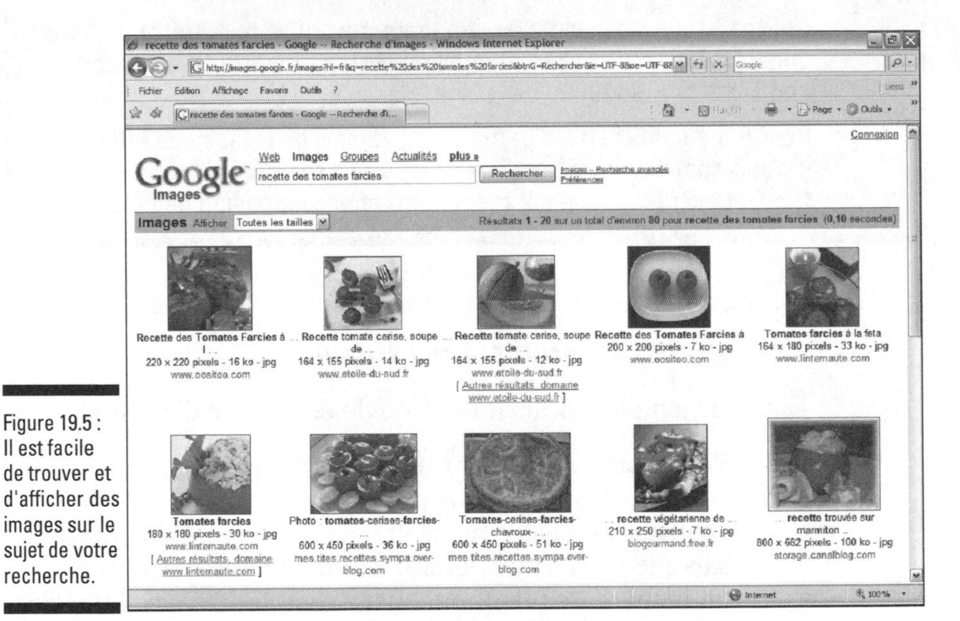

Figure 19.5 : Il est facile de trouver et d'afficher des images sur le sujet de votre recherche.

- **Vous pouvez obtenir des informations.** Pour obtenir des infos, cliquez sur le lien Actualités. Vous êtes alors dirigé vers `http://news.google.fr/news`. Sachez que, si un sujet d'actualité vous intéresse vraiment, vous risquez de passer douze heures d'affilée à cliquer sur les liens qui s'y rapportent.

- **Vous pouvez facilement trouver des documents dans une langue étrangère.** Il n'y a aucun intérêt à chercher des pages dont vous ne savez pas lire le contenu. Cependant, Google peut essayer de les traduire, avec un succès assez mitigé. Cliquez sur le lien Outils linguistiques. En bas de la page qui apparaît, saisissez l'URL de la page à traduire et cliquez sur Traduire.

- **Vous pouvez faire des calculs sans effort.** Google est une calculette. Saisissez **2+2** et Google vous répond = 4.
- **Vous pouvez trouver rapidement des fichiers sur votre ordinateur.** Google permet de télécharger un programme appelé Google Desktop que vous installez sur votre PC. Dès cet instant, Google effectue, sur votre ordinateur, des recherches de fichiers stockés sur vos différents disques durs.

Yahoo!, ancien roi des répertoires

Yahoo! est l'un des moteurs de recherche qui ont essaimé dans quelques pays européens, dont la France. Nous utiliserons cette page pour nos exemples. Allez à l'URL `www.yahoo.fr` ou `fr.yahoo.com` (attention, *il n'y a pas* de point d'exclamation dans son URL). Vous arrivez sur la page d'accueil représentée sur la Figure 19.6. Vous pouvez y découvrir de nombreuses rubriques et sous-catégories. En cliquant sur l'une d'elles, vous pourrez affiner votre recherche de proche en proche.

Rechercher sur Yahoo!

En tête de chaque page de Yahoo!, vous trouvez la liste des catégories, sous-catégories, et ainsi de suite, qui mènent à la page correspondante. Si vous voulez revenir un ou plusieurs niveaux plus haut et vous diriger vers d'autres sous-catégories, cliquez sur l'une de ces références. Avec un peu de pratique, ces manœuvres de va-et-vient vous paraîtront aller de soi. Certaines pages apparaissent à plusieurs endroits dans le répertoire parce qu'elles concernent plusieurs catégories.

Figure 19.6 : Arrivée sur Yahoo! France.

Si toutes les catégories de Yahoo! contiennent de nombreuses sous-catégories, certaines en offrent plus que d'autres. Si vous recherchez une page commerciale par exemple, cela peut vous aider de savoir que Yahoo! place toute information reliée de près ou de loin au commerce dans la catégorie Commerce et économie. Si vous souhaitez consulter le site des éditions First Interactive, par exemple, et que vous n'en connaissez pas l'adresse exacte, vous pouvez y parvenir en saisissant First Interactive dans le champ Recherche Web. Ensuite, activez le bouton radio Français, et cliquez sur Recherche Web. Vous obtenez alors la page illustrée sur la Figure 19.7.

Il est de nouveau facile d'insérer une page Web dans Yahoo!, simplement en la déclarant dans la page de soumission et en attendant une semaine que les éditeurs la consultent. La célébrité venant, les soumissions ordinaires prennent beaucoup de temps avant que quelqu'un y jette un œil (des mois, éventuellement des années).

TRUC

Le blues du 404

Plus souvent qu'à notre tour, lorsque nous cliquons sur un des liens proposés par Yahoo! ou un de ses concurrents, nous aboutissons à un message du genre "404 not found". Qu'est-ce que cela signifie ? Tout simplement que les pages Web vont et viennent à grande vitesse et que les moteurs de recherche ont bien du mal à se tenir à jour.

À cet égard, les index automatisés comme ceux de Google et d'AltaVista sont mieux faits que les répertoires du genre de Yahoo! Les systèmes automatisés utilisent des robots logiciels qui visitent et revisitent périodiquement les adresses indexées et notent celles qui n'existent plus. Mais, même ainsi, il peut s'écouler plusieurs mois avant que ces disparitions ne soient repérées et, pendant ce temps-là, il peut se passer bien des choses sur le Web. Google *met en cache* (stocke) une copie de la plupart des pages visitées : si l'original a disparu, cliquez sur le lien Cache à la suite d'une entrée d'index Google, vous obtiendrez une copie de la page telle qu'elle était lorsque Google l'a étudiée la dernière fois.

- Peu de choses se perdent sur Internet. Grâce au dispositif Wayback Machine, il est possible de retrouver les vieilles versions de certains sites Web. Rendez-vous à `www.archive.org` et saisissez le lien perdu (adresse Web par exemple) dans le champ Search.
- Parfois, les sites Web connaissent une très légère modification qui entraîne avec elle la migration de certains liens. Si le lien auquel vous ne parvenez pas à accéder semble mort, essayez une version plus courte. Par exemple au lieu de saisir `www.microsoft.com/France/windows/windowsserver2003/ws2000_supportetendu.html`, essayez `www.microsoft.com/France/windows/windowsserver2003/` voire `www.microsoft.com/France/windows/`. Si malgré cela, la page reste introuvable, effectuez une recherche dans Google en saisissant uniquement le nom du fichier. Peut-être en reste-t-il une copie sur un autre site Web.
- Enfin, sachez que parfois vous ne trouvez plus un site car il est en période de maintenance. Cette période tombe souvent un dimanche. Ne vous inquiétez pas ! Le site sera de nouveau opérationnel dans les meilleurs délais.

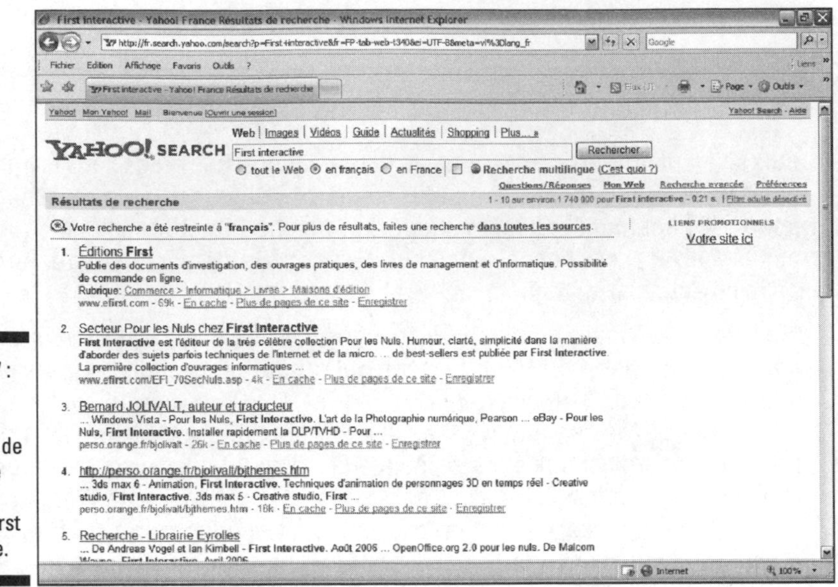

Figure 19.7 : Liste des liens renvoyant de près ou de loin aux éditions First Interactive.

Autres voies de recherche avec Yahoo!

Bien que Yahoo! soit principalement un répertoire de ressources disponibles sur le Web, c'est aussi un *portail*, ce qui signifie qu'il contient d'autres bases de données auxquelles vous pouvez accéder par son point d'entrée, ce qui est censé vous inciter à ne jamais trop vous éloigner de ce merveilleux et irremplaçable site. Chacune d'entre elles est identifiée par un lien sur lequel vous pouvez cliquer. Ces liens apparaissent dans la page d'accueil juste au-dessous de la boîte de saisie Recherche. En voici une liste non exhaustive :

- **Mon Yahoo! :** Pour accéder à une page de démarrage personnalisée avec en-têtes, résultats sportifs, etc., selon les préférences que vous avez définies.
- **Mon Mail :** Pour obtenir une adresse e-mail gratuite sur le format `@yahoo.fr`.
- **Messenger :** Vous permet de dialoguer en direct avec vos amis sur le Web.

- **TV :** Liste impressionnante de chaînes TV et câble.
- **Voyages :** Pour préparer tous vos futurs voyages.
- Et de nombreux autres liens, dont des accès vers tous les Yahoo! du monde qui vous permettront de trouver des sites spécifiques à ces pays ou encore les coordonnées de personnes vivant dans ces pays.

ODP : ouvert, gigantesque et gratuit

Il serait pratique de disposer d'un gros répertoire avec autant de choses que dans un index. Certes, mais qui aurait les moyens de payer des gens pour construire un aussi gros répertoire ? Personne. Ce sont des bénévoles qui s'en chargent. Netscape est à l'origine de l'*Open Directory Project* (ODP), effort bénévole pour créer le répertoire Web le plus grand et le meilleur du monde. Animé par le même esprit communautaire qui a construit Linux et Mozilla Firefox, ODP est effectivement devenu le meilleur répertoire Web. ODP est exploitable gratuitement par tout le monde. Des dizaines de moteurs de recherche fournissent ODP en plus de leurs propres informations indexées. Par exemple, la version de Google se trouve à `www.google.fr/dirhp` (Figure 19.8).

ODP se trouve sur `www.dmoz.org` (*dmoz* signifie à peu près *Directory Mozilla*) mais il est facile d'y accéder par Google. Le répertoire est un ensemble de catégories, sous-catégories, sous-sous-catégories, et ainsi de suite jusqu'à un impressionnant degré de détail. Chaque catégorie contient en général un grand nombre de pages Web. Pour l'afficher en Français, il suffit de cliquer sur le lien du même nom situé dans la catégorie World (Figure 19.9). Vous pouvez débuter au niveau de répertoire supérieur et progresser en cliquant sur les catégories (en commençant par cliquer sur l'onglet Répertoire dans la page d'accueil Google) ou opérer une recherche dans le répertoire pour y trouver des pages, puis consulter les catégories qui comportent des pages intéressantes.

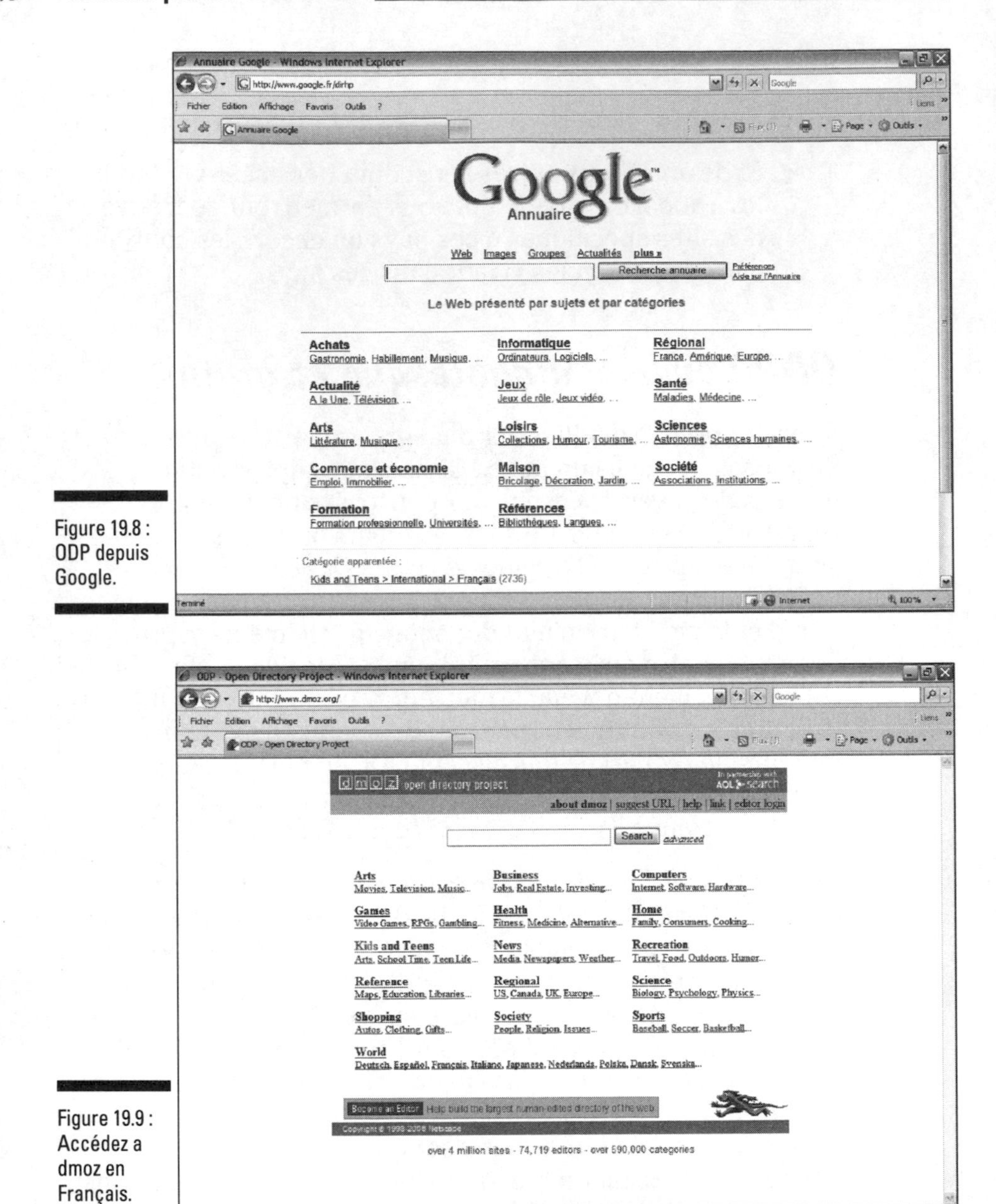

Figure 19.8 : ODP depuis Google.

Figure 19.9 : Accédez a dmoz en Français.

Lorsque vous avez déjà fait une recherche dans Google, un clic sur l'onglet Répertoire, en haut de la page, affiche uniquement les pages en rapport dans ODP. Du fait que ces pages ont toutes été vues par au moins une personne, leur qualité est en général meilleure que celle des pages de la liste générale de Google, qui ont été recueillies mécaniquement. Dans la liste de résultats de recherche Google, si une page appartient à une catégorie, vous pouvez cliquer sur son lien Catégorie pour afficher d'autres pages appartenant à la même catégorie. Vous obtenez non seulement des pages Web pertinentes mais également des liens vers les catégories apparentées. Les catégories ODP sont si nombreuses qu'il faut souvent continuer à cliquer pour trouver la sous-catégorie exacte désirée. Une fois trouvée, elle recèle généralement des liens intéressants. Si ce n'est pas le cas, lisez l'encadré "Vous êtes peut-être déjà un expert".

Vous êtes peut-être déjà un expert

Les catégories de l'Open Directory Project sont gérées par des bénévoles – pourquoi pas vous ? Le temps à passer par catégorie est assez modeste – quelques minutes par semaine pour voir ce qui a été suggéré, et l'ajouter ou le rejeter.

Pour participer, cliquez sur le lien Become an Editor en bas de la fenêtre dmoz.org. Vous remplirez un petit questionnaire pour indiquer qui vous êtes, pourquoi vous êtes intéressé et quelles entrées vous voudriez ajouter à la catégorie. Si vous êtes accepté (ce qui est le cas de la majorité des gens), vous pourrez commencer à participer quelques jours plus tard. Des didacticiels et listes de messagerie sont à disposition des éditeurs.

Pour des faits concrets, essayez d'abord Wikipédia

Wikipédia, `http://fr.wikipedia.org/wiki/Accueil`, est une encyclopédie gratuite sur Internet (Figure 19.10). En hawaïen, *Wiki* signifie *rapide*. Le projet Wikipédia, qui a démarré en 2001, compte désormais plus d'un demi-million d'articles disponibles dans de nombreuses langues. Bien évidemment, vous y trouverez des articles sur les *tomates farcies*.

Figure 19.10 : La page d'accueil de Wikipédia.

Si vous cherchez des scoops, Wikipédia est un excellent lieu d'investigation. Vous y trouverez des titres et des textes d'articles. Dans les articles, les termes soulignés en bleu renvoient vers d'autres articles précisant et développant le terme en question. Beaucoup d'articles ont des liens renvoyant vers des sites Web externes qui proposent encore plus d'informations sur le sujet traité. Les articles sont créés, modifiés et publiés par une équipe de bénévoles qui compte plus de six mille contributeurs.

Tout le monde peut écrire un article sur Wikipédia. Cela pourrait conduire à un chaos épouvantable. Toutefois, des modérateurs sont là pour empêcher la publication d'articles ne respectant pas la déontologie du site.

Si vous avez une idée d'article, parlez-en d'abord aux membres de votre famille. On devient très vite dépendant de Wikipédia.

Les articles sont censés être purement informatifs. Il ne s'agit donc pas d'adopter une attitude partisane. La neutralité est de mise. Des sujets comme l'avortement, la peine de mort, la religion, la politique internationale sont de nature à créer des débats. Wikipédia ne fait pas autant autorité qu'une œuvre aussi colossale que l'*Encyclopædia Universalis*, mais ses articles sont généralement à jour et la quantité d'informations suffisante pour se forger une solide opinion ou argumenter des discussions relevées.

Si vous effectuez une recherche sur un sujet précis dans Google, il y a de grandes chances pour que vous tombiez sur un article publié sur Wikipédia.

Voilà ! Ici se termine notre grande recherche sur les tomates farcies. Il ne me reste plus qu'à aller les cuisiner.

Qui paie pour tout ça ?

Peut-être vous demandez-vous qui finance ces merveilleux systèmes de recherche ? À l'exception d'un seul, la réponse est simple : la publicité. Sur chaque page de la majorité des systèmes, vous verrez de nombreuses annonces. Théoriquement, ces publicités suffisent à assurer le financement du système de recherche. En réalité, seul Yahoo! est connu pour faire des bénéfices. D'autres trouvèrent de gros capitaux durant l'existence de la bulle point-com et ont disparu depuis. Google, jusqu'à récemment entreprise privée, n'a pas eu à publier de résultats financiers, mais il paraît qu'il gagne beaucoup d'argent grâce aux petits liens commerciaux s'affichant dans les pages de résultats. Son succès fait qu'aujourd'hui le moteur de recherche est coté en bourse.

L'Open Directory Project et Wikipédia sont les exceptions qui confirment la règle. Ils fonctionnent sur le modèle libre (*open source*). Pour une forte majorité, les collaborateurs sont des bénévoles. On trouve aussi des coordinateurs issus de l'équipe Netscape d'AOL.

Les autres...

Lorsque vous serez bien habitué à Yahoo!, Google et ODP, vous souhaiterez sans doute essayer quelques-uns de leurs concurrents.

About.com

www.about.com

About est un répertoire où plusieurs centaines de "guides" semi-professionnels gèrent les rubriques.

AltaVista

www.altavista.com

AltaVista est un index volumineux. Pendant longtemps, il est resté le plus grand, mais il est aujourd'hui dépassé par Google. Il n'a pas la faculté de Google de placer les pages les plus intéressantes en tête de liste mais pour la recherche de sujets particuliers dont vous connaissez déjà des mots-clés, il reste difficile à battre. Il propose également une recherche directe de fichiers MP3 et Audio en général.

Bytedog

www.bytedog.com

Bytedog rassemble les résultats de recherche d'autres moteurs de recherche et les présente sous forme de classement. La réponse met quelques longues secondes à vous parvenir du fait du filtrage des mauvais liens que vous n'aurez donc pas à gérer. Bytedog est un projet mené par deux étudiants de l'université de Waterloo, Ontario, USA.

Recherche Microsoft

www.msn.fr

Pour Microsoft, Google est un ennemi enviable. Le moteur de Microsoft, à savoir MSN, est loin de valoir les autres. Pourtant – et cela est très surprenant – c'est lui qui s'affiche par défaut dans Internet Explorer !

Autres guides du Web

ODP a un répertoire de plusieurs centaines de guides : visitez dmoz.org/Computers/Internet/Searching/. Ensuite cliquez sur le lien French pour afficher le contenu de la page en français.

Pages Jaunes

www.pagesjaunes.fr

Ces "Pages Jaunes" remplacent notre bon vieil annuaire papier et le Minitel.

Recherche de personnes

Trouver quelqu'un sur le Net n'est pas aussi facile qu'on pourrait le croire. Tout au moins pour les personnes n'habitant pas les États-Unis. Il existe deux systèmes de recherche de personnes qui se recoupent : ceux qui recherchent des personnes sur le Net, avec adresse e-mail et/ou Web, et ceux qui recherchent des personnes dans la vie réelle avec adresse postale et numéro de téléphone. Pour ce dernier type de recherche, rappelons l'existence du Minitel, que l'on peut fort bien consulter à partir d'une interface Minitel sur ordinateur, et le site www.pagesjaunes.fr qui propose aussi la consultation des Pages Blanches de l'annuaire.

Dans la vie réelle

Ces annuaires sont compilés à partir des annuaires papier. Ceux qui ne figurent pas sur ces derniers depuis plusieurs années n'ont aucune chance de se trouver sur les annuaires du Web.

Sur le Net

Comme il n'existe pas de document comparable à un annuaire papier pour les adresses Internet, une telle recherche risque souvent d'être un coup d'épée dans l'eau. Les différents serveurs de recherche utilisent chacun des sources d'informations différentes, ce qui fait que leurs résultats ne se recoupent généralement pas. Aussi, si vous ne trouvez pas la personne recherchée dans l'annuaire utilisé, n'hésitez pas à en essayer un autre, vous aurez peut-être plus de chances.

Pour savoir si quelqu'un a une page Web, recherchez son nom avec Google. Pour connaître l'étendue de votre popularité, vous risquez d'avoir quelques surprises, particulièrement si votre patronyme est répandu ou à connotation historique.

Google, chasseur de têtes

Dans Google, saisissez le nom et l'adresse de quelqu'un. Vous verrez une longue liste s'afficher, mais n'espérez pas forcément y trouver la personne que vous cherchez.

Si vous désirez savoir si quelqu'un a une page Web, utilisez Google ou Yahoo! en saisissant simplement le nom de cette personne. Si vous voulez évaluer votre popularité, tapez votre nom dans les moteurs Google ou Yahoo! Si vous recherchez l'adresse e-mail d'une personne, passez par Google.

Les Pages Blanches

`www.pagesblanches.com`

Ce n'est qu'une des rubriques de pagesjaunes.fr !

Le courrier, une fois encore

Les listes de diffusion constituent une autre ressource d'importance. La plupart d'entre elles acceptent volontiers des questions correctement et poliment formulées concernant les sujets qu'elles traitent.

Avec votre navigateur

Microsoft et Mozilla sont arrivés sur le marché des moteurs de recherche. Firefox et Internet Explorer sont des navigateurs qui vous conduisent directement sur leur système de recherche préféré si vous leur en donnez la plus petite occasion. Ces systèmes ne sont pas complètement dépourvus d'intérêt, mais, à moins d'être le genre de personne qui allume la télé et regarde ce qui apparaît à l'écran sans zapper une seule fois, vous préférerez probablement choisir vous-même votre propre moteur de recherche.

Firefox et Safari

Firefox et Safari (le navigateur Web par défaut du Macintosh) disposent d'un champ de recherche qui s'apparente donc à un moteur. Vous y saisissez les mots-clés nécessaires à votre recherche et appuyez sur la touche Entrée. En fait, Firefox et Safari se basent sur Google. Dans Firefox, il suffit de cliquer sur la petite flèche du champ de recherche (G) pour sélectionner un autre moteur de recherche, comme le montre la Figure 19.11.

Autosearch de Microsoft

Dans Internet Explorer, si vous entrez des mots-clés dans la barre d'adresse, Internet Explorer les envoie sur MSN Search qui exploite des données issues de LookSmart, un répertoire Web convenable mais accompagné de liens qui ressemblent étrangement à des publicités.

Internet Explorer (IE) possède également une barre Rechercher. Lorsque vous cliquez sur le bouton Rechercher dans la barre d'outils, un volet Rechercher apparaît à gauche de

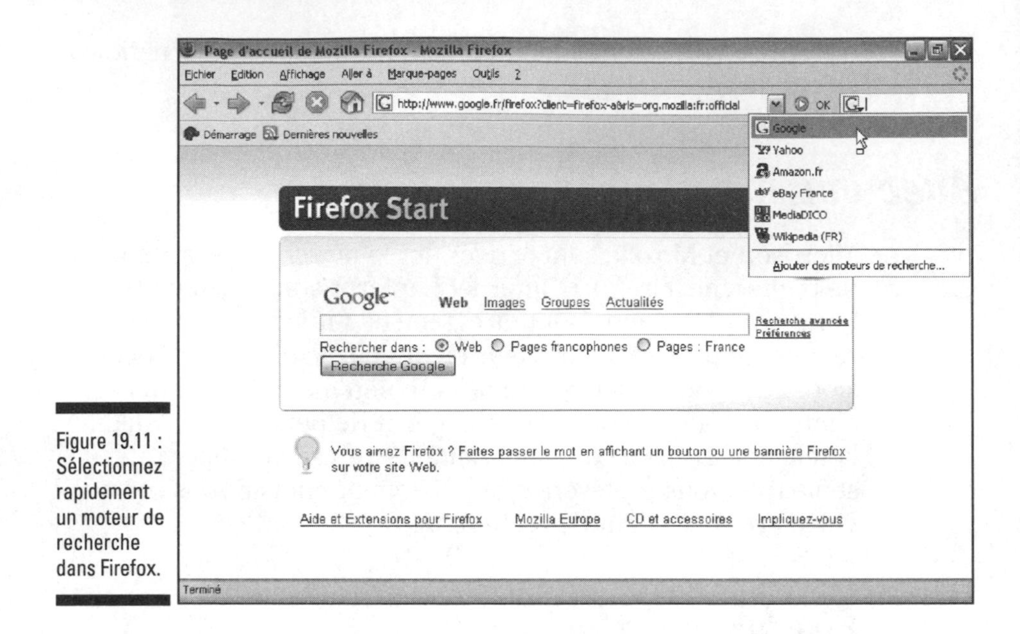

Figure 19.11 : Sélectionnez rapidement un moteur de recherche dans Firefox.

la fenêtre du navigateur. Dans IE 6, la recherche Web permet d'exploiter des moteurs de recherche et d'en combiner les résultats. Cliquez sur le bouton Personnaliser pour indiquer vos moteurs préférés.

Le pari des dix minutes

Notre ami Doug Hacker prétend être capable de trouver la réponse à n'importe quelle question factuelle sur le Net en moins de dix minutes. Carol a voulu vérifier et lui a demandé de retrouver une citation dont elle se souvenait vaguement au sujet d'un album de Duke Ellington dont elle ne pouvait plus se rappeler le titre. Il lui a fallu environ une heure pour retrouver la citation complète, mais avec moins de cinq minutes de son temps à lui. Comment ? Il a d'abord trouvé une *mailing list* (liste de diffusion) ayant pour sujet Duke Ellington, s'y est abonné et a posé la question. Il n'a fallu que quelques minutes pour que plusieurs abonnés proposent une réponse. Plus vous passerez de temps à apprendre à vous servir du Net et à vous y retrouver, plus vous en gagnerez lorsque vous aurez besoin de trouver quelque chose de précis.

Chapitre 20

Musique et vidéo sur le Web

Dans ce chapitre :

- Écouter de la musique en surfant.
- Écouter de la musique en vaquant à d'autres activités.
- Regarder la TV sur un 85 cm pendant que vous l'affichez dans une fenêtre de 10 cm.
- Les réseaux P2P.

Il y a bientôt treize ans, la première édition de ce livre présentait des pages Web essentiellement constituées de texte. Il était possible de télécharger des images dans des archives et il existait bien cette chose attirante et inquiétante appelée World Wide Web qui mélangeait texte et images mais, dans la majorité des cas, les pages n'affichaient que des mots. Cette restriction tenait au fait que les connexions Internet étaient trop lentes pour supporter les débits de données exigés par des médias plus volumineux. Les tentatives audio et vidéo furent catastrophiques, émaillées de nombreuses coupures, d'images totalement indéchiffrables, et, pour télécharger un clip vidéo digne de ce nom, il ne fallait pas moins d'une semaine. À la fin des années 90, les vitesses de connexion se sont largement améliorées. L'audio fut l'un des premiers à en bénéficier, et quelques sites furent très fiers d'accueillir les internautes avec des messages sonores.

Désormais, pour la majorité des adeptes d'Internet, ce temps est révolu. Les connexions sont désormais à haut débit et les disques durs des ordinateurs sont si volumineux et si bon marché que tout ordinateur moderne peut largement profiter des dernières technologies du Web. Ainsi, vous pouvez, sans difficulté, écouter la radio et regarder la télévision de tous les pays du monde. Ce chapitre va tenter de mettre un peu d'ordre dans cette immense contrée d'exploration que sont les médias *online* (entendez "en ligne", ou sur Internet).

Pour éviter d'avoir à répéter dix mille fois les mots *audio/vidéo*, nous emploierons un terme plus générique : média.

Cinq manières d'accéder aux médias (plus une à ne pas utiliser)

Allez, sans exagérer, il y a au moins dix mille programmes et formats différents qui délivrent des images et des sons sur le Web. Heureusement, ils se répartissent dans un nombre limité de catégories : gratuits, en flux continu (*streaming*), loués, achetés, partagés et... volés.

Ne refusez pas les cadeaux

L'approche la plus sympathique consiste à télécharger des médias qui sont gratuitement mis à votre disposition sur les sites Web. Par exemple, si vous faites un tour sur le site de la NASA, à `www.nasa.gov/multimedia`, vous pourrez visualiser de nombreuses vidéos de la navette spatiale. Vous pouvez aussi visiter la base aérospatiale de Kourou à l'adresse `www.esa.int/esaCP/SEM1T81XDYD_France_0.html`. Il en va de même pour la musique que vous trouverez gratuitement en nombre important sur Internet. Il s'agit de morceaux d'artistes inconnus du grand public et/ou qui ont décidé de donner leurs œuvres aux auditeurs. Vous pourrez écouter des choses aussi étonnantes qu'originales sur un site comme `www.erreur404.org/html2/mp3.php3`.

Écoutez en ligne

Les connexions haut débit ne permettent pas de télécharger instantanément de la musique ou de la vidéo. Il faut toujours attendre que le fichier vienne du serveur et s'installe temporairement ou non sur votre disque dur. Toutefois, il existe une technologie qui délivre ces médias en temps réel sur Internet. On l'appelle *streaming* ou *diffusion en flux continu*. Le principe est simple. Après quelques secondes d'attente, la diffusion commence, et, tout au long de celle-ci, le reste du fichier continue à se télécharger. De ce fait, vous entendez ou voyez toujours quelque chose. Bien évidemment, le streaming existait avant le haut débit, mais, depuis son avènement, la qualité des médias est devenue impressionnante.

La plupart des médias sont diffusés à la demande. Imaginez donc Internet comme un gigantesque juke-box audio et vidéo. D'autres médias reprennent les sacro-saints horaires de diffusion audiovisuelle. Par exemple, il est possible d'écouter les radios nationales et périphériques sur Internet, en direct. Vous en saurez davantage à ce sujet en lisant la section "La radio sur Internet", plus loin dans ce chapitre.

Louez !

La musique est avant tout commerciale. De ce fait, la majorité des sites la vendent moyennant parfois le paiement d'un abonnement mensuel pour écouter une large collection de morceaux enregistrés. C'est ainsi que les choses se passent sur `www.real.com/rhapsody`. L'abonnement mensuel donne droit à la consultation d'un catalogue de musiques et de films que vous pouvez consulter avec un lecteur spécifique téléchargeable sur le site. Ce système ne semble pas encore pratiqué en France.

Achetez !

Aujourd'hui, il est devenu très facile d'acheter, à moindre coût, de la musique sur Internet. Que vous utilisiez le Lecteur

Windows Media de Microsoft, le RealPlayer ou le désormais très à la mode iTunes, vous accédez à un catalogue impressionnant d'albums et de titres téléchargeables pour un prix d'environ 90 centimes d'euros par chanson.

Partagez !

Napster (`www.napster.com`) fut le premier site d'échange de musique en ligne. Il permettait à ses membres d'échanger des fichiers musicaux MP3, gratuitement et en toute impunité. Ce fut le premier système d'échange sur un réseau P2P, c'est-à-dire *peer-to-peer* ou *pair à pair*. Bien évidemment, les gros labels de distribution ne virent pas cela d'un bon œil et, face à la multiplication des réseaux P2P, il est aujourd'hui devenu totalement illégal de télécharger de la musique gratuitement et de mettre à libre disposition en ligne des morceaux et/ou des films dont vous n'êtes pas l'auteur.

Malgré les échanges sur P2P, il n'est pas possible d'interdire les réseaux eux-mêmes car ils ne forment qu'une passerelle entre des adultes consentants et responsables. Donc, s'il est possible d'utiliser des logiciels qui établissent la connexion à des réseaux P2P comme Kazaa, eMule, et j'en passe, il reste totalement interdit d'y télécharger les œuvres d'auteurs de musique, de films, de logiciels, de jeux, de bandes dessinées, etc. Vous en saurez davantage en fin de chapitre sur le P2P et ses dangers.

Volez ces médias ! (Mais non bien sûr !)

Internet regorge de fichiers piratés, c'est-à-dire mis en ligne sans aucune autorisation des auteurs de l'œuvre qui y est enregistrée. J'en appelle à l'éthique et à la citoyenneté des internautes. Prohibez tout ce qui est illégal ! Les réseaux P2P sont attirants car tout ce qui est illégal est attirant, d'autant plus que, derrière l'écran d'un ordinateur, on se sent malgré tout à l'abri du regard des autres. C'est un leurre. On peut vous localiser facilement, et vous risquez de payer plus de

9 euros un album que vous aurez téléchargé en toute illégalité par l'entremise des réseaux peer-to-peer.

Des téléchargements littéraires

Il n'y a pas que de la musique ou de la vidéo à télécharger sur Internet. Depuis quelques mois, vous avez la possibilité d'acheter des livres audio. C'est un service absolument génial pour les personnes souffrant de déficiences visuelles. Cependant, les livres ainsi lus par des tierces personnes peuvent également séduire ceux qui n'ont pas le temps d'ouvrir un livre et qui préfèrent s'instruire au volant de leur voiture ou en pratiquant leur jogging quotidien.

La plus importante librairie de ce type se trouve à l'adresse suivante : `www.audible.fr/adfr/store/welcome.jsp`. Soit vous souscrivez un abonnement qui vous donne droit à un ou deux titres par mois, soit vous téléchargez vos livres à la carte. Pour "écouter" le livre, il suffit d'utiliser un des lecteurs audio compatibles dont vous trouverez la liste sur le site. Il est bien évidemment possible d'écouter le titre téléchargé avec le lecteur multimédia de votre ordinateur et de le graver sur CD audio. Il existe un plug-in pour iTunes qui permet de copier vos livres sur votre iPod, de même qu'un plug-in pour le Lecteur Windows Media et tous les périphériques qu'il prend en charge.

Vous pouvez tester Audible en téléchargeant gratuitement sept extraits audio.

Avec quoi écoutez-vous ?

Avec vos oreilles évidemment ! Oui, mais pour que le son (et l'image) arrivent jusqu'à vos oreilles (et vos yeux), il faut que votre ordinateur soit équipé d'un programme spécial appellé un *lecteur multimédia*. Si vous utilisez Windows, vous disposez en standard du Lecteur Windows Media dont la dernière version porte le numéro 11 (Figure 20.1). Il existe une quantité impressionnante d'autres lecteurs, souvent de bien meilleure qualité que le Lecteur Windows Media. Généralement, les lecteurs multimédias sont gratuits. Les éditeurs attirent votre attention sur des lecteurs afin de vous vendre, par la suite, une version plus élaborée qui, par exemple, permettra de graver les fichiers audio ou vidéo sur CD et/ou DVD. Bien évidemment, vous n'êtes jamais obligé de faire migrer une version gratuite vers une version payante. Personnellement, j'utilise plusieurs lecteurs (appelés aussi *players*) que je n'ai jamais mis à jour vers une version plus sophistiquée. Les quelques sections qui suivent font le tour d'horizon des lecteurs multimédias les plus répandus.

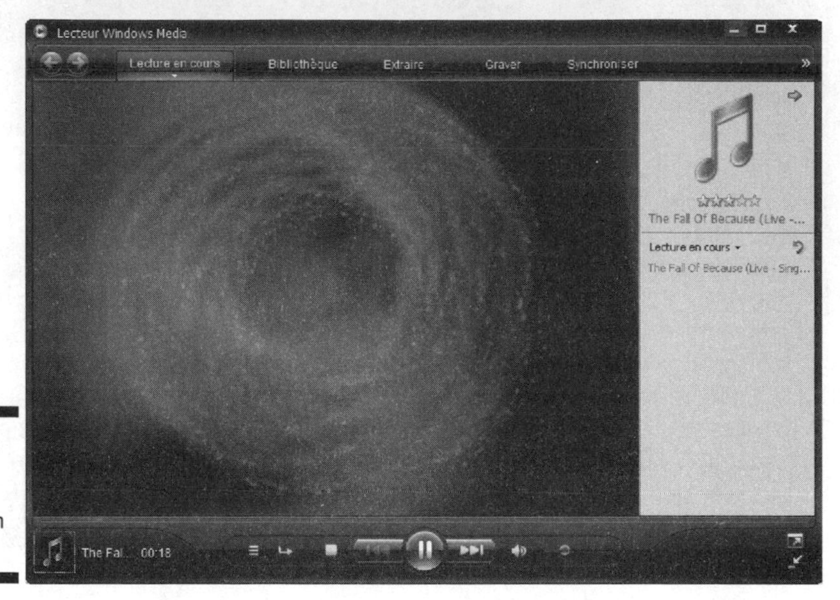

Figure 20.1 : Le Lecteur Windows Media 11 en action.

RealPlayer

www.real.com

RealPlayer est le lecteur historique du *streaming*, c'est-à-dire de la diffusion en flux continu (en direct et en temps réel) de médias disponibles sur Internet. RealPlayer est gratuit, et vous voyez son interface à la Figure 20.2. Les fichiers typiquement Real sont au format `.ra` ou `.ram`. Pour les lire, il faut impérativement ce lecteur.

Avant d'utiliser ce lecteur multimédia, vous devez le télécharger et l'installer. Force est de constater que l'installation de RealPlayer, version gratuite, n'est pas simple et que

Figure 20.2 : De nombreux fichiers en streaming sont disponibles au format RealPlayer.

l'on peut facilement se laisser piéger par les offres commerciales de la société RealNetworks. Elles semblent vous obliger à une souscription. Il suffit de les refuser pour télécharger le lecteur gratuit. Une fois installé, ce lecteur va vous assaillir de messages publicitaires. Régulièrement, vous serez sollicité pour passer à la version payante du programme. Résistez !

RealPlayer intègre un navigateur Web qui ouvre un guide multimédia regorgeant de choses à écouter, à regarder, et surtout à acheter. Si vous avez l'âme d'un consommateur outrancier, cédez à ce plaisir, sinon, faites comme moi, entrez dans une résistance farouche pour acheter uniquement ce dont vous avez réellement besoin.

Lecteur Windows Media

`www.microsoft.com/windows/windowsmedia/fr/default.aspx`

Microsoft a développé son propre format de fichiers audio et vidéo diffusés en temps réel sur Internet, c'est-à-dire en streaming. Ce format de fichier se nomme ASF (*Advanced Systems Format*) et porte l'extension `.asf` ou `.asx`. Bien évidemment, le Lecteur Windows Media prend en charge de nombreux autres formats audio et vidéo, notamment WMA et WMV (les deux formats natifs audio et vidéo de ce lecteur), ainsi que le MP3, et j'en passe.

Le Lecteur Windows Media met également à votre disposition une série de liens directs vers des magasins de vente de musique en ligne, mais aussi vers des radios périphériques et des radios plus confidentielles réparties sur toute la surface de la terre.

Bien qu'au moment où nous écrivons ces lignes la version officielle du Lecteur Windows Media soit estampillée 10, testez la version 11 en la téléchargeant à l'adresse `www.microsoft.com/downloads/search.aspx?displaylang=fr`.

QuickTime

`www.apple.com/fr/quicktime`

Le troisième format de streaming (diffusion en temps réel) est QuickTime d'Apple. Ce player est disponible pour Mac et PC. Vous pouvez le télécharger à l'adresse ci-dessus. La dernière version illustrée à la Figure 20.3 porte le numéro 7.1. Vous avez la possibilité de migrer vers QuickTime Pro, une version très élaborée qui vous permet de créer vos propres films et qui s'intègre également dans certaines applications multimédias permettant ainsi d'ajouter de l'interactivité à vos vidéos.

Lorsque vous installez QuickTime, vous installez également iTunes !

Et la vraie musique dans tout ça ?

Une des activités les plus importantes du Net est le téléchargement et le partage de fichiers MP3. MP3 signifie *MPEG level 3* et correspond en fait à la couche audio des fichiers vidéo MPEG. Malgré le fait que la musique encodée en MP3 soit fortement compressée, le son reste tout à fait correct et surtout les fichiers ont une taille qui permet d'envisager sereinement leur téléchargement depuis le Web. Il existe de nombreux sites entièrement consacrés à la musique MP3, comme `www.mp3.com` ou encore `www.hotzic.com`. Vous pouvez

Figure 20.3 : Un excellent lecteur : QuickTime !

lire les fichiers MP3 avec n'importe quel lecteur multimédia informatique, notamment le Lecteur Windows Media (livré avec Windows), RealPlayer et iTunes (qui intègre les fonctionnalités QuickTime).

Naturellement, Microsoft a développé un format concurrent appelé WMA dont les fichiers portent l'extension `.wma`. Le Lecteur Windows Media est capable de *ripper* (extraire ou copier) la musique de vos CD ou de vos disques durs pour les convertir en WMA ou en MP3 afin de les graver sur un CD. RealPlayer sait également lire les fichiers WMA.

Organiser votre musique avec iTunes

iTunes est l'œuvre d'Apple (`www.apple.com/fr/itunes`). C'est un lecteur qui vous met en relation avec Apple Music Store, la boutique de vente de musique en ligne. Les utilisateurs de Mac comme ceux de PC peuvent profiter d'iTunes pour acheter des morceaux et les organiser sur leur ordinateur. Bien qu'iTunes sache parfaitement gérer le MP3, il crée des fichiers audio MPEG-4 qui offrent un bien meilleur son. Les morceaux que vous achetez sont à ce format, c'est-à-dire `.m4p`. Ils sont protégés contre la copie, tandis que les chansons des CD ou d'autres sources non protégées sont au format AAC (*Advanced Audio Coding*, la partie audio du M4P). La Figure 20.4 montre iTunes fonctionnant sous Windows.

Figure 20.4 : Une collection très classique dans iTunes.

Il existe de nombreux formats audio qui perturbent à raison l'acheteur. Rassurez-vous. Quel que soit le format choisi, il sera probablement reconnu par votre lecteur multimédia. Testez-les tous, puisqu'ils sont gratuits, et orientez-vous vers celui qui présente les meilleures caractéristiques, qui comble tous vos besoins, et/ou sur lequel il existe une littérature suffisante pour que vous l'utilisiez à 100 % de ses capacités.

Lire la musique stockée sur votre ordinateur

Si vous souhaitez écouter les morceaux de musique assis devant l'écran de votre ordinateur, lancez un de vos lecteurs

Il y a CD et CD

À les regarder, tous les CD ont le même aspect. Néanmoins, ils ne peuvent pas tous être lus de la même manière. Un CD audio traditionnel contient au maximum 74 minutes de musique et fonctionne sur tous les lecteurs de CD. Lorsque vous gravez un CD-R (un disque optique que vous ne pouvez graver qu'une seule fois), vous créez un CD audio qui a les mêmes spécificités techniques que ceux que vous achetez dans le commerce. Il est a priori lisible sur tous les lecteurs de CD audio.

Cette apparence est trompeuse. Le CD-R est légèrement plus épais que le CD audio du commerce. Il peut donc en résulter des incompatibilités avec certains lecteurs de CD, et plus particulièrement ceux des minichaînes et des autoradios. Si, en outre, vous commettez l'erreur d'y coller une étiquette, le CD sera encore plus difficile à lire.

Les fichiers MP3 sont moins volumineux que les fichiers audio contenus sur un CD audio. Par conséquent, vous pouvez mettre sur un CD-R davantage de morceaux que sur un CD audio. En moyenne, et en respectant une qualité de son correcte, on dit qu'un CD MP3 équivaut à dix CD audio. Le problème est que, si ces CD contenant des fichiers MP3 seront lus sans problème par le lecteur de CD-ROM de votre ordinateur (par le biais de votre lecteur multimédia), ils ne le seront pas par votre platine CD de salon. Vous pourrez les lire uniquement avec un lecteur de DVD compatible MP3, ou une platine elle-même compatible MP3. Les CD-RW, c'est-à-dire réinscriptibles, ne sont pas pris en charge par les platines CD de salon. En revanche, ils sont reconnus par certains lecteurs de DVD. Personnellement, j'ai déjà gravé quelques titres MP3 sur un DVD+RW laissé ouvert, de manière à pouvoir graver d'autres morceaux, et mon lecteur de DVD l'a parfaitement lu. Mais, ne soyez pas étonné que tous ces disques ne fonctionnent pas de la même façon sur tous les lecteurs existants.

multimédias, ou plus simplement celui qui est installé par défaut sous Windows, c'est-à-dire le Lecteur Windows Media. Cependant, nous sommes conscients qu'il existe une vie en dehors de l'informatique et qu'en matière de musique, l'ordinateur doit être seulement le moyen de se procurer des morceaux que l'on écoutera dans d'autres lieux.

Le MP3 est devenu si populaire que de nombreux fabricants de périphériques audio ont lancé sur le marché des lecteurs dits *lecteurs MP3*. Ils ressemblent à des baladeurs de taille variable. Leur gros avantage est qu'ils se connectent à l'ordinateur pour que vous puissiez transférer des fichiers MP3 depuis votre disque dur vers votre lecteur.

Le plus populaire de tous, à grand renfort de publicité et d'une once de snobisme, est le fameux iPod d'Apple. Cependant, ce n'est pas le meilleur marché, et il existe quantité d'autres lecteurs portables bien moins onéreux et d'aussi bonne qualité que l'iPod. En revanche, seul l'iPod peut lire les fichiers M4P, c'est-à-dire protégés contre la copie, et uniquement les morceaux dont vous avez acquis la licence d'utilisation.

Des programmes appelés *rippers* permettent de transférer le contenu d'un CD audio traditionnel sur votre disque dur en extrayant les morceaux au format MP3. RealPlayer, iTunes et le Lecteur Windows Media disposent d'un tel outil. Il est également possible de faire l'inverse, c'est-à-dire de partir de fichiers MP3 qui seront convertis en fichiers audio standard et gravés sur un CD répondant aux caractéristiques des CD audio du commerce. Ils seront alors lisibles dans tous les lecteurs de CD de la planète compatible CD-R et/ou CD-RW (Voir le prochain encadré).

La radio sur Internet

Si vous aimez écouter de la musique pendant que vous travaillez, branchez-vous sur les stations radio d'Internet. Comme les stations qui émettent en FM ou sur les grandes et petites ondes, vous y trouverez des programmes musicaux (ou autres) tout à fait séduisants. En revanche, contrairement aux radios classiques, les radios sur Internet proposent souvent un programme en boucle qui n'est renouvelé que quelques jours par semaine. Il y a très peu de radios marginales qui ont les moyens d'émettre en direct. Dans tous les cas de figure, vous les écoutez en streaming, c'est-à-dire sans téléchargement préalable de la totalité du programme radiophonique. Pour accéder à ces radios, utilisez votre lecteur multimédia comme RealPlayer ou le Lecteur Windows Media. La plupart de ces radios émettant sur le Net sont gratuites.

Certaines exigent un abonnement si vous ne désirez pas être assailli de publicités.

Si vous avez téléchargé et installé le Lecteur Windows Media 11 version Bêta, sachez que l'accès aux magasins en ligne et aux radios n'est pas implémenté. Il faudra attendre la version officielle distribuée avec (ou peut-être avant) l'avènement de Vista, le nouveau système d'exploitation de Microsoft.

Voici quelques répertoires de stations radiophoniques :

- `http://fr.launch.yahoo.com/` : le site de radio en ligne de Yahoo! (Figure 20.5).

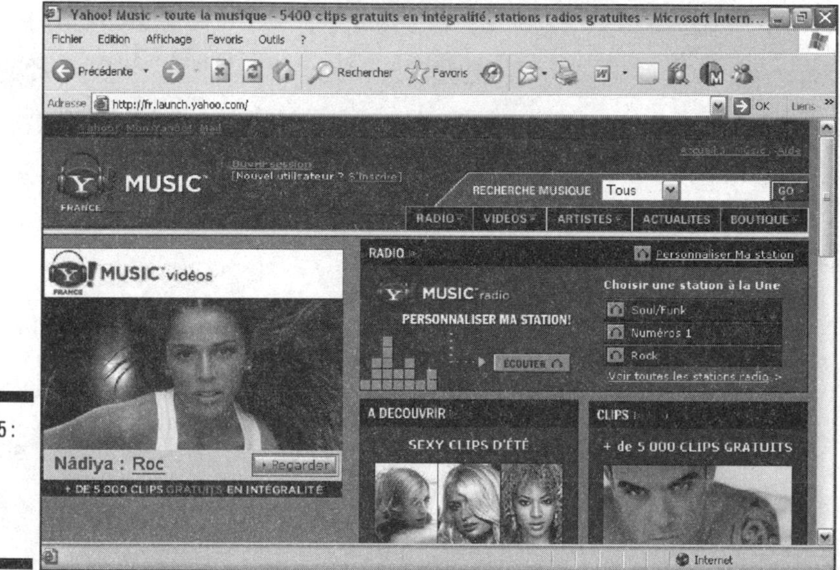

Figure 20.5 : Yahoo! a aussi ses radios en ligne.

- `http://shoutcast.com` : le site radio d'AOL qui diffuse sa musique avec une version du lecteur multimédia Winamp.
- `http://divertissements.msn.fr/radio/` : le centre radiophonique de Microsoft illustré Figure 20.6.

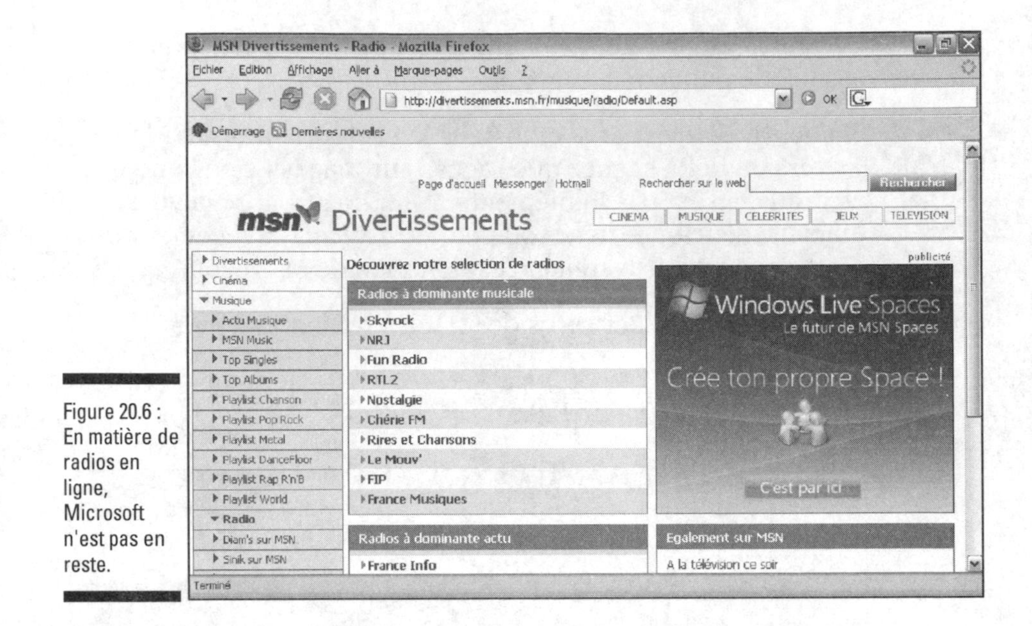

Figure 20.6 : En matière de radios en ligne, Microsoft n'est pas en reste.

Vidéos sur Internet

Le standard Web de la vidéo est le format MPEG. Il s'agit d'un *codec* (codeur/décodeur) vidéo qui permet de produire des fichiers vidéo de petite taille à la qualité d'images très variable. Les fichiers MPEG rencontrés sur Internet portent l'extension `.mpeg` ou `.mpg`.

Microsoft, comme à son habitude, prend le train en marche en tentant d'imposer un format concurrent basé sur son propre format vidéo non compressé AVI (*Audio Video Interleaved*). Une fois compressé, ce format devient `.asf` ou `.asx`. Il permet de délivrer du son et des images en streaming.

Trouver des vidéos

Un navigateur Web ne peut pas lire de la vidéo. Pour cela, il faut un *player* (ou lecteur) spécial. Vous avez également besoin d'un ordinateur assez rapide pour afficher des vidéos en temps réel. Les lecteurs multimédias RealPlayer, Lecteur Windows Media et QuickTime prennent en charge les fichiers vidéo. Parfois, vous rencontrerez des animations, voire de petits films, au format Flash de Macromedia (ou Shockwave). Il ne s'agit pas à proprement parler de fichiers vidéo, mais plutôt d'images vidéo intégrées dans une animation Flash. Cependant, pour lire ces animations, vous avez besoin d'un lecteur spécifique téléchargeable à `http://www.adobe.com/shockwave/download/index.cgi?P1_Prod_Version=ShockwaveFlash&Lang=French`.

TRUC

Lorsque votre navigateur Web arrive sur une page intégrant une animation Flash qu'il ne parvient pas à lire, il vous propose de télécharger le lecteur adéquat. Laissez-vous séduire par cette offre.

Si vous désirez voir rapidement des bandes-annonces ou des extraits de films récents, connectez-vous au site `www.allocine.fr/video/`. Si vous comprenez un peu l'anglais, allez sur `www.bmwfilms.com` : vous y lirez des vidéos d'une dizaine de minutes avec des poursuites à bord de la célèbre voiture allemande.

Vous pouvez également voir des vidéos indépendantes d'une minute sur le très original site Web `www.uneminute.net`, sur l'excellent `http://creative.gettyimages.com`, ou encore sur le site américain `www.ifilm.com`.

Regarder de vrais films

Les sociétés de location de DVD sur Internet se sont multipliées ces deux dernières années. Le fonctionnement est assez simple. Vous souscrivez un abonnement et pouvez ainsi louer un certain nombre de films par mois jusqu'à épuisement de votre crédit. Tout se déroule par voie postale, sauf la sélection et le paiement qui se font en ligne. Vous recevez ensuite le DVD, vous le regardez et le renvoyez.

Il existe aux USA un service plus élaboré mais encore indisponible en France : Movielink. Vous installez le lecteur multimédia de Movielink, puis vous sélectionnez le film que vous désirez regarder et vous le téléchargez. Vous le regardez ensuite comme si votre ordinateur était devenu une sorte de magnétoscope ou de lecteur de DVD. Vous pouvez voir ce film autant de fois que vous le désirez dans le mois qui suit son téléchargement. Mais, dès que vous commencez à regarder un film, vous avez vingt-quatre heures pour le voir intégralement. Ce type d'expérience a fait son apparition dans l'hexagone. Les vidéos sont souvent au format AVI de qualité dite VHS ou DVD. De cette qualité dépend aussi le prix du film. L'un des sites les plus connus en la matière est imineo.com. Force est de constater que le catalogue proposé n'est pas encore très fourni.

Le P2P

Le problème posé par les réseaux P2P est celui de la gratuité. Nous avons dit qu'il s'agissait d'une sorte de retour aux sources d'Internet qui érige la toile comme une espèce d'hypermarché du "rien à payer". En d'autres termes, on se sert dans les rayons virtuels de l'ordinateur d'un internaute dont on ignore la position géographique et s'il est ou non le distributeur patenté d'un produit mis à la disposition de tous.

Bien souvent, quand on commence à télécharger des fichiers avec un programme P2P, on devient, sans le savoir, dépositaire de fragments de fichiers que d'autres internautes pourront télécharger à loisir. Au regard du droit – et même si les choses ne sont pas encore clairement définies – l'internaute recèle des données dont il n'a pas, dans la majorité des cas, la propriété, donc toutes les ressources légales pour le faire.

Le néophyte se pose alors les questions suivantes : "J'ai envie de faire un tour sur le P2P, mais comment ça se passe et qu'est-ce que je risque ?" S'il est facile de donner une réponse à sa première interrogation, la seconde est bien plus délicate et nuancée.

Qu'est-ce que c'est ?

P2P (ou *peer-to-peer*) signifie *pair à pair*. (Eh oui ! Il n'est pas simple de trouver une jolie traduction française pour P2P.) Vous en saurez beaucoup plus en lisant les quelques sections qui suivent.

Si une définition élégante du P2P est difficile à énoncer, nous pouvons en revanche tenter de cerner les différences qu'il présente avec d'autres réseaux.

Internet joue sur un rapport bilatéral de clients et de serveurs. En d'autres termes, l'internaute que vous êtes est un client qui cherche des informations sur le Net. Pour les obtenir, il envoie des demandes (requêtes) à des serveurs. Ces serveurs se mettent en connexion pour délivrer au client des pages Web contenant les informations recherchées.

Dans un modèle de réseau P2P, chacun est à la fois client *et* serveur, c'est-à-dire que tous les ordinateurs connectés à un même réseau P2P partagent des données de leurs disques durs. Dans le modèle Internet classique, c'est un serveur qui détient les clés du transfert des données, alors qu'en P2P, il n'y a plus de serveur centralisé pour délivrer lesdites données. C'est un programme qui met en relation directe (avec quelques subtilités, bien sûr) l'internaute A et l'internaute B afin que chacun puisse partager des données stockées dans un dossier particulier (dit *de partage*) de son disque dur. Multiplié par autant d'utilisateurs d'un réseau P2P, ce sont des milliards de données qui peuvent s'échanger ainsi gratuitement : des morceaux de musique, des films, des programmes, etc., au nez et à la barbe de leurs auteurs et distributeurs. Comme nous le verrons plus loin dans ce chapitre, c'est là que le bât blesse.

Ce partage, plus ou moins bien compris des néophytes, fait que, dans bien des cas, l'internaute ignore qu'il met à la disposition d'autres utilisateurs connectés les données qu'il est en train de télécharger. En effet, pour reconstituer la totalité d'un fichier musical MP3, par exemple, l'internaute le télécharge simultanément sur plusieurs ordinateurs. Ou bien, un jour, il téléchargera une partie du fichier disponible chez un internaute et, un autre jour, la fin de ce fichier chez un autre, mais sans en avoir réellement connaissance. Durant toute cette phase où le fichier n'est pas entièrement téléchargé sur l'ordinateur de l'internaute client, puis déplacé dans un autre dossier, tout ou partie du fichier en question est à la disposition des autres utilisateurs du réseau. Notre internaute devient lui aussi serveur. D'une manière certaine – et non pas d'une certaine manière –, il contribue à la reconstitution d'un fichier MP3 entier, dont il n'a pas acheté les droits. Est-il un contrevenant pour autant ? Nous verrons cela dans la seconde partie de ce chapitre.

Comment ça marche exactement ?

Les réseaux P2P sont construits sur une architecture décentralisée. Cet aspect joue la carte de l'anonymat, comme vous avez pu le comprendre dans la précédente section. En effet, tout à la fois client et serveur d'un réseau très vaste, chaque utilisateur ne sait – et ne cherche vraiment à savoir – qui délivre et récupère les données échangées.

La connexion à un réseau peer-to-peer se fait par le biais d'un logiciel qui confère à votre ordinateur, donc à tous ceux qui utilisent le même logiciel de connexion, le rôle de client et de serveur. Ce programme permet d'annoncer votre présence sur le réseau et de lancer une requête de fichiers (c'est-à-dire des données que vous souhaitez télécharger) : tout ce beau monde interconnecté peut allègrement proposer et recevoir des informations. Théoriquement, une architecture P2P constitue un réseau d'un nombre infini d'ordinateurs, donc de données à échanger.

Vous comprenez qu'avec un réseau P2P, tous les ordinateurs connectés par le même logiciel deviennent des clients et des serveurs potentiels. Lorsque vous saisissez, dans un champ généralement appelé Rechercher, le nom de ce que vous désirez télécharger, tous les fichiers répondant à vos critères sont listés dans une fenêtre. Cela signifie qu'ils sont disponibles chez un ou plusieurs autres internautes utilisant le même réseau que vous. À partir de là, vous pouvez sélectionner, à l'aide de la souris, un ou plusieurs fichiers répondant à l'objet de votre recherche et en lancer le téléchargement par un simple clic sur le bouton Télécharger sélection (ou autre appellation en fonction du programme P2P utilisé).

Dès lors, toutes les ressources actuellement ouvertes sont à votre disposition pour télécharger le fichier. Toutefois, pour que ces ressources soient disponibles sur un réseau P2P, il faut que les serveurs, c'est-à-dire les internautes mettant tout ou partie de ce fichier à la disposition des clients, aient allumé leur ordinateur et qu'ils soient connectés à Internet. Cela explique la lenteur du téléchargement de certaines requêtes. En effet, plus il y a de ressources disponibles, c'est-à-dire plus il y a d'ordinateurs proposant des fragments du fichier recherché, plus il se télécharge rapidement. En revanche, il n'est pas rare que les téléchargements s'arrêtent ou deviennent impossibles. Un arrêt temporaire tient au fait que l'internaute a éteint son ordinateur ou coupé sa connexion Internet. Le téléchargement reprendra dès que vous serez connecté au réseau P2P et que les ordinateurs serveurs de ce fichier seront eux aussi à nouveau connectés. L'arrêt définitif d'un téléchargement provient du fait que le ou les ordinateurs serveurs ne mettent plus le fichier à la disposition du réseau. Le cas le plus classique est celui du déplacement du fichier vers un autre dossier ou vers un autre disque dur, ou de son effacement pur et simple. Pour en arriver là, vous devez disposer d'un des programmes de connexion au réseau P2P.

Les programmes de connexion au réseau P2P

Pour être acteur d'un réseau P2P, et voir son ordinateur devenir à la fois client et serveur avec tous les risques que cela semble déjà impliquer (voir la fin de ce chapitre), vous avez besoin d'un programme P2P. Ce programme établit une connexion à un réseau particulier où vous échangerez des fichiers avec tous ses utilisateurs.

- **Ares** (`http://aresgalaxy.sourceforge.net/`) : Programme de partage des fichiers images, vidéo, audio, logiciels, documents, etc. En tant que membre d'une communauté virtuelle, vous pouvez rechercher et télécharger des fichiers auprès d'autres utilisateurs du réseau. Vous pourrez également discuter dans des chats.

- **Blubster** (`www.blubster.com`) : Programme conçu pour faciliter votre expérience du P2P. Plutôt spécialisé dans la musique, le choix de fichiers MP3 y est satisfaisant.

- **eMule** (`www.emule-project.net`) : Programme de connexion au réseau eDonkey. Il permet l'échange de tous types de fichiers (vidéos, chansons, logiciels...) avec une prédilection pour les données volumineuses comme les fichiers vidéo DivX, les albums MP3, etc. Actuellement, la version 0.46c d'eMule peut-être téléchargée à l'adresse indiquée.

- **iMesh** (`www.imesh.com/languages.php?lang=fr`) : Communauté virtuelle pair à pair en ligne. Presque tous les types de fichiers peuvent être partagés : audio, vidéo, jeux, logiciels, documents. iMesh contient de nombreux spywares.

- **Kazaa** (`www.kazaa.com/fr/index.htm`) : Programme basé sur la technologie de FastTrack, un hybride de serveurs décentralisés. Vous y trouvez à peu près tous les types de fichiers. Le problème de Kazaa est la présence de nombreux spywares. Il existe une version plus agréable appelée Kazaa Lite K++.

- **Morpheus** (`www.morpheus.com`) : La version 5.2.2 inclut une version avancée de NEOnet. Il s'agit d'une nouvelle génération de P2P utilisant la technologie DHT. Les fichiers du réseau NEO se téléchargent facilement et rapidement même s'ils ne sont présents que sur un seul ordinateur. Morpheus effectue des recherches sur les principaux réseaux de partage, comme Kazaa, iMesh, eDonkey, LimeWire, Gnutella, G2 et autres, pour trouver encore plus de médias numériques.

- **Piolet** (`www.piolet.com`) : Logiciel relativement récent qui se connecte au réseau Blubster. Malgré ses efforts, ce réseau reste inférieur à ce que propose Soulseek ou WinMX.
- **Soulseek** (`www.slsknet.org`) : Programme P2P tourné à l'origine vers l'échange de musique électronique. Le réseau repose sur un serveur principal (sans lequel la connexion ne peut aboutir) mais aussi sur des *nodes* (nœuds) à la manière de tous les réseaux décentralisés du type Kazaa/Gnutella. L'interface du programme est en anglais.
- **XNap** (`xnap.sourceforge.net`) : XNap propose un plug-in de développement aux applications P2P ainsi qu'un client basé sur cette même structure. XNap est écrit en Java et ses fonctions client se fondent sur une interface et une console qui s'exécutent sans problème sur des plates-formes faisant tourner Java Runtime Environment 1.3 ou supérieur.

Nous rappelons que cette liste n'est pas exhaustive. Par vos recherches Internet et vos lectures, vous trouverez d'autres programmes P2P.

Cette liste n'est qu'informative. Elle ne saurait constituer une incitation à l'usage d'un programme P2P. Si vous procédez à l'installation et à l'utilisation d'un de ces programmes, c'est en toute connaissance des restrictions légales que nous présentons plus loin dans la section "Le P2P face aux droits d'auteur". N'oubliez jamais qu'en matière de réseau Internet – et *a fortiori* de réseau P2P –, vous pouvez très vite adopter un comportement illégal et bafouer la législation ou la jurisprudence actuelle. C'est en toute connaissance de cause que vous prendrez la responsabilité de vous connecter. Ni les auteurs de cet ouvrage, ni son traducteur, ni son éditeur, pas plus que les FAI et les réseaux P2P ne pourront être tenus pour responsables de vos agissements.

Le P2P face aux droits d'auteur

Ce n'est pas un scoop : la technologie va toujours plus vite que le législateur. L'Union européenne devrait se doter prochainement d'une loi spécifique sur la protection des droits d'auteur, visant plus particulièrement le téléchargement de musiques pour le moins dématérialisées.

La Commission européenne vient donc de prendre des mesures destinées à assurer le respect des droits de propriété intellectuelle. Une nouvelle directive permettra d'adapter la protection des ayants droit aux évolutions technologiques, notamment dans le domaine numérique. L'élément principal de cette directive est la mise en place de sanctions pour dissuader toute atteinte portée à la propriété intellectuelle. Toutefois, on note, dans cette directive, la notion de sanctions effectives et proportionnées. À voir ce que cela donnera dans les faits. On se demande si l'exception française sur le droit à la copie privée n'est pas en danger.

En France, l'industrie du disque a alerté les internautes en date du 4 mai 2004. Le Syndicat national de l'édition phonographique (SNEP), composé des majors et de certains producteurs indépendants, rappelle aux internautes que le téléchargement gratuit d'œuvres sans l'autorisation de l'artiste ou de son producteur est passible des sanctions prévues à l'article 335-4 du Code de la propriété intellectuelle, c'est-à-dire jusqu'à 300 000 euros d'amende et trois ans d'emprisonnement.

L'internaute est visé pour la simple et bonne raison que les FAI ne peuvent pas l'être. En effet, le syndicat des FAI considère, à raison, que ses membres ne font pas de diffusion de fichiers musicaux, pas plus que les réseaux P2P. D'ailleurs, aux États-Unis, tous les procès engagés contre les réseaux P2P ont échoué. C'est donc l'internaute qui est fautif. Il s'ensuit une position nette des industriels du disque qui refusent la proposition de taxer les fournisseurs d'accès, comme cela a été fait avec les cassettes audio dont une partie du prix était reversée aux auteurs. Les maisons de disque considèrent que le piratage serait ainsi légalisé. Du côté des internautes, on pourrait également s'offusquer de cette mesure car cette taxe augmenterait sensiblement le prix des abonnements. Or, tous les internautes ne téléchargent pas de fichiers, ou du moins de fichiers musicaux ou vidéo.

Au regard du texte cité en début de section, des poursuites contre la piraterie numérique de contenus culturels sont bel et bien engagées. Toutefois, il semblerait que ces poursuites concernent seulement les internautes qui téléchargent constamment et massivement des fichiers, et qui les laissent à la disposition d'autres internautes.

Quoi qu'il en soit, vous êtes prévenu. Aujourd'hui les choses se passent encore assez bien pour les pirates qui s'attaquent à ce fameux contenu culturel. Mais demain ? Dans un premier temps, l'industrie du disque et de l'audiovisuel souhaitait interdire les réseaux P2P... Une utopie ! Les FAI vivent principalement de ce système d'échanges. Ce serait tuer la poule aux œufs d'or, et certainement une partie d'Internet. Or, même le cinéma et la musique ont besoin de ce support. Déjà, la télévision arrive chez nous par ce biais. Nous savons tous que la consommation des images et des sons est entrée de façon exponentielle dans l'ère du numérique. On s'affole aujourd'hui de ses potentielles conséquences. Réfléchissons ! La cassette audio a-t-elle tué le vinyle ? Non ! La télévision a-t-elle tué la radio ? Non ! Le magnétoscope a-t-il tué le cinéma ? Non ! Les producteurs devraient peut-être regarder du côté de la qualité de leurs productions et de la plus-value apportée à leurs produits avant d'imputer la baisse des ventes à une technologie. Cependant, cher lecteur, nous pourrions débattre des années, être en accord ou en désaccord, poser les chiffres sur la table, énoncer des principes, revendiquer nos droits et remplir nos obligations, rien n'y changerait quoi que ce soit. Un cadre juridique va se mettre en place. Il exigera certainement beaucoup de prudence de la part des utilisateurs. Internet est né d'une utopie, le P2P l'a validée, mais la puissance économique semble vouloir la museler. *Big Brother Will Be Watching You*... Dommage.

Chapitre 21

Le commerce électronique

Dans ce chapitre :

- Achats en ligne : le pour et le contre.
- Le problème des cartes bancaires.
- Allons faire nos courses !
- Tour d'horizon des sites marchands.

Si, pour une raison quelconque (insomnie ou autre), vous lisez la presse informatique, vous avez certainement eu l'occasion de parcourir beaucoup d'articles consacrés au commerce électronique. Aussi étonnant que cela puisse paraître, il y a beaucoup de vrai dans ce que vous avez pu lire, et vous pouvez raisonnablement acheter toutes sortes de choses sur le Net. Pour notre part, c'est ce que nous faisons, des livres jusqu'aux billets d'avion en passant par les sous-vêtements, les actions, les pièces détachées d'ordinateurs et les consommables de toutes sortes. Malgré quelques légendes – parfois avérées –, nous sommes toujours bel et bien vivants pour vous conter l'histoire fabuleuse des achats en ligne.

Achats en ligne : le pour et le contre

Voici les raisons pour lesquelles nous aimons bien faire nos achats en ligne :

- Les magasins en ligne offrent des commodités non négligeables. Ils sont ouverts toute la nuit, et vous n'agacez personne si vous ne faites que regarder pendant des jours et des jours avant d'acheter.
- Les prix sont souvent inférieurs en ligne, et vous pouvez comparer les tarifs de plusieurs boutiques en quelques minutes. Même si vous finissez par acheter dans un magasin réel, ce que vous aurez trouvé en ligne est susceptible de vous faire économiser de l'argent. Les frais d'expédition sont les mêmes que lorsque vous commandez par courrier postal (ils sont même offerts à partir d'une certaine somme – en général 30 euros – d'achats) et vous n'aurez pas besoin de prendre votre voiture et de trouver un parking.
- Les boutiques en ligne offrent parfois une meilleure sélection. L'expédition est habituellement réalisée à partir d'une centrale d'achat – pas de stocks à gérer. Si vous êtes à la recherche d'une pièce rare – par exemple, une pièce du vieux four que vous réparez – le Web peut vous épargner des semaines de recherche.
- Certains auteurs de ce livre vivent dans des petites villes perdues dans la campagne. Ils trouvent sur le Net de nombreux articles difficiles à dénicher, sinon introuvables localement.
- Contrairement aux centres commerciaux, on n'est pas obligé de faire ses courses avec une musique de supermarché en bruit de fond.
- Vous pouvez acheter dans tous les magasins de la planète, à des prix défiant toute concurrence.
- À partir d'une certaine somme, souvent 100 euros, ou sur certains produits, vous pouvez payer en trois fois sans frais.

D'un autre côté, voici quelques raisons qui nous poussent à ne pas *tout* acheter sur le Net :

- Vous ne pouvez pas physiquement essayer, tester ou regarder ce que vous achetez, et, dans la plupart des cas, les délais de livraison sont assez longs. (Toutefois, les sites indiquent la plupart du temps les délais de disponibilité des produits. Quand le produit est disponible, vous n'attendez guère plus de quarante-huit heures ; quand il ne l'est pas, vous ne patientez pas plus d'une semaine.)
- Nous aimons bien nos petits commerces locaux et nous essayons de contribuer à l'économie de notre région aussi souvent que nous le pouvons.
- Vous ne pouvez pas flirter avec le personnel des magasins en ligne.

Le problème des cartes bancaires

Comment s'effectue le paiement des achats en ligne ? La plupart du temps avec une carte bancaire, de la même façon que dans un magasin ordinaire. Mais n'est-il pas incroyablement dangereux de donner son numéro de carte bancaire en ligne ? Eh bien, non !

Nombre de personnes craignent que des individus malintentionnés et armés de divers outils électroniques, analyseurs de réseaux et autres gadgets de haute technologie, soient à l'affût pour tenter de s'approprier les numéros de cartes bancaires voyageant sur le Net. Nous avons surveillé pendant plusieurs années l'occurrence de tels événements et nous n'avons jamais rien trouvé. D'abord, parce que la plupart des entreprises de vente en ligne s'arrangent pour sécuriser les transactions de ce type en cryptant les informations que vous leur envoyez (dans la fenêtre du navigateur, un petit cadenas fermé affiché en bas de la fenêtre). Ensuite, parce que tenter d'intercepter une information de ce type dans le flot du trafic d'Internet est une véritable gageure, même sans chiffrement.

Si vous acceptez de confier votre carte bancaire dans un restaurant à un serveur, vous pouvez aussi bien vous servir de votre carte bancaire pour acheter en ligne. Si nous voulions dérober un numéro de carte de crédit, ce n'est pas la technique d'Internet que nous utiliserions mais celle des pickpockets.

Si, après cette harangue, vous ne voulez toujours pas confier votre numéro de carte bancaire à Internet ou que vous soyez de ceux qui répugnent à l'usage des cartes en plastique, sachez que la plupart des entreprises de VPC en ligne accepteront que vous leur indiquiez ce numéro par téléphone ou que vous leur envoyiez un chèque.

Les cartes bancaires virtuelles : les systèmes e-Carte Bleue et consorts

Une des dernières innovations des banques est la mise en circulation, pour qui en fait la demande, d'une carte bancaire virtuelle destinée au paiement des achats sur Internet. Comment fonctionne la carte virtuelle ? Nous allons baser notre explication sur une expérience personnelle : e-Carte Bleue (sachez que ce système est repris sous des noms divers par la majorité des établissements bancaires).

Vous souscrivez un contrat auprès de votre banque pour bénéficier de la carte bancaire virtuelle. Si votre banquier est reconnaissant de votre fidélité, il ne devrait rien vous facturer de plus que vos sempiternels frais de gestion mensuels. Quelques jours après la souscription à e-Carte Bleue, par exemple, vous recevez un premier courrier indiquant un identifiant à ne surtout pas égarer. Il s'agit d'un code aussi facile à retenir que BCMYSKPM. Cet identifiant vous permet d'aller sur le site Web de votre banque et d'y télécharger un petit programme qui n'est autre que votre carte bancaire virtuelle. Installez ce programme sur votre ordinateur. Si vous l'exécutez, une connexion Internet s'établit, et une sorte de carte affichant deux champs de saisie apparaît au premier plan de votre bureau. Elle couvre systématiquement tous les programmes que vous ouvrez, dont Internet Explorer ou Firefox, qui vont permettre de faire vos achats en ligne. Les champs de saisie exigent deux choses : l'identifiant et le mot de passe que vous recevrez environ quarante-huit heures après votre premier courrier. Conservez bien ces deux numéros, c'est-à-dire identifiant et mot de passe, dans un lieu sûr, et tentez de vous en souvenir (ce ne sera pas du gâteau).

Pour utiliser la carte virtuelle, c'est très simple. Faites vos emplettes, c'est-à-dire cherchez les produits qui vous intéressent sur un site, ajoutez-les à votre panier virtuel, et enfin passez à la caisse. À cet instant, choisissez un paiement par carte bancaire et lancez le programme de votre carte bancaire virtuelle, tel que e-Carte Bleue (Figure 21.1). La carte virtuelle vous demande de saisir votre identifiant et votre mot de passe, puis de cliquer sur un bouton pour les valider. Une fois votre identification réalisée, plusieurs autres boutons permettent d'effectuer diverses tâches, dont l'une se nomme Payer. Cliquez dessus. Un message vous avertit qu'un numéro unique va vous être attribué. À ce moment-là, votre carte virtuelle prend l'apparence d'une carte bancaire identique à celle que vous avez dans votre portefeuille, mais elle est animée : c'est-à-dire que vous voyez tous les chiffres tourner de manière aléatoire, puis se figer en un numéro traditionnel utilisable une seule fois. Saisissez le numéro ainsi attribué et le code à trois chiffres dans les champs adéquats du site Web. Validez. Le site interroge alors votre banque, et le paiement est accepté. Voilà, votre achat est fait. Même si quelqu'un a pu détourner ce numéro de carte, il ne pourra plus l'utiliser, car il est à usage unique. Vous pouvez alors fermer le petit programme. Si vous ne le faites pas, la carte virtuelle disparaît au bout d'une quinzaine de minutes.

Figure 21.1 : Une carte bancaire virtuelle ressemble à une vraie carte bleue !.

Lors de votre prochain achat sur Internet, vous répéterez ces opérations et vous obtiendrez alors un nouveau numéro unique qui permettra de payer vos achats en toute sécurité. Ce système est absolument génial !

Allons faire nos courses !

Les entreprises de VPC en ligne fonctionnent généralement selon l'un ou l'autre de deux systèmes : avec ou sans "caddie virtuel", communément appelé "panier" dans l'Hexagone. Ceux qui n'utilisent pas ce concept proposent la commande d'un seul article à la fois, ou un formulaire de commande que vous remplissez en cochant des cases en face des articles commandés. Parmi ceux qui proposent le système du caddie, vous choisissez un article et cliquez sur un bouton du type "Ajouter au panier". Vous visualisez le récapitulatif et choisissez votre mode de paiement ainsi que toutes indications utiles pour la livraison. À tout moment vous pouvez ajouter ou retirer des articles, comme dans un vrai magasin, à ce détail près que vous n'êtes pas obligé, ici, de remettre l'article dans son rayon.

Prenons un exemple simple. Nous allons visiter le site Web appelé *Rue du commerce*, qui propose tout ce qui touche à l'informatique et à l'audiovisuel. Pointez votre navigateur sur l'URL `www.rueducommerce.fr`. Comme ce site a toujours des annonces à faire, un anniversaire à fêter ou des promotions à communiquer, cliquez directement sur l'animation qui apparaît, ou attendez quelques secondes avant de parvenir à la page d'accueil représentée Figure 21.2.

Figure 21.2 : Page d'accueil de Rue du commerce.

Comme vous avez besoin d'un disque dur (puisque je vous le dis !), cliquez sur l'onglet Composants. Dans la fenêtre principale, cliquez sur le lien Disques durs externes. Si vous ne voyez pas toutes les rubriques, faites glisser la barre de défilement verticale située sur le bord droit de votre navigateur. Comment ? Vous ne savez pas ce qu'est une barre de défilement ? Alors, retournez dans le magasin où vous avez trouvé ce livre et achetez-y *Windows XP pour les Nuls* ! Sélectionnez un type de disque dur en cliquant sur son lien, comme Disque dur 3.5" USB 2.0. Comme vous affichez un nombre impressionnant de modèles, jouez avec les critères de filtrage. Par exemple, dans la liste Capacité, sélectionnez de 200 à 320 Go, et cliquez sur Filtrer. Consultez la liste des produits proposés. Pour plus d'informations sur un modèle, cliquez soit sur sa photo, soit sur le lien situé à droite du signe "+". Quand vous avez trouvé le modèle qui vous convient, ajoutez-le à votre panier grâce au bouton Acheter ou Sélectionner le produit (le nom du bouton change selon la page d'affichage des articles, mais cela revient au même. Dans le second cas, passez ensuite à la phase d'achat en cliquant sur le bouton Acheter). Un récapitulatif apparaît, comme sur la Figure 21.3. Pas d'erreur ? Alors cliquez sur Valider mes achats. Vous devez alors suivre une procédure d'inscription qui consiste à communiquer votre adresse e-mail de manière à recevoir une confirmation de commande et plus tard un avis d'expédition qui vous permettra de suivre votre colis en ligne via le site du prestataire de livraison choisi (comme La Poste). Lors de vos prochaines commandes sur ce site, vous n'aurez qu'à indiquer votre pseudo et votre mot de passe pour que les formulaires de commande et d'expédition soient automatiquement remplis. Enfin, choisissez un mode d'expédition, et cliquez sur le bouton Valider situé en bas de la page. Un nouveau récapitulatif apparaît. Vérifiez toutes les informations. Cochez la case d'acceptation des conditions générales de vente que je vous invite à lire consciencieusement. Alors, cliquez sur le bouton PAYER correspondant au mode de paiement choisi, par exemple la carte bancaire. Comme le montre la Figure 21.4, plusieurs types de cartes sont proposés, dont le fameux système e-carte bleue. Cliquez sur l'image de la carte utilisée. Vous basculez dans une zone de paiement sécurisée comme

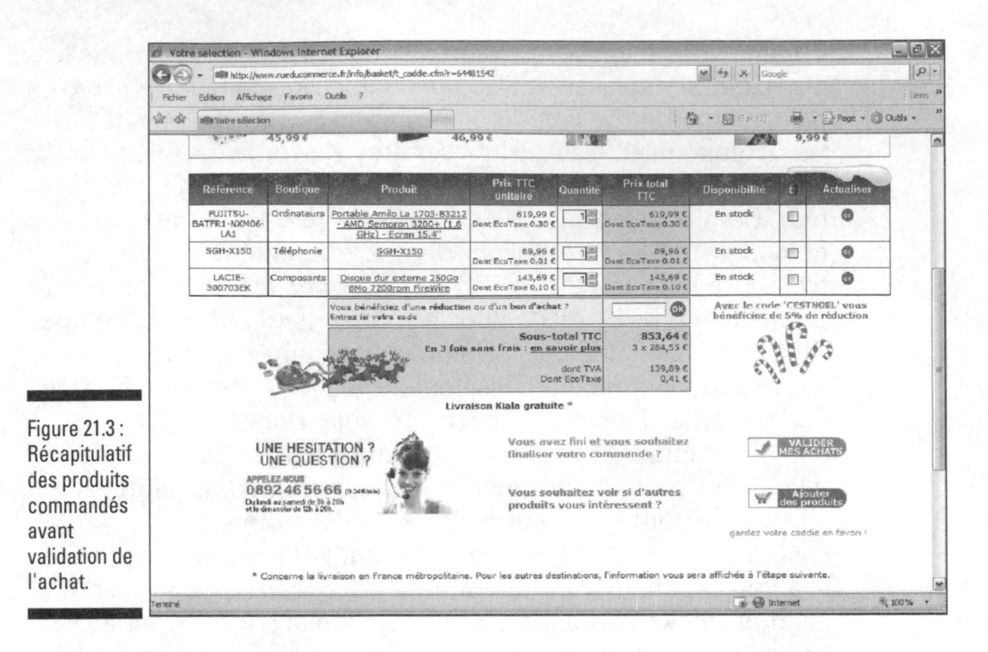

Figure 21.3 : Récapitulatif des produits commandés avant validation de l'achat.

Figure 21.4 : Paiement par carte bancaire.

en témoigne l'icône d'un cadenas affichée dans la fenêtre de votre navigateur Web. Indiquez le numéro de carte, ma date d'expiration, et le numéro du cryptogramme. Enfin cliquez sur VALIDER. Après une interrogation du système de gestion des cartes, votre commande est validée. Un mail de confirmation de commande vous sera transmis, et, dans quelques jours, vous recevrez votre produit.

Même sur les sites ne proposant pas une icône e-carte bleue il est tout à fait possible de régler ses achats par ce système. Choisissez simplement le mode de paiement par carte bancaire VISA (ou celui correspondant au type de votre carte virtuelle).

TRUC

Sur certains sites, comme Rue du commerce, il est possible de régler ses achats via une carte de crédit, en l'occurrence Aurore.

TRUC

Les cookies

Peut-être avez-vous entendu ou lu d'horribles histoires au sujet de ces petites choses appelées *cookies* que certains sites visités vous envoient, soi-disant pour vous espionner, dérober les secrets de votre disque dur, ravager votre ordinateur, injecter de la cellulite dans vos cuisses pendant que vous dormez, dérober les confitures dans l'armoire, bref, rendre votre existence infernale. À la suite d'investigations très complètes, nous avons fini par découvrir que ces étranges créatures sont loin d'être aussi méchantes et même peuvent vous aider dans vos achats à distance. (Si vous êtes ignorant en la matière, allez vous rafraîchir la mémoire au Chapitre 2.)

Un *cookie* n'est rien d'autre qu'un petit morceau de texte envoyé par un site Web à un PC accompagné d'une demande (et non pas d'une commande) de renvoyer le cookie lors des visites ultérieures au même site. Le cookie est stocké sur votre ordinateur sous la forme d'un petit fichier (pas plus de 4 Ko de texte). Et c'est tout ! Vous pouvez le vérifier en consultant un fichier ayant pour nom cookies.txt si vous utilisez Netscape. Internet Explorer crée un fichier séparé pour chaque cookie. En ce qui concerne les achats en ligne, les cookies permettent à votre serveur Web de mieux suivre votre "caddie virtuel" contenant les produits sélectionnés mais non encore achetés, même si vous déconnectez votre ordinateur entre-temps. (Si vous ne voulez vraiment pas que des cookies restent stockés dans votre ordinateur, reportez-vous au Chapitre 7.)

Principes de la réservation aérienne

Nous commandons sur Internet beaucoup de billets d'avion. Bien que ces guichets en ligne soient loin d'être aussi efficaces et pratiques que les *bonnes* agences de voyages, ils sont néanmoins meilleurs que les *mauvaises* agences de voyages. Même si vous avez un bon agent, vous pouvez ainsi explorer préalablement toutes les options qui vous sont offertes avant de lui téléphoner pour faire votre réservation. Il existe aussi des agences qui exploitent elles-mêmes les sites Web des compagnies aériennes.

Aux États-Unis, il existe quatre systèmes de réservation aérienne exploités par presque toutes les compagnies couvrant le territoire. On les appelle, dans ce pays, des CRS (rien à voir avec la Compagnie républicaine de sécurité), ou *computer reservation system*. Ces systèmes sont interconnectés, ce qui fait que, à quelques rares exceptions près, vous pouvez parfaitement faire une réservation sur n'importe quelle compagnie à partir de n'importe quel CRS. Leurs noms sont : Sabre (American Airlines), Apollo (United Airlines), Worldspan (Delta, Northwest Airlines et TWA) et Amadeus (Continental Airlines). La plupart des compagnies pratiquant des tarifs réduits n'utilisent pas ces systèmes mais ont leur propre site Web, à partir duquel vous pouvez effectuer des opérations standard de réservation et d'achat de billets. Southwest Airlines, la plus importante et la plus ancienne de ces compagnies, a cependant un arrangement lui permettant d'utiliser Sabre, en conséquence de quoi ce CRS propose également des voyages sur Southwest, ce que ne font pas les autres CRS.

Si, en théorie, tous ces systèmes proposent les mêmes informations, en pratique, ils présentent quelques différences. Si vous recherchez des places sur un vol complet, un système de réservation directement rattaché à une compagnie sera plus efficace pour trouver une éventuelle place annulée au dernier moment. Si vous recherchez le tarif le plus bas pour effectuer un certain parcours, testez les quatre systèmes, car un vol qualifié de complet sur l'un d'eux peut mystérieusement offrir encore quelques places sur un autre système. Certaines catégories tarifaires ne sont visibles que par les agences de voyages et ne figurent pas sur les sites Web – mieux vaut, dans ce cas, utiliser les services d'une bonne vieille agence de voyages. Mais gardez en mémoire que beaucoup de compagnies aériennes ne proposent certains voyages promotionnels que sur leur site Web, sans que les agences de voyages en soient informées. Tout cela vous paraît bien embrouillé ? À nous aussi !

La confusion est encore plus grande dans le cas d'un vol transcontinental. Les tarifs officiels sont établis par une organisation internationale appelée IATA, ainsi la plupart des systèmes de réservation ne font figurer que ces seuls tarifs pour les vols internationaux. Il est cependant facile de trouver des billets "en solde" pour ces mêmes lignes, mais seulement auprès de certaines agences. À l'occasion, certaines compagnies proposent pour certains vols des tarifs exceptionnellement bas. L'exemple le plus frappant est celui de Cathay Pacific qui, une fois ou deux par an, organise un voyage vers Hongkong à un tarif généralement inférieur de plus de 50 % au prix normal.

Pour une liste complète et régulièrement mise à jour des CRS, sites Web de compagnies aériennes et agences de voyages, visitez le site `www.tourisurf.com/destinic/index1.htm`.

Trois sites incontournables si vous projetez de partir en voyage :

- **Yahoo! Voyages :** `fr.travel.yahoo.com`.
- **Lastminute (Degriftour)** (`www.fr.lastminute.com`) : Le site Lastminute propose tout son catalogue en ligne, de nombreux vols et séjours, mais également ses coups de cœur et des vols dégriffés (prix souvent très intéressants).
- **La bourse des vols** (`www.bourse-des-vols.com`) : Vols secs couvrant quatre-vingts compagnies aériennes et quarante voyagistes.

Voici quelques précautions à prendre avant d'acheter des billets d'avion en ligne (avion... ligne... humour !) :

- Consultez les systèmes en ligne pour voir les vols disponibles et établir une gamme de tarifs. Voyez si les sites utilisent différents CRS.
- Une fois que vous avez trouvé la compagnie qui vous intéresse, rendez-vous sur son site pour voir si elle propose des prix et des vols "spécial Web".
- Vérifiez les destinations et les escales. Parfois, accepter quarante-cinq minutes de vol supplémentaires vous fait économiser des centaines d'euros.
- Vérifiez auprès d'un employé de la compagnie s'il n'est pas meilleur marché d'acheter directement par son entremise que par le site Web.
- Pour les destinations complexes, ou pour faire le tour du monde, seul un agent de la compagnie saura vous trouver le meilleur vol et les meilleurs tarifs. En effet, la réservation en ligne n'est pas toujours capable de mesurer tous les paramètres des voyages internationaux complexes.
- Si vous achetez vos billets d'avion sur un site d'enchères, vérifiez que vous ne le payez pas plus cher qu'un billet directement réservé sur le site Web de la compagnie aérienne.

Ce qui est possible pour l'avion l'est aussi pour le train. Rendez-vous sur le site `www.sncf.fr`. Vous pourrez y réserver vos places et acheter vos billets. La SNCF fait également des promotions spéciales Web. J'ai pu par exemple, avec ce système, obtenir deux allers simples en TGV de Paris à Arcachon pour un prix total de 60 euros. Il vous est même possible d'imprimer les billets que vous présenterez au contrôleur.

D'autres endroits pour faire des emplettes

Voici quelques autres sites d'achats sur le Web que nous avons visités. Il nous est même arrivé d'y commander des articles.

Livres et produits culturels

Bien que, dans un magasin virtuel, il ne vous soit pas possible de feuilleter un livre avant de l'acheter, si vous savez ce que vous voulez, il vous est facile de l'acquérir.

- **Amazon** (`www.amazon.com` et `www.amazon.fr`) : C'est l'une des plus grandes *success stories* du commerce du livre en ligne. Parti de rien (si vous acceptez l'idée que quelques millions de dollars ne représentent plus grand-chose de nos jours), Amazon compte aujourd'hui parmi les plus grands sites marchands consacrés aux livres d'Internet. Malheureusement, il a du mal à atteindre un bon équilibre financier et continue de supporter d'assez lourdes pertes financières qui, curieusement, ne semblent pas trop compromettre son existence. Son catalogue est absolument énorme, et vous pouvez recevoir en quelques jours la plupart des articles qui y figurent. Cette entreprise dispose aussi d'un programme par lequel d'autres sites Web peuvent vous faire connaître leurs livres favoris, créant ainsi une librairie virtuelle. Les prix pratiqués sont parfois légèrement supérieurs à ceux en vigueur dans les librairies en raison des frais de port.

- **La FNAC** (`www.fnac.com`) : En France, le site de la FNAC vous permet de commander en ligne des livres, des disques, des voyages, des spectacles, etc., pouvant être livrés sous vingt-quatre heures, mais offre également d'autres informations dans le domaine culturel ou multimédia.

  Sachez, toutefois, que vous ne pourrez pas accéder à ce site si votre navigateur refuse les cookies.

- **Et plus si affinités :**

  `www.alapage.com`
  `www.chapitre.com`
  `www.cdiscount.com`

Prêt-à-porter

Vous trouverez sur Yahoo! des tonnes d'autres références dans ce domaine.

- **La Redoute** (`www.redoute.fr`) : Un catalogue très complet (sous-ensemble du catalogue imprimé) est proposé avec un classement par type d'articles. On peut aisément choisir sa taille et la couleur lorsqu'il s'agit d'un vêtement. Il est possible d'effectuer l'achat soit par Internet, en mode sécurisé, soit par Minitel.
- **Les 3 Suisses** (`www.3suisses.fr`) : La présentation du catalogue permet d'effectuer facilement son choix. La commande finale peut être faite en ligne ou par Minitel.
- **Cdiscount** (`www.cdiscount.com`) : Site pluridisciplinaire qui offre un lien Prêt-à-porter pour Homme, Femme et Chaussures (?!). Vous y trouverez souvent des vêtements de grandes marques à des prix fracassés.

La check-list de l'acheteur en ligne

Voici quelques-unes des questions que vous devez vous poser lorsque vous effectuez des achats en ligne. Vous pourrez remarquer qu'elles ne sont pas très différentes de celles qui s'appliquent aux achats traditionnels.

- Est-ce que la description des articles est suffisamment claire pour que vous vous rendiez bien compte de la nature de votre achat ?
- Est-ce que les prix proposés sont compétitifs, comparativement à d'autres entreprises de VPC ou au commerce traditionnel ?
- Est-ce que les produits proposés sont en stock, sinon quel est leur délai de livraison ?
- Est-ce que l'entreprise jouit d'une bonne réputation ? (Voir l'astuce quelques lignes plus bas)
- Pouvez-vous suivre votre commande en ligne ?
- Pouvez-vous entrer en contact direct avec un interlocuteur du site ?
- Peut-on rendre les articles ne convenant pas ?

Ordinateurs

Avant d'acheter dans ces boutiques en ligne, assurez-vous qu'elles acceptent les retours de marchandises en cas d'insatisfaction et qu'elles accordent une garantie suffisante.

Voici quelques vendeurs réputés :

- **Dell Computer** (www.dell.com) : On y trouve un catalogue complet ainsi que la possibilité d'établir des configurations sur mesure.
- **Apple Computer** (store.apple.com/Apple/WebObjects/francestore) : Beaucoup d'informations sur les produits Apple et la possibilité d'acheter des systèmes complets et des mises à jour.

Ces deux magasins virtuels ne sont pas les seuls, loin de là ! Généralement, les boutiques virtuelles les plus connues, comme Rue du commerce, Top achat, Cdiscount, Pixmania, etc., vendent des PC à la carte ou prêts à l'emploi. Des facilités de paiement sont souvent proposées.

Lorsque vous cherchez un produit au meilleur prix, rendez-vous sur le site www.kelkoo.fr. Là, choisissez une catégorie de produit comme Appareil photo numérique et, dans la page qui suit, cliquez sur la marque ou le modèle qui vous intéresse, ou saisissez son nom dans le champ situé en haut à gauche de la page. Cliquez sur Rechercher, et c'est trouvé ! Cliquez si besoin sur le bouton Comparer les prix. Une liste de tous les sites proposant ce produit apparaît. À vous de choisir celui qui offre le meilleur prix !

Si vous avez peur d'un site parce que vous n'en connaissez pas la réputation, visitez www.lesarnaques.com. Saisissez l'objet de votre recherche, c'est-à-dire le nom du site, et vous tomberez sur une série d'articles rapportant les problèmes rencontrés par les consommateurs. Si ces problèmes vous semblent graves et systématiques, ne commandez pas auprès de ce site. Vous-même pouvez rapporter des problèmes et converser avec des clients dans un forum. Lesarnaques.com peut également vous aider à régler un litige avec les vendeurs peu scrupuleux. Cependant, à la lecture de ces expériences diverses et variées, ne tombez pas dans la paranoïa comme quand vous regardez les émissions de Julien Courbet !

Ventes aux enchères et marchandises d'occasion

Plusieurs sites vous permettent de participer, sur le Net, à des ventes aux enchères offrant de nombreux articles allant des ordinateurs complets aux antiquités en passant par les pièces détachées. Tout s'y passe comme dans les ventes aux enchères traditionnelles, à un détail près : si vous savez ce que vous faites, vous pouvez y réaliser de bonnes affaires, sinon, vous risquez fort de ne pas en avoir pour votre argent.

Certains sites vous permettent de proposer vous-même des articles à la vente, ce qui est une façon comme une autre de vous débarrasser de tout le fatras qui encombre votre maison.

- **eBay** (`www.ebay.fr`) : C'est le site d'enchères le plus connu qui propose toutes sortes d'articles. Vous pouvez également proposer vos biens en vous enregistrant comme vendeur.
- **Aucland** (`www.aucland.fr`) : On trouve sur cette page spécialisée de nombreuses catégories (Art et antiquités, Auto-moto, Bandes dessinées, Bijoux et horlogerie, Informatique, Voyages, Circuits, etc.).
- **Enchères** (`www.encheresguide.com`) : Annuaire des ventes aux enchères sur Internet.
- **La Brocante** (`www.la-brocante.com`) : Brocantes, galeries marchandes, transporteurs, collectionneurs, restaurateurs...
- **Encheres.com** (`www.encheres.com`) : Annonces des prochaines ventes aux enchères publiques.

Alimentation

Pour ceux qui ont une certaine curiosité gastronomique (et un estomac solide), voici quelques adresses. Attention : ici, les délais de livraison sont importants...

- **Lycos Shopping** (`shopping.lycos.fr`) : Vins et gastronomie.
- **Agence française de sécurité sanitaire des aliments** (`www.afssa.fr`) : Vous n'y achèterez rien, mais vous y apprendrez à mieux vous nourrir et à évaluer les risques que vous courez en matière alimentaire.
- **Vinternet** (`www.vinternet.fr`) : Des vins de toutes sortes et de tous cépages.
- **Bio-Forme** (`www.bio-forme-online.com`) : Ventes de produits naturels et biologiques.
- **Ooshop.com** (`www.ooshop.fr`) : Ce supermarché en ligne, illustré à la Figure 21.5, n'est autre que l'extension virtuelle du magasin Carrefour.

Figure 21.5 : Marre des supermarchés surchargés ?! Achetez en ligne !

Après y avoir créé un compte, vous y faites vos courses en toute quiétude dans tous les rayons, sans devoir subir les hurlements des enfants, le chahut dans les rayons, et l'interminable attente aux caisses. Vous serez livré à domicile si et seulement si vous habitez dans une ville desservie (dite *éligible*). Pour savoir si vous en faite partie cliquez sur le lien Votre livraison.

Chapitre 22

Gérer, payer et investir en ligne

Dans ce chapitre :

- Gérer vos comptes en ligne.
- Consulter le solde de votre carte de crédit en ligne.
- Payer par e-mail avec PayPal.
- Gérer vos investissements en ligne.

Autrefois, l'argent était composé d'un métal qui brillait au soleil et faisait du bruit quand il tombait sur une table. Les investissements prenaient la forme de larges feuilles de papier que vous stockiez dans un lieu sécurisé s'ils fructifiaient, ou avec lesquelles vous tapissiez votre salle de bains s'ils ne valaient plus rien. Ce temps-là est révolu. Désormais, la gestion de vos comptes et de vos investissements se fait d'ordinateur à ordinateur.

Internet permet de se déplacer le moins possible à la banque. Vous ne vous y rendrez que pour déposer vos chèques et retirer du liquide. Pour le reste, tout ou presque peut se dérouler devant l'écran de votre PC ou de votre Mac.

La banque à domicile

Presque toutes les banques proposent au minimum un service de consultation des comptes par Internet. (Elles le proposaient déjà par le Minitel.) La gestion bancaire en ligne présente un intérêt pour vous et votre banque. En règle générale, elle doit permettre de réduire certains frais de gestion. Cependant, en matière d'argent, la sécurité est plus sensible que dans n'importe quel autre domaine. (Je veux bien entendu parler de la sécurité en ligne, car il n'y a rien de plus sensible et sacrée que celle des êtres humains.) Donc, votre banque doit s'assurer que c'est bien vous qui consultez votre compte et y faites un certain nombre d'opérations. Pour cette raison primordiale, la procédure d'adhésion est un peu complexe. Lorsque vous demandez à profiter de ce service de gestion de vos comptes en ligne, vous recevez un identifiant par voie postale et, quelques jours plus tard, un mot de passe. Une fois l'adhésion validée, vous devez vous rendre sur le site Web de la banque pour y saisir ces deux informations afin d'effectuer des opérations sur vos différents comptes. La page d'accueil où vous saisissez vos données peut ressembler à celle de la Figure 22.1.

Figure 22.1 : La page d'accueil d'un site bancaire permettant la gestion en ligne des comptes.

Une fois identifié, vous pouvez consulter vos comptes, effectuer des virements, demander un déblocage de fonds sur votre carte de crédit, etc., comme vous le faites lorsque vous rencontrez un conseiller de l'établissement bancaire.

La grande différence est que vous êtes chez vous, sans pression, et que vous pouvez évaluer les tenants et les aboutissants de vos transactions.

Si vous utilisez un logiciel de comptabilité personnelle comme Quicken ou Money, vous pouvez y télécharger directement vos relevés et savoir jour par jour, voire heure par heure, où en sont les soldes de vos différents comptes. Une fois le téléchargement effectué, vous comparez les opérations enregistrées par l'établissement bancaire avec les saisies que vous avez effectuées dans le programme. Vous savez toujours où vous en êtes.

Transférer de l'argent d'un compte à l'autre

Si vous possédez plusieurs comptes dans une banque, comme un compte-chèques et un compte d'épargne, vous pouvez facilement effectuer des virements d'un compte à un autre. Dès que vous avez des disponibilités sur votre compte courant, il serait idiot d'y laisser dormir l'argent : effectuez plutôt un virement sur le compte d'épargne dont les intérêts sont calculés jour par jour. Si vous venez à manquer de fonds sur le compte-chèques, vous procéderez à l'opération inverse. Voici comment se déroulent généralement les virements d'un compte à un autre :

1. **Sur la page Web qui affiche vos comptes, cliquez sur le bouton Virements.**

   Le nom de ce bouton peut varier d'une banque à une autre.

2. **Dans la liste des opérations proposées, choisissez Demande de virement.**

3. **Dans la page affichant tout vos comptes, cochez la case du compte à débiter, par exemple votre compte-chèques.**

Il s'agit de ce que l'on appelle plus communément le compte courant.

4. **Dans cette même page, cochez la case du compte à créditer.**

   Il s'agira d'un compte d'épargne, comme un Livret A ou encore un CODEVI. (Bien sûr, il en existe d'autres.)

5. **Indiquez si le virement sera ou non immédiat.**

   Si vous définissez un virement immédiat, le transfert de fonds d'un compte à l'autre se fait dès que vous validez l'opération. Si vous optez pour un virement différé, indiquez la date à laquelle doit s'effectuer l'opération. En d'autres termes, vous programmez ce virement.

6. **Indiquez le montant à virer d'un compte à l'autre.**

7. **Cliquez sur Valider.**

C'est simple ! Il est également possible d'effectuer des virements entre les comptes de différentes banques. Il suffit pour cela d'indiquer aux deux établissements les coordonnées bancaires de chacun des comptes de manière à voir apparaître, dans la liste de vos comptes, ceux qui ne sont pas domiciliés dans chacune de ces banques. Ensuite, la procédure est identique à celle décrite ci-dessus.

Les virements entre banques différentes peuvent avoir un coût et prendre un peu plus de temps que ceux réalisés au sein d'un même établissement. Renseignez-vous auprès des deux banques détentrices de vos comptes.

Une méthode très sûre pour réaliser des transferts de compte à compte consiste à recourir aux services de PayPal que nous décrivons plus loin dans ce chapitre. En général, le simple transfert est gratuit.

Payer vos factures en ligne

Payer par chèque est une méthode du siècle dernier – c'est-à-dire le XXe – aujourd'hui totalement dépassée. Vous pouvez maintenant payer un grand nombre de factures en ligne. Il suffit soit d'effectuer un prélèvement automatique, soit de payer directement sur le site de votre créancier. Il en va ainsi de vos factures d'électricité (Figure 22.2), de téléphone, de votre loyer, etc.

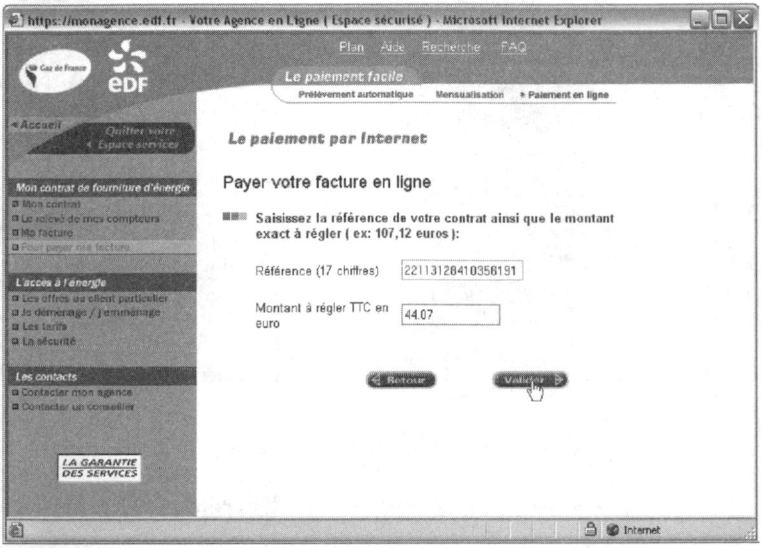

Figure 22.2 : Exemple de paiement en ligne d'une facture EDF.

Lorsque vous décidez, par exemple, de payer une facture EDF en ligne, il suffit d'aller sur le site `www.edf.fr/li/Accueil.html` :

1. **Cliquez sur le lien Particuliers.**

2. **Dans la nouvelle page qui s'affiche, cliquez sur Maîtrisez votre consommation, comme à la Figure 22.3.**

3. **Ensuite, dans le volet gauche de la page Web, cliquez sur Gérez votre contrat.**

   Si vous n'avez pas d'espace services, vous devez en créer un. Il vous donnera alors accès à tous les renseignements concernant vos abonnements EDF et GDF. Lors de votre prochaine visite vous n'aurez qu'à indiquer votre adresse e-mail et le mot de passe défini sur ce site pour consulter vos comptes. Pour créer cet accès :

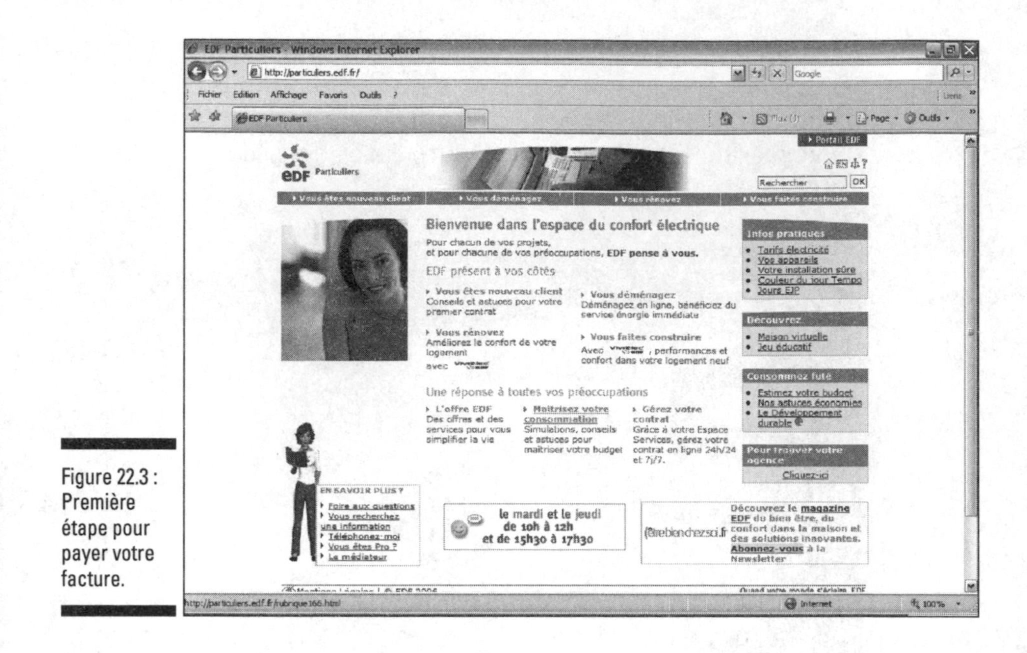

Figure 22.3 : Première étape pour payer votre facture.

- Munissez-vous de votre facture.
- Munissez-vous d'un RIB (relevé d'identité bancaire).
- Remplissez le formulaire.

4. **Lorsque votre espace service est créé, cliquez sur le lien** `Cliquez ici` **de la zone Vous avez déjà un Espace Services.**

5. **Cliquez sur le lien Pour payer ma facture (Figure 22.4).**

6. **Cliquez ensuite sur Le paiement facile, puis sur Paiement en ligne.**

7. **Dans la nouvelle page qui apparaît, cliquez sur le lien** `cliquez ici` **de la proposition Si vous souhaitez payer votre facture en ligne.**

8. **Remplissez le RIB, puis suivez la procédure de paiement.**

Lors d'un premier paiement, vous devez saisir les informations figurant sur votre RIB. Cliquez ensuite sur Valider.

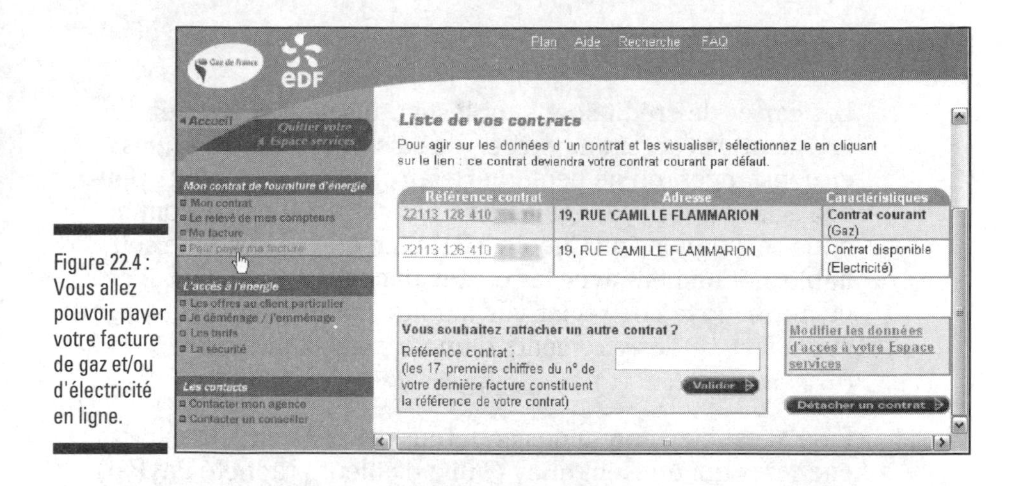

Figure 22.4 : Vous allez pouvoir payer votre facture de gaz et/ou d'électricité en ligne.

À partir de là, vous devez imprimer l'autorisation de prélèvement que vous faites signer par votre banque. À l'avenir, le paiement de vos factures se fera sans toute cette procédure car EDF sera autorisé à prélever le montant que vous réglez en ligne. Ce sont toujours les premières formalités qui prennent le plus de temps.

Gérer votre carte de crédit

À la différence d'une carte bancaire, qui est un moyen de paiement immédiat ou légèrement différé au comptant, une carte de crédit permet de régler ses achats comme avec une carte bancaire, mais en remboursant mensuellement la somme à l'organisme prêteur. La carte de crédit est un système de paiement qui revient assez cher car vous payez des intérêts.

Lorsque vous adhérez à un système de carte de crédit, dont l'un des plus connus en France est Aurore (le nom change en fonction de l'établissement bancaire où vous le souscrivez), vous pouvez gérer ce compte en ligne exactement comme un compte courant. Vous demandez ainsi à débloquer une certaine somme d'argent qui alimente le compte de la carte de crédit afin de faire face à des achats imprévus ou pour satisfaire votre besoin effréné de consommation.

Payer avec PayPal

Les cartes de crédit sont simples à utiliser, si vous avez vraiment de l'argent à perdre. (Je sais que, dans certaines circonstances, on ne peut guère faire autrement.) Vous pouvez également payer vos achats par carte bancaire, comme nous l'expliquons au Chapitre 21. Bien que ce système soit fiable, notamment avec les cartes bancaires virtuelles, il existe un autre moyen de régler vos achats, notamment à l'étranger, et d'effectuer des virements d'une banque à une autre : PayPal (www.paypal.com/fr).

PayPal est bien connu des acheteurs et des vendeurs aux enchères qui utilisent eBay (qui a d'ailleurs racheté PayPal). PayPal est aussi un système pratique et peu onéreux pour ceux qui veulent lancer une petite activité commerciale sur le Web. N'importe quelle organisation de taille modeste peut collecter ses fonds avec PayPal.

ATTENTION !

Avant de vous lancer corps et âme dans PayPal, prenez connaissance du Dossier sur la sécurité du site. Il est important de vérifier la validité des informations de vos vendeurs et/ou de vos acheteurs. PayPal, en règle générale, est d'une très grande fiabilité sur ce point. Mais en matière commerciale, deux vérifications valent mieux qu'une.

Voici les services proposés par PayPal :

- Pour envoyer de l'argent, vous devez ouvrir un compte sur PayPal. L'opération est très facile et ne nécessite pas de verser une quelconque somme d'argent. Il s'agit simplement de vous inscrire gratuitement au service PayPal pour profiter de toutes ses fonctions. Vous disposerez alors d'un identifiant et d'un mot de passe de manière à utiliser PayPal en toute sécurité.
- Une fois ce compte ouvert, vous pouvez envoyer de l'argent à toute personne disposant d'un compte PayPal. Celle-ci recevra un e-mail, et il lui suffira de cliquer sur un lien pour confirmer le versement de la somme. Comme chacun a saisi ses coordonnées bancaires

(généralement le numéro de la carte bancaire), PayPal débite l'un et crédite l'autre sur son compte. En fait, PayPal sert d'interface entre les utilisateurs et les banques.

- Vous ne pouvez pas payer par carte de crédit.

- PayPal vit grâce à une petite commission prélevée sur chaque transaction.

Comme PayPal possède vos coordonnées bancaires, il débite directement les sommes sur vos comptes qu'il porte au crédit de votre compte PayPal. Par la suite, vous pourrez demander à PayPal de verser cet argent sur votre compte bancaire.

Ne donnez jamais vos informations bancaires à n'importe qui. Des pirates du Web envoient de faux messages PayPal vous demandant d'actualiser vos données bancaires. Ne les croyez pas ! PayPal ne vous demande jamais par e-mail de préciser votre numéro de carte bancaire et de saisir votre nom d'utilisateur et votre mot de passe. Pour effectuer des transactions, allez toujours sur le site PayPal à `www.paypal.com/fr`. Si vous recevez des mails suspects, informez-en PayPal pour l'aider à lutter efficacement contre ces escroqueries. Envoyez le message à l'adresse e-mail `spoof@paypal.fr`.

Lorsque vous souscrivez à PayPal, la société vérifie la validité de votre compte bancaire en effectuant un dépôt très faible. Vous devez ensuite informer PayPal du dépôt pour entériner l'ouverture de votre compte PayPal. Il est possible de lier plusieurs comptes bancaires à un compte PayPal et d'effectuer des virements d'un compte à l'autre. Lorsque vous avez de l'argent sur votre compte PayPal, vous profitez d'un taux d'intérêt (assez faible). Cependant, comme PayPal n'est pas une banque, votre argent y est peut-être moins en sécurité qu'ailleurs. Pour cette raison, nous vous recommandons de laisser de l'argent sur ce compte que si vous pensez payer un achat avec PayPal dans un bref délai.

Investir de l'argent en ligne

Si vous effectuez des investissements ou si vous boursicotez, Internet est une formidable source d'informations sur le cours des actions et des obligations.

Les ressources en ligne sont plus ou moins objectives. Si vous travaillez avec un gestionnaire d'obligations, il cherchera à vous en faire acheter un maximum. En revanche, si vous vous attachez les services d'un agent de change, son objectif sera de vous faire acheter un maximum d'actions. Il existe fort heureusement des sites qui vivent grâce à la publicité et qui n'incitent personne à acheter quoi que ce soit. Vous avez des informations objectives qui permettent de guider vos décisions personnelles.

Les fonds communs de placement

Le fonds commun de placement est l'investissement typique de la génération issue du baby-boom. Le monde a aujourd'hui plus de fonds communs qu'il n'y a d'actions pour les fonds à acheter. Les gestionnaires de ces fonds proposent de plus en plus d'informations en ligne, permettent de vérifier votre compte, d'effectuer des virements d'un fond à un autre, même si les comptes appartiennent à des groupes différents, et enfin autorisent l'achat et la vente des fonds.

Les groupes les plus connus sont :

- **Fidelity Investments International** (`www.fidelity.fr/retail/homepage.html`) : Une société spécialisée dans la gestion des fonds communs de placement.
- **The Vanguard Group** (`www.vanguard.com`) : Spécialisé dans les petits investissements.
- **American Century Investments** (`www.americancentury.com`) : Cette société offre une vaste gamme de fonds.

Il existe de nombreux autres sites américains ou français qui œuvrent dans ces domaines d'investissements. Il suffit de saisir **fonds commun de placement** ou encore **OPVCM** dans un moteur de recherche pour trouver de nombreux liens.

Les agents de change

Le boursicotage en ligne est connu depuis longtemps. On a d'ailleurs essayé de nous faire croire qu'il était facile de faire fortune sur le Web en investissant dans des actions. Sans nier l'intérêt de la gestion des actions en ligne, la prudence s'impose, et il faut souvent prendre l'avis d'un professionnel avant de faire quoi que ce soit.

S'en remettre à un agent de change est une bonne chose à condition que vous lui fassiez entièrement confiance. Sinon, vous pouvez vous fier aux sites qui présentent l'état des lieux de la Bourse, sans vous donner le moindre conseil d'investissement. Les services de courtage en ligne sont tellement nombreux qu'il est bien difficile de vous orienter vers un site plus qu'un autre. Dans un moteur de recherche comme Google, saisissez **courtage** : vous n'aurez que l'embarras du choix.

De nombreuses sociétés spécialisées dans les fonds communs de placement possèdent des départements de courtage. Elles représentent une solution idéale pour celui qui désire aussi bien investir dans des actions que des obligations.

Le suivi de votre portefeuille

Plusieurs services permettent de suivre l'évolution de votre portefeuille en ligne. Vous entrez le nombre de parts de chaque obligation ou action que vous possédez, et le service vous indique l'argent que vous avez gagné (ou perdu) le jour même. Certains services envoient un état quotidien de vos actions et de vos obligations. Ces états sont très pratiques lorsque vous avez plusieurs groupes d'actions ou d'obligations. Ces sites vivent grâce à la publicité ou sont l'œuvre d'agents de change qui espèrent se voir confier la gestion de votre portefeuille.

- **Mon Yahoo!** (http://fr.my.yahoo.com/) : Permet de personnaliser plusieurs portefeuilles avec des états précis ou plus généraux. Vous y trouverez également des informations sur de nombreuses sociétés et industries, y compris l'accès à des sites payants. Mon Yahoo!, dans ce domaine, est simple à utiliser.
- **MSN Money** (http://money.msn.fr/) : Ce service permet de suivre votre portefeuille et distille de nombreuses informations. Toutefois, il est bien plus confus que Mon Yahoo!.

Pour trouver de nombreux autres sites, connectez-vous à l'adresse www.tresfacile.net/.

Chapitre 23

Transfert de fichiers

Dans ce chapitre :

- Utilisation de votre navigateur Web pour récupérer des fichiers.
- Téléchargement de vos pages Web vers un serveur Web.
- Installation de logiciels récupérés sur le Net.

Internet regorge d'ordinateurs et ces ordinateurs recèlent d'innombrables fichiers. Que comportent ces fichiers ? Principalement des programmes parmi lesquels se côtoient freewares, sharewares et versions bridées pour démonstration de logiciels commerciaux, mais aussi des fichiers d'images, des fichiers audio, des fichiers vidéo et, plus généralement, des fichiers multimédias. Certains de ces ordinateurs sont configurés pour copier quelques-uns de leurs fichiers sur votre propre ordinateur. Qui plus est, la plupart des fichiers proposés sont disponibles gratuitement. Dans ce chapitre, vous allez découvrir comment trouver ces fichiers et comment les copier et les utiliser.

Qu'est-ce que le téléchargement ?

Nous n'avons qu'un seul mot pour traduire ce que les Américains appellent *downloading* (téléchargement du serveur vers vous) et *uploading* (dans l'autre sens), c'est le mot *téléchargement.*

Vous ne serez probablement pas surpris d'apprendre qu'il existe au moins trois moyens pour télécharger des fichiers :

- **Cliquer sur un lien dans une page Web.** Les navigateurs Web peuvent aussi télécharger des fichiers. En fait, c'est ce qu'ils font constamment lorsqu'ils téléchargent des pages Web pour les afficher.
- **Participer à un service de partage de fichiers.** Nous ne recommandons pas les réseaux P2P car ils posent d'énormes problèmes de légalité et parce qu'ils transmettent facilement des spywares et autres virus. (Pour en savoir davantage à leur sujet, reportez-vous au Chapitre 20.)
- **Par le protocole FTP (*File Transfer Protocol*).** Système plus ancien mais spécifiquement conçu pour transférer des fichiers.

La méthode la plus simple si on débute en téléchargement de fichiers consiste à utiliser son navigateur Web. Cliquez sur un lien, et le téléchargement commence.

La manière dont vous téléchargez un fichier et l'usage que vous en faites dépendent uniquement du type de fichier téléchargé. Ce chapitre décrit le téléchargement des images, des programmes, et d'autres fichiers. Pour télécharger de la musique et de la vidéo, reportez-vous au Chapitre 20.

Télécharger des images

Pour télécharger une image sur le Web :

1. **Affichez l'image dans votre navigateur Web.**
2. **Cliquez sur l'image avec le bouton droit de la souris, comme à la Figure 23.1.**

   Un menu contextuel apparaît. Il arrive que quelques sites Web désactivent l'utilisation du bouton droit de la souris pour vous empêcher d'enregistrer l'image sur votre disque dur.
3. **Cliquez sur Enregistrer la photo sous.**

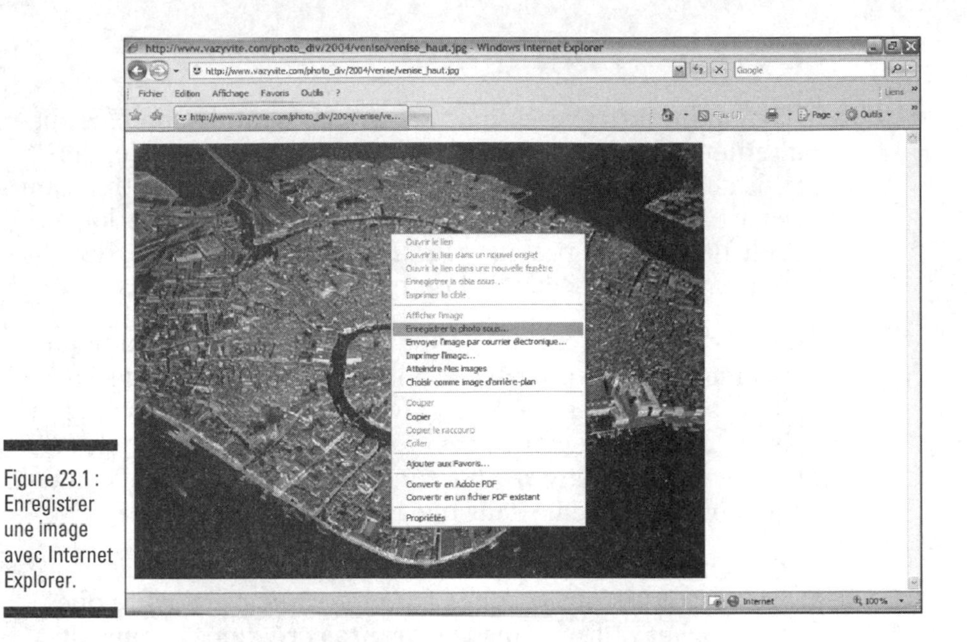

Figure 23.1 : Enregistrer une image avec Internet Explorer.

4. **Dans la boîte de dialogue qui apparaît, indiquez le disque dur et/ou le dossier où vous voulez sauvegarder l'image.**

5. **Cliquez sur Enregistrer.**

Ce n'est pas plus compliqué !

Sous Windows XP et Internet Explorer, il suffit souvent de placer le pointeur de la souris sur l'image pour faire apparaître une barre d'icônes dans son coin supérieur gauche. Cliquez sur l'icône représentant une disquette pour ouvrir la boîte de dialogue d'enregistrement et sélectionner le dossier dans lequel sera stockée l'image.

Les fichiers graphiques ont des extensions particulières qui identifient leur format. Quand vous téléchargez une image, vous êtes libre de changer son nom, mais vous ne devez pas modifier son extension.

L'art n'est pas gratuit

Une multitude d'expressions artistiques sont disponibles sur Internet. Mais l'art n'est pas une génération spontanée. Derrière chaque image, il y a un créateur. Il est donc légitime que ces artistes contrôlent leurs œuvres, protégées par la loi, et qu'ils ne veuillent pas que tout un chacun utilise dans des créations personnelles tout ou partie de ces créations.

Le fait de stocker une image sur votre disque dur n'implique nullement que vous êtes le propriétaire de cette image. La plupart des images que l'on trouve sur le Web sont protégées par un copyright, et vous devez obtenir la permission de son légitime propriétaire si vous comptez la réutiliser dans un but commercial ou même dans une page Web personnelle.

Cependant, il existe de nombreux sites où vous pouvez télécharger des images dites *libres de droit*, c'est-à-dire que vous pouvez utiliser dans vos propres créations – donc afficher sur votre site Web –, dès l'instant où vous n'en faites pas un usage commercial. Certains sites demandent le paiement d'une somme d'argent pour vous attribuer une sorte de "propriété" de l'œuvre, non pas dans la revendication de sa création, mais dans la faculté à l'utiliser dans des créations graphiques, vidéographiques ou sur le Web. La plupart des graphiques gratuits ou payants prennent la forme de *cliparts*. Il s'agit le plus souvent de dessins vectoriels qui servent à illustrer des sites Web ou des publications imprimées. Vous trouverez aussi des fichiers graphiques au format GIF, qui est le format originel des images publiées sur Internet. Il existe une quantité impressionnante de cliparts sur Internet. Il suffit de saisir le terme **clipart** dans votre moteur de recherche préféré comme Google, et le tour est joué !

Partager des images

Nous aimons tous partager nos photos avec d'autres personnes. Le Web facilite largement l'expression de cet amour du partage. De plus, il permet de faire de substantielles économies en vous évitant de payer plusieurs tirages d'une même photo que vous désirez envoyer aux membres de votre famille ou à des amis. Plusieurs sites Web proposent de télécharger vos photos numériques. Le principe est simple : vous y créez un compte gratuit et vous disposez alors d'une certaine quantité d'espace disque libre (ou de pages Web si vous préférez) sur laquelle vous publierez des photographies. Le site vous communique alors l'adresse unique, parfois assortie d'un mot de passe, donnant accès à ce site très personnel. Communiquez l'adresse et éventuellement le mot de passe à vos amis et aux membres de votre famille. Ils se rendront sur le site, feuillèteront votre album de photos en ligne et pourront alors choisir les clichés qu'ils préfèrent pour les télécharger eux-mêmes sur leur ordinateur. Ensuite, libre à eux de les imprimer ou de les faire tirer sur papier.

Voici quelques sites de partage de photos en ligne :

- Le site Kodak que vous découvrirez à `http://www.kodakgallery.fr/Welcome.jsp` illustré à la Figure 23.2.

Figure 23.2 : Le site Kodak pour commander des tirages en ligne, mais aussi partager des photos.

- Le site Hewlett-Packard à l'adresse `www.snapfish.com` que vous trouverez en français à l'adresse `www.pixaco.fr`.

Télécharger des programmes

La majorité des programmes recommandés dans ce livre peuvent être gratuitement téléchargés. Cette section décrit la procédure de téléchargement de logiciels, et la manière de les installer et de les exécuter.

Trois étapes : télécharger, installer et exécuter

Télécharger un fichier de programme n'est pas très différent : il vous suffit de saisir l'URL du fichier ou de cliquer sur un lien qui l'appelle et qui comporte généralement la racine "download" ou le mot "télécharger". Votre navigateur va probablement vous demander vos intentions. Si c'est un programme (un exécutable sous Windows ou un autre système d'exploitation) ou si c'est un fichier compacté (extension `.zip`), ce que vous avez de mieux à faire est de le stocker sur votre disque dur pour l'utiliser plus tard, après l'avoir éventuellement décompacté. Dans le cas d'un fichier ZIP, si vous avez déjà installé WinZip (dont nous reparlerons plus loin, dans ce même chapitre) ou si vous êtes sous Windows XP ou Me, vous pouvez demander à votre navigateur de le lancer directement. Cependant, à l'usage, cette méthode se révèle moins pratique qu'on pourrait le croire.

Où trouver des programmes ?

Pour télécharger des programmes, encore faut-il savoir où en trouver ! Dans la majorité des cas, vous connaissez l'adresse Web du fichier. Par exemple, au Chapitre 17, nous conseillons d'abandonner Internet Explorer au profit de Firefox qui est beaucoup moins la cible des virus et des spywares. Nous vous avons indiqué l'adresse de téléchargement de la dernière version de ce programme qui est www.mozilla-europe.org/fr/.

Souvent, vous entendrez parler d'un programme, ou bien en lirez quelques critiques dans un magazine, mais sans savoir où le télécharger. Le plus simple est de lancer une recherche dans un moteur comme Google.

Comme nous sommes à la fois gentils et compétents, voici un petit tableau regroupant les meilleures adresses de téléchargement de programmes freewares ou sharewares :

Tableau 23.1 : Sites de téléchargement de programmes.

Nom du site	URL
01net. (télécharger.com)	www.01net.com/index.tlc
AOL	http://logitheque.aol.fr
Calogiciel	http://telecharger.caloga.com
Clubic	www.clubic.com
Espace francophone	www.espacefr.com
Gratilog	www.gratilog.net
JDN téléchargement	http://telechargement.journaldunet.com/
Pressibus	www.pressibus.org/windows/indexfr.html
vnunet.fr	telecharger.yacapa.com
ZDnet	www.zdnet.fr/telecharger/windows/

Si vous êtes intéressé par le téléchargement de programmes depuis Internet, sachez qu'il existe plusieurs serveurs de fichiers dont l'un des plus connus en France est www.01net.com. Choisissez ensuite le type de programme qui vous intéresse dans une abondante liste de catégories. Le site affiche une page Web contenant une brève description ainsi qu'une appréciation exprimée en nombre d'étoiles (cinq étant la meilleure cote) pour chacun des programmes de la catégorie.

Les programmes sont-ils ou non gratuits ?

Les programmes totalement gratuits sont appelés des *freewares*. Par exemple, Firefox est un freeware parce que vous le téléchargez et l'utilisez sans verser le moindre centime.

D'autres programmes ne sont pas entièrement gratuits. (*Pas entièrement ?* C'est gratuit ou pas ? Il est impossible d'être partiellement gratuit !) Je comprends que cela semble curieux mais la démarche est très simple, jugez plutôt : certains programmes demandent plus de développement donc de travail que d'autres pour donner des performances dignes de logiciels équivalents mais distribués par de grosses sociétés. Les programmes téléchargés sur Internet dans une semi-gratuité sont appelés des *sharewares*. Vous les utilisez sans être obligé de payer, mais il est fortement conseillé de rétribuer leurs auteurs qui ont passé du temps à créer des logiciels très performants. En fait, le shareware est l'archétype de l'application à contribution libre. Ici, votre conscience parle. À vous de décider de faire un don ou non à son auteur.

Enfin, une dernière famille de programmes se présente sous forme de version d'*essai*, d'*évaluation* ou de *démonstration*. Vous téléchargez gratuitement ces programmes et pouvez les utiliser pendant une certaine période, ou bien vous constaterez que des fonctions aussi importantes que la commande Enregistrer ne sont pas utilisables. Pour profiter pleinement de l'application, vous devez l'acheter. Même les plus grands éditeurs de logiciels proposent des versions de démonstration en téléchargement libre. C'est utile pour "appâter" le client, mais cela permet aussi au profane d'étudier de plus près un programme, de voir dans quelle mesure celui-ci répond à ses besoins, avant de dépenser plusieurs centaines d'euros dans une version complète.

Télécharger un programme

Avant de télécharger des programmes, créez un dossier où vous stockerez toutes les applications ainsi récupérées sur Internet. Sous Windows, créez par exemple un dossier dans le dossier Mes documents. Nommez-le Fichiers téléchargés ou Téléchargements. (Pour créer un tel dossier, ouvrez l'Explorateur Windows ou le Poste de travail. Sélectionnez le dossier Mes documents, et cliquez sur Fichier/Nouveau/Dossier.)

Il est très facile de télécharger un programme sur Internet. Très souvent, il suffit de cliquer sur un lien Télécharger ou sur le nom du programme lui-même. Votre navigateur Web vous demande alors ce que vous désirez faire du fichier. Il est judicieux de choisir l'option d'enregistrement sur le disque dur de manière à procéder ultérieurement à l'installation du logiciel.

Installation, décompression, dézippage

La majorité des logiciels téléchargeables sur Internet sont dans un format compressé pour gagner de l'espace de stockage sur le serveur et du temps de transmission lors du téléchargement du fichier. De plus en plus de logiciels sont *auto-installables* – le fichier est un programme qui opère la décompression et l'installation nécessaires. Les fichiers auto-installables Windows ont l'extension `.exe`. Les fichiers compressés qui ne sont pas auto-installables ont l'extension `.zip`.

ATTENTION !

Les fichiers `.exe` peuvent contenir des virus et des spywares. Par conséquent, n'exécutez pas ces fichiers si vous ne savez pas réellement ce qu'ils contiennent. Téléchargez-les sur les sites recommandés dans ce chapitre car ils sont certifiés sans virus ni spywares. Une autre technique consiste à télécharger directement le fichier auprès de l'éditeur du logiciel, comme `www.mozilla-europe.org/fr/` dans le cas de Firefox.

Pour installer un fichier auto-installable, double-cliquez simplement sur le fichier pour l'exécuter. Le fichier s'ouvre et vous guide via des écrans de type Assistant pour recueillir les informations de configuration nécessaires, puis il opère l'installation.

Si un fichier est compressé, vous avez besoin d'un programme pour le décompresser. Les fichiers avec l'extension de fichier `.zip` sont des fichiers compressés (ces fichiers sont appelés *fichiers ZIP*). Si vous utilisez Windows XP, sa fonction Dossiers compressés (qui est active à moins que vous ne l'ayez inhibée) permet d'ouvrir les fichiers ZIP directement dans les fenêtres de l'Explorateur Windows. Cliquez ou double-cliquez sur le fichier ZIP pour voir ce qui se trouve à l'intérieur.

Si vous n'utilisez pas Windows XP, des programmes comme WinZip (téléchargeable sur www.winzip.com) savent décompresser et compresser les fichiers. Nous aimons aussi ZipMagic (disponible sur www.allume.com/store/france.html), grâce auquel les fichiers ZIP semblent être des dossiers Windows. Les utilisateurs de Mac liront l'encadré "Les utilisateurs de Mac utilisent StuffIt" plus loin dans ce chapitre.

Si vous utilisez Windows XP ou si vous avez déjà WinZip, sautez la section suivante.

Les utilisateurs de Mac utilisent StuffIt

Les utilisateurs de Mac disposent de programmes comme ZipIt, UnZip ou MindExpander (www.macorchard.com). Le plus populaire est un programme de Raymond Lau, StuffIt Expander. StuffIt existe en de nombreuses versions, dont une version shareware et une version commerciale. Rendez-vous à www.stuffit.com ou www.allume.com/store/france.html. Les fichiers StuffIt se terminent généralement par l'extension .sit.

Obtenir et utiliser WinZip

Pour obtenir WinZip sur le Web, visitez www.winzip.com. Cliquez sur Download Evaluation pour aller à la page de téléchargement. Sur cette page, cliquez sur le lien de votre version de Windows, indiquez à Windows où vous voulez stocker le programme WinZip (par exemple C:\ ou C:\Windows\Temp) et patientez pendant le téléchargement. Vous pouvez également le télécharger sur www.01net.com/windows/Utilitaire/compression_et_decompression/.

Pour installer WinZip :

1. **Exécutez le fichier que vous venez de télécharger.**

   Le fichier s'appelle wz100fev.exe (ou quelque chose de similaire, selon la version).

2. **Suivez les instructions d'installation de WinZip.**

   Il existe de nombreuses options mais vous pouvez accepter les valeurs par défaut. Nous préférons l'interface Classic.

Pour l'essayer, double-cliquez sur une icône de fichier ZIP. La fenêtre de WinZip est visible sur la Figure 23.3.

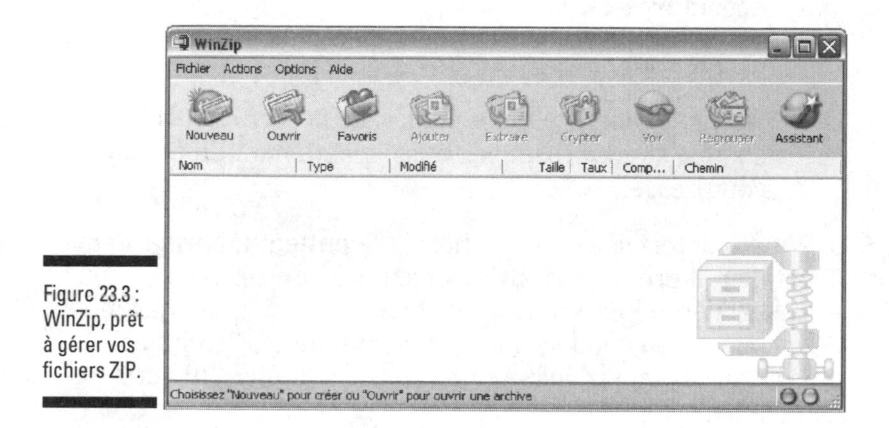

Figure 23.3 : WinZip, prêt à gérer vos fichiers ZIP.

Zipper et dézipper avec WinZip

Pour ouvrir un fichier ZIP (ou *archive*), cliquez sur le bouton Ouvrir et choisissez le répertoire et le fichier ZIP. WinZip affiche une liste des fichiers dans l'archive, avec dates et tailles.

Pour utiliser un fichier d'un fichier ZIP, vous devez ouvrir le fichier ZIP et *extraire* le fichier désiré, c'est-à-dire demander à WinZip de le décompresser et le stocker dans un nouveau fichier. Pour extraire un fichier :

1. **Choisissez-le dans la liste des fichiers.**

   Vous pouvez choisir un groupe de fichiers en cliquant sur le premier, puis en Majuscule+cliquant sur le dernier. Pour sélectionner un fichier supplémentaire, faites un Ctrl+Clic dessus.

2. **Cliquez sur le bouton Extraire.**

   Une boîte de dialogue demande dans quel répertoire vous souhaitez placer le fichier et si vous voulez extraire tous les fichiers de l'archive ou seulement celui que vous avez sélectionné.

3. **Sélectionnez le répertoire où stocker les fichiers décompressés.**

4. **Cliquez sur OK.**

   WinZip décompresse le fichier. Le fichier ZIP est inchangé et vous disposez aussi maintenant du fichier non compressé.

Si WinZip détermine qu'un fichier ZIP contient un programme à installer, il propose éventuellement un bouton Vérifier ou Installer. Vérifier extrait tous les fichiers, puis crée une fenêtre de menu où vous pouvez facilement cliquer sur le fichier à ouvrir ou à exécuter. Installer exécute un fichier ZIP auto-installable.

Bien que WinZip soit capable de beaucoup d'autres choses – ajouter des fichiers à un fichier ZIP existant et créer vos propres fichiers ZIP par exemple –, il n'est pas nécessaire de connaître ces fonctions pour installer des logiciels récupérés sur Internet, nous les ignorerons donc.

Protection antivirus

Bien sûr, vous pratiquez le "logiciel sûr" : vous contrôlez tous les nouveaux programmes récupérés pour vous assurer qu'ils ne contiennent pas de virus qui risqueraient d'afficher de vilains messages ou d'effacer votre disque dur. Si c'est vrai, vous pouvez sauter cette section.

Pour les autres, il sera judicieux d'employer un programme antivirus.

Vous devez "passer" à l'antivirus tout nouveau logiciel venant de l'extérieur. Bien que les serveurs Web et FTP sur Internet prennent toutes les précautions pour que leurs archives de logiciel ne soient pas infectées, rien n'est parfait. WinZip est configurable pour démarrer votre antivirus chaque fois que vous décompressez un fichier ZIP contenant un programme. Choisissez Options/Configuration, cliquez sur l'onglet Localisation des programmes et, dans le champ Antivirus, saisissez le chemin d'accès de votre antivirus, ou cliquez sur l'icône du dossier et parcourez votre disque dur C:\ pour atteindre le fichier `.exe` de votre antivirus.

Installation d'un programme décompressé

Après avoir téléchargé un programme sur Internet et l'avoir décompressé, le programme est prêt pour l'installation. Pour installer le programme, double-cliquez sur le nom du programme d'installation dans l'Explorateur ou le Poste de travail. Le programme d'installation créera probablement sur votre Bureau une icône du programme. Sous Windows, il se peut également que le logiciel soit ajouté à votre menu Démarrer.

Certains logiciels ne sont pas fournis avec un programme d'installation : vous disposez directement du programme lui-même qui, une fois décompressé, doit juste être exécuté. Pour faciliter l'accès au programme, vous devrez créer une icône. Sous Windows 95 et plus :

1. **Ouvrez le Poste de travail ou l'Explorateur et sélectionnez le fichier du programme (le fichier avec l'extension `.exe`, ou occasionnellement `.com` ou `.msi`).**

2. **Avec le bouton droit de la souris, glissez le fichier jusqu'au Bureau ou dans un dossier ouvert sur le Bureau.**

   Une icône du programme apparaît.

Une autre méthode est de choisir Démarrer/Programmes ou Démarrer/Tous les programmes, de trouver la commande de menu du programme, d'appuyer sur la touche Majuscule et de glisser jusqu'au Bureau, puis de relâcher la touche Majuscule. Windows crée alors une icône sur le Bureau à partir de la commande de menu.

Pour exécuter votre nouveau programme, il suffit alors de cliquer ou double-cliquer sur l'icône (selon la façon dont Windows est configuré – essayez d'abord en cliquant et, si rien ne se produit, double-cliquez).

Configuration du programme

Vous pouvez maintenant exécuter le programme !

Vous aurez peut-être à indiquer au programme votre adresse Internet ou des informations sur votre ordinateur, ou autre chose, avant de pouvoir l'exploiter. Consultez les éventuels fichiers texte fournis avec le programme ou déroulez son menu Aide pour obtenir des informations supplémentaires sur la configuration ou l'emploi du programme. Le site Web où vous avez récupéré le logiciel donne probablement quelques explications.

Télécharger d'autres types de fichiers

Pour les autres types de fichiers (vidéo, par exemple), la même procédure s'applique :

1. **Cherchez le fichier sur le Web.**

   Utilisez un moteur de recherche !

2. **Sur la page de téléchargement, suivez les instructions.**

   Généralement, on vous demande de cliquer sur le bouton Télécharger ou Download.

3. **Lorsque le navigateur Web affiche la boîte de dialogue Enregistrer, indiquez le disque dur et/ou le dossier dans lequel le fichier doit être téléchargé.**

   Si vous avez créé, comme nous vous le conseillions, un dossier Téléchargements ou Fichiers téléchargés, placez-y votre programme.

4. **Passez le fichier à l'antivirus.**

Pour cela, consultez la section "Protection antivirus" un peu plus haut dans ce chapitre.

5. **Si nécessaire, dézippez (décompressez) le fichier.**

   Si le fichier est gros, ou si vous avez téléchargé un groupe de fichiers, il est probable qu'il(s) soi(en)t compressé(s) en un fichier ZIP. Reportez-vous à la section "Zipper et dézipper avec WinZip" plus haut dans ce chapitre.

6. **Ouvrez le fichier avec le programme adéquat.**

   Si vous avez téléchargé un document Word, ouvrez-le dans Word. Si vous ne connaissez pas le type de fichier téléchargé, ou ignorez le programme à utiliser, affichez le nom de ce fichier dans le Poste de travail ou l'Explorateur Windows. Ensuite, double-cliquez sur le nom du fichier. S'il existe, sur votre ordinateur, un programme capable d'ouvrir ce fichier, Windows l'exécutera et affichera automatiquement le document.

Vote fichier est prêt à être exploité.

FTP : la bonne vieille méthode de téléchargement

Avant le Web, l'Internet existait et fonctionnait. À cette époque, le téléchargement de fichiers se faisait par l'intermédiaire d'un programme dit *FTP*, c'est-à-dire *File Transfer Protocol* (protocole de transfert de fichier). Pour effectuer un téléchargement il fallait connaître le nom du serveur sur lequel se trouvait le fichier et le dossier dans lequel il était stocké.

Vous pouvez toujours utiliser cette méthode pour télécharger vos fichiers.

Les navigateurs Web savent télécharger automatiquement des fichiers sur des sites FTP. L'URL commence par `ftp://`, ce qui identifie clairement que le téléchargement va s'opérer depuis un serveur FTP. L'opération se déroule comme si vous téléchargiez à partir du Web.

Dans l'autre sens !

Vous savez maintenant récupérer des fichiers sur d'autres ordinateurs, en les téléchargeant. La copie dans l'autre sens s'appelle aussi téléchargement (*uploading* en anglais). Si vous composez vos propres pages Web et que vous vouliez les télécharger vers l'ordinateur (le serveur Web) de votre prestataire Internet, voici comment faire.

Téléchargement vers un serveur avec un éditeur de pages Web

Les bons éditeurs comportent un programme de transfert de fichiers (FTP) ; lorsque vous avez créé vos pages Web, vous pouvez les télécharger vers un serveur Web. Un programme de mise en page Web et de gestion des sites comme Dreamweaver, par exemple, dispose d'un bouton Placer qui permet de télécharger sur le serveur la totalité des fichiers composant vos pages Web.

Téléchargement vers un serveur avec votre navigateur

Dans Internet Explorer, vous pouvez vous connecter au serveur Web à l'aide d'une URL FTP, comme :

`ftp://votre-id@www.votre-prestataire.com/`

Remplacez *votre-id* par votre nom d'utilisateur. Le nom du serveur de votre FAI est `www` suivi du nom du FAI mais peut également être quelque chose comme `ftp.www.nom.net`. Voyez si ces informations vous ont été fournies par votre FAI lors de votre abonnement.

Le navigateur vous demande votre mot de passe : tapez celui que vous utilisez lorsque vous vous connectez à Internet. Si ce mot de passe convient, vous obtenez à l'écran le contenu du répertoire d'accueil de votre site Web. Si vous voulez télécharger les fichiers vers un autre répertoire, cliquez sur le nom de ce répertoire pour l'afficher.

Une fois le répertoire désiré affiché, faites glisser le fichier à télécharger dans la fenêtre du navigateur, à partir de votre gestionnaire de fichiers, par exemple l'Explorateur de Windows. Le fichier est alors téléchargé vers le serveur.

Téléchargement vers un serveur avec un programme FTP

Les programmes FTP servent à télécharger des fichiers dans un sens ou dans l'autre. Ces programmes ressemblent à l'Explorateur Windows. À gauche, vous affichez le contenu de votre disque dur et à droite, celui de votre espace disque réservé sur le serveur FTP. Vous faites alors glisser les fichiers de l'un à l'autre pour les télécharger dans un sens comme dans l'autre, c'est-à-dire du disque dur vers le serveur et du serveur vers le disque dur.

Il est souvent préférable d'utiliser un logiciel dédié au téléchargement FTP comme l'excellent WS_FTP Pro dont l'interface est illustrée à la Figure 23.4.

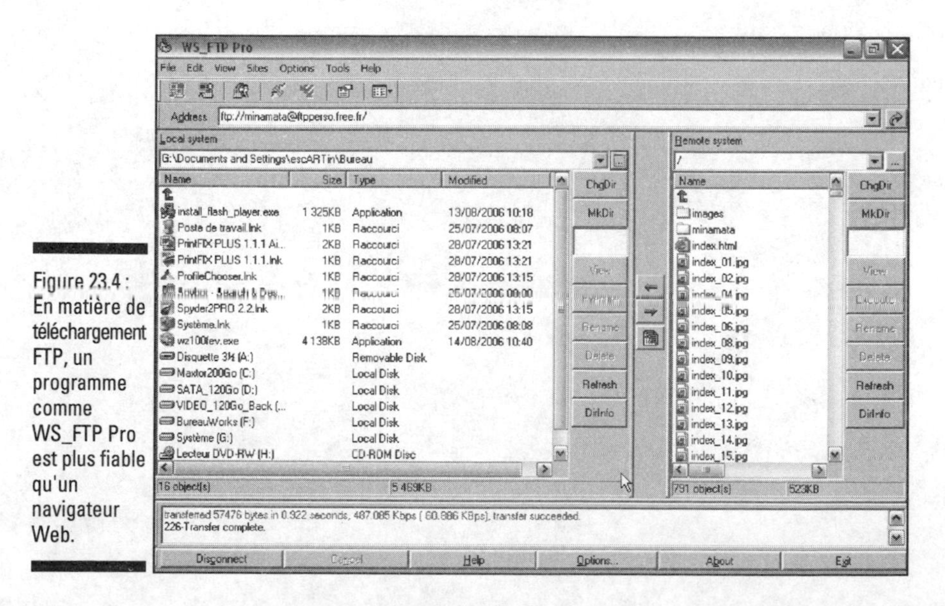

Figure 23.4 : En matière de téléchargement FTP, un programme comme WS_FTP Pro est plus fiable qu'un navigateur Web.

A droite vous affichez le contenu de votre disque dur, et à gauche celui du serveur FTP, c'est-à-dire du disque dur où se situent les fichiers que vous désirez télécharger.

Septième partie

E-mail

"Vous savez que je vous trouve mieux sur Internet."

Dans cette partie...

Si vous regardez le Web de très près, vous constatez que ce média n'est pas très éloigné de la télévision. En effet, vous y regardez ce que d'autres y font. Maintenant, nous allons voir qu'Internet ressemble beaucoup au téléphone, car vous pouvez parler à d'autres personnes par clavier interposé. Nous allons commencer avec le courrier électronique, le plus vieux et le plus utile de tous les services Internet.

Chapitre 24

Courrier par-ci, courrier par-là !

Dans ce chapitre :

- Comprendre les adresses électroniques e-mail.
- Comprendre la notion de serveur de mail.
- Choisir un programme de gestion des e-mails.
- Envoyer du courrier.
- Recevoir du courrier.
- Quelques règles de savoir-vivre.
- Chercher des adresses e-mail.

Même si c'est l'un des plus anciens, et pour certains le plus ennuyeux, le courrier électronique, ou *e-mail*, est sans aucun doute le service le plus populaire d'Internet. Bien qu'il ne suscite pas le même engouement que le World Wide Web, davantage de personnes s'en servent. Chaque système raccordé au Net supporte, d'une façon ou d'une autre, un système de messagerie, ce qui signifie que, quel que soit le type d'ordinateur en votre possession, pour peu qu'il soit connecté au Net, vous pouvez envoyer et recevoir du courrier. Aujourd'hui, même sans ordinateur, mais équipé d'un téléphone mobile ou d'un assistant personnel (PDA), vous pouvez aussi envoyer et recevoir des *mails* (*courriels* ou encore *mels*).

Quelle est mon adresse ?

Toute personne ayant un accès au Net par courrier électronique dispose au minimum d'une *adresse électronique*. C'est l'équivalent, dans le cyberespace, d'une adresse postale ou d'un numéro de téléphone. Lorsque vous envoyez un message par courrier électronique, vous mettez dans son en-tête l'adresse électronique de votre correspondant.

Avant toute chose, vous devez connaître votre adresse électronique personnelle pour la communiquer à tous ceux qui souhaiteraient vous joindre via le Net. Vous devez également connaître leur adresse électronique pour pouvoir leur envoyer des messages. Sauf, bien entendu, si vous ne connaissez personne ou que vous envisagiez de limiter votre correspondance électronique à l'envoi de lettres anonymes.

Les adresses électroniques d'Internet se composent de deux parties séparées par le caractère "@" (*arobase*). Ce qui se trouve à gauche est votre identifiant personnel (votre boîte aux lettres) et ce qui est à droite est le *nom de domaine* (généralement le nom de votre fournisseur d'accès comme `free.fr` ou `wanadoo.fr`).

Votre nom d'utilisateur

Avec un peu de chance, votre fournisseur d'accès vous laissera choisir le nom de votre boîte aux lettres. Toutefois, si vous vous appelez Pierre Martin, il a probablement déjà un Martin parmi sa clientèle, et peut-être même un autre Pierre Martin. Vous devrez alors utiliser une variante du genre pmartin ou p.martin.

C'est ainsi que John a eu successivement les noms d'utilisateur john, johnl, jrl, jlevine, jlevine3 (ce qui semble indiquer qu'il y a au moins trois jlevine) et même q0246. Quant à Carol, elle s'est vue attribuer carol, carolb, cbaroudi et carol1377. Margy essaie de se cantonner à margy, mais s'est retrouvée avec margyl et même 73727,2305. Certains systèmes vous attribuent un nom de la forme usd31516 (aux États-Unis, peut-être, et encore il y a longtemps ; en France, nous n'en avons jamais rencontré). Beurk !

Ainsi, pour écrire au président des États-Unis, vous adresserez votre message à `president@whitehouse.gov`. La boîte aux lettres du président est president, et le nom du domaine dans lequel elle se trouve est whitehouse.gov (*White House* signifiant Maison-Blanche).

En revanche, pour écrire à Jacques Chirac, l'actuel président de la République française, vous devez le faire sur la page Web dont voici l'adresse : `http://www.elysee.fr/ecrire/index.html`.

À la limite, et si votre fournisseur d'accès l'accepte (et c'est généralement le cas), rien ne vous empêche d'avoir plusieurs adresses électroniques, de la même façon que rien ne vous empêche (pour peu que vous en ayez les moyens) d'avoir une résidence secondaire, voire tertiaire.

Le nom de domaine

Pour les noms de domaines, les choses se compliquent et il existe deux mondes : les États-Unis, d'une part, et le reste de la Terre, d'autre part. Pour les États-Unis, le nom de domaine se termine par un groupe de trois lettres précédé d'un point, qui s'appelle le nom de *zone*. Le plus courant est .com (commercial). On trouve aussi .mil, .edu, .gov ou .org, dont la signification est évidente. Par exemple, pour American Airlines, de son vrai nom AMR Corporation, le nom de domaine est aa.com. Celui de Egg Farm Dairy est creamery.com, etc.

En dehors des États-Unis, le nom de domaine ne comprend que deux lettres qui représentent le pays où est situé le domaine : .fr pour la France, .ch pour la Suisse, .jp pour le Japon, etc. En France, outre .fr, on peut aussi trouver .net, .org ou .com. Depuis quelque temps, les administrations doivent utiliser des noms de sous-domaines particuliers. Ainsi, les adresses des académies doivent être de la forme ac-*nom*.fr (*nom* étant le nom de la ville), celles des conseils généraux cg*xx*.fr (*xx* représentant le numéro du département), celles des mairies mairie-*nom*.fr (*nom* étant le nom de la ville), etc. Pour plus de détails (notamment pour l'enregistrement des noms de domaines en .fr), vous pouvez pointer votre navigateur sur la page de l'AFNIC à l'adresse `www.afnic.fr/obtenir`.

Pour une liste complète des codes de pays, consultez notre site Internet Gurus Central à la page `http://net.gurus.com/countries` ou les sites français `www.alc.net/drap.htm` et `www.indexa.fr/cgi-bin/domaines.pl`.

En 1997, un groupe international proposa l'ajout de certains domaines génériques supplémentaires comme .firm, .arts et .web. En 2001, les premiers nouveaux domaines sont apparus, .biz et .info. Depuis, ont été ajoutés .name, pour les domaines personnels, et quelques domaines à usage limité comme .coop, .museum et .aero. Aucun n'est largement employé.

Votre boîte aux lettres est généralement située sur le serveur de courrier de votre fournisseur d'accès, puisque, lorsque vous souscrivez un compte Internet, il met automatiquement à votre disposition une ou plusieurs boîtes aux lettres. Mais, si vous ne passez pas par un FAI (vous vous connectez via une bibliothèque municipale, par exemple), tout n'est pas perdu. De nombreux sites Web proposent des boîtes aux lettres gratuitement, telles que Hotmail à l'adresse `www.hotmail.com` ou Yahoo! (`http://edit.europe.yahoo.com/config/mail?.intl=fr`). Dans ce cas, la seconde partie de votre adresse électronique (la partie située après le signe @) porte généralement le nom de domaine du site (ce qui donne, par exemple, `tartempion@yahoo.com` ou `tartempion@hotmail.com`). La Figure 24.1 montre l'interface de gestion de vos e-mails Yahoo!

Vous trouverez une liste complète des services de mails gratuits à l'adresse suivante : `http://directory.google.fr/Top/World/Fran%C3%A7ais/Informatique/Internet/Courrier_%C3%A9lectronique/Gratuit/` ou en vous connectant sur `directory.google.fr`, puis en cliquant sur Informatique/Internet/Ressources/Courrier électronique.

Figure 24.1 : Avec Yahoo! (entre autres), consultez vos mails sur un serveur et non sur votre disque dur.

Où est ma boîte aux lettres ?

Lorsque vous souscrivez un abonnement auprès d'un fournisseur d'accès à Internet, vous bénéficiez en règle générale d'une première adresse e-mail. Ensuite, vous avez la possibilité d'en créer un nombre limité ou illimité. Tout dépend du FAI.

Si vous n'avez pas de FAI, ce qui est le cas lorsque vous utilisez un ordinateur dans un cybercafé ou un lieu public comme une médiathèque, vous pouvez recourir à des serveurs gratuits qui vous laissent créer une adresse e-mail que vous pourrez consulter depuis n'importe quel ordinateur. Par exemple, Hotmail qui se trouve à `www.hotmail.com`, Mail.com à `www.mail.com`, ou encore Yahoo! Mail à `http://edit.europe.yahoo.com/config/mail?.intl=fr`. Yahoo! et Hotmail utilisent le nom de domaine du site comme identifiant de l'adresse mail. Ainsi, vous disposerez d'une adresse dont la seconde partie sera `@hotmail.com` ou `@yahoo.com`. De son côté Mail.com offre une liste impressionnante de domaines comme `www.tokyo.com` ou `www.doctor.com`.

Comment ? Vous ne connaissez pas votre propre adresse ?

Il se peut qu'un ami vous avoue qu'il ne connaît pas sa propre adresse e-mail. La solution est simple : demandez-lui de vous envoyer un message. Tous les messages renferment une adresse de retour. Ne vous étonnez pas si celle de votre ami a un air étrange. Après passage du message dans plusieurs passerelles, l'adresse de votre ami peut ressembler à ça :

```
"blurch::John.C.Calhoun"%farp@slimemail.com
```

Si vous utilisez cette adresse pour envoyer un message, cela devrait fonctionner. Cependant, il est préférable de cliquer sur Répondre pour que votre programme de courrier insère lui-même l'adresse. Et stockez-la dans le carnet d'adresses de votre programme d'e-mail, vous n'aurez plus à la taper. (Sachez malgré tout que la procédure d'ajout automatique des adresses électroniques de vos correspondants ne constitue pas une option par défaut de votre programme de gestion des e-mails. Ainsi, dans Outlook Express, vous devez sélectionner cette fonction dans l'onglet Envois de la boîte de dialogue Options.)

Rassemblons le tout

Inscrivez votre adresse électronique dans le Tableau 24.1 et rangez le livre près de votre ordinateur. Majuscules et minuscules sont généralement considérées comme identiques dans les adresses électroniques, notamment dans les noms de domaine (la différence peut cependant être significative pour les noms d'utilisateur). Dans ce livre, nous avons opté pour des minuscules, tant pour les boîtes aux lettres que pour les domaines.

Si vous envoyez un message à quelqu'un qui se trouve dans le même domaine que le vôtre (sur la même machine ou sur le même groupe de machines), vous pouvez omettre le nom de domaine. Par exemple, si un de vos amis et vous-même êtes sur AOL, vous pouvez supprimer `@aol.com` de son adresse e-mail.

Tableau 24.1 : Informations que doit connaître votre logiciel de courrier électronique.

Information	Description	Exemple
Votre adresse *e-mail*	Votre nom d'utilisateur suivi du caractère "@" et du nom de domaine.	`jules.dupont@monserveur.fr`
Votre mot de passe de courrier électronique	Le mot de passe à utiliser pour votre courrier électronique (le plus souvent identique à votre login). Ne l'écrivez surtout pas, il doit rester secret !	`dum3my`
Votre serveur de courrier entrant (POP3 ou IMAP)	Le nom de l'ordinateur qui reçoit vos messages (c'est votre fournisseur d'accès qui doit vous l'indiquer).	`pop.monserveur.fr`
Est-ce POP3 ou IMAP ?	Protocole utilisé par votre boîte aux lettres et que votre programme de courrier doit employer pour récupérer votre courrier. Ne s'applique pas au courrier Web, à AOL ou MSN.	
Votre serveur de courrier sortant (SMTP)	Le nom de l'ordinateur qui envoie vos messages (c'est parfois le même que celui du serveur POP3).	`smtp.monserveur.fr`

Si vous ne connaissez pas votre adresse électronique, il existe un moyen simple de la découvrir en mettant en application ce que nous venons de dire : envoyez-vous un message à vous-même en n'y mettant que votre identifiant personnel. Examinez ensuite l'adresse de retour qui figurera sur le message que vous allez recevoir. Ou bien envoyez un message à Internet for Dummies Mail Central (`internet10@gurus.com`) où un amical robot vous renverra un message contenant votre adresse e-mail. Pendant que vous y êtes, dites-nous (en anglais, s'il vous plaît) si vous aimez ce livre, car c'est le genre de message qui plaît beaucoup aux auteurs. Si vous voulez tester votre e-mail plusieurs fois sans que nous lisions vos messages, envoyez-les à `test@gurus.com`.

Lorsque vous communiquez oralement votre adresse à quelqu'un, montrez que le Web n'a plus de secrets pour vous en disant, par exemple, "tiburce at (prononcez "hâte" c'est-à-dire "chez" en anglais) free, point fr", au lieu de "tiburce arobase free point fr".

Où se trouve mon courrier ?

Si vous êtes du genre insomniaque, tourmenté par des questions existentielles, vous avez peut-être compris que votre ordinateur ne peut recevoir du courrier que s'il est connecté au Net. Dans ce cas, que devient le courrier que l'on vous envoie au cours des vingt-trois autres heures de la journée où vous participez à la vraie vie ?

Lorsque des messages arrivent à votre intention, ils ne vont pas parvenir directement sur votre machine, mais être envoyés à un *serveur de courrier*, qui joue le rôle de bureau de poste en conservant votre courrier jusqu'à ce que vous vous connectiez et lanciez votre logiciel de messagerie (*mailer*) pour aller le récupérer. Afin de lire votre courrier, vous devez donc vous rendre à ce bureau de poste et le retirer. Il existe deux types de serveurs de courrier entrant : *POP* (ou *POP3* pour *Post Office Protocol* version 3) et *IMAP* (*Internet Message Access Protocol*). Symétriquement, pour que votre courrier parte vers sa destination, votre *mailer* doit le faire parvenir au bureau de poste de votre fournisseur d'accès (à son serveur de courrier sortant, aussi appelé *serveur SMTP*). Tout se passe donc comme s'il n'y avait pas de facteur et que vous deviez aller vous-même déposer et recevoir votre courrier au bureau de poste local.

À moins d'utiliser votre navigateur Web pour lire votre courrier électronique directement sur un site Web, vous devez faire connaître à votre *mailer* l'adresse des serveurs de courrier entrant et sortant dont vous dépendez. C'est depuis le serveur de courrier entrant de votre FAI que votre logiciel de messagerie va transférer à grande vitesse le courrier en attente vers votre propre disque dur. Vous pourrez ensuite vous déconnecter et le lire tout à loisir, ce qui est une bonne idée pour faire des économies sur votre note de téléphone. Et même si vous avez souscrit un abonnement avec forfait, cela vous évitera de gaspiller de précieuses minutes qui viendront grignoter le temps qui vous reste. Une fois que votre courrier est chez vous, vous pouvez tout tranquillement le lire, y réfléchir et préparer vos réponses que vous irez "poster" globalement lorsque vous vous brancherez de nouveau.

Écrivez sur le Tableau 24.1 les noms de vos serveurs de courrier (POP3 ou IMAP et SMTP). Si vous ne les connaissez pas, adressez-vous à votre fournisseur. Avec un peu de chance, votre programme de messagerie aura configuré automatiquement le nom de ces serveurs. Ainsi, lorsque (notez que nous ne disons pas *si*) les choses tournent mal, vous vous féliciterez d'avoir noté ces paramètres quelque part pour pouvoir les restaurer.

Une fois que vous avez envoyé un e-mail, vous ne pouvez l'annuler ! Certains programmes d'e-mail conservent les messages sortants dans une *file*, pour faire un envoi par lot. Mais une fois vos messages transmis au serveur de courrier sortant, vous ne pouvez pas les rapatrier.

Panorama des types de logiciels de courrier

C'est maintenant que vous allez devoir affronter votre *mailer*. Il existe un si grand nombre de logiciels de courrier que nous n'avons pas tenté de les dénombrer. Une fois que vous avez choisi votre freeware, shareware ou logiciel commercial (ou simplement ouvert le programme disponible sur votre ordinateur), encore faut-il savoir comment l'utiliser. Tous font peu ou prou la même chose, parce que ce sont tous des logiciels de courrier électronique, après tout.

Les programmes e-mail du moment

Voici un bref panorama de ce qui existe :

- **PC/Windows ou Macintosh avec un compte Internet bas ou haut débit :** Vous avez accès à une longue liste de programmes de courrier POP ou IMAP dont Thunderbird, Outlook, Outlook Express, Eudora, Pegasus Mail, MailApp et Entourage. Les prochaines sections vous donnent quelques conseils.
- **Comptes professionnels :** Si vous utilisez une adresse e-mail sur votre lieu de travail, la société qui vous emploie

peut recourir à un autre serveur de mail appelé Microsoft Exchange. En plus des services de courriers, Exchange partage des calendriers, des listes de tâches et quelques autres fonctions très intéressantes. Le programme le plus populaire qui fonctionne complètement avec Exchange est Microsoft Outlook. Malgré les problèmes de sécurité qu'il présente, votre société exigera certainement que vous l'utilisiez. Outlook ressemble beaucoup à Outlook Express dans sa partie gestion des e-mails. Vous en saurez davantage sur ce dernier dans l'une des prochaines sections.

- **AOL :** AOL fournit désormais un serveur IMAP standard. Vous pouvez donc utiliser des logiciels de courrier standard pour lire vos mails AOL. Vous disposez de trois options :

  - **Le programme d'e-mail d'AOL :** La plupart des utilisateurs d'AOL reçoivent et envoient des mails avec le programme qu'ils utilisent pour se connecter à leur compte. Cliquez sur l'icône adéquate de la barre d'outils ou sur la petite icône de la boîte aux lettres.

  - **Un autre programme d'e-mail :** Vous pouvez utiliser un programme Windows ou Mac qui gère IMAP. Ces programmes proposent souvent des fonctions de filtrage des spams et des messages bien plus efficace. Nous vous conseillons d'utiliser Thunderbird que nous présentons dans l'une des prochaines sections de ce chapitre.

  - **Votre navigateur Web :** Vous pouvez gérer vos mails depuis le site AOL à `www.aol.fr`. L'avantage est que vous pouvez consulter votre courrier avec n'importe quel ordinateur disposant de n'importe quel navigateur Web. Ce système est généralement proposé par tous les FAI. Par exemple, Free propose Webmail sur son site. Ainsi, où que vous soyez dans le monde, il est possible de consulter vos mails !

- **Serveurs Web de courrier électronique :** Il existe quelques serveurs Web qui vous offrent un accès gratuit à un service de courrier électronique. Les plus connus d'entre eux sont Hotmail, à l'URL `www.hotmail.com` (racheté par Microsoft) et Yahoo! Mail, à l'URL `http://edit.europe.yahoo.com/config/mail?.intl=fr`. Si vous disposez d'une boîte aux lettres sur l'un de ces sites, vous utilisez votre navigateur Web pour lire et envoyer des messages. Citons également Voila Mail sur `mail.voila.fr` et CaraMail sur `www.caramail.lycos.fr`.
- **Comptes shell UNIX :** Vous pouvez certainement utiliser Pine. Si votre FAI ne l'a pas, demandez-le. Pour apprendre à utiliser Pine, voir notre site Web sur `http://net.gurus.com/shell/pine.phtml`.

Quel que soit le type de logiciel que vous utilisez, les principes généraux de lecture, d'envoi et de classement de messages ainsi que d'adressage restent les mêmes. Aussi est-il intéressant de continuer à lire ce chapitre, même si le système que vous utilisez n'y figure pas explicitement.

Utiliser votre navigateur Web pour vos e-mails

Même si vous utilisez un programme de courrier électronique comme Thunderbird ou Outlook Express pour lire vos messages, rien ne vous empêche d'aller sur le site de votre FAI pour consulter votre courrier. Vous utilisez alors son serveur Web de courrier électronique. Ceci est fort pratique lorsque vous êtes en vacances, dans un cybercafé, une médiathèque, etc. Par exemple, si vous avez un compte chez Free, connectez-vous au site `http://free.fr` et cliquez sur le lien Webmail. Vous accédez à une page où vous saisissez votre adresse e-mail, c'est-à-dire votre identifiant, puis votre mot de passe, comme le montre la Figure 24.2.

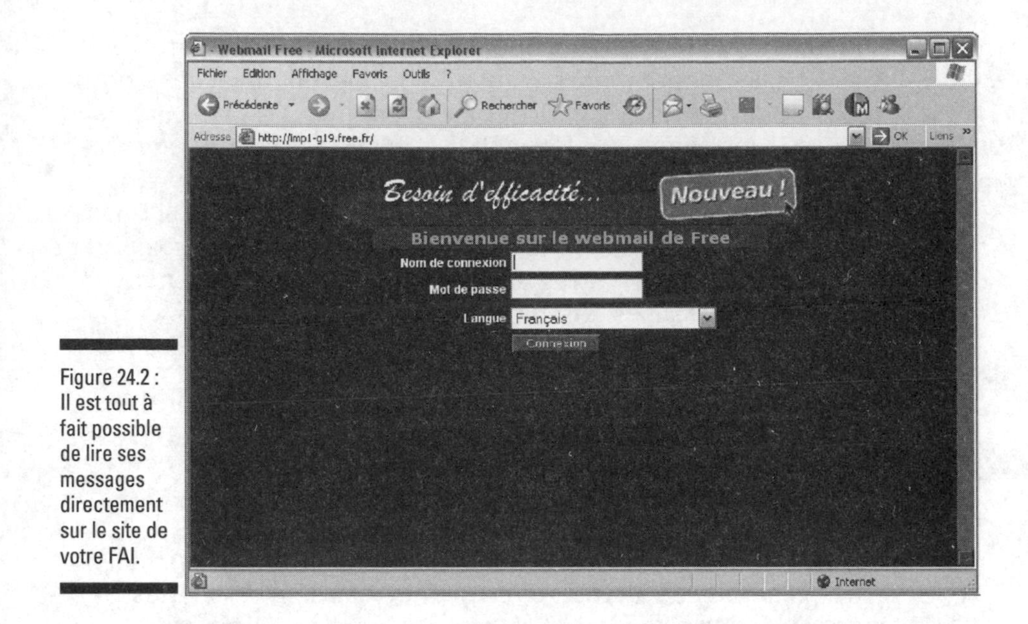

Figure 24.2 : Il est tout à fait possible de lire ses messages directement sur le site de votre FAI.

Paramétrer votre logiciel de courrier électronique

Nous avons choisi, à titre d'exemple, les deux programmes d'e-mail les plus répandus, c'est-à-dire Thunderbird et Outlook Express :

- **Thunderbird :** Les créateurs de Firefox, le navigateur Web ont développé un excellent programme de gestion des e-mails appelé Thunderbird. Il fonctionne avec la plupart des comptes Internet standard ainsi qu'avec les comptes AOL. Pour savoir comment vous procurer Thunderbird, consultez le Chapitre 23.

- **Outlook Express :** Windows, à partir de la version 98, est fourni avec Outlook Express, programme de courrier gratuit de Microsoft. Si vous récupérez un exemplaire d'Internet Explorer (le navigateur Web de Microsoft), vous obtenez Outlook Express du même coup. Nous décrivons Outlook Express 6.0 fourni avec Windows XP et Internet Explorer 6.0. Il est aussi possible de le télécharger sur www.microsoft.fr. ***Remarque :*** malgré la similitude de nom, Outlook Express n'a pas de rapport avec Outlook (versions 97, 98, 2000, XP ou 2003), fourni avec diverses versions de Microsoft Office.

Pour achever notre étude, nous présentons un système de courrier basé Web, Yahoo! Mail, sur http://mail.yahoo.fr. Hotmail de Microsoft (www.hotmail.com) est similaire, ainsi que les services de mail des FAI qui permettent de consulter son courrier à partir d'un autre ordinateur de la planète. Dans ce sens, vous pouvez tester Webmail de Free (www.free.fr). Nos instructions pour Yahoo! Mail sont un peu vagues car, comme tous les sites Web, il aura sans doute été complètement repensé lorsque vous lirez ces lignes, d'autant que nous testons la nouvelle version de ce système qui est encore à l'état de test.

Avant de pouvoir employer votre programme de courrier, vous devez lui indiquer deux choses :

- **Votre boîte aux lettres** (sur le serveur de courrier chez votre FAI) ;
- **L'endroit où il faut envoyer votre courrier sortant** (par exemple vers le même serveur de courrier de votre FAI).

Pour Yahoo! Mail et les autres serveurs de courrier basés Web, vous devez vous créer une boîte aux lettres. Pour mettre le pied à l'étrier, suivez les instructions des sections suivantes. D'autres sections décrivent plus loin comment envoyer et recevoir du courrier à l'aide de chaque programme.

Thunderbird

Mozilla, développeur *open source* s'il en est, a créé Thunderbird en complément de l'excellent navigateur Web Firefox. Mozilla propose aussi un navigateur portant le nom de *Mozilla* qui combine un navigateur Web comme Firefox, un programme de gestion des e-mails comme Thunderbird et un éditeur Web. La version AOL de Mozilla, Netscape 8, combine différentes versions de ces programmes.

Ouvrez Thunderbird en double-cliquant sur l'icône du Bureau ou en choisissant Démarrer/Tous les programmes/Mozilla Thunderbird/Mozilla Thunderbird. La première fois que vous ouvrez Thunderbird, l'Assistant des comptes s'exécute ; il vous demande votre nom, le type de compte d'e-mail que vous utilisez (POP ou IMAP), votre adresse e-mail et vos serveurs de mail (entrant et sortant), comme cela est décrit à la section "Où se trouve mon courrier ?" plus haut dans ce chapitre.

Si vous devez modifier les informations de votre compte d'e-mail ou pour ajouter d'autres comptes à gérer, cliquez sur Outils/Paramètres des comptes. Ceci exécute de nouveau l'assistant. Cliquez sur Ajouter un compte. Pour modifier un compte existant, sélectionnez-le, cliquez sur la catégorie des paramètres située sous le nom du compte et modifiez les informations qui s'affichent. Tapez votre nom, votre adresse e-mail, le serveur de mail entrant, le serveur sortant, en recopiant les informations contenues dans le Tableau 24.1. Une fois ces opérations terminées, le nouveau compte apparaît dans la fenêtre Paramètres des comptes que vous pouvez fermer.

La fenêtre de Thunderbird est visible sur la Figure 24.3. La liste de vos dossiers de messages et de gestion de votre courriel apparaît dans le volet gauche. À droite apparaît la liste des messages relevés, ainsi que le texte du message sélectionné.

Si plusieurs personnes utilisent Thunderbird sur le même compte d'utilisateur d'un seul ordinateur, chacune d'elles peut avoir ses propres paramètres de telle sorte qu'elle ne lira que ses mails et pas ceux des autres. Pour cela, cliquez sur Démarrer/Tous les programmes/Mozilla Thunderbird/Profile Manager pour créer un nouveau profil pour chaque utilisateur. Si votre ordinateur fonctionne sous Windows XP et que vous attribuiez un compte à chaque utilisateur, chacun aura *de facto* son propre profil Thunderbird.

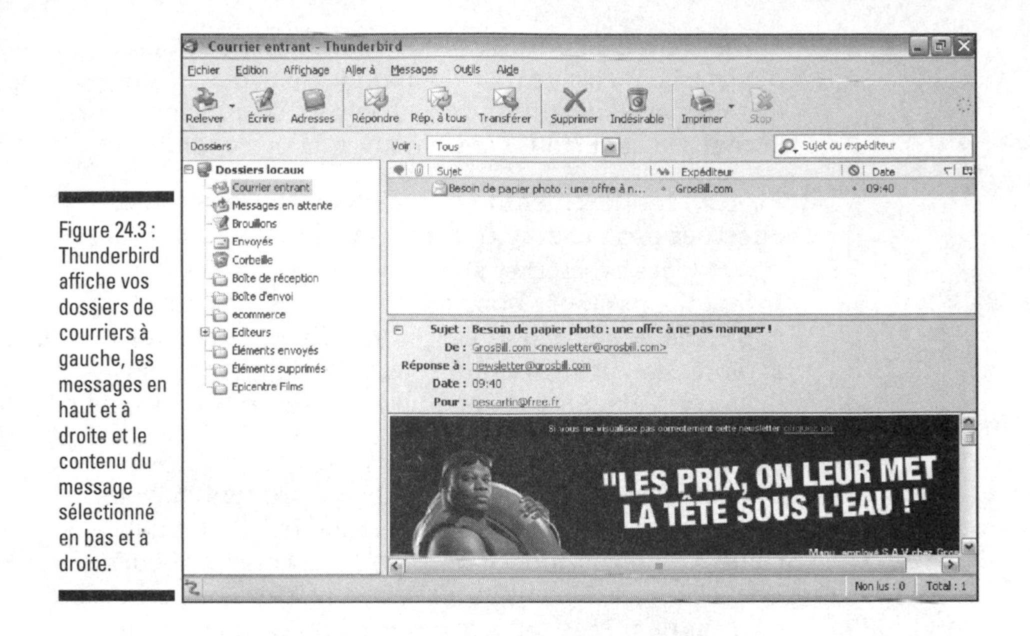

Figure 24.3 : Thunderbird affiche vos dossiers de courriers à gauche, les messages en haut et à droite et le contenu du message sélectionné en bas et à droite.

Éviter, si possible, Outlook Express et Outlook

Comme Outlook Express et Outlook sont respectivement fournis avec Windows et la suite bureautique Office, vous êtes tenté de les utiliser pour envoyer et recevoir des mails. Le problème est que les failles de sécurité propres au système d'exploitation et aux applications Microsoft sont telles que ceux-ci sont la cible privilégiée des virus. Si vous souhaitez malgré cela utiliser Outlook Express, prenez un certain nombre de précautions :

- **N'ouvrez jamais une pièce jointe ou un programme même si vous en connaissez l'expéditeur.** N'ouvrez une pièce jointe qu'après l'avoir analysée avec un antivirus. De nombreux virus infectent les ordinateurs lorsque les utilisateurs ouvrent ces fameuses pièces jointes. Les virus en profitent alors pour s'auto-envoyer, à votre insu, aux personnes contenues dans votre carnet d'adresses (celui d'Outlook Express, bien sûr, pas celui qui se trouve dans votre sac à main). Lorsque vous recevez un message d'une personne que vous ne connaissez pas, il est préférable de le supprimer sans en lire le contenu et surtout sans en ouvrir la pièce jointe.

- **Visitez régulièrement le site Web de Microsoft pour effectuer des mises à jour de sécurité.** Allez sur le site `http://update.microsoft.com/windowsupdate/v6/default.aspx?ln=fr` pour télécharger les derniers correctifs de sécurité pour Outlook Express et Internet Explorer. Ce site ne peut être visité qu'avec Internet Explorer. Téléchargez et installez toutes les mises à jour critiques.

- **Demandez à Outlook Express d'être prudent.** Si vous ne voulez pas recevoir de fichiers joints, cliquez sur Outils/Options. Affichez le contenu de l'onglet Sécurité. Cochez la case Ne pas autoriser l'ouverture ou l'enregistrement de pièces jointes susceptibles de contenir un virus. Activez aussi l'option M'avertir lorsque d'autres applications tentent d'envoyer des messages de ma part. Ces deux précautions limitent la propagation automatique des virus.

Le mieux est d'utiliser un programme plus sécurisé qu'Outlook Express.

Outlook Express

Outlook Express est directement installé avec Windows. D'ailleurs, nous ne savons pas comment nous en débarrasser !

Pour ouvrir Outlook Express sous Windows XP, choisissez Démarrer/Courrier électronique. Vous pouvez également double-cliquer sur l'icône Outlook Express sur votre Bureau (une enveloppe entourées de flèches bleues).

Lors de la première ouverture d'Outlook Express, l'Assistant Connexion Internet vous pose quelques questions : la plupart des réponses sont dans le Tableau 24.1. Saisissez votre nom, votre adresse e-mail, votre serveur de courrier entrant (POP ou IMAP), votre serveur de courrier sortant (SMTP), votre nom d'utilisateur et votre mot de passe. Cliquez sur Suivant, puis sur Terminer.

La fenêtre Outlook Express est visible sur la Figure 24.4.

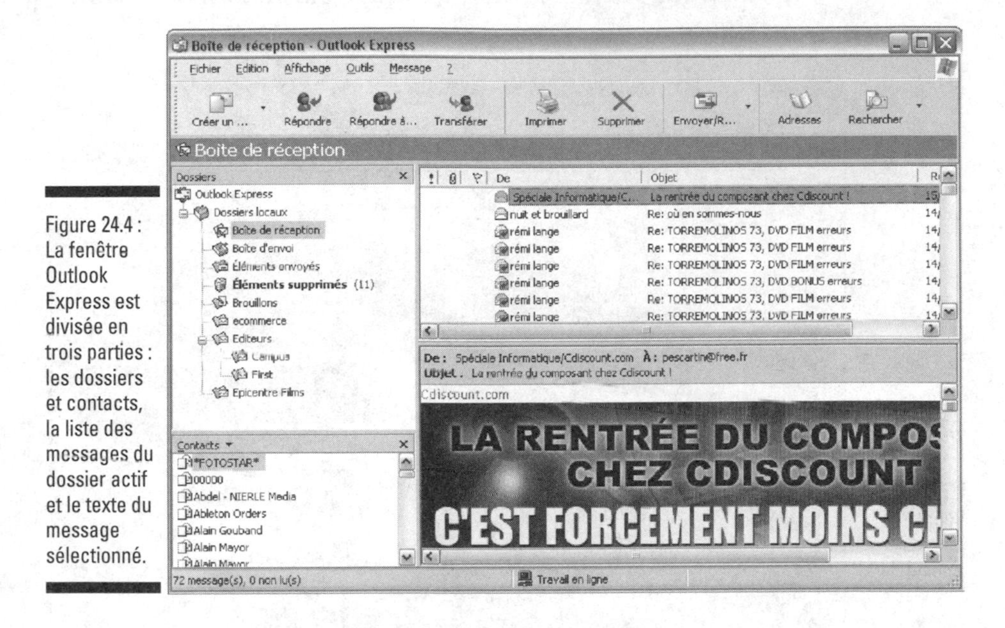

Figure 24.4 : La fenêtre Outlook Express est divisée en trois parties : les dossiers et contacts, la liste des messages du dossier actif et le texte du message sélectionné.

Si vous devez ajouter ou modifier un compte d'e-mail, choisissez Outils/Comptes. Pour modifier un compte, sélectionnez-le, puis cliquez sur le bouton Propriétés. Pour ajouter un compte de courrier, cliquez sur le bouton Ajouter.

Yahoo! Mail

Yahoo! Mail est notre service de courrier basé Web favori du fait de sa large gamme de fonctions. Après avoir obtenu un ID Yahoo!, vous disposez d'une boîte aux lettres, d'un site Web sur `http://geocities.yahoo.com/` et d'un ID utilisable pour acheter et vendre dans les boutiques en ligne et enchères de Yahoo!. Votre ID Yahoo! est aussi valable pour Yahoo! Messenger, la téléconférence ou la visioconférence. Les services exacts (ainsi que les instructions exactes pour configurer et employer Yahoo! Mail) sont susceptibles de varier. Nous vous en donnons cependant une idée générale.

Pour configurer une boîte aux lettres :

1. **Allez sur** fr.yahoo.com **et cliquez sur le lien Mon Mail (Figure 24.5).**

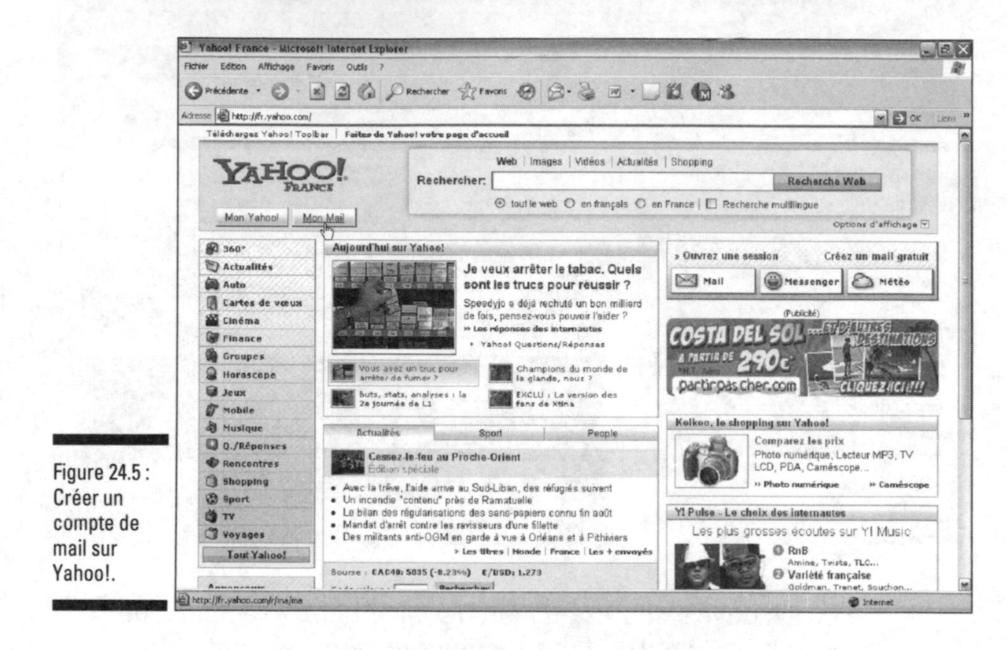

Figure 24.5 : Créer un compte de mail sur Yahoo!.

Vous pouvez aussi aller directement sur http://edit.europe.yahoo.com/config/mail?.intl=fr. Vous verrez des liens pour vous identifier si vous avez déjà un ID Yahoo!, ainsi qu'un lien Créez votre Yahoo! Mail.

2. **Cliquez sur le lien Créez votre Yahoo! Mail (Figure 24.6), remplissez les formulaires et validez.**

   N'oubliez pas de cliquer sur les liens pour lire les conditions d'utilisation et la politique de confidentialité (c'est-à-dire ce que la société envisage de faire avec les informations que vous avez fournies).

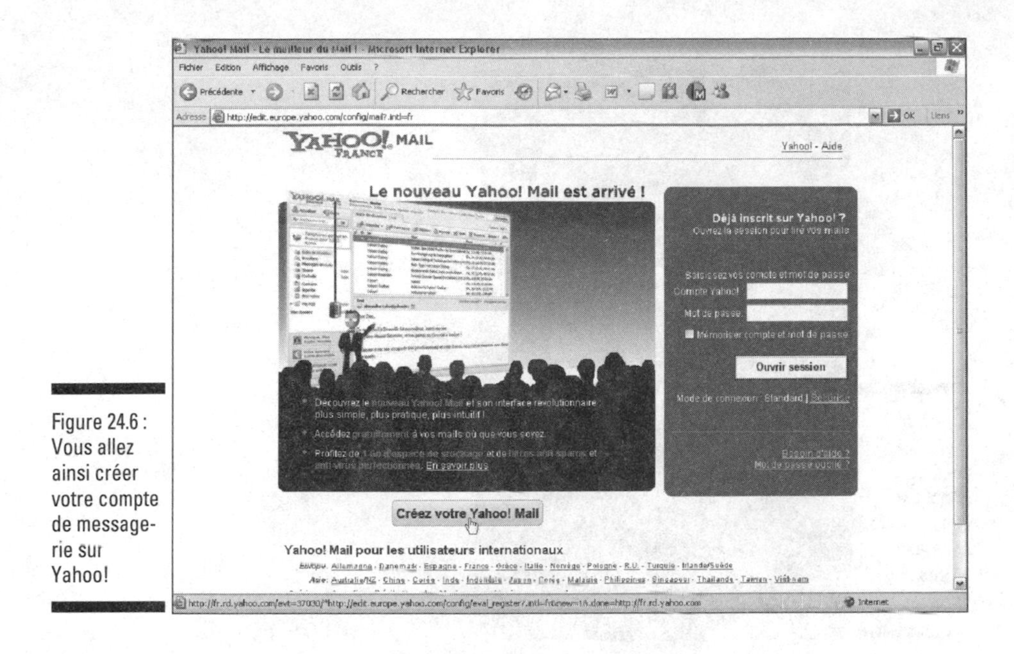

Figure 24.6 : Vous allez ainsi créer votre compte de messagerie sur Yahoo!

Au Tableau 24.1, vous ne devez fournir que votre adresse e-mail, qui est votre ID Yahoo! suivi de @yahoo.com. Vous n'avez pas besoin de fournir d'autres informations.

Pour accéder à votre boîte aux lettres Yahoo!

1. **Allez sur Yahoo Mail en passant par** `http://fr.yahoo.com`**, puis en cliquant sur le bouton Mon Mail.**

2. **Identifiez-vous avec votre ID Yahoo! et votre mot de passe, comme à la Figure 24.7, et cliquez sur le bouton Ouvrir session.**

   Vous arriverez probablement sur une nouvelle page demandant confirmation du mot de passe, par raison de sécurité. Vous changerez cela ultérieurement dans les options de Yahoo! pour définir une connexion Standard, c'est-à-dire sans saisie de mot de passe supplémentaire.

   Yahoo! Mail prend quelques secondes pour se charger. Vous obtenez ensuite une interface similaire à Outlook Express et Thunderbird, comme le montre la Figure 24.8.

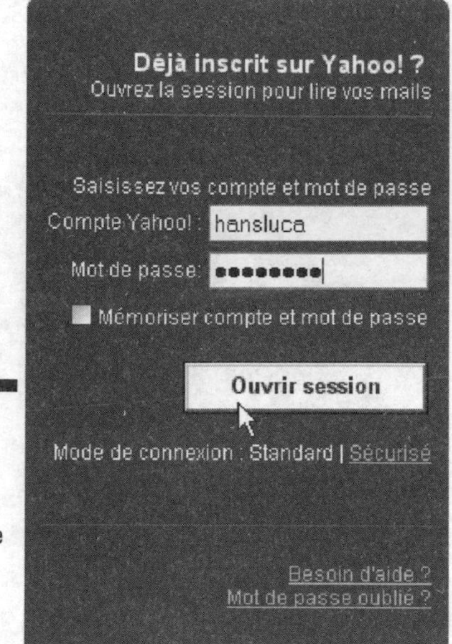

Figure 24.7 : Identifiez-vous pour consulter et utiliser votre boîte aux lettres sur Yahoo!

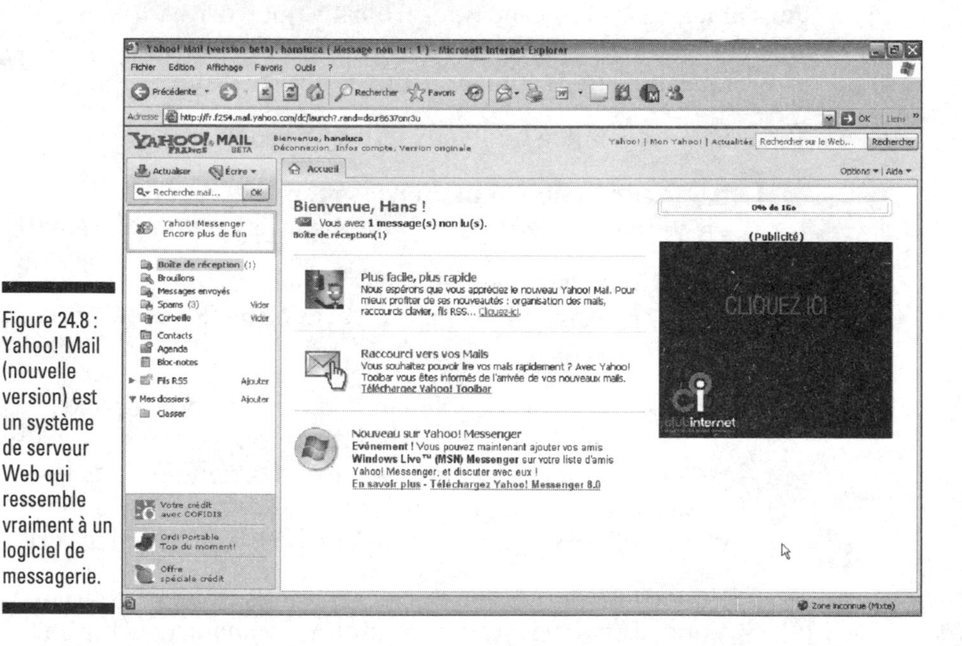

Figure 24.8 : Yahoo! Mail (nouvelle version) est un système de serveur Web qui ressemble vraiment à un logiciel de messagerie.

Un avantage des boîtes aux lettres basées Web comme Yahoo! Mail est que vous pouvez lire et envoyer des messages sur n'importe quel ordinateur. Votre boîte aux lettres est stockée sur les serveurs de courrier de Yahoo! et tout ordinateur équipé d'un navigateur Web peut y accéder. Bien sûr, personne ne peut lire vos messages ou en envoyer sans taper votre mot de passe. Dans ce chapitre, lorsque nous vous indiquerons comment envoyer et recevoir du courrier avec Yahoo! Mail, gardez donc à l'esprit que vous n'avez pas besoin d'être derrière votre propre ordinateur – vous pouvez lire votre courrier sur l'ordinateur d'un ami ou d'une bibliothèque publique. Inconvénient : la lecture et l'envoi de messages sur un site Web sont plus lents, à moins d'avoir une connexion rapide, car vous devez attendre le chargement d'une nouvelle page Web chaque fois que vous cliquez sur un nouveau message. De plus, si vous possédez plusieurs adresses e-mail sur un tel site vous devez vous connecter pour chacune d'elles, ce qui est bien plus long que de récupérer, en une seule opération, tous les messages de toutes vos adresses avec Thunderbird ou Outlook Express.

L'envoi d'e-mail, c'est simple

L'envoi d'e-mail est assez simple : nous allons l'illustrer à l'aide d'exemples parlants plutôt que de l'expliquer par de la théorie abstraite.

Cc et Bcc

Cc signifie *Carbon copy*. Il s'agit d'une fonction qui permet d'envoyer le même mail à plusieurs personnes en une seule opération. Tous les destinataires affichés dans les champs À et Cc recevront le message. Chacun verra le nom des autres destinataires.

Afin que les autres destinataires ne voient pas ces noms, il faut les placer dans le champ *Bcc* qui signifie *blind carbon copy* (ou *Cci*), c'est-à-dire *copie cachée*. Il est en effet plus intime d'envoyer un même message à tous en respectant l'anonymat de chacun.

Envoyer du courrier avec Thunderbird

Voici comment envoyer du courrier avec Thunderbird :

1. **Dans Thunderbird, cliquez sur le bouton Écrire dans la barre d'outils ou appuyez sur Ctrl+M.**

   La fenêtre Écrire s'ouvre et présente un message vierge (Figure 24.9).

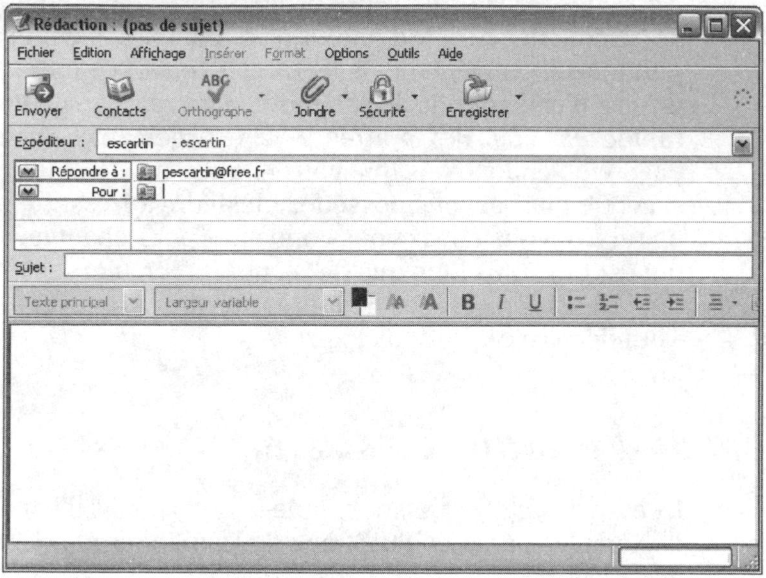

Figure 24.9 : Fenêtre de rédaction d'un message avec Thunderbird.

   Si Thunderbird signale qu'il ne connaît pas votre adresse e-mail, cliquez sur OK. Pour corriger votre adresse e-mail, choisissez Outils/Paramètres de compte. Apportez vos modifications et cliquez ensuite de nouveau sur le bouton Écrire.

2. **Remplissez l'adresse du destinataire dans le champ Répondre à.**

   Pour envoyer le même message à plusieurs destinataires, appuyez sur Entrée et non pas sur Tab. Vous pouvez indiquer autant d'adresses de destination que vous le souhaitez. Il suffit d'appuyer à chaque fois sur la touche Entrée. Une fois les adresses indiquées, appuyez sur Tab pour passer au champ de saisie de l'objet de votre message. Pour qu'un destinataire soit en Cc ou en Bcc, cliquez sur Pour, à côté de l'adresse, et choisissez Copie à ou Copie cachée à dans la liste déroulante.

3. **Saisissez l'objet du message dans le champ Sujet.**

   Appuyez sur Tab pour passer dans la zone de saisie du message.

4. **Tapez votre message.**

   Le point d'insertion clignote dans la vaste zone de saisie du texte.

5. **Cliquez sur Envoyer pour envoyer le message.**

   Le message est transmis à votre FAI, puis au destinataire. Si vous n'êtes pas connecté à Internet au moment de l'envoi, le courrier est placé dans le dossier Messages en attente.

Lorsque vous envoyez un message dans lequel vous avez utilisé du formatage, comme du gras ou de l'italique, à l'aide des boutons dans la fenêtre Rédaction, Thunderbird vous demande si vous voulez réellement envoyer les messages en appliquant le formatage. Pour savoir quand il est possible d'envoyer des messages formatés, consultez l'encadré "Formater ou ne pas formater" plus loin dans ce chapitre.

Vous pouvez demander à Thunderbird de vérifier l'orthographe avant d'envoyer le message :

1. **Cliquez sur Outils/Options.**

2. **Cliquez sur l'onglet Orthographe, et sélectionnez l'option Vérifier l'orthographe avant l'envoi (Figure 24.10).**

   Chaque fois que vous cliquez sur Envoyer, Thunderbird s'arrête sur chaque mot dont il ne connaît pas l'orthographe.

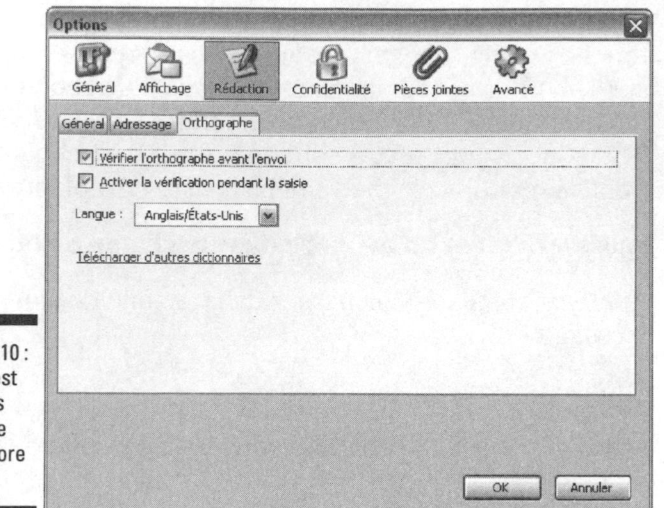

Figure 24.10 : Ecrire c'est bien, mais sans faute c'est encore mieux !

TRUC

Par défaut, Thunderbird ne dispose que d'un seul dictionnaire, l'anglais. Dans l'onglet Orthographe, cliquez sur le lien Télécharger d'autres dictionnaires. Vous arrivez sur une page Web, malheureusement pour vous, en anglais. Cliquez sur le lien French, et enregistrez sur votre disque dur le fichier spell-fr-FR.xpi. Ensuite, dans Thunderbird, cliquez sur Outils/Extensions. Dans la boîte de dialogue éponyme, cliquez sur le bouton Installer. Dans la boîte de dialogue Choisissez une extension à installer, cliquez sur Regarder dans, et naviguez jusqu'au dossier où vous avez enregistré le fichier `.xpi`. Sélectionnez-le et cliquez sur Ouvrir. Dans la boîte de dialogue Installation de logiciel, cliquez sur Installer maintenant. Pour choisir le dictionnaire Français, cliquez sur Ecrire. Dans la fenêtre Rédaction, choisissez Outils/Options. Dans la boîte de dialogue Options, cliquez sur Rédaction. Dans la liste Langue, choisissez Français/France. Validez par un clic sur OK.

Envoyer du courrier avec Outlook Express

Voici comment envoyer du courrier après ouverture d'Outlook Express et configuration de votre compte de courrier :

1. **Démarrez Outlook Express. Il n'est pas nécessaire d'être connecté, mais cela ne pose pas de problème si vous l'êtes déjà.**

   Cliquez sur l'icône Outlook Express sur votre Bureau, ou dans la barre des tâches, ou trouvez-la dans le menu Démarrer.

2. **Cliquez sur le dossier Boîte de réception.**

   Il se trouve au-dessous de Dossiers locaux (c'est-à-dire les dossiers stockés sur votre ordinateur) dans la liste Dossiers.

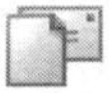

3. **Cliquez sur le bouton Créer un message dans la barre d'outils, appuyez sur Ctrl+N ou choisissez Message/ Nouveau Message.**

   Vous obtenez une fenêtre Nouveau message avec des champs à remplir pour adresser le message, comme le montre la Figure 24.11.

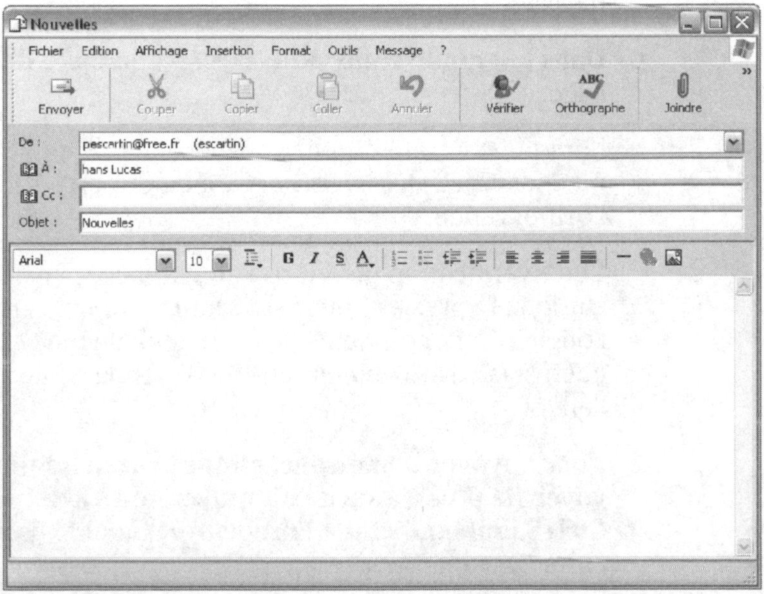

Figure 24.11 : Rédiger et envoyer un message avec Outlook Express.

4. **Dans la case À, saisissez l'adresse d'envoi du message, puis appuyez sur la touche Tabulation (Tab).**

   Si vous voulez envoyer le même message à plusieurs personnes à la fois, appuyez sur Entrée (au lieu de Tabulation). Vous pouvez envoyer ce message à autant de personnes que vous le souhaitez en pressant la touche Entrée après chaque adresse. Lorsque vous avez fini d'insérer des destinataires dans la case À, appuyez sur Tabulation pour aller dans la case Cc.

5. **Pour envoyer une copie du message à quelqu'un, saisissez l'adresse de cette personne dans le champ Cc. Appuyez ensuite sur Tabulation. Dans le champ Objet, indiquez le sujet du message (ce n'est pas obligatoire). Appuyez de nouveau sur Tabulation.**

   Le pointeur clignote dans la zone de message, la grande zone vide destinée au contenu du message. Si vous voulez envoyer des copies invisibles Cci, choisissez Affichage/Tous les en-têtes dans la fenêtre Nouveau message.

6. **Dans la grande zone vide, saisissez le texte du message.**

   Lorsque vous avez tapé votre message, appuyez sur F7 ou choisissez Outils/Orthographe pour en vérifier l'orthographe.

   Cette vérification peut être automatisée. Dans Outlook Express, cliquez sur Outils/Options. Dans l'onglet Orthographe de la boîte de dialogue Options, cochez la case Toujours vérifier l'orthographe avant l'envoi.

7. **Pour envoyer le message, cliquez sur le bouton Envoyer (le plus à gauche), appuyez sur Alt+S (pas Ctrl+S, qui équivaut à Enregistrer) ou choisissez Fichier/Envoyer le message.**

   Outlook Express place le message dans votre dossier Boîte d'envoi, en attente d'être expédié. Si vous êtes connecté à Internet, Outlook Express est éventuellement configuré pour envoyer le message immédiatement, vous pouvez alors sauter les Étapes 8 et 9.

8. **Si vous n'êtes pas connecté à Internet, faites-le.**

9. **Cliquez sur le bouton Envoyer/Recevoir, appuyez sur Ctrl+M ou choisissez Outils/Envoyer et recevoir/ Envoyer et recevoir tout.**

TRUC

Si vous utilisez du formatage, certaines personnes auront peut-être des difficultés à lire le message – en particulier, celles dotées de programmes de courrier électronique un peu anciens. Si un destinataire vous le signale, choisissez Format/ Texte brut lors de l'écriture du message dans la fenêtre Nouveau message. Pour savoir quand envoyer des messages formatés, lisez l'encadré "Formater ou ne pas formater", plus loin dans ce chapitre.

Envoyer du courrier avec Yahoo! Mail

Débuter avec un système d'e-mail basé Web comme Yahoo! Mail est encore plus facile. Allez sur `www.yahoo.fr` et cliquez sur Mon Mail. Si vous n'y disposez pas encore d'une boîte aux lettres (ou si vous en voulez une nouvelle), vous pouvez en ouvrir une gratuitement.

Une fois que vous avez un ID Yahoo! et une boîte aux lettres Yahoo! Mail, suivez ces étapes (plus ou moins, car le site Web Yahoo! Mail aura peut-être changé dix fois depuis la rédaction de ce livre) :

1. **Identifiez-vous.**

   Allez sur `http://fr.yahoo.com`, cliquez sur Mon Mail et entrez votre ID Yahoo! et votre mot de passe (voir plus haut dans ce chapitre).

2. **Cliquez sur Écrire (ou tout autre lien se rapportant à l'écriture et l'envoi d'un message).**

Dans le volet gauche apparaît un onglet écrire comme le montre la Figure 24.12.

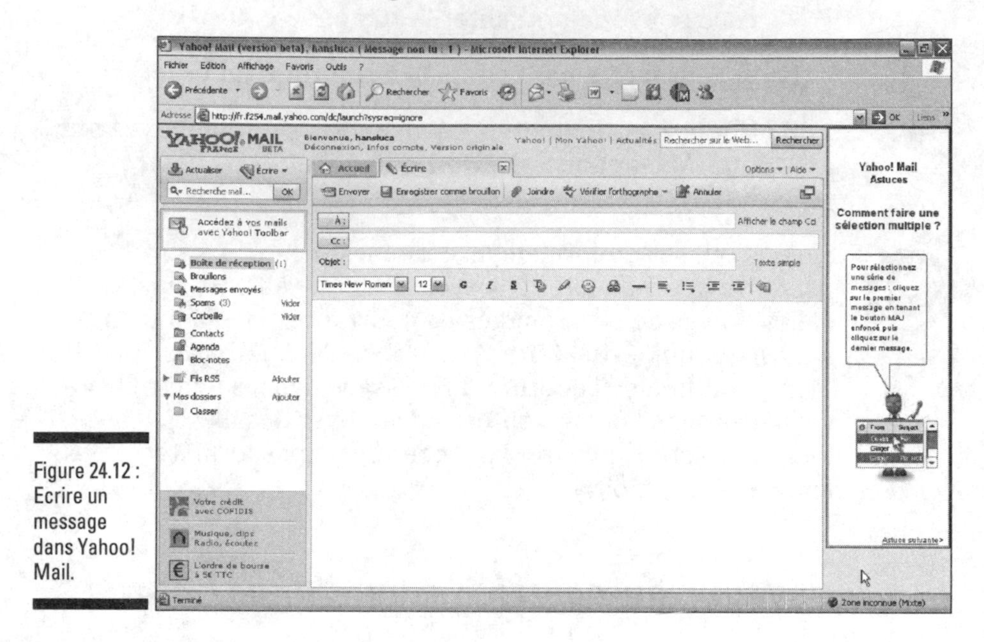

Figure 24.12 : Ecrire un message dans Yahoo! Mail.

3. **Saisissez une ou plusieurs adresses dans le champ À.**

   Pour envoyer votre message à plusieurs personnes, séparez chaque adresse par une virgule.

   Vous pouvez aussi saisir des adresses en Cc (copie) et en Cci (copie cachée). Dans ce dernier cas, cliquez préalablement sur le lien Afficher le champ Cci.

4. **Dans le champ Objet, indiquez l'objet du message.**

5. **Tapez votre message.**

6. **Cliquez sur le bouton Envoyer (en haut de l'onglet).**

   Pour vérifier l'orthographe, cliquez sur le bouton éponyme avant de cliquer sur Envoyer. Et voilà !

   Choisissez la langue de vérification en cliquant sur la flèche du bouton Vérifier l'orthographe.

Formater ou ne pas formater

Aujourd'hui, presque tous les ordinateurs sont capables d'afficher du gras, de l'italique, différentes polices et différentes tailles de caractères, alors pourquoi ne pas les utiliser dans le courrier électronique ? De ce constat est né l'e-mail formaté.

Problème : tous les programmes d'e-mail ne sont pas capables d'afficher les e-mails formatés. Le formatage revêt habituellement une de ces deux formes : MIME (le texte formaté est envoyé sous forme de fichier joint au message) et HTML (des codes de formatage, de type page Web, sont inclus dans le texte). Si votre programme de courrier ne peut afficher le courrier formaté et que vous en recevez un, un méli-mélo de caractères est affiché en plus du texte du message, ce qui le rend illisible.

Autre problème : tout courrier formaté en HTML peut contenir des virus, des pages Web hostiles qui vont prendre possession de l'écran ainsi que d'autres contenus dangereux. Certaines personnes désactivent le courrier HTML pour éviter les problèmes.

Si vous savez que votre correspondant gère le courrier formaté, utilisez-le. Le gras, l'italique et la couleur permettent d'accentuer un message, sachant cependant que ce n'est pas un substitut à une écriture de qualité. Si vous recevez des messages formatés, c'est que l'expéditeur est en mesure de les recevoir. Si vous ne savez pas si un destinataire peut afficher les messages formatés, ne les utilisez pas. Lorsque vous envoyez des messages à une liste de diffusion, n'utilisez pas de formatage – vous ne savez pas si tous les abonnés à la liste acceptent les messages formatés.

Réception de courrier

Si vous envoyez des e-mails, vous finirez par en recevoir (même si vous n'en envoyez pas, d'ailleurs).

Pour relever votre courrier, vous devez être connecté.

Vous pouvez demander à votre ordinateur d'établir une connexion à Internet automatiquement, lorsque vous ordonnez à votre programme de courrier d'envoyer ou de relever vos messages.

Lire le courrier avec un programme de courrier

Pour consulter vos e-mails avec Thunderbird, Outlook Express et la plupart des programmes de courrier :

1. **Si vous n'êtes pas connecté à Internet, faites-le.**

   Ignorez cette étape si votre ordinateur est constamment connecté (ADSL) ou s'il le fait automatiquement chaque fois que vous en avez besoin.

2. **Ouvrez votre programme de courrier.**

3. **Si votre programme ne relève pas le courrier automatiquement, cliquez sur bouton adéquat pour recevoir le courrier.**

   Si vous avez une connexion permanente à Internet, votre programme de courrier lit vos e-mails automatiquement de temps à autre, auquel cas vous n'avez qu'à ouvrir le programme pour lire vos messages. La majorité des programmes d'e-mail sont même capables de relever le courrier pendant que vous lisez ou envoyez des messages.

   Lorsque vous recevez des messages, le programme peut émettre un son, afficher un message ou une petite image de facteur délivrant une lettre. Le courrier apparaît dans votre boîte de réception, habituellement dans une fenêtre ou un dossier appelé In ou Messages reçus ou Boîte de réception, à raison d'une ligne par message. Si vous ne voyez pas de courrier, double-cliquez sur le dossier de réception, habituellement sur le côté gauche de la fenêtre.

4. **Pour voir le contenu d'un message, double-cliquez ou cliquez sur la ligne et appuyez sur Entrée.**

5. **Lorsque vous avez fini, cliquez sur le bouton de fermeture (X), dans l'angle supérieur droit de la fenêtre de message, ou appuyez sur Ctrl+W ou Ctrl+F4.**

Voici quelques conseils s'appliquant à des programmes d'e-mail :

- **Thunderbird :** Pour afficher votre boîte de réception, cliquez sur votre adresse e-mail ou votre nom de compte dans la liste des dossiers de courriers.
- **Outlook Express :** Si vous ne voyez pas votre boîte de réception, double-cliquez sur Dossiers locaux dans la liste Dossiers.

Lire le courrier avec Yahoo! Mail

Pour lire votre courrier Yahoo!, Hotmail ou tout autre système de courrier basé sur le Web :

1. **Établissez, si nécessaire, votre connexion à Internet.**

   Les heureux bénéficiaires d'une connexion haut débit sont constamment connectés.

2. **Démarrez votre navigateur Web.**

3. **Allez sur le site serveur de mail et identifiez-vous avec votre nom d'utilisateur et votre mot de passe.**

   Si votre navigateur vous propose de mémoriser votre mot de passe et que vous utilisez un ordinateur public ou une machine à laquelle peuvent accéder d'autres personnes, refusez cette proposition. Cela évitera que quelqu'un puisse facilement se connecter au serveur pour consulter votre courrier électronique.

4. **Cliquez ensuite sur Boîte de réception pour afficher la liste des messages reçus.**

5. **Cliquez sur un message.**

   Le système de courrier basé sur le Web affiche le texte du message ainsi que des boutons pour répondre, faire suivre ou supprimer ce message, comme le montre la Figure 24.13.

Figure 24.13 : Lecture de courriers sur Yahoo! Mail.

Lorsque vous avez fini de lire et d'envoyer des mails sur un serveur de ce type, déconnectez-vous ! Cette action est d'autant plus salutaire que vous utilisez un ordinateur public ou la machine d'un ami. Si vous ne le faites pas, tout un chacun utilisant cet ordinateur pourra consulter vos messages.

Lorsque vous utilisez un site de courrier basé sur le Web, vous gérez tous vos messages sur le serveur lui-même et non pas sur votre ordinateur. Si vous disposez de plusieurs dossiers de courriers, vous pouvez déplacer vos messages de dossier en dossier aussi bien dans un programme de gestion des e-mails que sur un serveur de mail Web.

Supprimer des messages

Inutile de lire vos messages avant de les supprimer ! Parfois, il suffit de lire le nom de l'expéditeur et/ou celui de l'objet pour savoir que ce message n'a aucun intérêt. Pour supprimer un message, commencez par le sélectionner parmi tous les messages reçus. Ensuite, dans la plupart des programmes de gestion des e-mails, cliquez sur le bouton Supprimer. Bien évidemment, vous pouvez faire de multiples choses avec un message, et notamment y répondre ou le transférer à quelqu'un d'autre, ce que nous traitons au Chapitre 26.

Sur un serveur de mail basé sur le Web, vous sélectionnez les messages à supprimer, puis cliquez sur un bouton ou un lien Supprimer.

Quelques règles de savoir-vivre

Les manuels de savoir-vivre qui fleurissaient à la Belle Époque ne sont plus réédités. Et même s'ils l'étaient, ils ne seraient pas à jour. Ne comptez donc pas sur eux pour vous indiquer les quelques règles élémentaires de savoir-vivre qui ont cours sur le Net : ce qu'on appelle la *netiquette* (contraction de *Net* et *etiquette*, sans accent, bien sûr).

Le courrier électronique est un hybride qui se situe quelque part entre le coup de téléphone et la simple lettre. D'un côté, c'est un moyen d'information rapide et informel ; de l'autre, on ne doit pas oublier que *verba volent, scripta manent* (les paroles s'envolent, les écrits restent ; pour ceux qui n'auraient pas les "pages roses" du *Petit Larousse illustré* sous la main).

Aussi est-il recommandé de suivre ces quelques conseils :

- Lorsque vous envoyez un message, surveillez votre langage.
- En dehors de la première lettre de chaque phrase, n'utilisez pas de majuscules ; ce serait comme si vous vous mettiez à CRIER.
- Si quelqu'un vous envoie un message particulièrement agressif, voire grossier, gardez-vous bien d'y répondre immédiatement sur le même ton. Regardez tout d'abord s'il ne s'agit pas d'une forme d'ironie déguisée (rare mais possible).

Descente en "flame"

L'usage d'un langage châtié n'est pas fréquent sur le Net où il faut bien reconnaître que l'on côtoie davantage de rustres que de gens civilisés. En outre, beaucoup d'internautes ne savent pas manier leur langue mieux que leur clavier. Il en résulte donc trop souvent des propos peu courtois que votre interlocuteur n'oserait probablement pas tenir en face de vous. Mais le courrier électronique, c'est comme la CB (*Citizen Band*) ou le Minitel, il est facile de s'y comporter en anonymographe, à l'abri du couple clavier-écran.

Pour caractériser cet état d'esprit, un mot a été créé qui, par chance, présente à peu près le même sens en anglais qu'en français, c'est le mot *flame* (avec un seul "m"). Une "flame", c'est un accès de colère ; être "flamé", c'est être pris à partie avec vigueur.

Lorsque la moutarde vous monte au nez à la lecture d'un message particulièrement odieux ou insultant, suivez le conseil donné plus haut : laissez décanter et gardez-vous bien d'y répondre illico. Faites preuve d'indulgence. Peut-être l'expéditeur ne s'est-il pas rendu compte de la portée de ses mots. Peut-être s'en est-il rendu compte trop tard et se ronge-t-il les ongles en pensant à votre réaction. Depuis une vingtaine d'années que nous pratiquons le courrier électronique, nous n'avons jamais regretté d'avoir laissé refroidir un message avant d'y répondre (mais nous avons parfois regretté d'en avoir envoyé quelques-uns).

N'oubliez pas que, lorsque le destinataire lit votre message, il n'a aucun moyen de savoir quelles sont vos intentions. Ainsi risque-t-il de prendre vos propos au pied de la lettre. L'art du sarcasme n'est pas donné à tout le monde, et, même si vous le maîtrisez, votre interlocuteur n'a peut-être pas l'intelligence nécessaire pour le percevoir (si vous avez déjà obtenu un prix littéraire, vous pouvez ignorer cette dernière remarque).

Souriez !

Pour que vous puissiez mettre de l'expression dans vos missives, on a créé les *smileys* (appelés aussi *émoticônes* ou *emoticons*, contraction de *emotion icons*) qui servent, en quelque sorte, à marquer l'intonation d'une phrase.

On les appelle parfois en français des *souriards* (les Canadiens disent *souriants*), pour marquer le côté ironique attaché à leur interprétation.

Ce sont de petits graphismes composés avec quelques signes de ponctuation et que l'on est censé lire en penchant la tête vers la gauche. En voici un exemple :

```
Les gens ont du mal à croire que nous formons une communauté qui ne songe
qu'à s'aimer et à s'entraider :-).
```

Certes, les souriards ajoutent de l'expression au texte. Mais si une plaisanterie a besoin de l'appui d'un souriard, peut-être manque-t-elle de sel ?

Courrier électronique et intimité

Mieux vaut ne pas confier de secret d'État au courrier électronique. Tout destinataire peut faire suivre votre message à qui il veut. Certaines adresses sont en réalité des listes de diffusion (*mailing lists*) qui redistribuent ce qu'elles reçoivent à toute une communauté. Nous avons reçu du courrier qui ne nous était pas destiné dans notre boîte `internet10@gurus.com`. Il comportait des détails sur la vie mouvementée de nos correspondants et leur anatomie – détails qu'ils auraient probablement préféré que l'on oublie. Ce que nous avons rapidement fait.

Si vous envoyez du courrier depuis votre bureau ou à quelqu'un sur son lieu de travail, votre courrier n'aura rien de privé. En règle générale, les entreprises et leurs employés ne cherchent jamais à lire les messages privés, mais certaines situations peuvent pousser les dirigeants à "examiner le courrier de l'entreprise". Par exemple, quelqu'un peut accuser votre entreprise de laisser filtrer des informations confidentielles au point que l'avocat de l'entreprise pourra exiger un examen des échanges électroniques (N'oubliez pas que la scène se passe aux États-Unis). Quelqu'un devra donc lire tous les messages électroniques envoyés et reçus par les employés. Cette situation est arrivée à un de nos amis qui n'était pas très heureux de découvrir que toute sa correspondance amoureuse avait été lue. Le courrier électronique envoyé et reçu est conservé sur votre disque et la plupart des entreprises effectuent des sauvegardes régulières de leurs disques. Lire votre courrier électronique est une tâche aisée pour qui le souhaite vraiment, à moins de le crypter.

La règle non écrite consiste à ne jamais envoyer un message que vous ne voudriez à aucun prix voir rediffusé. On commence à utiliser des procédés de cryptage, et en particulier PGP (système à clé publique et clé privée), ne permettant à personne d'autre que le destinataire de comprendre votre message. Les "curieux" n'y verront qu'une suite de caractères absolument incohérente.

En ce qui concerne la France, il convient de rappeler qu'elle a toujours eu une position très stricte dans ce domaine (assimilant, en 1939, la cryptographie à un matériel de guerre de deuxième catégorie). Toutefois, au fil des années, la législation française s'est quelque peu assouplie (notamment pour faire face à une concurrence commerciale électronique provenant de pays plus libéraux dans ce domaine). La loi du 29 décembre 1990 a modifié le régime institué par le décret-loi du 18 avril 1939. Cette loi a posé comme principe l'autorisation préalable et comme exception la liberté. Elle a depuis été modifiée pour mieux répondre aux attentes des professionnels (notamment en 1996), mais la législation française qui réglemente l'emploi de la cryptologie reste toujours plus stricte que celle des autres pays.

Pour plus de détails sur ces aspects de la législation, consultez le site du Service Central de la Sécurité des Systèmes d'Information sur `www.ssi.gouv.fr/fr` ou celui du cabinet Alexander et associés, avocats au barreau de Marseille, sur www.alexander.tm.fr. Vous y trouverez des informations précises sur le droit de l'informatique et des nouvelles technologies, en général, et sur la réglementation applicable à la cryptologie, en particulier.

BTW, que signifie IMHO ? Réponse : RTFM !

Certains habitués du courrier électronique aiment bien employer des abréviations. Souvent parce que moins ils tapent de caractères, *moin il fon de fôtes et mieu il ce portes.* Voici quelques abréviations ayant traversé l'océan :

Abréviation	En anglais	En français
AFAIK	As Far As I Know	À ma connaissance
BTW	By The Way	À propos
IANAL	I Am Not A Lawyer, (but...)	Je ne suis pas avocat (mais...)
IMHO	In My Humble Opinion	À mon humble avis (traduisez : "J'en suis absolument certain !")
ROTFL	Rolling On The Floor Laughing	Se rouler par terre de rire
RSN	Real Soon Now	Sans doute jamais
RTFM	Read The Fucked Manual	Lisez le foutu manuel
TIA	Thanks In Advance	Merci d'avance
TLA	Three Letter Acronym	Abréviation en trois lettres
YMMV	Your Mileage May Vary	Cela peut-être différent pour vous

À qui puis-je écrire ?

Il arrive que le seul obstacle à l'envoi d'un e-mail soit tout simplement que vous ne connaissez pas l'adresse de votre destinataire : ce chapitre présente divers moyens de rechercher des adresses. Pour vous épargner peut-être la lecture du reste de ce chapitre, commençons par le moyen le plus efficace pour connaître l'adresse électronique de quelqu'un :

Téléphonez-lui et demandez-lui !

Pas très high-tech, hein ? Cette technique semble être la dernière chose à laquelle se résolvent les gens (voir l'encadré, "Dix bonnes raisons de ne pas appeler quelqu'un pour obtenir une adresse d'e-mail"). Essayez cela en premier. Si vous connaissez le numéro de téléphone ou que vous pouvez l'obtenir, cette méthode est beaucoup plus facile que les autres.

Pour trouver l'adresse e-mail de quelqu'un, vous pouvez consulter un annuaire en ligne. L'idéal serait un annuaire recensant les adresses e-mail de tout le monde. Certes, mais cela n'existe pas sur Internet. D'abord, rien ne dit que l'adresse e-mail d'une personne a un quelconque lien avec le nom de cette personne. Et puis les gens tiennent à leur confidentialité. Un grand nombre d'annuaires accumulent des adresses électroniques mais aucun n'est complet, la plupart sont dépassés et nombreux sont ceux qui fonctionnent sur le principe que ce sont les gens qui s'y inscrivent de leur propre gré.

Et l'on revient au meilleur moyen : demander directement à la personne son adresse e-mail. Lorsque cette méthode n'est pas envisageable, essayez un de ces annuaires de type "Pages Blanches" :

- **Pages Blanches** sur `www.pagesjaunes.fr`.
- **Annu.com** sur `www.annu.com`.

Une autre démarche est d'ouvrir un moteur de recherche comme Google (`www.google.fr`) ou Yahoo! Search (`www.yahoo.fr`) et d'y taper le nom et le prénom de la personne, entre guillemets. Vous obtiendrez la liste des pages comportant ce nom. Le nombre de pages sera important si le nom est commun. Essayez une recherche sur votre propre nom pour voir ce que cela donne.

TRUC

Dix bonnes raisons de ne pas appeler quelqu'un pour obtenir une adresse d'e-mail

1. Vous voulez surprendre un vieil ami perdu de vue.
2. Vous voulez surprendre un vieil *ex*-ami perdu de vue qui vous doit beaucoup d'argent.
3. Le destinataire ne parle pas votre langue.
4. Vous êtes muet (ou c'est le cas du destinataire).
5. Il est trois heures du matin et vous avez besoin d'envoyer un message juste là maintenant sous peine de ne pas trouver le sommeil.
6. Vous ne connaissez pas le numéro de téléphone et, cela remonte à votre enfance, vous avez une peur bleue d'appeler les renseignements.
7. La cabine n'accepte que des pièces ; personne autour de vous ne peut vous faire la monnaie sur votre billet de 500 euros.
8. On vous a installé un nouveau réseau téléphonique, personne n'a encore compris comment s'en servir et, quel que soit le numéro que vous composez, vous tombez toujours sur un marabout.
9. Vous avez renversé une canette de soda sur le téléphone et devez attendre qu'il sèche.

Chapitre 25

Mail sécurisé : virus, spam et sécurité Wi-Fi

Dans ce chapitre :

- Se protéger des virus envoyés par mail.
- Gérer les spams.
- Sécuriser les mails sur un réseau Wi-Fi.

Savoir envoyer et recevoir des mails, c'est bien, mais le faire en toute sécurité, c'est mieux. L'utilisation du courrier électronique vous a probablement déjà confronté aux *spams* et aux virus. Pour le moment, voyons comment prévenir de telles attaques.

Je crois avoir chopé un virus

Un virus parvient jusqu'à votre ordinateur sous la forme d'une pièce jointe attachée à un message. En effet, la plupart des logiciels de gestion des e-mails – Thunderbird y compris – permettent de recevoir des fichiers joints. Ne cliquez pas sur un de ces fichiers tant que vous n'en connaissez pas l'expéditeur. Le succès de la propagation des virus tient à une caractéristique spécifique du petit animal qui lui permet de s'auto-envoyer à tous les contacts de votre carnet d'adresses.

À cette première précaution, ajoutez-en une autre : la mise en œuvre d'un programme antivirus que vous mettrez à jour régulièrement, pour ne pas dire quotidiennement, pour faire face à l'activité virale, très forte ces dernières années.

Configurer votre antivirus

Il est important d'acheter un antivirus car, même si certains programmes sont gratuits, ils ne sont pas suffisamment puissants. En règle générale, vous achetez une licence d'utilisation limitée à un ou deux ans. Ensuite, pour continuer à profiter de la protection de l'antivirus, vous renouvelez cette sorte d'abonnement. Voici trois bons sites où vous pouvez trouver d'excellents antivirus :

- **McAfee VirusScan**, à `www.mcafee.fr`.
- **Norton AntiVirus**, à `www.symantec.fr`.
- **AVG Anti-Virus**, à `www.avgfrance.com`. (L'éditeur propose également une version gratuite de son antivirus, moins performante que la version payante, que vous trouverez sur le site anglais `www.grisoft.com`.)

Une fois l'antivirus installé, veillez à programmer sa routine de mise à jour automatique. Il s'agit d'une programmation très simple qui va permettre au logiciel de démarrer la connexion Internet et d'aller chercher sur le site de son éditeur les dernières définitions de virus afin de vous protéger efficacement contre les *microbes* les plus récents. Bien évidemment, vous pouvez procéder à une mise à jour manuelle. Le problème est qu'il faut impérativement y penser, alors que la programmation le fait pour vous.

La majorité des antivirus recherche les virus de deux manières :

- À l'arrivée des messages.
- Pendant l'analyse complète de l'ordinateur.

Nous vous conseillons d'activer ces deux fonctionnalités.

Les programmes antivirus gèrent les virus décelés de plusieurs manières. Nous recommandons ici d'indiquer au programme de supprimer tous les virus découverts. En effet, comme les virus sont généralement contenus dans des fichiers non vitaux pour votre ordinateur – dont vous n'avez de surcroît pas besoin –, nous ne voyons aucune raison objective de les conserver sur votre disque dur.

Configurer Thunderbird pour contrer les virus

Thunderbird a été conçu pour résister aux virus. En effet, il n'utilise pas les fonctionnalités de mise en forme d'Internet Explorer pour afficher le contenu des e-mails. De plus, il n'ouvre pas automatiquement les pièces jointes. La configuration est très simple :

1. **Dans Thunderbird, cliquez sur Outils/Options.**

   Vous accédez à la boîte de dialogue Options qui définit plusieurs catégories de paramètres

2. **Cliquez sur la catégorie Confidentialité (Figure 25.1).**

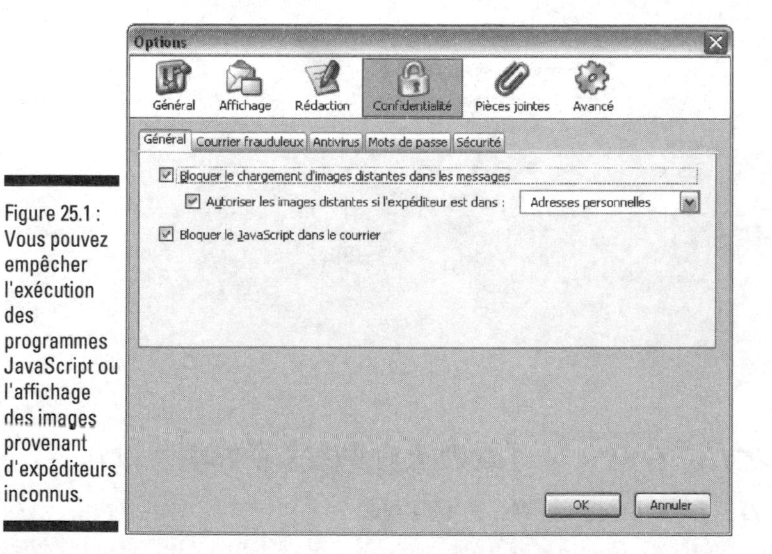

Figure 25.1 : Vous pouvez empêcher l'exécution des programmes JavaScript ou l'affichage des images provenant d'expéditeurs inconnus.

3. **Si le contenu de cette rubrique n'est pas visible, cliquez sur le signe + placé à sa gauche.**

4. **Laissez cochée la case Bloquer le JavaScript dans le courier (Figure 25.1).**

   JavaScript est un langage de programmation utilisé dans les pages Web. Il est conseillé de ne pas l'activer pour les e-mails.

5. **Cliquez sur l'onglet Antivirus.**

6. **Cochez l'option Permettre aux logiciels antivirus de mettre individuellement en quarantaine les messages entrants (Figure 25.2).**

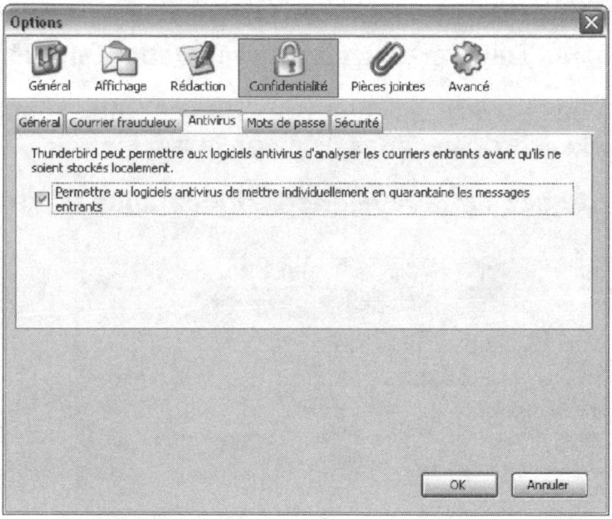

Figure 25.2 : Pour que Thunderbird et votre antivirus fonctionnent main dans la main.

7. **Cliquez sur OK.**

Configurer Outlook Express pour vous protéger des virus

Si vous utilisez Outlook Express 5.0 ou supérieur, ou encore Outlook 97 ou supérieur, la situation est critique. Certaines versions d'Outlook (qui est livré avec la suite bureautique Office) ouvrent les pièces jointes dès que vous recevez un message qui en contient. Outlook Express dispose d'une zone spécifique dans laquelle il affiche le contenu des pièces jointes. Heureusement, vous n'êtes pas prisonnier de cet affichage par défaut.

Mettre à jour Windows et Outlook Express

Les utilisateurs d'Outlook Express doivent impérativement installer une évolution sécuritaire majeure du système d'exploitation, c'est-à-dire le fameux Service Pack 2 (ou SP2) de Windows XP. Cette mise à jour gratuite assure l'installation de correctifs de sécurité dès qu'ils sont disponibles.

Avant d'installer le SP2, nous vous conseillons d'effectuer une sauvegarde complète de votre système. En cas de problème, vous le récupérerez facilement. Comme vous êtes néophyte, nous vous recommandons de faire installer le Service Pack 2 par une personne aux compétences informatiques avérées. Voici une adresse Web où vous pouvez télécharger ce SP2 : `www.01net.com/telecharger/windows/Utilitaire/dll_librairies/fiches/29989.html`.

Configurer les paramètres de sécurité d'Outlook Express

Voici comment paramétrer Outlook Express :

1. **Dans Outlook Express, cliquez sur Outils/Options.**
2. **Cliquez sur l'onglet Sécurité.**

   Vous ouvrez l'onglet éponyme représentée à la Figure 25.3.

   Portez votre attention sur les sections Protection antivirus et Télécharger les images.
3. **Activez l'option Zone de sites sensibles (plus sécurisée).**

   Si vous travaillez dans une entreprise où vous recevez des mails de vos collègues, vous devez modifier ce paramètre en accord avec l'administrateur réseau.

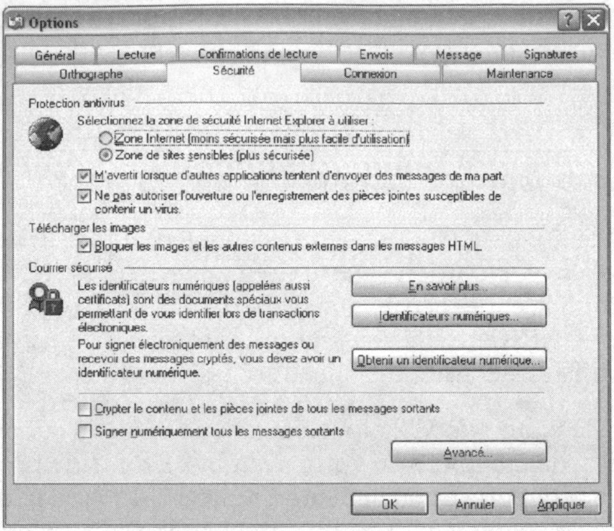

Figure 25.3 : Outlook Express peut se protéger des virus.

Pour tous les autres utilisateurs, cette option est particulièrement sécurisante.

4. **Cochez la case M'avertir lorsque d'autres applications tentent d'envoyer des messages de ma part.**

   Si votre ordinateur est infecté de virus ou de spywares, cette option empêche ces derniers d'envoyer des spams aux contacts présents dans votre carnet d'adresses.

5. **Cochez l'option Ne pas autoriser l'ouverture ou l'enregistrement des pièces jointes susceptibles de contenir un virus.**

   Si vous pensez recevoir des fichiers Excel, Word ou Access, vous ne devez pas désactiver cette option, car ces types de documents sont susceptibles de contenir des virus. Ils seraient alors systématiquement bloqués, vous empêchant de les enregistrer sur votre ordinateur.

6. **Cochez l'option Bloquer les images et les autres contenus externes dans les messages HTML.**

Les chaînes

Déjà présentes autrefois sous forme papier, les chaînes – vous vous souvenez, ces lettres reçues qu'il fallait vous résoudre à faire suivre sous peine de voir un certain nombre de malheurs s'abattre sur votre vie – se sont mises à l'heure des nouvelles technologies et transitent désormais par mail. Ne vous laissez pas intimider par ces âneries.

Il existe tous types de chaînes dont certaines ne sont pas si simples à éradiquer :

- Les chaînes qui font gagner de l'argent. Il s'agit de lettres dans lesquelles figure une liste de noms et d'adresses. L'idée est par exemple d'envoyer 10 euros à la première personne inscrite, de la supprimer de cette liste et de vous y inscrire en dernière position. Puis, vous envoyez cette lettre à autant de contacts électroniques que vous le pouvez. Sachez que ces chaînes sont illégales car elles promettent une chose qui ne saurait être tenue. En effet, très rapidement, tout le monde se retrouve avec davantage de lettres qu'il n'y a d'argent à distribuer. Donc le système se bloque, et ceux qui ont payé sont escroqués car jamais ils ne récupéreront leur mise de départ.
- De grandes sociétés vous payent pour que vous lisiez leurs e-mails. Ce genre de message indique généralement que la société fait une étude de marché. Si vous répondez, vous pouvez gagner, par exemple, un séjour à Disneyland Resort Paris. Certains messages prétendent même que vous recevrez de l'argent si vous transmettez le courrier à d'autres personnes. Il semblerait que le fait de répondre à ces messages fasse en fait bien pire que ce qu'ils promettent : ces mails sont inutiles, dangereux et représentent une sacrée perte de temps.
- Des virus cachés détruisent votre ordinateur. Ceci est parfois vrai, mais c'est très souvent faux. En d'autres termes, c'est de l'intox ! Ne vous laissez pas impressionner par ce genre de message. Mettez à jour votre antivirus et lancez une analyse complète. Je suis quasiment certain qu'aucun virus (du moins du type annoncé dans le mail) n'est présent dans votre ordinateur. Sachez que certains messages, censés avertir de la présence de virus, en contiennent eux-mêmes !

Les images intégrées dans ces messages ne transmettent pas de virus mais peuvent être d'un contenu indésirable.

7. **Cliquez sur OK.**

Éloignez ces spams !

Pour gérer les spams, il faut indiquer à l'ordinateur ce qu'il doit considérer comme tel, mais aussi ce qu'il doit en faire : les supprimer ou les stocker dans un dossier spécifique. Le problème est de savoir comment permettre à l'ordinateur de différencier les spams des autres messages. Plusieurs méthodes sont possibles, mais aucune n'est parfaite. Voici les plus communes :

- **Les listes noires :** Des organisations ont établi des listes d'adresses qui semblent être celles des éditeurs et des diffuseurs de spams. Ces listes sont mises à la disposition des FAI. Nombre d'entre eux y souscrivent. Il suffit alors d'activer le filtre antispam du FAI pour que ces messages soient bloqués quand ils arrivent sur le serveur de mail. Ainsi, ils ne parviennent jamais jusqu'à votre ordinateur.

- **Les filtres de contenu :** Ces identificateurs recherchent des mots ou des phrases-clés qui sont relativement récurrents dans la plupart des messages de spam. Ils repèrent également des erreurs de mise en forme assez répandues chez les spammers. L'analyse de chaque message conduit à l'attribution d'une valeur. Si cette valeur atteint ou dépasse un certain seuil, le message est considéré comme un spam et va directement à la poubelle. Par exemple, des messages comportant le mot "Viagra" ou "Crédit" ont bien plus de chances d'être des spams qu'autre chose.

- **Le filtre bayésien :** Tom Bayes, mathématicien britannique connu pour avoir formulé le théorème de Bayes, est mort deux cent huit ans avant l'arrivée d'Internet. Cependant, ses travaux en statistiques servent aujourd'hui à identifier ce qui est un spam ou ce qui ne l'est pas. De nombreux programmes d'e-mail intègrent le filtre bayésien. Avec ce filtre, dès que vous considérez un e-mail comme spam, vous l'indiquez au programme d'un simple clic sur un bouton spécifique. Ce message va servir de base statistique à l'identification d'autres spams. Bien que rendant de sérieux services, le filtre bayésien n'est pas infaillible. Pour cette raison, consultez régulièrement le dossier où sont stockés les spams car vous y trouverez certainement quelques messages tout à fait honnêtes.

Toutes ces méthodes présentent le risque de considérer comme spam un message des plus innocents. Pour réduire ce problème, vous pouvez définir des exceptions. Il s'agira, par exemple, de dresser la liste des expéditeurs dont les messages ne doivent jamais être bloqués.

Filtrer les spams dans Thunderbird

Thunderbird intègre un filtre bayésien qui fonctionne très bien à partir d'exemples de messages qui sont de vrais spams.

Activer le filtre de Thunderbird

Voici comment configurer le filtre de Thunderbird :

1. **Cliquez sur Outils/Gestionnaire des indésirables.**

   Cliquez OK dans le message qui s'affiche. Vous accédez à la boîte de dialogue éponyme, illustrée à la Figure 25.4.

2. **Cliquez sur l'onglet Paramètres s'il n'est pas actif.**

3. **Laissez les options actives par défaut.**

   En effet, par défaut, Thunderbird est optimisé pour éliminer les spams.

4. **Cochez l'option Lors du marquage manuel de messages comme indésirables, puis l'action Les supprimer.**

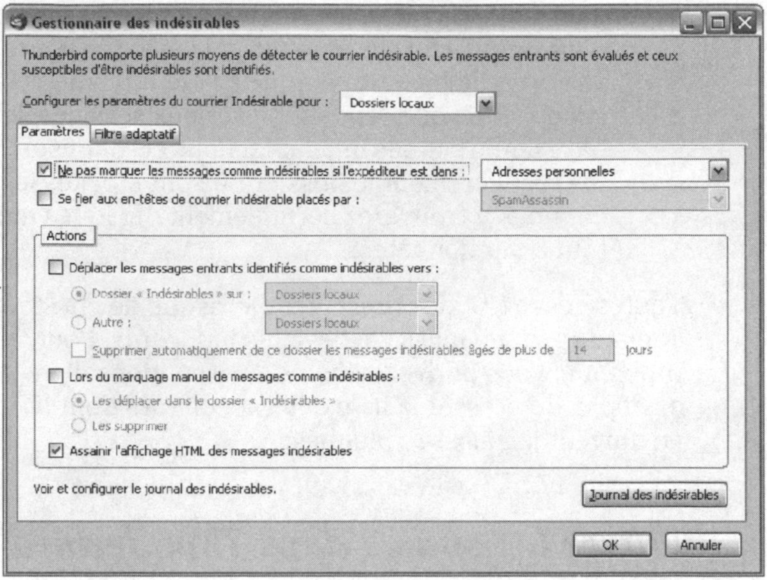

Figure 25.4 : Stoppez les spams avec Thunderbird.

L'autre option est de les déplacer dans le dossier Indésirables. Puisque vous jugez ces messages indésirables, pourquoi ne pas les supprimer ?

De plus avec l'option active par défaut Assainir l'affichage HTML des fichiers indésirables, Thunderbird s'assure qu'aucun code HTML des messages en question ne va s'exécuter sur votre ordinateur.

5. **Cliquez sur OK.**

Voilà ! Thunderbird est prêt pour son apprentissage des spams. Dès que vous recevez un spam, il vous suffit de cliquer sur le bouton Indésirable. Le message disparaît des courriers entrants, et Thunderbird en fait l'analyse. Plus vous identifierez manuellement de spams, plus Thunderbird sera capable de les détecter automatiquement, et moins vous aurez de contrôle manuel à réaliser.

Vérifier les courriers indésirables

De temps en temps, contrôlez le contenu du dossier Indésirables. Il se situe en bas des Dossiers locaux. Cliquez sur Indésirables pour vérifier les messages qui sont et ne sont pas des spams.

Si vous découvrez un message correct, sélectionnez-le et cliquez sur le bouton Acceptable qui se substitue à Indésirable. Glissez-déplacez ensuite ce message dans le dossier Courrier entrant du destinataire. Pour récupérer ainsi plusieurs messages, sélectionnez-les avec la touche Maj ou Ctrl+clic et glissez-déplacez-les en groupe dans le dossier Courrier entrant adéquat. En revanche, pour supprimer des spams, sélectionnez-les et appuyez sur la touche Suppr du clavier ou cliquez sur le bouton Supprimer.

Filtrer les spams avec Outlook Express

Outlook Express ne propose pas de filtre bayésien. C'est une des raisons pour lesquelles nous préférons Thunderbird.

Néanmoins, Outlook Express peut filtrer les spams :

- **Les règles :** C'est le nom que Microsoft donne aux filtres. Outlook Express identifie les messages répondant aux règles définies et les envoie à la poubelle.
- **Bloquer l'expéditeur :** Si vous recevez un message d'un expéditeur bloqué, il termine sa course dans cette même poubelle.
- **Liste d'expéditeurs autorisés :** Les messages provenant de ces contacts ne sont pas bloqués comme des spams, même s'ils ressemblent à du courrier indésirable.

Bloquer les messages d'un expéditeur

Voici comment bloquer les messages provenant d'une adresse spécifique :

1. **Ouvrez un message provenant de ladite adresse.**
2. **Dans la fenêtre qui affiche le message, cliquez sur Message/Bloquer l'expéditeur.**

   Un message peut vous demander confirmation du blocage.
3. **Si un message de confirmation apparaît, cliquez sur OK.**

   Outlook Express bloquera les futurs messages de cet expéditeur. Supprimez le message actuellement dans votre Boîte de réception.

Afficher la liste des expéditeurs bloqués

Vous pouvez modifier à tout moment la liste des expéditeurs bloqués. Ceci est indispensable lorsque, par erreur, vous avez inclus un de vos amis dans cette liste. Pour récupérer un expéditeur, ou plutôt le débloquer, cliquez, dans la fenêtre d'Outlook Express, sur Outils/Règles de message/Liste des expéditeurs bloqués.

Pour supprimer un expéditeur, il suffit de sélectionner son nom dans la liste et de cliquer sur le bouton Supprimer.

Pour ajouter un expéditeur, cliquez sur le bouton Ajouter. Remplissez la boîte de dialogue qui apparaît, notamment – et surtout – en saisissant l'adresse électronique de la personne à bloquer.

Bloquer des messages provenant de domaines

La liste des expéditeurs bloqués peut inclure un domaine. Le domaine est la partie de l'adresse située après @. Par exemple, si vous ne souhaitez pas recevoir de mail de la Maison Blanche, vous saisissez simplement `whitehouse.gov`. Voici comment bloquer un domaine :

1. **Affichez la liste des expéditeurs bloqués, comme cela est décrit dans la précédente section.**
2. **Cliquez sur le bouton Ajouter.**
3. **Dans la boîte de dialogue Ajouter l'expéditeur, saisissez le nom du domaine et cliquez sur OK.**

   Dans la liste Bloquer les éléments suivants, laissez Messages de courrier.

Créer un dossier pour vos spams

Si vous utilisez des règles pour filtrer les spams et les empêcher ainsi d'aller dans votre Boîte de réception, je vous invite à créer un dossier du style Courriers indésirables. Il recevra les messages répondant aux critères édictés dans vos règles. Voici comment procéder :

1. **Dans la liste des dossiers d'Outlook Express, sélectionnez celui dans lequel vous désirez placer le dossier des courriers indésirables.**

   Généralement, on utilise Dossiers locaux.

2. **Cliquez sur Fichier/Nouveau/Dossier ou appuyez sur Ctrl+Maj+E.**

   Vous ouvrez la boîte de dialogue Créer un dossier.

3. **Saisissez le nom du dossier, en l'occurrence Courriers indésirables.**
4. **Cliquez sur OK.**

Votre nouveau dossier apparaît dans la liste des Dossiers locaux (si vous avez choisi ce dossier). Pour supprimer ce nouveau dossier, cliquez dessus avec le bouton droit de la souris. Dans le menu contextuel, cliquez sur Supprimer. Vous pouvez également renommer le dossier en suivant cette dernière procédure, mais en choisissant Renommer au lieu de Supprimer.

Créer des règles pour supprimer les spams

Vous pouvez créer un ensemble de règles pour indiquer sur quels types de messages Outlook Express doit porter son attention et ce qu'il doit en faire. Le programme applique la règle à chaque message parvenant jusqu'à la Boîte de réception. Dès lors qu'il correspond à une règle, Outlook Express l'envoie vers le dossier spécifié.

Il est possible de fixer des règles assez simples. Par exemple, vous indiquez que tout message contenant le mot "crédit" ou encore "réduisez vos crédits" doit être supprimé. Vous pouvez définir de nombreuses règles, c'est-à-dire une pour chaque type de spam. Les spammers, loin d'être des imbéciles, font évoluer leurs messages si vite qu'une règle peut rapidement devenir obsolète.

Créer une nouvelle règle dans Outlook Express

Pour travailler avec des règles, cliquez sur Outils/Règles de message/Courrier. Vous ouvrez la boîte de dialogue Règles de message illustrée à la Figure 25.5.

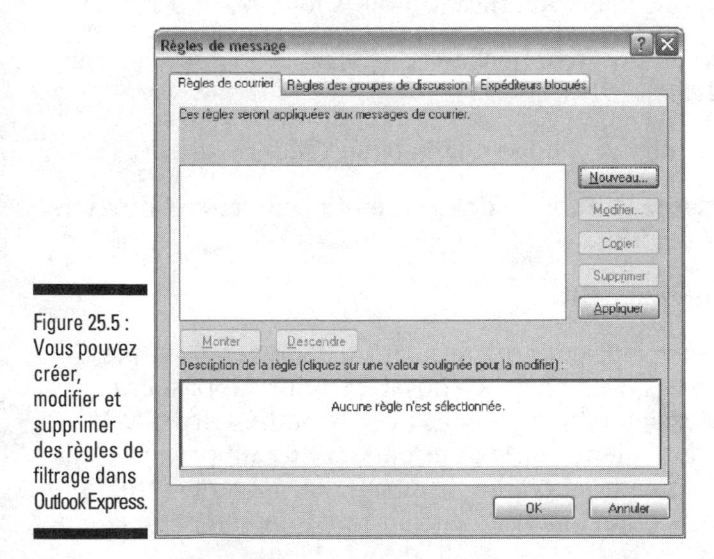

Figure 25.5 : Vous pouvez créer, modifier et supprimer des règles de filtrage dans Outlook Express.

Pour définir une nouvelle règle, cliquez sur le bouton Nouveau. Vous accédez à la boîte de dialogue représentée à la Figure 25.6.

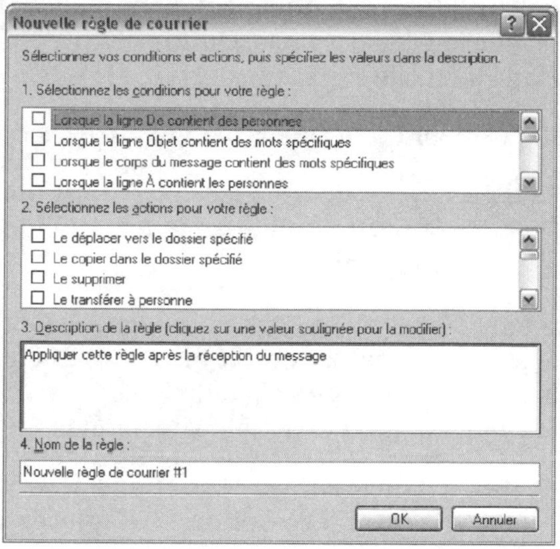

Nouvelle règle de courrier

Sélectionnez vos conditions et actions, puis spécifiez les valeurs dans la description.

1. Sélectionnez les conditions pour votre règle :

- ☐ Lorsque la ligne De contient des personnes
- ☐ Lorsque la ligne Objet contient des mots spécifiques
- ☐ Lorsque le corps du message contient des mots spécifiques
- ☐ Lorsque la ligne À contient les personnes

2. Sélectionnez les actions pour votre règle :

- ☐ Le déplacer vers le dossier spécifié
- ☐ Le copier dans le dossier spécifié
- ☐ Le supprimer
- ☐ Le transférer à personne

3. Description de la règle (cliquez sur une valeur soulignée pour la modifier) :

Appliquer cette règle après la réception du message

4. Nom de la règle :

Nouvelle règle de courrier #1

OK Annuler

Figure 25.6 : Pour créer une règle de filtrage des mails, indiquez les critères que doivent réunir les messages à éliminer.

La boîte de dialogue Nouvelle règle de courrier contient quatre sections :

- **Sélectionnez les conditions pour votre règle :** Vous spécifiez la partie du message que doit analyser Outlook Express pour appliquer la règle. Vous pouvez sélectionner la ligne De, Objet, le corps du message, la ligne À, Cc, le message marqué en priorité, le compte de mail, la taille du message, la pièce jointe, la sécurité, ou encore l'application de la règle à tous les messages.
- **Sélectionnez les actions pour votre règle :** Vous indiquez ce qu'Outlook Express doit faire du message quand il répond aux critères. Vous pouvez le déplacer vers un dossier spécifié, l'y copier, le supprimer, le transférer à quelqu'un, le mettre en surbrillance, le marquer, le marquer comme lu, comme suivi, comme ignoré, etc. Vous pouvez aussi demander à Outlook Express de ne pas télécharger le message depuis le serveur, voire de l'y supprimer.

- **Description de la règle :** Ce champ récapitule les fonctions de la règle édictée. Elle reprend tout ce que vous avez coché dans les deux précédentes listes.
- **Nom de la règle :** Vous pouvez donner un nom à la règle. Si vous ne le faites pas, Outlook Express l'appelle par défaut Nouvelle règle de courrier #1.

Suivez ces étapes pour créer une règle qui filtre les spams :

1. **Dans la liste 1. Sélectionnez les conditions pour votre règle, cochez la partie du message qui va l'identifier comme étant un spam.**

   Par exemple, si vous souhaitez bloquer tous les messages contenant la phrase "crédit taux d'intérêt faible" dans la ligne Objet, cochez la deuxième option Lorsque la ligne Objet contient des mots spécifiques.

2. **Dans la liste 2. Sélectionnez les actions pour votre règle, cochez la première option Le déplacer vers le dossier spécifié.**

   La liste 3 affiche un texte reprenant ces deux choix, en l'occurrence :

   ```
   Appliquer cette règle après la réception du message
   Lorsque la ligne Objet contient des mots spécifiques
   Le déplacer vers le dossier spécifié
   ```

3. **Dans la zone 3. Description de la règle, cliquez sur le lien "contient des mots spécifiques", afin de les saisir dans une nouvelle boîte de dialogue.**

   Saisissez les termes dans la boîte de dialogue Entrer des mots spécifiques.

4. **Saisissez les mots qui apparaissent dans le spam que vous désirez mettre à la poubelle et cliquez sur le bouton Ajouter.**

   Par exemple, tapez **taux d'intérêt faible**.

5. **Si vous désirez que cette règle recherche d'autres mots ou phrases, répétez l'Étape 4.**

   Vous souhaiterez peut-être que cette même règle recherche d'autres messages dont l'objectif est de vous faire souscrire crédit sur crédit. Ainsi, saisissez **réduisez vos crédits** ou encore **regroupez vos crédits**. Chaque fois, cliquez sur le bouton Ajouter. La liste Mots regroupe tous les termes analysés par Outlook Express.

6. **Cliquez sur OK pour revenir à la boîte de dialogue Nouvelle règle de courrier.**

   La zone 3 affiche la liste des phrases servant de critères à votre antispam. Il vous reste à préciser ce qu'Outlook Express doit faire de ces messages.

7. **Cliquez sur le lien spécifié de la zone 3.**

   La boîte de dialogue Déplacer apparaît.

8. **Sélectionnez le dossier de destination de ces spams et cliquez sur OK.**

   L'intérêt est de diriger le spam vers le dossier Courriers indésirables que vous avez probablement créé (sinon, je vous conseille d'en créer un). Une alternative à l'utilisation de ce dossier consiste à déplacer les messages vers le dossier Éléments supprimés.

9. **Dans la zone 2, activez Ne plus traiter de règles, tout en bas de la liste.**

   Lorsque vous sélectionnez cette option, la phrase apparaît en bas de la zone 3. Description de la règle. Elle indique à Outlook Express qu'une fois le message traité et analysé, il n'a plus de règle à lui appliquer. Il peut passer au message suivant.

10. **Dans la zone 4. Nom de la règle, donnez un nom à cette règle.**

    Donnez un nom significatif, comme **crédit spam**.

11. Cliquez sur OK.

Outlook Express stocke la règle et vous renvoie à la boîte de dialogue Règles de message.

Certains programmes de balisage des spams ajoutent un en-tête à chaque message qui indique s'il s'agit ou non d'un spam. Si votre FAI, ou votre programme antispam tiers, ajoute ces balises, vous pouvez créer une règle qui cible ces messages et qui les place dans votre dossier Courriers indésirables.

Retrouver les messages indésirables

Il est important de consulter la liste des messages indésirables car il est possible qu'un courrier contenant certains des termes retenus, mais en définitive tout à fait convenable, y ait été déplacé.

Pour afficher ces spams mis à l'écart, ouvrez le dossier Courriers indésirables (ou tout autre dossier que vous aurez créé pour y placer les spams). La liste des messages de ce dossier apparaît. Parcourez les messages. (Les courriers non lus sont en gras.)

Si vous y voyez un message qui semble correct, glissez-déplacez-le dans votre dossier Boîte de réception. Puis, analysez bien votre message et le contenu de la règle pour la modifier de manière à ne plus considérer comme indésirable ce type de courrier.

Trouver un programme antispam

Si vous utilisez Thunderbird, vous disposez d'un antispam intégré basé sur le filtre bayésien. Inutile de lui adjoindre un autre programme de ce type. Si vous utilisez Outlook Express (ou un autre logiciel de gestion de courrier électronique), vous n'avez pas de filtre antispam. Vous pouvez installer et utiliser des filtres qui vont fonctionner avec votre programme de messagerie.

Voici une sélection de programmes antispam qui fonctionnent conjointement avec votre messagerie. Nombreux sont gratuits :

- **Death2Spam** (`http://death2spam.com/`) : Vous pouvez tester ce programme pendant trente jours. Ensuite, il vous en coûtera 35 dollars par an.
- **K9** (`www.keir.net/k9.html`) : Ce programme gratuit utilise des filtres bayésiens. Il ne fonctionne pas avec les comptes d'e-mail basés sur le Web.
- **MailWasher et MailWasher Pro** (`www.mailwasher.net`) : MailWasher existe en versions gratuite et payante. La version payante prend en charge les comptes Hotmail.
- **POPFile** (`http://popfile.sourceforge.net/manual/fr/manual.html`) : Ce programme gratuit retrouve vos mails et les balise avec un filtre bayésien. Il ne fonctionne pas avec les comptes de mail basés sur le Web.
- **Spamihilator** (`www.spamihilator.com`) : Ce programme gratuit est structuré autour de filtres bayésiens.
- **SpamPal** (`www.spampal.fr`) : Ce programme gratuit utilise des listes noires pour déterminer ce qui est ou non un spam.

Que puis-je encore faire ?

Pour plus d'informations sur les spams, vous pouvez visiter un certain nombre de sites dont voici quelques adresses :

- `www.cypango.net/spam/`
- `http://fr.wikipedia.org/wiki/Spam`
- `www.cnil.fr/index.php?id=1266`
- `www.spamanti.net/fr/news/news200508.php`
- `www.secuser.com`

Nous pensons que le problème des spams n'est pas exclusivement technique. À long terme, nous pouvons tous nous attendre à une législation plus ferme qui évitera le spamming à outrance. Déjà, les FAI permettent d'activer un filtre antispam pour les différentes adresses e-mail que vous avez créées sur leur site Web. En conséquence, votre première protection consiste à activer le système antispam de votre FAI.

Surfer en un clic, mais sans phishing

La plupart des programmes d'e-mail convertissent les URL (adresses des sites Web) en liens. Cliquez dessus pour ouvrir le site dans votre navigateur Web.

Cette fonction, à la fois séduisante et pratique, est utilisée abusivement par les adeptes du *phishing*. Le phishing consiste à envoyer un faux mail – qui semble provenir de votre banque, par exemple – de manière à collecter illégalement des informations privées. Si l'un de ces liens vous renvoie vers une page Web où vous devez indiquer un mot de passe, un numéro de carte bancaire, ou d'autres choses de ce genre, ne communiquez aucune information et quittez le site.

Sécuriser un mail

Si vous utilisez votre ordinateur pour lire vos mails à des points d'accès Wi-Fi, vous êtes confronté à un gros problème de sécurité. Les accès Wi-Fi publics permettent potentiellement de vous espionner. On déniche vos mots de passe, vos noms d'utilisateur et bien évidemment le contenu de vos mails.

Heureusement, la plupart des programmes et serveurs de mail vous laissent utiliser une connexion sécurisée du même type que celle qui sécurise les pages Web lorsque vous consultez les courriers entrants et les courriers sortants. La configuration d'une connexion sécurisée est un peu complexe, mais vous n'avez à la faire qu'une seule fois.

Mails sécurisés avec Thunderbird

Voici la procédure à suivre :

1. **Cliquez sur Outils/Paramètres des comptes.**

   Vous ouvrez la boîte de dialogue du même nom, illustrée Figure 25.7.

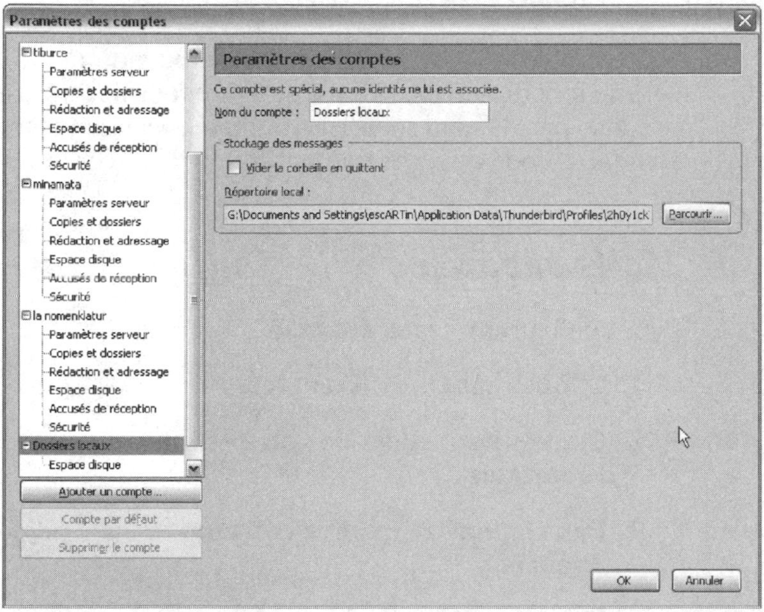

Figure 25.7 : Sécurisation des mails dans Thunderbird.

2. **Dans votre compte de mail (c'est-à-dire votre e-mail), cliquez sur Paramètres serveur.**

   Vous serez peut-être obligé de cliquer sur le signe + pour afficher ces options.

3. **Cochez l'option Utiliser une connexion sécurisée (SSL).**

4. **Tout en bas de la colonne de gauche, cliquez sur Serveur sortant (SMTP).**

Si vous avez plusieurs comptes de mails, il est fort possible que vous soyez contraint de faire défiler le contenu de cette colonne.

5. **Cliquez sur le bouton Modifier (volet de droite)**
6. **Dans la section Utiliser une connexion sécurisée, activez SSL.**
7. **Cliquez sur OK.**

Testez votre adresse e-mail en vous envoyant un message. Si cela ne fonctionne pas, c'est que votre fournisseur d'accès ne propose pas de mail sécurisé, ou du moins celui-ci n'est pas standard. Vous devez le contacter pour trouver une solution.

Mails sécurisés avec Outlook Express

Pour configurer un mail sécurisé :

1. **Cliquez sur Outils/Comptes.**
2. **Cliquez sur le nom de votre compte, puis sur le bouton Propriétés.**
3. **Dans la fenêtre qui s'ouvre, cliquez sur l'onglet Avancé.**

   Eh oui, pas l'onglet Sécurité !

4. **Cochez l'option Ce serveur nécessite une connexion sécurisée (SSL), aussi bien pour le courrier entrant que sortant (Figure 25.8).**
5. **Cliquez sur OK.**

Vérifiez le bon fonctionnement de ces paramètres en vous envoyant un mail. Si cela ne fonctionne pas, c'est que votre fournisseur d'accès ne propose pas de mail sécurisé, ou du moins qui soit standard. Vous devez le contacter pour trouver une solution.

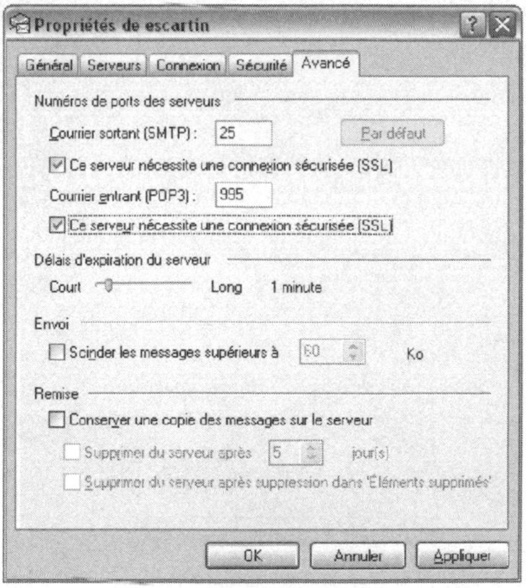

Figure 25.8 : Sécurisation des mails dans Outlook Express.

Chapitre 26

Une place pour chaque chose

Dans ce chapitre :

- Supprimer du courrier.
- Répondre au courrier.
- Créer un carnet d'adresses de vos contacts.
- Faire suivre et classer le courrier.
- Envoi et réception de courrier exotique et de pièces jointes.

Maintenant que vous savez comment envoyer et recevoir du courrier électronique, nous allons approfondir certains détails pour vous transformer en véritable aficionado. Nous allons détailler Thunderbird, Outlook Express et le serveur de courrier basé sur le Web, Yahoo! Mail (voir leur présentation au Chapitre 24).

Une fois que vous avez lu un message, qu'en faire ? Plusieurs possibilités s'offrent à vous :

- Le jeter.
- Y répondre.
- Le faire suivre à quelqu'un d'autre.
- Le classer.

À la différence du courrier papier, vous pouvez faire subir plusieurs de ces traitements à chacun de vos messages.

Si vous ne dites pas à votre mailer ce qu'il doit faire d'un message que vous venez de lire, en général, il le conservera.

Supprimer du courrier

Au tout début, le courrier électronique, c'est tellement merveilleux que l'on n'ose pas le jeter après l'avoir lu. Mais il faut très vite se décider à prendre une attitude responsable vis-à-vis des messages lus. Commencez tôt. Jetez-en beaucoup.

Il est tellement facile de supprimer des messages inutiles que vous avez sans doute déjà découvert comment procéder. Affichez le message ou sélectionnez-le dans la liste des messages d'un dossier. Cliquez ensuite sur la corbeille, le gros *X* ou toute autre icône à cet usage dans la barre d'outils, ou appuyez sur Ctrl+D ou sur Suppr (sur Mac, appuyez sur Commande+D ou Suppr). Dans Yahoo! Mail nouvelle version, les choses se déroulent exactement comme dans un programme de gestion des courriels.

Lorsque vous supprimez un message, la majorité des programmes d'e-mail ne le détruisent pas immédiatement. Ils stockent le message dans le dossier Corbeille ou Éléments supprimés, ou encore ils le marquent simplement pour l'effacement. De temps à autre (habituellement lorsque vous quittez le programme de courrier), le programme vide la corbeille, ce qui détruit vraiment les messages.

Répondre au courrier

Répondre à un message reçu, c'est l'enfance de l'art : cliquez sur l'icône Répondre à l'expéditeur d'Outlook Express ou sur le bouton Répondre de la barre d'outils de Thunderbird, ou bien appuyez sur Ctrl+R.

Notez deux points importants :

- **À qui doit aller la réponse ?** Regardez attentivement le champ À ou Pour que votre logiciel de courrier a renseigné pour vous. Est-ce bien à cette adresse (donc à cet individu) que vous voulez répondre ? En particulier, si le message venait d'une liste de diffusion, est-ce bien à toute la communauté abonnée à la liste que vous souhaitez adresser votre message ? Peut-être serait-il préférable d'envoyer la réponse au seul auteur du message ? Si le message était adressé à une petite communauté dont la liste est détaillée, vérifiez bien que vous ne voulez exclure ni ajouter personne. Si cette liste d'adresses n'est pas correcte, vous pouvez y placer le curseur et la modifier.

- **Voulez-vous inclure le texte complet du message auquel vous répondez ?** C'est presque toujours par paresse, manque de réflexion, sans-gêne ou laisser-aller que certains collent leur réplique au bas du message original sans prendre la peine d'en élaguer ce qui est accessoire (formules de politesse, signature, propos météorologiques ou considérations sur les causes de la grandeur des Romains et de leur décadence). Et certains répondent *en tête* du message. Quelle absurdité ! Résultat, on encombre pour rien les lignes de transmission. Cela porte un nom : *pollution de la bande passante*. Si votre interlocuteur a posé plusieurs questions dans son message, insérez vos réponses entre chaque question. Ne tombez pas dans l'excès contraire, consistant à répondre à un message sans rien reprendre du tout de son contenu original. Dites-vous bien que votre interlocuteur a sans doute envoyé depuis d'autres messages et qu'il ne se souvient sans doute pas avec précision de ce qu'il vous a écrit.

Lorsque vous répondez à un message, votre logiciel de courrier ajoute le préfixe Re : devant le sujet initial du message.

Il se peut que vous receviez un message qui a été envoyé à de nombreuses personnes, dont les adresses sont visibles dans la section À du message. Lorsque vous répondez à un tel message, regardez dans la section À pour vous assurer que vous n'adressez pas la réponse à toute la liste des destinataires.

Garder trace de vos amis

Une fois que vous aurez pris l'habitude du courrier électronique, vous réaliserez que vous échangez souvent des messages avec les mêmes correspondants. Plutôt que de vous remémorer les adresses électroniques parfois ésotériques, placez-les dans le Carnet d'adresses virtuel que chaque logiciel de courrier est capable de gérer. Pour les repérer, vous leur donnerez un *pseudonyme*, sorte de raccourci facile à mémoriser. Par exemple, l'adresse e-mail de votre ami Jules qui est `markwyuwoch@machin.univ-2.tourcoing.fr` sera repérée plus simplement par *jules*. Quand vous voudrez lui envoyer un message, il vous suffira de taper **jules** dans le champ À, Pour, ou encore Adresse du message après avoir signalé au logiciel qu'il s'agissait d'un pseudo. Vous pouvez également créer des listes d'adresses pour envoyer du courrier à des groupes de personnes spécifiques dont les coordonnées sont répertoriées dans votre Carnet d'adresses.

Tous les logiciels de courrier permettent de copier dans votre Carnet d'adresses l'adresse d'un message que vous venez de lire, d'utiliser les adresses que vous avez enregistrées et de modifier votre Carnet d'adresses.

Le Carnet d'adresses de Thunderbird

Pour utiliser le Carnet d'adresses lorsque vous créez un message dans Thunderbird, cliquez sur le bouton Adresses ou cliquez sur Outils/Carnet d'adresses. Une dernière méthode encore plus rapide consiste à appuyer sur Ctrl+2. Vous accédez à la fenêtre illustrée Figure 26.1. Pour ajouter un nouveau contact, cliquez sur le bouton Nouvelle fiche. Pour définir un groupe de destinataires, cliquez sur Nouvelle liste.

Pour modifier votre Carnet d'adresses, ouvrez-le. La fenêtre Carnet d'adresses contient deux carnets, le Carnet d'adresses personnel, où vous placez vos entrées ordinaires, et les adresses collectées à partir des courriers que vous avez envoyés. Cliquez sur le Carnet d'adresses sur lequel vous voulez travailler.

Figure 26.1 : Le Carnet d'adresses de Thunderbird.

Si vous avez déjà utilisé Outlook Express et que vous décidez de passer à Thunderbird, vous avez probablement importé dans ce dernier tous vos contacts établis avec Outlook Express. Dans ce cas, un troisième Carnet d'adresses est présent : Carnet d'adresses d'Outlook Express.

Lorsque vous lisez un message dans Thunderbird, vous pouvez ajouter l'adresse de l'expéditeur à votre Carnet d'adresses en cliquant du bouton droit de la souris sur le nom ou l'adresse de l'expéditeur dans la ligne De et en choisissant Ajouter l'adresse au Carnet d'adresses dans le menu local (Figure 26.2). Cela ouvre une fenêtre Nouvelle fiche pour <nom du contact> où vous entrez le pseudonyme à utiliser et cliquez sur OK pour ajouter le pseudonyme au Carnet d'adresses.

Le Carnet d'adresses d'Outlook Express

Le processus pour copier l'adresse d'un correspondant dans le Carnet d'adresses est facile mais pas intuitif : double-cliquez sur un message de votre correspondant pour ouvrir ce message dans sa propre fenêtre. Puis double-cliquez sur le nom de la personne dans la ligne De, puis sur Ajouter au Carnet d'adresses dans la fenêtre de propriétés qui apparaît. Modifiez l'entrée du Carnet d'adresses si vous le voulez, puis cliquez

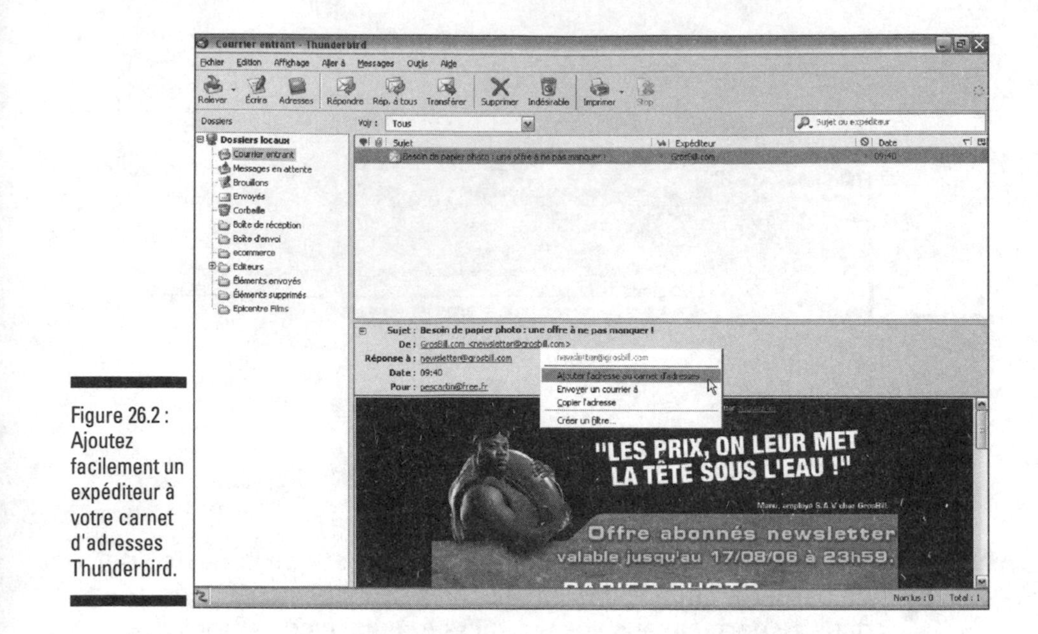

Figure 26.2 : Ajoutez facilement un expéditeur à votre carnet d'adresses Thunderbird.

sur OK. Autre possibilité : cliquez du bouton droit sur le nom de l'expéditeur dans la liste des messages dans la fenêtre d'Outlook Express, puis choisissez Ajouter l'expéditeur au Carnet d'adresses dans le menu obtenu (Figure 26.3).

Figure 26.3 : Ajoutez rapidement un expéditeur à votre carnet d'adresses Outlook Express.

Pour afficher et modifier le Carnet d'adresses, cliquez sur le bouton Adresses dans la barre d'outils. Cliquez sur le bouton Nouveau dans la barre d'outils de la fenêtre Carnet d'adresses, puis sur Nouveau Contact dans le sous-menu.

Pour utiliser une entrée du Carnet d'adresses lorsque vous créez un message, cliquez sur le petit livre à gauche de À ou Cc dans la fenêtre Nouveau message. Dans la fenêtre Sélectionner les destinataires, double-cliquez sur l'entrée du Carnet d'adresses à employer (éventuellement plusieurs), puis cliquez sur OK.

Le Carnet d'adresses de Yahoo! Mail

Une fois connecté à Yahoo! Mail, cliquez sur Contact dans le volet de gauche pour afficher vos correspondant dans le volet de droite. Pour ajouter un nom, cliquez sur le bouton Nouveau contact. Remplissez le formulaire qui apparaît comme à la Figure 26.4. Veillez à entrer un *alias* (pseudonyme) pour cette personne : c'est le nom que vous pourrez taper pour adresser un message au lieu d'avoir à saisir toute l'adresse d'e-mail de la personne. On trouve des champs pour l'adresse postale et les numéros de téléphone de la personne mais vous pouvez les laisser vides. Cliquez ensuite sur OK.

Une fois que vous avez entré un contact dans votre Carnet d'adresses, Yahoo! Mail fournit deux moyens pour lui adresser un message. Le premier : lors de l'écriture du message, saisissez l'alias de la personne dans le champ À. Le second : cliquez sur À et, une fois dans la boîte de dialogue Ajouter des destinataires, sélectionnez celui ou ceux qui devront recevoir votre message, puis cliquez sur le bouton OK. La Figure 26.5 montre la boîte de dialogue qui apparaît lorsque vous cliquez sur le lien Insérer des adresses lors de la rédaction d'un message.

Faire suivre du courrier

Vous pouvez faire suivre un message à qui vous voulez. C'est facile et ça ne coûte pas cher (et ça ne rapporte rien). Mais,

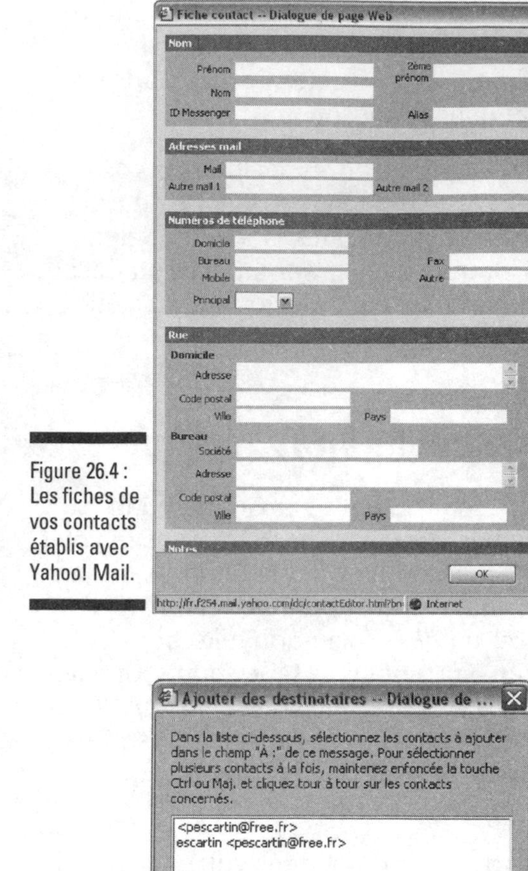

Figure 26.4 : Les fiches de vos contacts établis avec Yahoo! Mail.

Ajouter des destinataires -- Dialogue de ...

Dans la liste ci-dessous, sélectionnez les contacts à ajouter dans le champ "À :" de ce message. Pour sélectionner plusieurs contacts à la fois, maintenez enfoncée la touche Ctrl ou Maj. et cliquez tour à tour sur les contacts concernés.

<pescartin@Free.fr>
escartin <pescartin@free.fr>

OK Annuler

http://Fr.F254.mail. Internet

Figure 26.5 : Sélectionnez les destinataires de votre mail.

comme la langue d'Ésope, c'est à la fois la meilleure et la pire des choses. La meilleure, parce que vous pouvez ainsi faire circuler facilement une information vers ceux que cela peut intéresser. La pire, parce que, si chacun de vos destinataires fait de même, vous allez inonder Internet avec des propos qui risquent de rester lettre morte pour une bonne partie de l'auditoire. Ne vous transformez pas en agence de presse ! Réfléchissez un peu avant de décider si vous devez ou non faire suivre un message. Ce message améliorera-t-il la qualité de vie du nouveau destinataire ? Si la qualité de la vie n'est pas votre tasse de thé, trouvez un autre critère de décision.

Par "faire suivre un message", on entend l'englober à l'intérieur d'un autre message qui peut servir à le présenter en situation, une sorte de Post-it que vous colleriez sur le texte original.

Faire suivre du courrier est presque aussi simple que d'y répondre. Sélectionnez le message et cliquez sur le bouton Transférer ou choisissez Message/Transférer. Ctrl+L fonctionne dans Thunderbird ; Ctrl+F dans Outlook Express. Le logiciel de courrier compose un e-mail contenant le texte du message que vous voulez transférer. Il ne vous reste plus qu'à adresser le message, à ajouter quelques commentaires pertinents et à l'envoyer. Dans Yahoo! Mail, cliquer sur Faire suivre envoie le message d'origine sous forme de pièce jointe au nouveau message. Vous pouvez aussi choisir En texte inclus à droite du bouton Faire suivre, puis cliquer sur Faire suivre.

De l'art de pratiquer des coupures

Lorsque vous voulez faire suivre un message, il est généralement bon de le débarrasser d'un certain nombre de scories comme tous les renseignements d'acheminement ajoutés dans son en-tête. Le plus délicat, c'est d'intervenir ensuite dans le corps du message lui-même. S'il est court, mieux vaut sans doute le laisser tel quel. En voici deux exemples :

```
>J'ai consulté notre service de recherche et j'ai constaté
>que les garnitures de pizza les plus demandées par les
>clients dans la tranche d'âge 18-34 ans sont le poivron,
>la saucisse, la tomate, le jambon, le pamplemousse,
>les olives, les champignons et les brocolis.
>Je lui ai demandé d'examiner plus particulièrement le
>cas des prunes et on m'a répondu qu'il n'existait pas
>de réponse statistiquement significative pour cette
>catégorie.
```

Si le texte est particulièrement long et qu'une partie seulement est réellement significative, vous devriez, par politesse envers votre lecteur, ne conserver que celle-ci. Notre expérience nous a montré que les gens prêtaient davantage attention à un message d'une seule ligne qu'à une douzaine de pages dans lesquelles ils doivent séparer le bon grain de l'ivraie.

Il est même parfois bon de pratiquer des coupes plus franches dans le texte original, histoire de mieux mettre en valeur les passages les plus intéressants. Ce faisant, gardez-vous cependant de dénaturer les propos de celui que vous citez ou de modifier le sens de ses conclusions, comme dans le raccourci ci-dessous :

```
>J'ai consulté notre service de recherche au sujet des
>garnitures de pizza...
>et on m'a répondu qu'il n'existait pas de réponse
>statistiquement significative pour cette catégorie.
```

Voilà un excellent moyen de vous faire de nouveaux ennemis. Mais il peut y avoir une bonne raison de paraphraser une partie du texte. Dans ce cas, mettez votre résumé entre crochets :

```
>[Lorsque j'ai posé la question des prunes dans les
>pizzas aux gens du service de recherche]
>on m'a répondu qu'il n'existait pas de réponse
>statistiquement significative pour cette catégorie.
```

De même que vous pouvez pratiquer des coupures dans le texte mais qu'il est bon, dans ce cas, de les marquer par des points de suspension entre crochets :

```
>En réponse a votre question, j'ai consulté notre service
>de recherche [...] pour le cas des prunes et on
>m'a répondu qu'il n'existait pas de réponse
>statistiquement significative pour cette catégorie.
```

Tout cela est une question de bon sens et de mesure. À vous de peser le pour et le contre selon le sujet abordé, de la personnalité du premier expéditeur et de celle du destinataire final.

Sauvegarder du courrier

En général, vous ne jetez pas *tout* le courrier que vous recevez une fois que vous l'avez lu. Professionnellement, s'entend.

De la même façon, il peut être utile d'archiver le courrier électronique qui vous est parvenu. Pour cela, il existe plusieurs façons de procéder :

- Sauvegarde dans un dossier commun de messages conservés.
- Sauvegarde dans un fichier ordinaire.
- Impression et classement dans un véritable classeur à papiers.

La façon la plus simple est sans doute de placer le message dans un dossier, c'est-à-dire dans un répertoire où vont s'accumuler les messages que vous désirez conserver. Bien entendu, ils restent séparés les uns des autres et vous pouvez toujours retrouver celui qui vous intéresse.

Il y a deux approches de classement possibles : par auteur ou par sujet. C'est affaire de goût. À vous de décider. Certains mailers ont une préférence marquée pour le classement par auteur, aussi, lorsque votre ami Fred (`fred@nimportou.fr`) vous envoie un message que vous voulez sauvegarder, votre mailer va vous proposer de le classer dans le dossier fred. Dans ce cas, pas de problème. Mais si vous recevez un message de `z921h8n@bizarre.chose.be`, ce système de classement risque de laisser à désirer. Alors, mieux vaut choisir vous-même le nom du dossier.

Pour le classement par sujet, c'est à vous de décider des sujets qui vous intéressent. Dans tous les cas, prévoyez un classeur fourre-tout appelé "divers". Choisissez des noms de dossiers en rapport avec votre activité habituelle : comptabilité, assurances, sécurité, banque, escroquerie, vampirisme...

Si vous utilisez un Macintosh ou un PC sous Windows, vous pouvez sauvegarder tout ou partie d'un message en le copiant dans un fichier texte ou un document de traitement de texte. Sélectionnez le texte du message avec votre souris et faites un copier/coller (Ctrl+C suivi de Ctrl+V sous Windows, faut-il le rappeler ?).

Le classement avec Thunderbird

Thunderbird fournit un certain nombre de dossiers : Courrier entrant, Brouillons, Modèles, Messages en attente, Envoyés, et Corbeille. Cependant, vous pouvez créer vos propres dossiers. Si vous avez de nombreux messages à classer, vous pouvez également mettre en place des sous-dossiers de manière à bénéficier d'une super organisation. Voici comment créer un nouveau dossier :

1. **Cliquez sur Fichier/Nouveau/Dossier.**

   Vous ouvrez la boîte de dialogue Nouveau dossier.

2. **Dans le champ Nom, dénommez le dossier.**

   Par exemple, appelez-le **Privé**.

3. **Dans la liste Créer comme sous-dossier de, choisissez le dossier dans lequel prendra place ce nouveau dossier.**

   Généralement, votre dossier sera un sous-dossier des Dossiers locaux. Par conséquent, choisissez Dossiers locaux dans cette liste et cliquez sur Choisir celui-ci comme racine. Ainsi, en racine des Dossiers locaux, vous aurez un dossier nommé Privé où vous rangerez tous les messages à caractère privé que vous recevrez de vos correspondants.

4. **Cliquez sur OK.**

Le nouveau dossier apparaît dans la liste des dossiers situés sur le côté gauche de l'interface de Thunderbird. Pour afficher le contenu d'un dossier, il suffit de cliquer dessus.

Pour classer un message dans un dossier, glissez-déposez-le sur le nom du dossier de destination. Le plus souvent, vous effectuerez cette opération à partir du dossier Courrier entrant. Une autre méthode consiste à cliquer sur le message avec le bouton droit de la souris. Dans le menu contextuel, choisissez Déplacer vers/<nom du compte>/<nom du dossier>.

Pour enregistrer un ou plusieurs messages sous forme de fichier texte, sélectionnez le ou les messages et choisissez Fichier/Enregistrer comme/Fichier. Dans le champ Type de la boîte de dialogue Enregistrer le message sous, choisissez Fichier texte. Donnez un nom au fichier, puis cliquez sur le bouton Enregistrer.

Le classement avec Outlook Express

Pour enregistrer un message dans Outlook Express, vous le placez dans un dossier. Vos dossiers par défaut sont les habituels Boîte de réception, Boîte d'envoi, Brouillons, Éléments envoyés et Éléments supprimés. Pour créer un nouveau dossier, choisissez Fichier/Nouveau/Dossier dans la barre de menus. Indiquez le nom que vous voulez donner à ce dossier dans la fenêtre qui s'affiche et cliquez sur OK. Le nouveau dossier apparaît parmi la liste des dossiers proposés à gauche de la fenêtre.

Pour placer un message dans un dossier, il suffit de cliquer sur son en-tête et de le faire glisser sur le dossier voulu. Vous pouvez également passer par la commande Édition/Déplacer vers un dossier. Pour afficher la liste des en-têtes de messages d'un dossier, cliquez simplement sur le nom de ce dossier. Si vous devez stocker une grande quantité de messages, pensez à créer des sous-dossiers à l'intérieur des dossiers existants.

Pour sauvegarder un message sous forme de fichier texte, cliquez dessus, puis sur Fichier/Enregistrer sous. Dans la fenêtre d'enregistrement qui apparaît, choisissez Texte (`*.txt`) dans le champ Type. Déterminez ensuite le disque et le répertoire de rangement comme pour n'importe quel fichier, saisissez un nom de fichier et cliquez sur le bouton Enregistrer.

Le classement avec Yahoo! Mail

Pour enregistrer un message dans un dossier, cliquez sur Déplacer, puis choisissez le dossier où vous voulez classer le message. Cliquez ensuite sur le bouton OK. Pour créer un nouveau dossier, choisissez Nouveau dossier dans la liste Déplacer. Donnez un nom à ce dossier et cliquez sur OK.

Pour afficher la liste de vos dossiers, cliquez sur le nom du dossier situé dans la section Mes dossiers de la partie gauche de la page Yahoo! Mail. Vos dossiers incluent notamment Boîte de réception, Envoyés, Corbeille. Pour voir les messages dans un dossier, cliquez sur le nom de ce dossier.

Pour créer de nouveaux dossiers, il suffit de cliquer sur le lien Ajouter situé à gauche de Mes dossiers (volet de gauche), comme le montre la Figure 26.6.

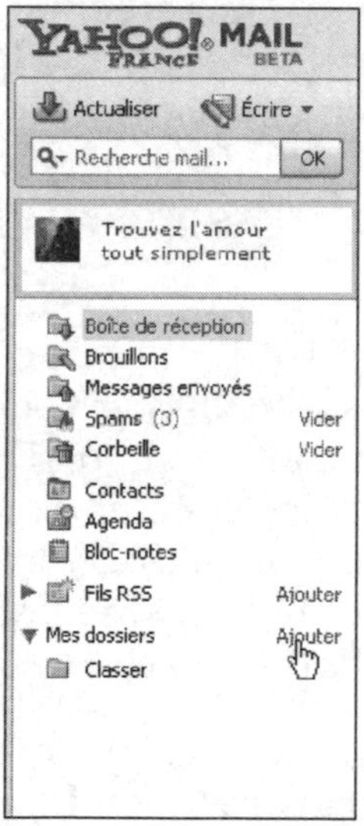

Figure 26.6 : Besoin de classement ? Ajoutez des dossier à votre Yahoo! Mail.

Courrier exotique et pièces jointes

Tôt ou tard vous découvrirez que l'envoi pur et simple d'un message ne comble pas tous vos désirs. Par exemple, si vous avez reçu d'une façon ou d'une autre une photo (sous forme de fichier graphique) qui vous plaît particulièrement, vous aimerez peut-être faire partager votre plaisir à un de vos amis résidant à San Francisco. Pour envoyer des éléments autres que du texte par mail, un message utilise des formats de fichier spéciaux. Parfois, la totalité du message est dans un format spécial ; parfois on *joint* des éléments à un courrier qui est du texte brut. Le format le plus largement utilisé pour joindre des fichiers aux messages est MIME (*Multipurpose Internet Mail Extensions*, extensions du courrier Internet à usages multiples). Tous les programmes décrits dans ce chapitre sont capables d'envoyer et de recevoir des fichiers joints à l'aide de MIME, mais il existe encore quelques programmes d'e-mail qui ne le sont pas.

L'envoi d'une pièce jointe se fait sans difficulté avec l'un des logiciels de courrier que nous avons étudiés. Vous commencez par rédiger votre message, puis vous choisissez la commande spécifique au programme utilisé pour joindre un fichier ; ensuite, vous envoyez le message à l'aide des commandes habituelles.

Lorsque vous recevez un document attaché à un message e-mail, c'est votre logiciel de courrier qui doit se charger de le décoder et de lui restituer son aspect normal, ou alors de le sauvegarder en tant que fichier autonome dans un répertoire ou disque que vous spécifiez. Une fois enregistré, vous pouvez utiliser ce fichier comme n'importe quel autre fichier.

Vous pouvez, par exemple, envoyer ces types de fichiers en tant que fichiers joints :

- des photos (sous forme de fichiers graphiques) ;
- des documents issus de traitements de texte ;
- des sons (sous forme de fichiers audio) ;
- des films (sous forme de fichiers vidéo) ;
- des programmes (sous forme de fichiers exécutables) ;
- des fichiers compressés (tels que des fichiers ZIP).

Les virus e-mail se présentent habituellement sous forme de pièce jointe. Lorsque vous recevez un message avec une pièce jointe inattendue, même de quelqu'un que vous connaissez,

NE L'OUVREZ PAS avant d'avoir vérifié auprès de l'expéditeur qu'il vous l'a bien envoyée délibérément. Les virus récupèrent souvent toutes les adresses du Carnet d'adresses de la victime de façon à pouvoir se transmettre eux-mêmes par courrier aux correspondants du malheureux. Certaines pièces jointes ne peuvent pas transporter de virus, notamment les images GIF et JPG.

Votre FAI, ou le serveur de mail Web, peut limiter la taille de votre boîte de réception. Par exemple, il peut vous être impossible de stocker voire d'envoyer des e-mails de plus de 10 Mo. Certains FAI permettent de stocker jusqu'à 1 Go de messages tout en limitant la taille des courriers que vous pouvez envoyer. La meilleure manière d'économiser de l'espace dans votre boîte d'envoi et/ou de réception consiste à zipper les pièces jointes. Elles perdront quelques kilo-octets. Sous Windows XP, utilisez la fonction Dossier compressé ou bien un programme plus performant comme WinZip.

Pièces jointes dans Thunderbird

Pour joindre un fichier au message que vous êtes en train de composer, cliquez sur le bouton Joindre ou bien choisissez Fichier/Joindre. Dans le sous-menu qui apparaît, choisissez le type d'élément à joindre, par exemple Fichier(s). Vous pouvez également placer directement une image dans le message. Il suffit de positionner le curseur là où vous souhaitez faire apparaître l'image, puis de cliquer sur Insérer/Image. Spécifiez ensuite le chemin d'accès à ce fichier graphique.

Pour le courrier entrant, Thunderbird affiche n'importe quelle pièce jointe qu'il est normalement capable de représenter lui-même (les pages Web et les fichiers GIF et JPEG). Pour tous les autres types de fichiers, il affiche un message qui en décrit la nature. Vous pouvez cliquer sur ce message. Si Thunderbird identifie la pièce, il l'ouvre dans le programme approprié, sinon il vous demande de le choisir. Bien sûr, vous avez la possibilité d'enregistrer le fichier sur votre disque dur.

Pièces jointes dans Outlook Express

Joindre

Avec Outlook Express, pour joindre un fichier à un message, cliquez sur Insertion/Pièce jointe dans la barre de menus de la fenêtre Nouveau message ou sur l'icône Joindre de la barre d'outils. Sélectionnez ensuite le fichier à joindre et envoyez le message comme à l'accoutumée.

Lorsqu'un message contenant une pièce jointe arrive, un trombone s'affiche à côté du message dans la liste des messages reçus et dans le coin supérieur droit du message lorsque celui-ci est affiché. Cliquez sur ce trombone pour afficher le nom du fichier et double-cliquez pour afficher son contenu.

Microsoft a "résolu" certains problèmes de sécurité chroniques d'Outlook Express en lui faisant carrément refuser d'afficher les pièces jointes, y compris les bénignes telles que les messages joints au format texte et les fichiers PDF. Vous pouvez corriger cela en choisissant Outils/Options dans la fenêtre principale d'Outlook Express, puis en cliquant sur l'onglet Sécurité et en désactivant l'option Ne pas autoriser l'ouverture ou l'enregistrement des pièces jointes susceptibles de contenir un virus. Outlook Express vous autorisera alors à ouvrir les pièces jointes. Notez que, lorsque quelqu'un vous aura *vraiment* envoyé un virus, Outlook Express se fera aussi un plaisir de l'ouvrir.

Pièces jointes dans Yahoo! Mail

Joindre

Pour joindre des pièces à un courrier Yahoo!, commencez par créer un message comme d'habitude. Puis, cliquez sur le bouton Joindre. Une nouvelle fenêtre s'affiche où vous devez indiquer le nom du fichier à joindre (Figure 26.7). Cliquez sur le bouton Parcourir pour trouver le fichier sur votre ordinateur (vous devrez choisir Tous les fichiers dans la liste Fichiers de type pour voir tous vos fichiers). Cliquez ensuite sur le bouton Ouvrir. Vous pouvez ajouter autant de pièces jointes que vous le désirez dans la limite de 10 Mo. Une fois les pièces sélectionnées, cliquez sur Joindre. La liste des pièces s'affiche dans la troisième zone de la boîte de dialogue.

Pour enlever celles que vous auriez ajoutées par erreur, cliquez dessus, puis sur le bouton Retirer. Cliquez sur OK. Votre navigateur Web envoie le fichier de votre disque dur vers Yahoo! Mail pour l'inclure dans votre message. Vous êtes ensuite ramené à la page Web Yahoo! Mail. Le nom de fichier apparaît à côté de la mention Pièces jointes. Envoyez le message comme d'habitude.

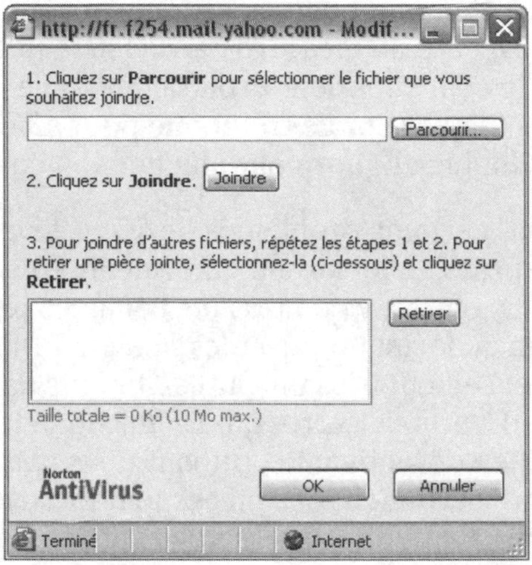

Figure 26.7 : Envoyer une pièce jointe avec Yahoo! Mail.

Hé, monsieur le robot !

Il n'y a pas nécessairement une personne physique derrière chaque adresse électronique. On peut y trouver des listes de diffusion et des *robots*, c'est-à-dire des programmes chargés de répondre automatiquement aux messages reçus. Les robots de courrier servent principalement à consulter des bases de données. Vous envoyez un message au robot (considéré comme serveur de courrier) et il entreprend telle ou telle action selon le contenu de votre message. Puis, il vous renvoie la réponse qu'il a trouvée. Si, par exemple, vous envoyez un message à `internet10@gurus.com`, le message que vous recevrez en réponse contiendra votre propre adresse électronique. Certaines entreprises les utilisent pour envoyer des réponses toutes prêtes à des demandes d'informations reçues par courrier électronique.

Lorsque vous recevez un message avec pièces jointes, une case apparaît en bas du message, avec le nom et la taille de la pièce jointe. Cliquez sur le bouton de téléchargement pour stocker le fichier sur votre ordinateur.

Options de filtrage

Dès l'instant où vous commencez à envoyer du courrier électronique, vous allez en recevoir en retour. Tout spécialement si vous vous êtes abonné à une liste de diffusion... au point que vous serez bientôt submergé !

Par bonheur, la plupart des systèmes de courrier électronique permettent d'endiguer le flot et d'éviter d'être inondé. Les utilisateurs de Thunderbird peuvent créer des *filtres*, qui testent automatiquement les messages entrants, d'après une liste d'expéditeurs et de sujets, et effectuent une répartition automatique dans les dossiers appropriés. Outlook Express propose son Assistant de boîte de réception à cet effet. La plupart des autres programmes de courrier électronique disposent de fonctions de filtrage similaires. Si vous triez le courrier dans des boîtes séparées pour chaque liste de diffusion ou d'autres catégories de messages, vous pourrez les gérer beaucoup plus efficacement.

Par exemple, il est possible de créer des filtres qui indiquent à votre programme de courrier : "Tout message qui vient de la liste de diffusion PHOTO doit être automatiquement classé dans tel dossier de courrier". La Figure 26.8 montre un tel filtre dans Thunderbird. Vous pouvez également créer des filtres pour mettre en valeur des messages parvenant d'amis particuliers ou supprimer certains messages avant même de les apercevoir.

- **Thunderbird :** Choisissez Outils/Filtres de messages pour ouvrir la fenêtre Filtres de messages, où vous pouvez afficher, créer, modifier et supprimer des filtres. Pour définir un filtre, cliquez sur le bouton Nouveau. Vous pouvez aussi cliquer, avec le bouton droit de la souris, sur l'adresse De ou Pour dans un message et

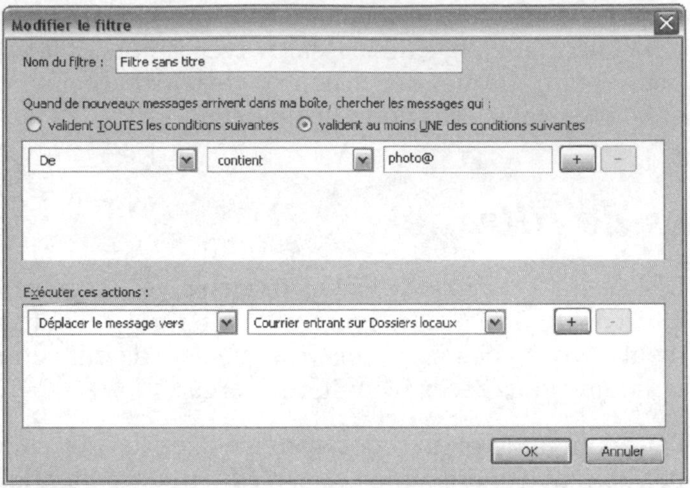

Figure 26.8 : Filtrage de messages.

choisir Créer un filtre pour construire un filtre s'appliquant au courrier envoyé à ou de cette adresse.

- **Outlook Express :** Choisissez Outils/Règles de message/Courrier.
- **Yahoo! Mail :** Cliquez sur le bouton Options/Options Mail dans la page Web Yahoo! Mail. Dans la nouvelle page qui apparaît, cliquez sur Filtres. Définissez les adresses à filtrer.

Tout cela doit vous paraître bien compliqué et fort ennuyeux. Si vous ne recevez pas plus de cinq à dix messages par jour, vous n'avez pas à vous en préoccuper. Mais si le nombre de messages que vous recevez se chiffre par dizaines, voire par centaines, la gestion de votre courrier risque fort de vous prendre une bonne partie de votre temps. D'où l'intérêt d'utiliser des procédures automatisées pour purger les messages inintéressants ou hors de propos.

Huitième partie

Les dix commandements

"Ouah, cool - une webcam ! Tu devrais la diriger sur un truc intéressant. L'aquarium ! L'aquarium !"

Dans cette partie...

Certains sujets importants n'entrant pas dans la classification adoptée pour ce livre, nous les avons regroupés ici sous forme de listes. Par une étrange coïncidence, il se trouve qu'il y en a exactement dix dans chaque liste. *Remarque à l'attention des esprits tatillons :* il faudra peut-être vous couper quelques doigts ou vous en coller un ou deux pour que votre conception du nombre dix colle avec la nôtre. Peut-être vaut-il mieux nous croire sur parole...

Chapitre 27

Dix problèmes et dix solutions pour Internet

Dans ce chapitre :

- Mon ordinateur est perturbé par quelque chose que j'ai attrapé sur Internet.
- Un programme refuse de fonctionner sans publicité.
- Puis-je me protéger des voleurs d'ID ?
- Comment mémoriser tous mes mots de passe ?
- Comment protéger ma vie privée en ligne ?
- Que faire lorsque surgit le message "404 not found" ?

Internet est très excitant. Cependant, les choses peuvent devenir telles qu'un jour vous sentirez monter en vous cette pulsion irrépressible de lancer votre ordinateur par la fenêtre et de revenir aux bonnes vieilles méthodes de communication.

Ne laissez pas tomber à la moindre difficulté ! Ce chapitre donne des solutions aux problèmes les plus communément rencontrés par les utilisateurs d'Internet.

Mon ordinateur met du temps à démarrer, des popups publicitaires envahissent mon écran et ma machine est très lente

Tous ces symptômes indiquent que votre ordinateur est envahi de *malwares*, c'est-à-dire de petits programmes qui ne font que des bêtises dans votre machine. Il s'agit donc de *spywares* (espiogiciels qui arrivent par votre navigateur Web) et de virus (qui arrivent par e-mail). Veillez toujours à télécharger les derniers correctifs de votre système d'exploitation et vérifiez que votre antivirus et votre antispyware sont bien à jour. Si vous utilisez Internet Explorer pour naviguer sur le Web, nous vous suggérons de passer à Firefox.

Voici les programmes antispyware gratuits que nous utilisons :

- Spybot - Search & Destroy, que vous trouverez à `www.safer-networking.org/fr/spybotsd/index.html`.
- Ad-Aware, de Lavasoft que vous trouverez à `http://www.lavasoftusa.com/french/software/adaware/`.

Téléchargez ces programmes, installez-les, exécutez-les et, surtout, mettez-les à jour régulièrement.

L'option radicale

Si vous avez installé et exécuté un antivirus et un antispyware et que vos problèmes persistent, vous n'avez guère d'autres solutions que de tout reprendre à zéro.

Avant de réinstaller Windows, vous *devez* mettre en œuvre un pare-feu pour protéger votre ordinateur. Les versions de Windows sont si peu sécurisées que vous n'aurez pas le temps d'installer toutes les mises à jour et correctifs que déjà vous serez assailli de virus et autres worms. En effet, ces installations demandent des heures, tandis qu'une infection ne prend que quelques secondes. L'option du routeur permet de raccorder plusieurs ordinateurs à une seule connexion Internet. Les routeurs incluent des pare-feu.

Avant de réinstaller Windows, effectuez une copie de sauvegarde de tous vos fichiers. Effectuez au moins une copie sur un support optique de type CD ou DVD, plutôt que sur un support magnétique comme un disque dur. Vérifiez que vous avez bien le CD d'installation de Windows, la licence, la clé d'installation, et tous les codes et licences de vos programmes.

Avant de réinstaller Windows, je vous conseille d'acheter un exemplaire de *Windows XP pour les Nuls* publié aux éditions First Interactive. Vous y trouverez de nombreux détails sur la réinstallation de ce système d'exploitation. Vous avez besoin du CD d'origine livré avec votre PC. Insérez le CD de Windows XP dans votre lecteur de CD ou de DVD, et redémarrez votre ordinateur. Suivez les instructions qui apparaissent à l'écran. Indiquez si vous désirez réinstaller ou carrément formater le disque dur de manière à procéder à une installation sur un support propre. Prenez une grande bouffée d'oxygène, et répondez "oui", "oui" et encore "oui" à tout ce que l'on vous propose.

Une fois le processus terminé, suivez les instructions qui vont permettre de réinstaller et de configurer votre connexion Internet. Ensuite, rendez-vous sans tarder sur le site Web `http://update.microsoft.com/windowsupdate/v6/default.aspx?ln=fr`. Téléchargez tout ce que l'on vous propose. Cela va prendre pas mal de temps. Chargez ensuite votre logiciel antivirus et antispyware que vous allez immédiatement mettre à jour. Enfin, réinstallez vos programmes. Je sais que toute cette procédure est pénible, mais elle est parfois indispensable.

Insérez votre CD ou DVD de sauvegarde dans votre lecteur et faites-en analyser le contenu par votre logiciel antivirus. Nous conseillons d'installer uniquement les fichiers dont vous avez réellement besoin.

Pour finir, créez des comptes d'utilisateurs protégés par mots de passe. Ces comptes seront tous "limités" de manière à ce que vous seul, administrateur de l'ordinateur, fassiez des interventions spécifiques sur la machine. Prévenez tous les utilisateurs du PC des risques encourus lors de téléchargements gratuits, de visite de sites de jeux, ainsi que de sites pornographiques qui recèlent quantités de malwares.

Changer de machine

Le Plan B consiste à abandonner le PC pour le Mac ! Comme nous l'avons expliqué, il existe très peu de virus et de spywares sur Macintosh car les hackers préfèrent dépenser leur énergie dans le développement de malwares destinés au système d'exploitation le plus répandu, c'est-à-dire Windows. Vous pouvez imaginer l'utilisation d'un Mac pour Internet, et celle d'un PC pour toutes les autres applications, mais sans aucune connexion à Internet. Une autre méthode consiste à faire tourner Virtual PC sur Mac de manière à exécuter Windows et ses programmes sur un Macintosh. Sachez que sous peu il sera possible, et ceci sans effort, de faire fonctionner le système d'exploitation Microsoft sur un Mac équipé de processeurs Intel.

Ce super programme ne fonctionne pas si je désactive les pubs

De nombreux programmes gratuits n'existent que grâce à la publicité. C'est le deal ! Vous pourrez trouver des programmes équivalents sans publicité, ou alors désactiver les pubs du programme actuel, mais en payant une certaine somme d'argent. Nous déconseillons l'utilisation de programmes qui vous assaillent de popups publicitaires. Bien que les développeurs et les éditeurs de ces programmes prétendent qu'aucune information personnelle vous concernant n'est délivrée à d'autres sociétés et qu'aucun spyware n'est contenu dans les applications, nous avons beaucoup de mal à les croire.

Je ne peux pas envoyer de grosses pièces jointes

Certains FAI ou administrateurs système limitent la taille des fichiers que vous pouvez joindre à un courrier électronique. Si ce problème vous arrive au travail, vous devez en parler à l'administrateur réseau. En revanche, si le problème vient de votre FAI, il ne sera pas possible de discuter cette limite. Heureusement, nous avons d'autres solutions pour transférer des fichiers volumineux qui ne peuvent pas transiter par e-mail.

Pour le transfert local d'un ordinateur à un autre, utilisez une clé USB. Votre réseau sera alors manuel. Armé d'une bonne paire de chaussures, vous irez transférer vos données d'une machine à une autre. Cette clé est identifiée comme un lecteur externe sur les machines équipées de Windows XP. Vous l'insérez dans un port USB, et elle est immédiatement reconnue comme une sorte de disque dur sur lequel vous copiez vos gros fichiers. Ensuite, vous indiquez (via une petite icône) que vous désirez enlever la clé. Une fois l'autorisation donnée par le système d'exploitation, retirez-la et insérez-la dans le port USB de l'ordinateur de destination. Là, vous ouvrez l'Explorateur Windows et vous copiez-collez les fichiers de la clé USB dans un dossier du disque dur de cet ordinateur. Sur Mac, avant de retirer la clé, faites glisser son icône jusqu'à la poubelle.

Si votre ordinateur a un graveur de CD et/ou de DVD, vous pouvez graver vos fichiers sur ces disques optiques. Ce n'est pas aussi compact qu'une clé USB, mais c'est plus durable.

J'ai peur des voleurs d'ID

L'ID est un identifiant qui permet de vous connecter sur certains sites, par exemple bancaires, afin d'y procéder à des opérations qui n'intéressent que vous et surtout qui peuvent mettre en péril vos économies si vous ne les réalisez pas dans un espace totalement sécurisé.

Pour éviter le vol d'ID, méfiez-vous avant tout des e-mails pratiquant le *phishing*. Il s'agit d'une véritable pêche aux informations. Vous recevez un e-mail d'un site où vous avez l'habitude d'aller, comme eBay. Le problème est que ce mail ne vient pas du tout d'eBay mais de voleurs d'identifiants. Il vous indique un lien sur lequel vous devez cliquer afin de mettre à jour vos données personnelles. Si vous cliquez sur ce lien, vous êtes renvoyé vers une page identique à une page Web eBay, mais qui en réalité n'en est pas une. Là, vous êtes invité à saisir votre identifiant et votre mot de passe. Dès que vous validez, les informations tombent dans l'escarcelle des voleurs qui en useront au moment où vous vous y attendrez le moins.

L'Internet n'est pas le seul endroit où l'on peut vous dérober des informations personnelles. Ainsi, chez vous, au bureau, vous pouvez être victime de ce que les Anglo-Saxons nomment le *social engineering*. Il s'agit d'une pratique consistant, pour un individu, à fouiner à droite à gauche, à poser des questions qui semblent innocentes, pour récupérer tout un tas de données vous concernant et pour s'en servir à des fins frauduleuses. Si vous le pouvez, achetez un broyeur de documents qui fera de vos papiers ainsi détruits de fines lamelles inutilisables.

Prenez l'habitude de contrôler fréquemment le solde de vos différents comptes bancaires pour identifier des opérations qui ne seraient pas de votre fait. Si vous en découvrez, contactez la banque sans plus attendre. Si le problème est complexe à identifier, demandez la fermeture du compte et l'ouverture d'un nouveau compte bancaire. Vous et votre banque pouvez bien évidemment porter plainte.

Je ne peux pas mémoriser tous les mots de passe de mes sites Web

Le conseil habituel est de créer des mots de passe contenant des chiffres et des lettres, et ne répondant à aucune logique commune. Il est fortement recommandé d'utiliser un mot de passe par compte d'utilisateur quelle que soit son utilité : e-mail, compte gratuit sur des sites Web, compte eBay ou autre, etc.

Nous savons que cela est complexe. Au-delà de trois mots de passe différents, tout le monde s'y perd. Nous suggérons donc un compromis : créez un seul mot de passe excessivement complexe et utilisez-le partout. En revanche, pour des sites aussi sensibles que les sites bancaires, utilisez un autre mot de passe lui aussi difficile à découvrir par hasard. Voilà, en gros – et au pire –, vous aurez deux mots de passe complexes à créer. Ce n'est quand même pas la mer à boire quand on connaît les risques encourus à utiliser des mots de passe comme votre numéro de sécurité sociale, votre nom inversé, le prénom d'un de vos enfants, le sobriquet de votre femme, j'en passe et des bien pires encore.

Je reçois des messages indiquant que mon courrier n'a pas pu être délivré alors que je n'ai rien envoyé !

Une fois que cela arrive, vous n'avez malheureusement pas grand-chose à faire. De nombreux virus se répandent en se copiant et en s'envoyant à votre insu aux différents contacts de votre carnet d'adresses. Ceci est fait pour détourner votre attention sur une éventuelle infection de votre propre ordinateur, laissant croire que c'est une autre machine qui envoie ces messages alors que vous êtes, en réalité, à l'origine du problème. Pour l'éviter, empêchez que ce système commence à se mettre en route. Pour cela, mettez votre antivirus à jour, utilisez un routeur avec pare-feu intégré et désactivez votre connexion Internet lorsque vous ne l'utilisez pas.

Des personnes semblent en savoir beaucoup sur moi

La vitesse à laquelle nous perdons notre intimité est effrayante. Voici quelques conseils :

Éliminez les spywares qui peuvent se tapir dans votre machine

Un spyware, c'est-à-dire un espion, fait exactement ce pour quoi il a été conçu : espionner votre activité. Vous pensiez que tout ce que vous faisiez sur Internet restait privé. Sachez que non ! Les spywares sont partout, et seul un PC qui en est délivré limite la divulgation de vos habitudes (qui servent, bien entendu, à des sociétés commerciales). Achetez par exemple dans une pharmacie en ligne et vous verrez le nombre de sollicitations que vous recevrez d'autres sites Web pour acheter quantité de médicaments. Pour en arriver là, le spyware enregistre ce que vous saisissez au clavier. Balancez-le ! (Le spyware pas le clavier.) Lorsque nous utilisons Internet Explorer – car des sites ne peuvent s'afficher que dans ce navigateur –, nous nettoyons notre machine après chaque session Internet car Internet Explorer est une véritable auberge espagnole pour les worms, virus, et autres spywares. Cela tient au fait qu'il s'agit du navigateur le plus utilisé au monde. Tant que faire se peut, préférez-lui Firefox.

Ne soyez pas idiot !

Je sais, cela demande des efforts ! Ne communiquez aucune information sur votre page Web personnelle. Par exemple, c'est une idiotie que d'indiquer votre adresse postale et votre numéro de téléphone. Pour vous contacter depuis votre site, indiquez simplement une adresse e-mail autre que celle habituellement utilisée pour votre courrier électronique. Créez-en une spécifiquement pour le site Web.

Ne commandez rien depuis un PC public

Normalement, acheter sur Internet, que ce soit par le biais d'un site Web ou par e-mail, est une opération sécurisée. Le problème est que certains sites conservent des informations vous concernant comme votre adresse postale et votre moyen de paiement. Ceci n'est pas un problème lorsque vous effectuez la commande depuis votre ordinateur, mais cela le devient si cette même commande est réalisée sur un ordinateur appartenant à un cybercafé, ou encore une médiathèque. Cela permet à la personne qui passe juste après vous d'aller sur le site marchand et d'acheter des produits en utilisant vos propres informations. Il lui suffit alors d'indiquer une adresse de livraison différente et de changer l'e-mail de manière que vous n'en soyez jamais averti.

Je ne peux plus éloigner mes enfants et mon épouse de l'ordinateur

Les jeux et les messageries instantanées peuvent devenir de véritables drogues. Steve Balmer de Microsoft reconnaît la dépendance aux jeux que sa compagnie développe et vend et, d'un petit sourire ironique, affirme qu'il ne laisserait pas ses enfants y jouer.

Vous devez définir des règles claires sur l'utilisation d'un ordinateur ! Vous n'êtes pas un monstre ! Ce serait même le contraire. Il est monstrueux de laisser des enfants (et votre femme) utiliser un ordinateur pendant des heures alors qu'il y a tant d'autres choses à faire. Il semble raisonnable de limiter la messagerie instantanée à une heure par jour maximum aux enfants de moins de seize ans, et de l'interdire à ceux de moins de dix. Un autre comportement finit par nuire à la communication entre les familles et les couples. Aujourd'hui, il n'est pas rare de voir, dans un salon, l'homme regarder la télévision, la femme lire un livre et l'enfant chatter sur MSN (et ceci dans l'ordre que vous voulez). C'est une aberration ! Internet sert quand on en a besoin ! Cela peut être un loisir mais certainement pas un mode de vie ! Réfléchissez-y bien ! Une certaine harmonie est en péril.

Du côté de votre femme, faites attention. En moins de cinq minutes, elle est capable de dépenser 500 euros sur Internet.

Lorsque je clique sur un lien, la page Web affiche "404 Page Not Found"

Les pages Web naissent, vivent et meurent. Si vous saisissez une URL que vous lisez dans un livre, il se peut qu'elle soit devenue incomplète. Il suffit souvent de se limiter à `www.nomdusite.com` pour retrouver la page d'accueil du site.

Si vous cliquez sur un lien hypertexte et que vous obtenez cette page introuvable (obtenir l'introuvable : quelle performance !), il se peut que les données du site aient été réorganisées. Modifiez l'ordre de saisie du contenu de l'adresse. Par exemple si le lien indique l'adresse :

```
www.fliberty.com/~smith/recipes/cookies/chocolatechip.htm
```

essayez ceci :

```
www.fliberty.com/~smith/recipes/cookies
www.fliberty.com/~smith/recipes
www.fliberty.com/~smith
www.fliberty.com
```

Une fois que vous aurez atteint la page valide, il restera à trouver le lien renvoyant désormais aux informations que vous souhaitez consulter. Une alternative consiste à effectuer une recherche dans votre moteur préféré.

Une page disparue peut parfois être retrouvée sur le site `www.archive.org`. Il s'agit d'un site gratuit qui prend périodiquement des instantanés du World Wide Web.

Je souhaite inclure mon adresse e-mail sur ma page Web

C'est le meilleur moyen d'attirer les *spams* ! En effet, les spammers ont des programmes qui analysent le Web pour trouver des adresses e-mail à spammer. Donc, si vous désirez laisser un contact sur votre site, créez une nouvelle adresse sur un serveur d'adresses comme Hotmail (`www.hotmail.com`) ou Yahoo! (`http://fr.yahoo.com`). Si le nombre de spams est trop important, vous pourrez abandonner ce nouveau compte de mail et en créer un autre.

Une astuce consiste à demander aux visiteurs du site d'inclure un mot spécial dans la ligne d'objet de leur message. Par exemple, si votre page Web traite de la collection de boucles de ceinture, vous pouvez demander d'inclure "boucles" dans l'objet du message. Ensuite, vous définissez un filtre n'autorisant que les messages contenant le mot "boucles" dans leur objet (ou leur sujet). Les autres seront irrémédiablement détruits et ne vous parviendront donc jamais.

Chapitre 28

Dix points exaspérants de Windows XP (et comment y remédier)

Dans ce chapitre :

- Régler le volume sonore.
- Trouver la version de Windows.
- Préférer le double-clic au clic (et inversement).
- Repositionner les barres de boutons détachées.
- Gérer de multiples fenêtres.
- Récupérer la barre des tâches.
- Pouvoir utiliser la touche Impr. Écran.
- Aligner deux fenêtres.
- Réactualiser le contenu d'un dossier.
- Comprendre pourquoi vous ne pouvez pas faire tout ce que peut faire un administrateur.

Windows serait génial si   (placez ici vos doléances). S'il vous arrive souvent de vous dire ça, ou de le penser, ce chapitre est pour vous. Il ne se contente pas d'énumérer les aspects exaspérants de Windows, mais propose aussi des solutions.

Comment régler le volume ?

Bien que Microsoft se soit efforcé de rendre Windows XP plus facile que jamais à utiliser, les programmeurs se sont mélangés les pinceaux sur l'une des fonctionnalités les plus importantes : le réglage du volume.

Comment ferez-vous si, en visitant un site Web tard la nuit, vous entendez soudain une tonitruante musique ? Aurez-vous le temps de bondir sur le potentiomètre des enceintes avant que la famille et le chien se réveillent ?

Voici comment placer la commande du volume là où elle doit être : juste à côté de l'horloge, dans la zone de notification de la barre des tâches, en bas à droite de l'écran.

1. **Cliquez sur le bouton Démarrer, ouvrez le Panneau de configuration puis, cliquez sur l'icône Sons, voix et périphériques audio.**

2. **Cliquez sur l'icône Sons et périphériques audio et cochez la case Placer l'icône de volume dans la barre des tâches.**

   Un petit haut-parleur apparaît près de l'horloge.

3. **Cliquez sur OK pour fermer la fenêtre.**

   Désormais, pour régler le son en catastrophe, cliquez sur le petit haut-parleur près de l'horloge. Un défileur vertical permet de régler le volume sonore de l'ordinateur. Pour couper complètement le son, cochez la case Muet.

Quelle est ma version de Windows ?

Depuis sa sortie en novembre 1985, Windows a connu une douzaine de versions. Comment savoir laquelle est celle de votre ordinateur ? Windows XP est-il *véritablement* installé dedans ?

Ouvrez le menu Démarrer, cliquez avec le bouton droit de la souris sur Poste de travail et choisissez Propriétés. Cliquez sur l'onglet Général, si cette page n'est pas déjà affichée.

Sous le mot *Système*, vous découvrirez la version de Windows ainsi que son numéro de version.

Je veux cliquer au lieu de double-cliquer (et inversement)

Lentement mais sûrement, Windows XP migre du Bureau vers la Toile d'Internet, qui n'est rien d'autre qu'un vaste réseau planétaire d'ordinateurs truffés d'une quantité phénoménale de données, qu'il s'agisse de bandes-annonces de films ou de forums qui discutent des meilleures recettes du lait de poule.

Les internautes ne cliquent qu'une seule fois sur une icône, et non deux fois, comme s'y sont habitués les utilisateurs de Windows. Pour voir comment votre ordinateur est actuellement configuré, ouvrez n'importe quel dossier puis, dans la barre de menus, cliquez sur Outils/Options des dossiers.

Dans la dernière zone, intitulée Cliquer sur les éléments de la manière suivante, vous pourrez choisir entre le clic simple et le double-clic. Sélectionnez l'option qui vous convient puis cliquez sur OK.

Quand vous naviguez parmi les options du menu Démarrer, il suffit de cliquer une seule fois sur une option, quelle que soit la manière dont la souris est configurée. Un clic simple suffit pour activer le menu Démarrer. Tous les autres menus qui s'y trouvent se déploient automatiquement lorsque le curseur de la souris les survole. Après avoir repéré le programme qui vous intéresse, cliquez dessus et le menu Démarrer le charge.

Ma barre pleine de boutons s'est détachée !

Ça arrive aux meilleurs d'entre nous. Vous vous apprêtez à cliquer sur un bouton dans la barre d'outils qui se trouve en haut d'un programme, ou dans la barre des tâches, quand tout à coup il se produit quelque chose de surprenant.

La barre tout entière tombe et se retrouve au milieu de l'écran, parfois ramenée à un panneau rectangulaire. Quelle fausse manœuvre avez-vous faite ? Aucune, c'est comme ça. Microsoft présume que certaines personnes apprécient la possibilité de placer les boutons en plein milieu de leur travail. C'est pourquoi Windows offre la possibilité de faire glisser les barres de boutons afin de les placer ailleurs.

Pour ramener une barre de boutons là où elle était, amenez le pointeur de la souris dessus puis, bouton enfoncé, faites-la glisser à son emplacement d'origine. Relâchez le bouton ; la barre s'ancre d'elle-même. Ou, si ça ne fonctionne pas bien, essayez de double-cliquer sur la barre. Très souvent, elle s'ancre d'elle-même à son emplacement habituel.

Si une barre d'outils se détache de la barre des tâches, cliquez dans cette dernière avec le bouton droit de la souris et choisissez Barres d'outils. Remarquez celle qui est précédée par une coche puis cliquez sur son nom. La barre d'outils disparaît. Cliquez de nouveau dans la barre des tâches avec le bouton droit et cliquez sur le même nom de barre d'outils. Elle réapparaît, mais cette fois à son emplacement habituel.

Difficile de savoir où sont toutes ces fenêtres

Vous *n'avez pas* à savoir où sont toutes ces fenêtres. Windows XP le sait, et il est prêt à vous aider à les retrouver grâce à une combinaison de touches secrètes : la touche Alt enfoncée, appuyez sur la touche Tab. Une petite barre apparaît alors au milieu de l'écran. Elle contient les icônes propres à toutes les fenêtres ouvertes. Continuez à appuyer sur Tab. Dès que l'icône de la fenêtre que vous recherchez est sélectionnée, relâchez les touches. La fenêtre apparaît au premier plan.

Ou encore, utilisez la barre des tâches (elle se trouve tout en bas de l'écran). La barre des tâches contient les noms de toutes les fenêtres actuellement ouvertes. Cliquez sur celle que vous désirez ouvrir, et elle se déploie à l'écran, au-dessus des autres.

La barre des tâches n'apparaît plus !

La barre des tâches est un fort commode programme de Windows qui fonctionne en permanence. Elle se trouve habituellement en bas de l'écran, mais il lui arrive de disparaître. Voici quelques manipulations pour la ramener en vue.

Si vous n'apercevez plus qu'une mince ligne de la barre des tâches (le reste est sous l'écran), placez le pointeur de la souris sur cette étroite partie visible. Dès qu'il s'est transformé en flèche à double pointe, appuyez continûment sur le bouton de la souris et faites glisser la barre des tâches vers le haut pour la ramener en vue.

- Si la barre des tâches disparaît lorsque le pointeur ne se trouve pas spécifiquement dessus, vous devez désactiver la fonction Masquer automatiquement. Cliquez avec le bouton droit de la souris sur une partie vide de la barre des tâches et, dans le menu contextuel, choisissez Propriétés. Dans la boîte de dialogue Propriétés de la Barre des tâches et du menu Démarrer, cliquez sur la case Masquer automatiquement la Barre des tâches. La coche d'activation disparaît (pour activer cette fonction, cliquez dans la case afin de la cocher).
- Pendant que vous êtes dans les propriétés de la barre des tâches, assurez-vous que l'option Conserver la Barre des tâches au-dessus des autres fenêtres est cochée. Elle sera ainsi toujours visible au premier plan, ce qui facilite l'accès à ses boutons.
- Afin que la barre des tâches reste en place sans possibilité de la mouvoir, cliquez dedans avec le bouton droit de la souris, choisissez Propriétés puis, sélectionnez

l'option Verrouiller la Barre des tâches. Mais rappelez-vous cependant que, avant de procéder à la moindre modification sur la barre des tâches, vous devez d'abord la déverrouiller.

- Vous travaillez avec deux moniteurs sous Windows XP Professionnel (la version Édition Familiale ne reconnaît pas cette fonctionnalité) ? N'oubliez pas que la barre des tâches peut se trouver en bas de n'importe lequel des deux moniteurs. Assurez-vous d'avoir essayé sur chaque moniteur avant d'abandonner.

La touche Impr écran ne fonctionne pas

Windows XP intercepte la touche Impr écran (parfois étiquetée ImprEcran, Impécran ou autre sur certains claviers). Au lieu d'envoyer vers l'imprimante tout ce qui se trouve à l'écran, cette touche envoie les données vers la mémoire de Windows XP d'où vous pouvez les coller dans d'autres fenêtres.

- Si vous maintenez la touche Alt enfoncée tout en appuyant sur Impr écran, Windows XP envoie dans le Presse-papiers l'image de la *fenêtre courante,* et non celle de la totalité de l'écran.
- Si vous voulez *véritablement* une sortie imprimante de l'écran, appuyez sur le bouton Impr écran afin de mémoriser l'image de l'écran. Ouvrez ensuite Paint ou WordPad, cliquez sur Édition/Coller puis procédez à l'impression à partir de ce programme.

Pas facile d'aligner deux fenêtres !

Avec tous ces couper-coller, Windows facilite considérablement le transfert des informations d'un programme à un autre. Et avec le glisser-déposer, il vous est facile de récupérer une adresse dans une base de données et de la placer dans un traitement de texte.

Le plus dur dans Windows XP, c'est de placer deux fenêtres côte à côte. C'est là que la barre des tâches vous sera utile. Ouvrez d'abord les deux fenêtres et placez-les quelque part à l'écran. Transformez ensuite ces fenêtres en icônes, en les réduisant dans la barre des tâches (pour ce faire, cliquez sur le petit bouton avec un soulignement, à droite de la barre de titre).

Maintenant, cliquez avec le bouton droit de la souris dans une partie vide de la barre des tâches, puis choisissez une des commandes Mosaïque. Les deux fenêtres se superposent ou se juxtaposent parfaitement.

Ce que montre le dossier de la disquette n'est pas ce qu'elle contient

Windows est parfois pris en défaut : il ne montre pas toujours les fichiers qui se trouvent réellement dans un dossier ou dans une disquette. Pour lui rafraîchir les idées et lui faire reconsidérer ce que contient le dossier ou la disquette, appuyez sur F5, qui est la touche d'actualisation. Il affichera ensuite le contenu réel.

Il ne me laisse rien faire car je ne suis pas Administrateur

Windows XP est très regardant sur qui fait quoi. Le propriétaire de l'ordinateur reçoit un compte Administrateur. Tous les autres utilisateurs reçoivent un compte Limité. Qu'est-ce que tout cela signifie ? Eh bien, seul un administrateur est autorisé à procéder à ces tâches :

- Graver des CD.
- Installer des programmes et du matériel.
- Créer des comptes pour d'autres utilisateurs ou les modifier.

- Installer du matériel de type Plug and Play, comme certains appareils photo numériques ou des lecteurs MP3.
- Désactiver le compte Invité.
- Accéder aux fichiers privés de tous les autres utilisateurs.

La plupart des autres utilisateurs ont des comptes Limités. Généralement ouverts au nom de chacun des utilisateurs, ils ont été créés par l'Administrateur expressément pour ces personnes. Les utilisateurs bénéficiant d'un compte Limité peuvent :

- Accéder aux programmes installés.
- Modifier le portrait de leur compte ainsi que leur mot de passe.

Les comptes Invités servent à la baby-sitter ou à quiconque n'utilise pas habituellement l'ordinateur. Un Invité peut se connecter à Internet et consulter son courrier électronique, ou utiliser des programmes déjà installés.

Index

A

B

C

D

E

F

G

H

I

J

K

L

M

N

O

P

Q

R

S

T

U

V

W

X

Y

Z